고등학교

한문 I
자습서

안재철 교과서편

이 자습서의 활용법

● 단기간에 성적을 올릴 수 있는 자습서

　소단원별로 교과서 해설에서 평가 문제로 이어지는 논스톱 체제와 교과 학습 후 핵심 내용을 스스로 정리하는 코너를 마련하여 단기간에 시험 성적을 올릴 수 있도록 하였습니다.

● 친절한 교과서 해설과 학교 시험 출제 포인트를 담은 자습서

　교과서 모든 한자에 음을, 본문 한자에는 뜻까지 제시하여 본문 이해를 도왔습니다. 또한, 기초 한자 문제부터 핵심 대표문제, 고난도, 서술형 문제까지 학교 시험 맞춤 유형을 제시하여 체계적으로 시험에 대비할 수 있도록 하였습니다.

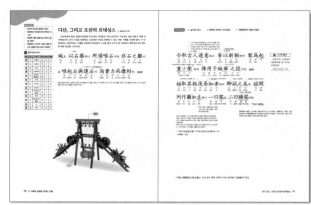

[대단원 도입 / 생각을 여는 활동]

소단원 미리 보기를 통해 대단원을 구성하는 소단원을 소개하고, 소단원 학습 요소를 제시하여 배울 내용을 유추하여 살펴 볼 수 있도록 하였습니다.

출제 유형 활동 내용에 따라 기출 유형의 발문을 제시하여 어떠한 유형의 문제가 출제되는지 확인하고 시험 대비를 할 수 있도록 하였습니다.

한자 모아 보기 한자의 음과 뜻 외에 부수와 획수를 추가로 제시하여 한자 학습에 도움이 되도록 하였습니다.

[본문]

본문 문장에 쓰인 한자의 음과 뜻, 한자의 쓰임 등을 제시하여 본문 내용을 쉽게 풀이하고 익힐 수 있도록 하였습니다.

출제 유형 본문 내용에 따라 기출 유형의 발문을 제시하여 어떠한 유형의 문제가 출제되는지 확인하고 시험 대비를 할 수 있도록 하였습니다.

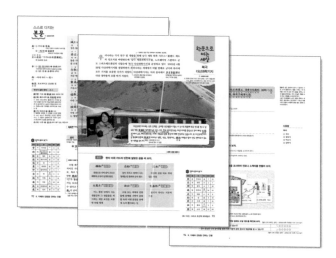

[스스로 다지는 본문 / 한문으로 여는 세상 /
실력을 키우는 평가]

날개단의 예시 어휘에 대한 풀이를 제시하였고, 한문 지식의 이해를
돕는 상세 설명 및 다양한 예를 추가로 제시하여 효과적인 학습을
할 수 있도록 하였습니다.

피드백 부족한 부분을 스스로 점검하고 보충할 수 있도록 해당 내용
이 설명되어 있는 교과서 쪽수를 친절하게 안내하였습니다.

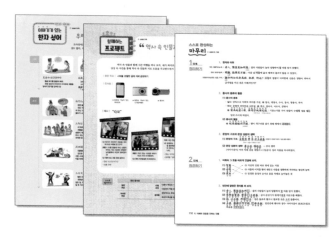

[이야기가 있는 성어 & 함께하는 프로젝트 /
스스로 완성하는 마무리]

상세한 해설과 정답을 바로 확인할 수 있도록 제시하여 효율적인 학습
을 할 수 있도록 하였습니다.

도움말 활동을 원활히 수행하도록 돕는 도움말을 제시하여 자학자습
이 가능하도록 하였습니다.

예시 답 다른 유형의 활동 예시를 추가로 제시하여 활동에 도움이 될
수 있도록 하였습니다.

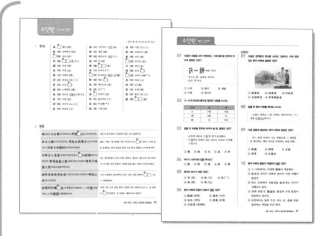

[소단원 스스로 정리 / 소단원 확인 문제]

소단원 스스로 정리 소단원의 한자, 어휘, 문장, 한문 지식으로 빈
칸 채우기를 해 봄으로써 배운 내용을 한눈에 정리할 수 있도록
하였습니다. 또한 한자, 어휘와 관련된 쪽지 시험을 제시하여 배
운 내용을 스스로 점검할 수 있도록 하였습니다.

소단원 확인 문제 학교 시험 문제 형식에 맞추어 '한자─어휘─문
장'의 순서대로 배치하였고, 소단원의 주요 내용을 다양한 형식의
문제로 제시하여 시험 준비에 도움이 될 수 있도록 하였습니다.

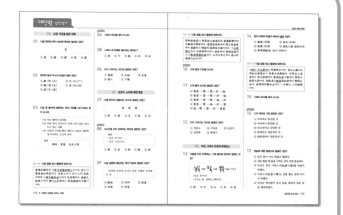

[대단원 실전 평가]

소단원의 핵심 내용을 다시 한번 확인하고, 학교 시험 기출 유형
을 각 소단원별로 구성하여 시험 범위에 따라 시험 준비를 효과
적으로 할 수 있도록 하였습니다. 또한 대단원 복합 문제를 통해
확장된 문제를 풀어봄으로써 학교 시험과 수능에 철저하게 대비
할 수 있도록 하였습니다.

차례

한문과의 만남

漢字의 구성 요소와 원리는 무엇일까
한 자

○ 교과서 8쪽

한자의 3요소

한자는 하나의 글자가 모양[形], 음(音), 뜻[義]의 세
형   의
요소를 갖추고 있다. 예를 들어 '智'의 경우, '모양: 智,
음: 지, 뜻: 지혜'로 이루어져 있다.
지

> 한자는 하나의 글자가 어떤 뜻과 그 뜻에 해당하는 소리까지도 함께 나타내는 표의 문자(表意文字)이다.

※ 한글은 말소리를 그대로 기호로 나타낸 표음 문자(表音文字)에 속함.

한자가 만들어진 원리

상형(象形) 구체적인 사물의 모양을 본뜸.

(어) 물고기

➡ 물고기의 모양을 본뜸.

※ 한자의 음과 뜻이 반드시 하나씩인 것은 아님. 여러 가지 음과 뜻을 가지는 한자도 있음.
예 · 更 ① (갱) 다시 ② (경) 고치다
· 故 (고) ① 옛날 ② 까닭 ③ 일부러 ④ 죽은 사람

지사(指事) 추상적인 생각이나 뜻을 점이나 선으로 나타냄.

(상) 위

➡ 기준선(一) 위에 어떤 물체(·)를 놓아 '위'라는 뜻을 나타냄.

회의(會意) 이미 만들어진 글자의 뜻과 뜻을 합침.

水 + 田 → 畓
수 물   전 밭   (답) 논

➡ 물을 밭에 채우니 논이 됨.

형성(形聲) 이미 만들어진 글자 일부는 뜻, 일부는 음을 합침.

工 + 貝 → 貢
(공) 장인   패 조개   (공) 바치다

➡ 工의 음(공)과 貝의 뜻(조개=돈, 재물)을 합하여 貢 [(공) 바치다]을 만듦.

新 한자 모아 보기

한자	음	뜻	부수	획수	총획
智	지	지혜	日	8	12
畓	답	논	田	4	9
貢	공	바치다	貝	3	10

모르는 한자는
어디서 찾아야 할까 ○ 교과서 9쪽

한자를 찾는 방법

• 자전(字典)
  자전: 한자의 음과 뜻을 풀이한 책
  옥편: 중국의 유명한 자전 이름

부 수 색 인
① 部首索引 이용하기
  부수를 획수 순으로 정리한 '부수색인' 활용

1획			
一	1	丿	327
丨	43	亅	717
		3획	
丶	48	一 三	14
丿	52	下 万	24
乙	57	丈	26
乙	58	一	27

자 음 색 인
② 字音索引 이용하기
  한자를 가나다순으로 정리한 '자음색인' 활용

가					
		暇	994	街	2048	駕	2597
伽	115	柯	1048	架	2060		
佳	126	架	1052	訶	2112	**각**	
假	157	椵	1083	賈	2197	刻	254
價	180	檟	1091	跏	2227	却	315
加	272	榎	1091	迦	2291	各	370
段	333	橢	1115	酠	2354	慤	333
可	338	歌	1128	駕	2597	段	

총 획 색 인
③ 總劃索引 이용하기
  한자를 총획 순으로 정리하고, 같은 획수의 한자는 부수 순으로 정리한 '총획색인' 활용

1획			
一	한일	1	厶 마늘모 324
			又 또우 327
丶	점	48	**3획**
丿	삐침	52	口 입구 334
乙(乚)	새을	57	口 큰입구 415
	갈고리궐	63	土 흙토 431
2획			土 선비사 472
			夊 뒤져올치 475

■ 부수란: 한자 자전에서 글자를 찾는 길잡이 역할을 하는 공통 되는 글자의 한 부분

[부수의 특징]
① 현재 사용하는 부수는 총 214자임.
② 부수는 다른 한자와 결합할 때 모양이 변하기도 함. 예 心=忄=㣺=小, 水=氵
③ 위치에 따른 부수의 이름은 '제부수, 변, 방, 머리, 발, 엄, 받침, 몸' 등으로 다양함.

• 컴퓨터: 문서 작성 프로그램

① 부수, 총획으로 찾기: Ctrl 과 F9 키를 동시에 눌러 해당 항목 선택

② 자음으로 찾기: 한자의 음을 한글로 입력한 후, 한자 또는 F9 키 누르기

• 컴퓨터 · 스마트폰: 검색 및 필기 인식 기능

① 한자 사전 이용하기
  검색창에 한자의 뜻이나 음을 입력하여 해당 한자 찾기

② 한자 필기 인식기 이용하기
  필기 인식기에 地를 쓰고 해당 한자를 찾아 뜻과 음 확인하기

新 한자 모아 보기

한자	음	뜻	부수	획수	총획
索	색	찾다	糸	4	10
總	총	모두	糸	11	17
劃	획	긋다	刀	12	14

한자는 어떻게 생겨나 변해 왔을까

○ 교과서 10쪽

한자의 발생

한자는 고대 중국에서 만들어진 글자로, 처음에는 사물의 모양을 본떠 만들기 시작한 데서 비롯되었다. 한자는 황제(黃帝, 중국 고대 전설상의 제왕) 때의 사관(史官)이었던 '창힐'이 새의 발자국 모양을 본떠 만들었다는 설이 있는데, 창힐 한 사람이 방대한 한자를 모두 만들었다고 보는 것은 무리이며, 오랜 세월이 흐르는 동안 여러 사람에 의해 추가되고 변화되면서 오늘날의 모습이 되었다고 보는 것이 적절하다.

한자는 시대의 흐름에 따라 동물의 껍데기에서 청동, 죽간 등에 기록되어 왔다. 오랜 세월을 거치면서 변해 오다가 한(漢)나라 때에 오늘날 우리가 사용하는 글자의 형태가 갖추어졌기에 한자라고 부른다.

한자는 세계에서 가장 오래 사용된 문자의 하나로, 오늘날에도 계속 새로운 글자가 만들어지고 있는데, 교통 카드 등 다양한 곳에 쓰이고 있다.

새로 만들어진 한자가 사용된 예: 중국 교통 카드

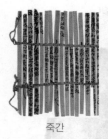
죽간

청동

갑골문

한자의 변천 과정

갑골문이 한자의 기원이라고 보는 견해가 많으며, 한자의 모양(서체)은 오랜 시간 동안 점차 변화해 가며 오늘날의 모습으로 정착되었다.

예 龜
귀

↓

갑골문

거북의 등딱지나 짐승의 뼈에 새긴 글자. 중국 은대(殷代)에는 여기에 문자를 새겨 점을 쳤음.

↓

금문

청동기에 주조되거나 새겨진 문자

↓

新 한자 모아 보기

한자	음	뜻	부수	획수	총획
龜	구	땅이름	龜	0	16
	귀	거북			
	균	터지다			

초서
빨리 받아 적기 위해 필기체로 흘려 쓰고 간략하게 쓴 글자

행서
약간 흘려 쓴 한자의 서체, 해서와 초서의 중간 형태

해서
일 점, 일 획을 정확히 독립시켜 쓴 글자. 예서에 비해 부드러움.

←

예서
획을 간단하게 줄이고, 붓으로 쉽게 쓸 수 있도록 반듯하게 만든 글자. 진나라 때 죄수(노예)의 명단을 관리하던 글자체에서 유래했다는 설이 있음.

←

전서
흔히 소전을 가리키며, 약간 길쭉하면서 좌우 대칭을 이루고 있는 근엄한 모양으로 현재에는 주로 도장을 새길 때 씀.

한자를 왜 배워야 할까

○ 교과서 11쪽

한자 사용의 예

우리나라를 비롯한 중국, 일본 등 동아시아의 여러 나라는 한자 문화권에 속하는데, 한자가 통용되는 한자 문화권의 인구는 전 세계 인구의 1/4이나 된다.

└─ 한자를 통해 문화적 소통이 가능한 지역

한자의 기원은 중국이지만, 오랜 세월을 거쳐 각 나라의 상황에 맞게 발전해 가는 동안 한자의 모양이나 한자 어휘의 뜻이 서로 달라지기도 하였다. 우리나라에서는 복잡한 획을 생략하지 않은 정자체(正子體)를, 중국과 일본에서는 한자의 획을 간략하게 하여 만든 간체자(簡體字)와 신자체(新字體)를 쓰고 있다.

> 구주소를 나타낼 때 우리나라는 市(시), 道(도), 區(구), 중국은 市(시)省(성), 일본은 都(도), 道(도), 府(부), 縣(현)을 주로 사용해.

한국, 중국, 일본에서 같은 한자를 다르게 표기한 경우

광 넓대[廣]

┌─ 마오쩌둥은 중국의 문맹률을 복잡한 글자 탓으로 보고 6만 자 정도의 한자를 2천여 자로 축소한 문자 개혁을 단행하였음. 그러나 대만은 여전히 정자체를 사용함.

- **정자체**: 우리가 사용하는 한자 예 音樂 음악
- **간체자**: 중국에서 사용하는 한자 예 娱乐 오락
- **신자체**: 일본에서 사용하는 한자 예 楽山楽水

  1946년에 도요칸지(당용 한자)가 제정된 이후 현재까지 일본에서 사용되고 있는 한자 자형

요산요수: 산을 좋아하고 물을 좋아함.

樂 = 乐 = 楽

① 쉬는 시간에 여러 가지 방법으로 기분을 즐겁게 하는 일 ② 아주 즐거워함. 또는 아주 즐거운 것

> 한자는 여러 가지 뜻과 소리를 갖기도 해! '樂'은 '① (악) 노래, ② (락) 즐겁다, ③ (요) 좋아하다'의 여러 뜻과 소리로 쓰인다.

박자, 가락, 음성 따위를 갖가지 형식으로 조화하고 결합하여, 목소리나 악기를 통하여 사상 또는 감정을 나타내는 예술

한자 · 한문 학습의 필요성

① 우리가 일상생활에서 쓰는 상당수의 어휘가 한자에 바탕을 두고 있어서 한자를 학습하면 보다 더 원활한 언어생활이 가능하며, 다른 교과에서 사용하는 학습 용어를 바르게 이해하는 데 도움이 된다.

└─ 사전에 올라 있는 어휘의 70% 이상이 한자로 이루어짐.

② 우리의 정신문화가 축적되어 있는 한문 기록을 학습하면 건전한 가치관과 바람직한 인성을 함양할 수 있다.

③ 우리 생활에 면면히 이어져 내려온 전통문화 역시 한자를 주된 표기 수단으로 하여 보존·전승되고 있으므로 전통문화를 바르게 계승하고 창조적으로 발전시킬 수 있다.

④ 한자 문화권 내에서의 상호 이해와 교류를 증진할 수 있다.

新 한자 모아 보기

한자	음	뜻	부수	획수	총획
區	구	구분하다, 지경	ㄷ	9	11
府	부	마을	广	5	8
縣	현	고을	糸	10	16
娛	오	즐기다	女	7	10

I. 생활을 풍요롭게 하는 글

성어, 속담, 격언, 명언과 명구 등은 선인들이 오랜 생활 체험이나 깊은 사색을 통해 터득한 삶의 지혜와 교훈을 담고 있는 짧은 말이다. 이 말들은 과거의 유물로 그치는 것이 아니라, 오늘날 우리가 인격을 수양하고 세상 속에서 남들과 더불어 살아가는 데 지침이 되고 있다. 이 단원에서는 짧은 글에 담긴 선인들의 가르침을 되새겨 보고, 이를 삶 속에서 실천해 보자.

| 이 단원에서 배울 내용 |

· 한자의 모양 · 음 · 뜻을 구별한다.
· 한자의 부수를 알고 자전에서 한자를 찾는 데 활용한다.
· 한자를 순서에 맞게 바르게 쓴다.
· 한자의 짜임을 구별한다.
· 문장에 사용된 단어의 짜임을 구별한다.
· 문장에서 생략되거나 도치된 성분을 찾고, 이를 문장 풀이에 활용한다.
· 문장의 유형을 구별한다.
· 토나 문장 부호가 달려 있는 글을 토나 문장 부호의 역할에 유의하여 바르게 끊어 읽는다.
· 한자로 이루어진 일상용어를 맥락에 맞게 활용한다.
· 한자로 이루어진 다른 교과 학습 용어를 맥락에 맞게 사용한다.
· 한자로 이루어진 성어의 의미를 이해하고 맥락에 맞게 활용한다.
· 한문 기록에 담긴 선인들의 지혜, 사상 등을 이해하고, 현재적 의미에서 가치가 있는 것을 내면화하여 건전한 가치관과 바람직한 인성을 함양한다.

소단원 미리 보기

소단원	소단원 소개	소단원 학습 요소
01	단어와 문장을 통해 사람들과 더불어 살아가는 사회에서 갖추어야 할 자세를 알아보는 단원이다.	· 한자의 모양 · 음 · 뜻 · 한자의 짜임 · 환경 관련 일상용어
02	친구와의 사귐을 나타내는 성어와 문장을 통해 진실한 우정을 위해 필요한 자세를 생각해 보는 단원이다.	· 부수, 자전 찾기, 필순 · 학교 관련 일상용어 · 성어(겉뜻, 속뜻, 유래)
03	적극적이고 꾸준히 노력하는 태도를 나타내는 성어와 문장을 통해 미래를 준비하기 위해서는 어떤 자세가 필요할지 생각해 보는 단원이다.	· 단어의 짜임 · 성어(겉뜻, 속뜻, 유래) · 가치관 정립
04	다양한 한문 속담에 담긴 조상들의 사상과 지혜를 파악하여 이를 우리의 삶의 경계로 삼는 단원이다.	· 소리 내어 읽기 · 끊어 읽기 · 선인들의 지혜와 사상에 대한 이해와 공감
05	선인들이 남긴 명언과 명구에 담긴 교훈을 수용하여 우리의 삶을 발전시키고 바른 가치관을 형성하는 단원이다.	· 문장 성분의 도치 · 문장의 유형, 화자와 청자 · 가치관 정립

출제 유형

• 다음 설명에 해당하는 한자 어휘로 알맞은 것은?
• 다음과 같은 원리로 만들어진 한자는?
• 한자의 짜임이 나머지와 다른 하나는?

01
더불어 사는 삶 ○ 교과서 13쪽

| 생각을 여는 활동 |

● 한자가 만들어지는 다양한 방법을 생각해 보고, 물음에 답해 보자.

심 마음
心 상형의 방법으로 만들어진 한자

심장: ① 주기적인 수축에 의하여 혈액을 몸 전체로 보내는, 순환 계통의 중심적인 근육 기관 ② 사물의 중심이 되는 곳을 비유적으로 이르는 말 ③ 마음을 비유적으로 이르는 말

중앙: ① 사방의 중심이 되는 한가운데 ② 양쪽 끝에서 같은 거리에 있는 지점 ③ 중심이 되는 중요한 곳 ④ 지방에 상대하여 수도를 이르는 말

위는 심장의 모양을 본떠 만든 한자 心의 변화 모습이야. 마음, 心臟, 中央 등의 뜻을 나타낼 때 쓰이는 이 한자는 다른 한자를 합쳐서 감정과 관련된 한자 恕, 忌, 情, 慕 등을 만들었지. 다음 빈칸에 알맞은 한자를 써 보자.

서 용서하다
기 꺼리다 정 뜻 모 사모하다

如 여 같다
[음을 나타내는 한자: (여) → (서)]
+
心 심 마음
[뜻을 나타내는 한자: 마음]

❶ 恕
(서) 용서하다
형성의 방법으로 만들어진 한자

己 기 몸
[음을 나타내는 한자: (기)]
+
心 심 마음
[뜻을 나타내는 한자: 마음]

❷ 忌
(기) 꺼리다
형성의 방법으로 만들어진 한자

심
다음 문장에 쓰인 한자는 모두 心이 각각 다른 모양으로, 여러 위치에 들어가 있어. 心을 찾아 색칠해 보자.
心=㣺=忄

❸
戀慕의 情을 품다.
연 모 정
이성을 사랑하여 간절히 그리워함.
① 느끼어 일어나는 마음
② 사랑이나 친근감을 느끼는 마음

학습 계획 세우기
도움말 한자가 만들어지는 방법(한자의 짜임)을 알아보는 활동을 통해 소단원 학습에 대한 자신의 배경지식을 활성화한다. 또 이를 바탕으로 소단원에서 어떤 내용을 공부할지 스스로 계획을 세워 본다.

● 위 활동을 바탕으로 스스로 학습 계획을 세워 보자.
나는 이 단원에서 _____ 예 한자가 만들어지는 방법(한자의 짜임) _____ 을/를 공부하겠다.

新 한자 모아 보기 자신이 알고 있는 한자에 ✓ 표시를 해 보자.

한자	음	뜻	부수	획수	총획	한자	음	뜻	부수	획수	총획	한자	음	뜻	부수	획수	총획
臟	장	오장	肉(月)	18	22	恕	서	용서하다	心	6	10	慕	모	사모하다	心(㣺)	11	15
央	앙	가운데	大	2	5	忌	기	꺼리다	心	3	7	戀	련	그리워하다	心	19	23

출제 유형

• 한자의 음이 바르지 <u>않은</u> 것은?
• 한자 어휘의 활용이 적절하지 <u>않</u>은 것은?
• 〈보기〉에서 한자에 대한 설명을 고른 것 중, 알맞은 것끼리 짝지어진 것은?

新 한자 모아 보기

한자	음	뜻	부수	획수	총획
配	배	<u>나누다,</u> 짝	酉	3	10
慮	려	생각하다	心	11	15
賴	뢰	힘입다	貝	9	16
鄰	린	이웃	邑(阝)	12	15

더불어 사는 삶 ● 교과서 14, 15쪽

사람은 사회 속에서 다양한 사람들과 여러 가지 관계를 맺으며 더불어 살아간다. 이 단원에서는 타인과 함께 행복하게 살아가기 위해서는 어떤 자세가 필요할지 생각해 보자.

① 나누다
② 짝
③ 귀양 보내다

配慮.
배　　려
나누다　생각하다
(마음을) 나누어 (남도) 생각해 줌.
→ 도와주거나 보살펴 주려고 마음을 씀.

① 믿다
② 소식

信賴.
신　　뢰
믿다　힘입다
믿고 의지함.
→ 굳게 믿고 의지함.

① (이) 쉽다
② (역) 바꾸다

① 가다
② ~의, ~한
③ 그것

易地思之.
역　지　사　지
바꾸다　처지　생각　그것
처지를 바꾸어서 그것(상대방의 입장)을 생각함.

遠水는 不救近火요,
원 수 불 구 근 화
멀다 물 아니다 구원하다 가깝다 불

遠親은 不如近鄰이라.
원 친 불 여 근 린
멀다 친척 아니다 같다 가깝다 이웃

『명심보감』

└ ~만 같지 못하다(비교) 예 百聞不如一見.: 백 번 듣는 것이 한 번 보는 것만 못하다.

멀리 있는 물은 가까운 불을 구제하지(끄지) 못하고, 멀리 있는 친척은 가까운 이웃만 같지 못하다.
→ 가까운 이웃이 먼 친척보다 나음.

✏ 스스로 확인

이 문장에서 가장 핵심이 되는 한자는 무엇인가?

鄰
린

문장의 유래 춘추 시대 노(魯)나라는 북쪽과 동쪽으로는 강국인 제(齊)나라와 국경을 접하고, 남쪽으로는 월(越)나라의 위협을 받는 상황이라 항상 마음을 놓을 수 없었다. 그래서 노나라의 임금인 목공(穆公)은 제나라의 대두를 꺼리는 진(晉)나라와 동쪽에서 제나라와 대치하고 있는 초(楚)나라로 왕자들을 보내 구원을 청할 생각을 했다. 이를 보고 이서(犁鉏)라는 신하가 다음과 같이 충고하였다.

"불이 났는데 바닷물을 끌어다 불을 끄고자 한다면, 바닷물이 아무리 많아도 불길을 잡지 못합니다. 멀리 있는 물은 가까운 불을 끌 수 없는 법입니다.[失火而取水於海(실화이취수어해), 海水雖多(해수수다), 火必不滅矣(화필불멸의). 遠水不救近火也(원수불구근화야)]."

진나라와 초나라가 강하다 해도 멀리 있기 때문에, 가까이 있는 제나라의 침공을 받았을 때는 아무런 도움이 되지 못할 것이기 때문이다.

• 『**명심보감(明心寶鑑)**』: 고려 충렬왕 때의 문신 추적(秋適)이 금언(金言), 명구(名句)를 모아 놓은 책

配: ① 나누다 例 分配 나눌 나눔.
배
　　② 짝 例 配匹 배필: 부부로서의 짝
　　③ 귀양 보내다 例 流配 유배
　　　　죄인을 귀양 보내던 일┐
옳고 그름을 가리지 않고 덮어놓고 믿는 일

信: ① 믿다 例 盲信 맹신 ─┐
신
　　② 소식 例 通信 통신: 소식을 전함.
일반 역과는 달리 역무원이 없고 정차만 하는 역

易: ① (이) 쉽다 例 簡易驛 간이역 ─┐
　　② (역) 바꾸다 例 貿易港 무역항 ─┐
상선이나 다른 나라의 배가 드나들면서 무역을
할 수 있도록 상품 수출입의 허가를 받은 항구

之: ① 가다 例 之東之西 지동지서
지
　　　　동쪽으로도 가고 서쪽으로도 감.
　　② ~의, ~한 例 漁夫之利 어부지리
　　　　두 사람이 이해관계로 서로 싸우는 사이에 엉뚱한 사람이 애쓰지 않고 가로챈 이익을 이르는 말
　　③ 그것 例 易地思之 역지사지

분배: 몫몫이 별러 나눔.

配慮. (마음을) 나누어 (남도) 생각해 줌.
배　려 → 도와주거나 보살펴 주려고 마음을 씀.

信賴. 믿고 의지함.
신　뢰 → 굳게 믿고 의지함.

易地思之. 처지를 바꾸어서 그것(상대방의 입장)을 생각함.
역　지　사　지

遠水는 不救近火요, 遠親은 不如近鄰이라.
원　수　　불구근화　　　원　친　　불여근린
　　　　　　　　　　　　　　　　　　　　　　不如: ~만 같지 못하다
　　　　　　　　　　　　　　　　　　　　　　불　여
멀리 있는 물은 가까운 불을 구제하지(끄지) 못하고, 멀리 있는 친척은 가까운 이웃만 같지 못하다. → 가까운 이웃이 먼 친척보다 나음.

부수가 같은 한자 – 心(忄)심

慮(려) 생각하다 例 思慮 사려
여러 가지 일에 대하여 깊게 생각함. 또는 그런 생각
憐(련) 불쌍히 여기다 例 憐憫 연민
　　　　불쌍하고 가련하게 여김.
懼(구) 두려워하다 例 疑懼心 의구심
　　　　믿지 못하고 두려워하는 마음
心(심) 심장 例 心肺蘇生術
심폐 소생술: 심장 박동이나 호흡이 멈추었을 때 인공적으로 혈액 순환이나 호흡을 유지해 주는 응급 처치법

新 한자 모아 보기

한자	음	뜻	부수	획수	총획
盲	맹	눈멀다	目	3	8
簡	간	대쪽, 간략하다	竹	12	18
驛	역	역	馬	13	23
貿	무	바꾸다	貝	5	12
港	항	항구	水(氵)	9	12
憐	련	불쌍히 여기다	心(忄)	12	15
憫	민	민망하다, 불쌍하다	心(忄)	12	15
懼	구	두려워하다	心(忄)	18	21
疑	의	의심하다	疋	9	14
肺	폐	허파	肉(月)	4	8
蘇	소	되살아나다	艸(艹)	16	20
術	술	재주	行	5	11
慰	위	위로하다	心	11	15
博	박	넓다	十	10	12
症	증	증세	疒	5	10

똑똑한 지식

① 한자의 짜임

心　심장의 모양을 본떠서 마음을 나타냄.
심 마음

물체의 형상을 본떠서 글자를 만드는 방법
→ 상형(象形)

一　선을 한 줄 그어 '하나'를 나타냄.
일 하나
→ 지사(指事)
사물의 추상적인 개념을 본떠 글자를 만드는 방법

信　사람을 뜻하는 人과 말을 뜻하는 言을 합쳐 '사람
신 믿다　　인　　　　　　언
　　의 말을 믿음'을 나타냄.
→ 회의(會意)
둘 이상의 한자를 합하고 그 뜻도 합성하여 글자를 만드는 방법

恕　마음을 뜻하는 心과 음을 나타내는 如[(여)→(서)]를
서 용서하다　　　　심
　　합쳐 '너그러이 용서하는 마음'을 나타냄.
→ 형성(形聲)
두 글자를 합하여 새 글자를 만드는 방법으로, 한쪽은 뜻을 나타내고 다른 쪽은 음을 나타냄.

용서: 지은 죄나 잘못한 일에 대하여 꾸짖거나 벌하지 아니하고 덮어 줌.

위로: 따뜻한 말이나 행동으로 괴로움을 덜어 주거나 슬픔을 달래 줌.

② 한자 어휘의 종류
• 일상용어: 보통으로 늘 쓰는 말 例 容恕, 慰勞, 讓步
양보: 자기의 주장을 굽혀 남의 의견을 좇음.
• 학습 용어: 다른 교과에서 사용되는 어휘 중 해당 학문이나 전문 분야에서 특별한 의미로 사용되는 말 例 博愛主義, 信賴度, 夜盲症

박애주의: 인종에 대한 편견이나 국가적 이기심 또는 종교적 차별을 버리고 인류 전체의 복지 증진을 위하여 온 인류가 서로 평등하게 사랑하여야 한다는 주의

신뢰도: 통계에서 어떠한 값이 알맞은 모평균이라고 믿을 수 있는 정도

야맹증: 망막에 있는 간상체의 능력이 감퇴하여 밤에는 사물이 잘 보이지 아니하는 증상. 후천적으로는 비타민 에이(A)의 결핍으로 일어남.

이해 더하기 한자 학습의 중요성
해당 언어에 본디부터 있던 말이나 그것에 기초하여 새로 만들어진 말

　우리말 어휘는 종류에 따라 고유어, 한자어, 외래어의 3중 체계를 이루고 있다. 그중에서도 한자로 이루어진 어휘가 가장 많은 비중을 차지하고 있는데, 이는 한글 창제 이전은 물론이고 이후에도 우리 생활에서 한자와 한문이 계속 쓰였기 때문이다. 한자를 학습하게 되면 풍부한 어휘력과 조어력을 바탕으로 우리말을 더욱 잘 이해하고 전달할 수 있게 될 것이다.
말을 만드는 힘

기후: 기온, 비, 눈, 바람 따위의 대기(大氣) 상태

세계 해수면은 지난 100년간 약 10~25 cm 정도 上昇했다고 한다. 이는 인류의 온실가스 방출로 인한 氣候 변화, 즉 地球溫暖化에서 기인한다. 대표적인 온실가스인 이산화탄소 방출을 줄이기 위해서는 에너지를 절약하여 化石燃料의 사용을 줄여야 한다. 그 실천 방법으로는 전등이나 가전 제품을 사용하지 않을 때는 전원을 끄는 것, 백열등이나 형광등을 에너지 효율이 높은 엘이디(LED) 등으로 교체하는 것, 자동차보다는 자전거를 이용하는 것 등을 들 수 있다.

상승: 낮은 데서 위로 올라감.

지구 온난화: 지구의 기온이 높아지는 현상

화석 연료: 지질 시대에 생물이 땅속에 묻히어 화석같이 굳어져 오늘날 연료로 이용하는 물질

환경: 생물에게 직접·간접으로 영향을 주는 자연적 조건이나 사회적 상황

매년 6월 5일은 세계 環境의 날이다. 이 날은 1972년 6월 스웨덴 스톡홀름에서 열린 '유엔(UN) 인간 환경 회의' 개최 시 제정되었다. 이 회의에서 국제 사회는 지구 환경 보존을 위해 공동의 노력을 기울일 것을 다짐하였으며, 인간 환경 선언을 발표하였고, 유엔 산하에 환경 전문 기구인 유엔환경계획(UNEP)을 設置하기로 결의하였다.

United Nations Environment Program. 1972년 채택된 스톡홀름 선언을 바탕으로 한, 환경과 지속 가능한 개발에 관한 유엔 공식 국제 기구를 말함. 케냐의 나이로비에 본부를 두고 있음. 환경 분야에서 국제 협력의 추진, 유엔 기구의 환경 관련 활동 및 정책 작성, 세계의 환경 감시 등이 목적임.

설치: 베풀어서 둠.

| 환경 관련 용어 |

新 한자 모아 보기

한자	음	뜻	부수	획수	총획
昇	승	오르다	日	4	8
候	후	기후	人(亻)	8	10
球	구	공	玉	7	11
燃	연	타다	火	12	16
環	환	고리	玉	13	17
境	경	지경	土	11	14
置	치	두다	网(罒)	8	13
濫	람	넘치다	水(氵)	14	17
獲	획	얻다	犬(犭)	14	17
汚	오	더럽다	水(氵)	3	6
染	염	물들다	木	5	9
荒	황	거칠다	艸(艹)	6	10
廢	폐	폐하다	广	12	15
枯	고	마르다	木	5	9
沙	사	모래	水(氵)	4	7
漠	막	넓다, 사막	水(氵)	11	14

활동 빈칸에 알맞은 음을 써 보자.

① 濫獲([남][획]): 짐승이나 물고기 따위를 마구 잡음.
② 汚染([오][염]): 더럽게 물듦. 또는 더럽게 물들게 함.
③ 荒廢([황][폐]): 집, 토지, 삼림 따위가 거칠어져 못 쓰게 됨.
④ 枯渴([고][갈]): 어떤 일의 바탕이 되는 돈이나 물자, 소재, 인력 따위가 다하여 없어짐.
⑤ 沙漠化([사][막][화]): 건조·반건조 지역에서 토양의 질이 저하되어 사막과 같이 바뀌는 현상
⑥ 地球溫暖化(지구 [온][난][화]): 지구의 기온이 높아지는 현상

1. 두 자를 〈보기〉와 같이 합하여 하나의 한자로 만들 때, ㉠과 ㉡의 음이 모두 옳은 것은? ⑤

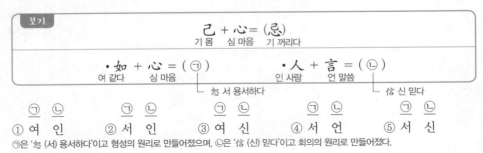

己 + 心 = (忌)
기 몸   심 마음   기 꺼리다

·如 + 心 = (㉠)
여 같다   심 마음
└ 恕 서 용서하다

·人 + 言 = (㉡)
인 사람   언 말씀
└ 信 신 믿다

㉠ ㉡	㉠ ㉡	㉠ ㉡	㉠ ㉡	㉠ ㉡
① 여 인	② 서 인	③ 여 신	④ 서 언	⑤ 서 신

㉠은 '恕 (서) 용서하다'이고 형성의 원리로 만들어졌으며, ㉡은 '信 (신) 믿다'이고 회의의 원리로 만들어졌다.

2. 글을 읽고 밑줄 친 부분을 한자로 써 보자.

> 한·중·일 3국은 지리적으로 가깝게 자리하고 있으며 문화사적으로도 같은 한자 문화권이기에 동질성이 짙다. 마땅히 한·중·일 3국은 친밀하게 지내야 한다. 그러나 현실은 갈등의 연속이다. [중략] '먼 데 있는 물을 가지고는 가까운 곳의 불을 끄지 못하고, 먼 친척보다 이웃이 더 좋다.'라는 말이 있다. 한·중·일 3국은 동북아시아의 화해와 협력을 기반 삼아 세계 평화를 구현하는 시대 소명에 충실할 때다.
>
> 『○○일보』, 2014. 11. 17.

遠水, 不救近火, 遠親, 不如近鄰.
원 수   불구근화   원 친   불여근린

도움말

밑줄 친 부분은 '가까운 이웃이 먼 친척보다 낫다'는 의미이다.

창의형
3. 제시된 어휘 중 하나를 활용해 공익 광고를 만들어 보자.

예시

配慮
배 려

信賴
신 뢰

容恕
용 서

慰勞
위 로

讓步하는 당신이 아름답습니다.
양 보

도움말

공익 광고: 기업이나 단체가 공공의 이익을 목적으로 하는 광고. 사람들의 잘못된 인식이나 행동을 바로잡아 보다 나은 공동의 이익을 추구하는 데 목적이 있다.

도움말 소단원 학습이 끝나면 소단원 학습 목표에 해당하는 질문에 답하며 자신의 학업 성취도를 스스로 점검해 본다. 성취 목표에 도달하지 못한 경우에는 제시된 위치로 돌아가서 내용을 다시 읽고 공부하도록 한다.

소단원
자기 점검

배운 내용에 관해 자기 점검을 하면서 학업 성취도 도달 정도를 확인해 보자.

[별이 3개 이하인 경우]
· 교과서 8쪽 '한자의 3요소' 다시 읽기

· 한자는 하나의 글자가 모양·음·뜻을 지니고 있음을 알고 있는가?	☆☆☆☆☆
· 한자의 짜임에 관해 설명할 수 있는가?	☆☆☆☆☆

[별이 3개 이하인 경우] · 교과서 16쪽 '똑똑한 지식 – 한자의 짜임' 다시 읽기

소단원 스스로 정리

• 한자, 음, 뜻, 부수의 순서로 제시

1. 한자

臟 (장) 오장 [肉(月)]
央 (앙) 가운데 [大]
恕 (서) 용서하다 [❶□]
忌 (기) 꺼리다 [心]
❷□ (모) 사모하다 [心(小)]
戀 (련) 그리워하다 [心]
配 (❸□) 나누다, 짝 [酉]
慮 (려) 생각하다 [心]
賴 (❹□) 힘입다 [貝]
鄰 (린) 이웃 [邑(阝)]
盲 (맹) 눈멀다 [❺□]
簡 (간) 대쪽, 간략하다 [竹]
驛 (역) 역 [馬]
貿 (무) 바꾸다 [貝]

港 (항) 항구 [水(氵)]
憐 (련) 불쌍히 여기다 [心(忄)]
憫 (민) 민망하다, 불쌍하다 [心(忄)]
懼 (구) 두려워하다 [心(忄)]
疑 (의) 의심하다 [疋]
肺 (폐) ❻□□ [肉(月)]
蘇 (소) 되살아나다 [艸(艹)]
術 (술) 재주 [行]
慰 (위) 위로하다 [心]
博 (박) 넓다 [❼□]
症 (증) 증세 [疒]
❽□ (승) 오르다 [日]
候 (후) 기후 [人(亻)]

球 (구) ❾□ [玉]
燃 (연) 타다 [火]
環 (환) 고리 [玉]
境 (경) 지경 [土]
置 (치) 두다 [网(罒)]
濫 (람) 넘치다 [水(氵)]
獲 (획) 얻다 [犬(犭)]
汚 (❿□) 더럽다 [水(氵)]
染 (염) 물들다 [木]
荒 (황) 거칠다 [艸(艹)]
廢 (폐) 폐하다 [广]
枯 (고) ⓫□□□ [木]
沙 (사) 모래 [水(氵)]
漠 (막) 넓다, 사막 [⓬□(氵)]

2. 본문

❶□慮(배려)	(마음을) 나누어 (남도) 생각해 줌. → 도와주거나 보살펴 주려고 마음을 씀.
信❷□(신뢰)	믿고 의지함. → 굳게 믿고 의지함.
易地思之(역지사지)	처지를 바꾸어서 ❸□□(상대방의 입장)을 생각함.
遠❹□(원수)는 不救近❺□(불구근화)요, 遠親(원친)은 不如近鄰(불여근린)이라.	멀리 있는 물은 가까운 불을 구제하지(끄지) 못하고, 멀리 있는 친척은 가까운 ❻□□만 같지 못하다. → 가까운 이웃이 먼 친척보다 나음.

3. 한자의 짜임, 한자 어휘의 종류

(1) 한자의 짜임

• ❶□□: 구체적인 사물의 모양을 본뜸. 예 心(심) – 심장의 모양을 본떠서 '마음'을 나타냄.

• 지사: 추상적인 생각이나 뜻을 점이나 선으로 나타냄. 예 ❷□(일) – 선을 한 줄 그어 '하나'를 나타냄.

• 회의: 이미 만들어진 글자의 뜻과 뜻을 합침. 예 信(신) – 사람을 뜻하는 ❸□(인)과 말을 뜻하는 ❹□(언)을 합쳐 '사람의 말을 믿음.'을 나타냄.

- **❺**□□: 두 글자를 합하여 새 글자를 만드는 방법. 이미 만들어진 글자 일부는 뜻, 일부는 음을 나타냄. **예** 恕(서) – 마음을 뜻하는 心(심)과 음을 나타내는 如[(여) → (서)]를 합쳐 '너그러이 용서하는 마음'을 나타냄.

(2) 한자 어휘의 종류

- 일상용어: 보통으로 늘 쓰는 말
- **❻**□□ 용어: 다른 교과에서 사용되는 어휘 중 해당 학문이나 전문 분야에서 특별한 의미로 사용되는 말

4. **어휘** – 환경 관련 용어

- 濫獲(**❶**□□): 짐승이나 물고기 따위를 마구 잡음.
- **❷**□□(오염): 더럽게 물듦. 또는 더럽게 물들게 함.
- 荒廢(황폐): 집, 토지, 삼림 따위가 거칠어져 못 쓰게 됨.
- **❸**□□(고갈): 어떤 일의 바탕이 되는 돈이나 물자, 소재, 인력 따위가 다하여 없어짐.
- 沙漠化(**❹**□□□): 건조·반건조 지역에서 토양의 질이 저하되어 사막과 같이 바뀌는 현상
- 地球溫暖化(지구 온난화): 지구의 **❺**□□이 높아지는 현상

쪽지 시험

01 한자의 3요소를 쓰시오.

02 한자의 원리와 설명을 바르게 연결하시오.

(1) 상형 •

(2) 지사 •

(3) 회의 •

(4) 형성 •

• ㉠ 구체적인 사물의 모양을 본뜸.

• ㉡ 글자의 뜻과 뜻을 합침.

• ㉢ 글자 일부는 뜻, 일부는 음을 나타내는 두 한자를 합침.

• ㉣ 생각이나 뜻을 점이나 선으로 나타냄.

03 다음 한자 어휘에서 밑줄 친 한자의 음과 뜻을 쓰시오.

> 容<u>恕</u>

(1) 음:

(2) 뜻:

04 다음 한자와 반대되는 뜻을 가진 한자를 〈보기〉에서 골라 쓰시오.

> 近

보기
> 央　忌　遠　如

05 다음과 같은 뜻을 가진 단어를 〈보기〉에서 찾아 한자 어휘와 독음을 쓰시오.

(1) 불쌍하고 가련하게 여김.

(2) 집, 토지, 삼림 따위가 거칠어져 못 쓰게 됨.

(3) 짐승이나 물고기 따위를 마구 잡음.

(4) 건조·반건조 지역에서 토양의 질이 저하되어 사막과 같이 바뀌는 현상

보기
> 憐憫　濫獲　荒廢　沙漠化

01 한자의 음이 바르지 <u>않은</u> 것은?

① 讓 (양)   ② 燃 (연)   ③ 環 (환)
④ 置 (치)   ⑤ 境 (교)

02 ㉠과 ㉡의 음으로 알맞은 것은?

| ㉠ 恕   ㉡ 如 |

	㉠	㉡		㉠	㉡
①	서	서	②	서	여
③	심	여	④	심	서
⑤	여	여			

03 한자의 뜻이 바르지 <u>않은</u> 것은?

① 候: 기후   ② 臟: 오장
③ 貿: 바꾸다   ④ 憫: 멀다
⑤ 港: 항구

04 ㉠~㉣의 빈칸에 들어갈 내용을 알맞은 쓰시오.

모양	㉠	뜻
遠	(원)	㉡
信	㉢	믿다
㉣	(보)	걷다

출제 유력
05 다음 한자의 공통되는 부수는?

| 懼   憐   愛 |

① 心   ② 人   ③ 月   ④ 刀   ⑤ 水

06 부수와 부수의 변형의 연결이 바르지 <u>않은</u> 것은?

① 心-灬   ② 人-亻   ③ 肉-月
④ 刀-刂   ⑤ 水-氵

출제 유력
07 한자의 짜임이 나머지와 <u>다른</u> 하나는?

① 水   ② 一   ③ 火   ④ 人   ⑤ 心

출제 유력
08 다음과 같은 원리로 만들어진 한자는?

- 대표 한자: 恕
- 한자의 가장 많은 부분을 차지하는 원리
- 일부는 음을, 일부는 뜻을 나타내는 두 한자를 결합함.

① 一   ② 心   ③ 信   ④ 救   ⑤ 火

09 ㉠과 ㉡의 뜻으로 알맞은 것은?

| ㉠配慮   信㉡賴 |

	㉠	㉡		㉠	㉡
①	나누다	힘입다	②	짝	얼굴
③	나누다	얼굴	④	짝	힘입다
⑤	보내다	힘입다			

10 다음 설명에 해당하는 한자 어휘로 알맞은 것은?

| 더럽게 물듦. 또는 더럽게 물들게 함. |

① 濫獲   ② 汚染   ③ 荒廢
④ 枯渴   ⑤ 沙漠化

11 밑줄 친 부분을 한자로 쓰시오.

| 地球 <u>온난화</u> |

12 한자 어휘의 활용이 적절하지 <u>않은</u> 것은?

① 해수면이 上昇하고 있다.

② 낡은 簡易驛 하나가 서 있다.

③ 밥을 배부르게 먹고 慰勞감을 느꼈다.

④ 夜盲症이 있어 밤에 사물이 잘 보이지 않는다.

⑤ 나는 모든 사람을 평등하게 사랑하는 博愛主義자이다.

13 풀이 순서가 <u>다른</u> 하나는?

① 配慮　　② 容恕　　③ 慰勞

④ 信賴　　⑤ 博愛

14 밑줄 친 ㉠을 한자로 쓰시오.

양보와 ㉠배려로
따뜻한 사회를 …….

감사합니다.

[15~16] 다음 성어를 읽고 물음에 답하시오.

㉠易地思㉡之

15 ㉠의 음과 뜻으로 알맞은 것은?

① (역) 쉽다　　② (이) 쉽다

③ (이) 바꾸다　　④ (사) 바꾸다

⑤ (역) 바꾸다

16 ㉡의 뜻으로 알맞은 것은?

① 가다　　② 그것　　③ ~은(는)

④ ~이다　　⑤ ~의

[17~18] 다음 문장을 읽고 물음에 답하시오.

遠水는 不救□火요.

17 위 문장에서 가장 마지막으로 풀이되는 한자는?

① 遠　② 水　③ 不　④ 救　⑤ 火

18 빈칸에 들어갈 알맞은 한자를 쓰시오.

[19~20] 다음 문장을 읽고 물음에 답하시오.

遠㉠親은 不如近鄰이라.

19 ㉠의 뜻으로 알맞은 것은?

① 부모　　② 연인　　③ 친구

④ 친척　　⑤ 형제

출제 유력
20 위 문장에 대한 설명으로 바르지 <u>않은</u> 것은?

① 遠의 음은 '원'이다.

② 親과 鄰은 비슷한 뜻을 가진 한자이다.

③ 不如는 '~만 같지 못하다'는 의미이다.

④ 近과 뜻이 반대되는 한자는 遠이다.

⑤ 鄰의 음은 '린'이고, 뜻은 '이웃'이다.

정답고 진실한 사귐 ○ 교과서 19쪽

| 생각을 여는 활동 |

• 마인드맵을 통해 交가 활용된 어휘를 살펴보고, 빈칸에 알맞은 어휘를 찾아 써 보자.

교 사귀다

交際 교제 — 서로 사귀어 가까이 지냄.

絕交 절교 — 서로의 교제를 끊음.
※ 切親(절친): 더할 나위 없이 아주 친함. 또는 그런 사이

사귀다

친구 사이를 끊다

交友 교우 — 벗을 사귐. 또는 그 벗

친구

交

交替 교체 — 사람이나 사물을 다른 사람이나 사물로 대신함.

우정과 관련된 성어

바꾸다

忘年之交 망년지교 — 나이에 거리끼지 않고 허물없이 사귄 벗

交換 교환 — 서로 바꿈.

(1) 終了 시간을 3분 남기고 후보 선수와 (交替)되었다.
종료: 어떤 행동이나 일 따위가 끝남.

(2) 나이를 초월한 친구, 즉 (忘年之交)이/가 많은 것을 보면 그 교우 관계의 幅을 알 수 있다.
폭: 자체 안에 포괄하는 범위

학습 계획 세우기   도움말 交가 사용된 어휘, 친구와의 사귐을 나타내는 어휘 등을 알아보는 활동을 통해 소단원 학습에 대한 자신의 배경지식을 활성화한다. 또 이를 바탕으로 소단원에서 어떤 내용을 공부할지 스스로 계획을 세워 본다.

• 위 활동을 바탕으로 스스로 학습 계획을 세워 보자.

나는 이 단원에서 _____ 예 交가 사용된 어휘, 친구와의 사귐을 나타내는 어휘 등 _____ 을/를 공부하겠다.

한자 모아 보기   자신이 알고 있는 한자에 ✓ 표시를 해 보자.

한자	음	뜻	부수	획수	총획	한자	음	뜻	부수	획수	총획	한자	음	뜻	부수	획수	총획
際	제	사이, 사귀다	阜(阝)	11	14	換	환	바꾸다	手(扌)	9	12	幅	폭	너비	巾	9	12
替	체	바꾸다	曰	8	12	了	료	마치다	亅	1	2						

출제 유형

• 필순의 원칙이 바른 것은?
• 한자 어휘의 뜻이 바른 것은?
• 자전에서 한자를 찾을 때, ㉠에 들어갈 한자로 알맞은 것은?

정답고 진실한 사귐 ○ 교과서 20, 21쪽

우리는 시시각각 수많은 사람을 만나며 살아간다. 그중 친구는 가족과 마찬가지로 기쁨과 슬픔, 아픔을 함께할 수 있는 소중한 사람이다. 이러한 친구와의 진실한 사귐은 우리의 삶을 더욱 풍요롭고 행복하게 만든다. 이 단원에서 나와 나의 친구들은 어떤 관계를 맺고 있는지 생각해 보자.

新 한자 모아 보기

한자	음	뜻	부수	획수	총획
肝	간	간	肉(月)	3	7
膽*	담	쓸개	肉(月)	13	17
照	조	비치다	火(灬)	9	13
伯	백	맏이	人(亻)	5	7
牙	아	어금니	牙	0	4
絃	현	줄	糸	5	11
賤	천	천하다	貝	8	15
契	계	맺다	大	6	9
斷	단	끊다	斤	14	18
臭	취	냄새	自	4	10
蘭	란	난초	艸(艹)	17	21

肝膽相照.
속마음 ── ① 서로 / ② 정승

간 담 상 조
간 쓸개 서로 비치다

간과 쓸개를 서로 비추어 내보임.
→ 속마음을 터놓고 가까이 사귐.

伯牙¹⁾ 絶絃.

백 아 절 현
백아(인명) 끊다 줄

백아가 (거문고의) 줄을 끊음.
→ 자기를 알아주는 절친한 벗의 죽음을 슬퍼함.

1) 백아(伯牙): 중국 춘추 시대의 악사

貧賤之交는 不可忘이라.

빈 천 지 교 불 가 망
가난하다 천하다 어조사 사귀다 아니다 할수있다 잊다
① 가다
② ~의, ~한
③ 그것

가난하고 천할 때의 사귐은 잊을 수 없다.
→ 어려울 때 사귄 친구는 (언제까지나) 잊어서는 안 됨.

『후한서』

성어의 유래 춘추 시대에 백아라는 거문고의 명인이 있었다. 그에게는 그의 거문고 소리를 듣고 악상(樂想)을 잘 이해해 준 종자기라는 친구가 있었다. 어느 날 백아가 높은 산에 오르는 장면을 생각하면서 거문고를 켜자 종자기가 그 소리를 듣고 이렇게 말했다. "정말 굉장하네. 태산이 눈앞에 우뚝 솟아 있는 느낌일세." 또 한번은 백아가 도도히 흐르는 강을 떠올리면서 거문고를 켜자 종자기가 말했다. "정말 대단해. 양양한 큰 강이 눈앞에 흐르고 있는 것 같군그래." 이처럼 종자기는 백아의 생각을 거문고 소리를 통해 척척 알아맞혔다. 어느 날 두 사람은 북쪽으로 여행을 떠났는데 도중에 폭풍우를 만나 바위 그늘에 머물렀다. 백아는 자신의 우울한 기분을 거문고에 담았다. 한 곡 한 곡마다 종자기는 척척 그 기분을 알아맞혔다. 이에 백아가 거문고를 내려놓고 감탄했다. "정말 대단하네. 그대의 가슴에 떠오르는 것은 곧 내 마음 그대로일세. 그대 앞에서 거문고를 켜면 도저히 내 기분을 숨길 수가 없네." 그 후 불행히도 종자기가 병으로 죽었다. 그러자 백아는 거문고를 때려 부수고, 줄을 끊어 버리고는 두 번 다시 거문고에 손을 대지 않았다. 이 세상에 자기 거문고 소리를 알아주는 사람은 이제 없다고 생각했기 때문이었다.
≒ 高山流水(고산유수), 伯牙破琴(백아파금), 知己之友(지기지우), 知音(지음)

문장의 유래 후한(後漢) 광무제 때 신하 가운데 송홍이란 인물이 있었는데, 그에 대한 황제의 신임이 두터웠다. 그 무렵 광무제의 딸인 호양 공주가 남편을 잃고 홀로 되어 송홍을 사위로 삼고자 하였다. 광무제가 "옛말에 이르기를 고귀한 사람은 남과 사귀기 쉽고, 부유한 여자는 누구든 데려가려 한다는데, 그대는 어떻게 생각하는가?"라고 묻자, 송홍은 "어려울 때 사귄 우정은 결코 잊어서는 안 되고, 조강지처(糟糠之妻)는 절대 버려서 안 된다고 생각하옵니다."라고 대답하였다. 이에 황제는 송홍을 사위로 삼는 것을 포기하였다.

성어의 유래 당(唐)나라 유종원이 유주 자사로 임명되었는데, 그의 친구 유몽득도 파주 자사로 가게 되었다. 유종원이 그것을 알고 울먹이면서 "파주는 몹시 궁벽한 변방인데 늙은 어머니를 모시고 갈 수도 없을 것이고, 또한 그 사실을 어떻게 어머니께 알릴 수 있겠는가? 내가 간청하여 몽득 대신 파주로 가는 것이 좋겠다."라고 말했다. 유종원이 죽은 후 한유가 그 우정에 감복하여 유종원의 묘지명을 썼는데, '사람이란 어려운 일을 당했을 때 참된 절의(節義)가 나타나는 것이다. 평소에는 서로 그리워하고 같이 술을 마시며 놀고 즐겁게 웃는데, 마치 간담(肝膽)을 내보이는 것처럼 하고 죽는 한이 있어도 우정만은 변치 말자고 맹세한다. 그러나 이해관계가 있으면 눈을 돌려 모르는 듯한 얼굴을 한다…….'라고 했다.

金蘭之契.
금 란 지 계
쇠 난초 어조사 맺다

≒ 금란계(金蘭契), 금란교(金蘭交), 금란지교(金蘭之交)

쇠와 난초 같은 맺음.
→ 친구 사이의 매우 두터운 정

① 이롭다
② 날카롭다

二人同心이면 其利斷金이요,
이 인 동 심   기 리 단 금
두 사람 같다 마음   그 날카롭다 끊다 쇠

同心之言은 其臭如蘭이라.
동 심 지 언   기 취 여 란
같다 마음 어조사 말씀   그 냄새 같다 난초

두 사람이 마음을 같이하면 그 날카로움은 쇠를 자르고,
마음을 같이하는 말은 그 향기가 난초와 같다.

✎ 스스로 확인

본문의 성어와 문장들의 공통적인 주제는 무엇인가?

우정(友情) 또는 교우(交友)

[우정과 관련된 성어]
• 竹馬故友(죽마고우): 어릴 때부터 같이 놀며 자란 벗
• 知己之友(지기지우): 자기의 속마음을 참되게 알아주는 친구
• 莫逆之友(막역지우): 서로 거스름이 없는 친구. 허물이 없이 아주 친한 친구
• 管鮑之交(관포지교): 관중과 포숙의 사귐이란 뜻으로, 우정이 아주 돈독한 친구관계를 이르는 말

『역경』

• 『후한서(後漢書)』: 중국 후한(後漢)의 정사(正史)를 송(宋)나라의 범엽(范曄)이 정리한 책
• 『역경(易經)』: 유교 경전인 오경(五經)의 하나로, 『주역(周易)』이라고 함.

스스로 다지는
본문 ○ 교과서 22쪽

肝膽: 속마음
간 담

相: ① 서로 ⑩ 相扶相助 상부상조: 서로
상   　　　　　　　　도움.
　　② 정승 ⑩ 宰相 재상
　　임금을 돕고 모든 관원을 지
　　휘하고 감독하는 일을 맡아
　　보던 이품 이상의 벼슬. 또는
　　그 벼슬에 있던 벼슬아치

이윤: 장사 따위를
利: ① 이롭다 ⑩ 利潤 하여 남은 돈
리　② 날카롭다 ⑩ 銳利 예리: 끝이 뾰족
　　　　　　　하거나 날이 선
　　　　　　　상태에 있음.

		1 2 3 4	
肝膽相照.	간과 쓸개를 서로 비추어 내보임.
간 담 상 조	→ 속마음을 터놓고 가까이 사귐.

1 3 2	
伯牙絶絃.	백아가 (거문고의) 줄을 끊음.
백 아 절 현	→ 자기를 알아주는 절친한 벗의 죽음을 슬퍼함.

貧賤之交는 不可忘이라.
빈 천 지 교　　불 가 망
1 2 3 4　　　　7 6 5
가난하고 천할 때의 사귐은 잊을 수 없다.
→ 어려울 때 사귄 친구는 (언제까지나) 잊어서는 안 됨.

金蘭之契.
금 란 지 계
1 2 3 4
쇠와 난초 같은 맺음.
→ 친구 사이의 매우 두터운 정

二人同心이면 其利斷金이요,
이 인 동 심　　　기 리 단 금
1 2 4 3　　　　5 6 8 7
두 사람이 마음을 같이하면 그 날카로움은 쇠를 자르고,

同心之言은 其臭如蘭이라. 마음을 같이하는 말은 그 향기가 난초와 같다.
동 심 지 언　　기 취 여 란
2 1 3 4　　　5 6 8 7

불편한 섶에 몸을 눕히고 쓸개를 맛본다는
뜻으로, 원수를 갚거나 마음먹은 일을 이루
기 위하여 온갖 어려움과 괴로움을 참고 견
딤을 비유적으로 이르는 말

부수가 같은 한자 - 肉(月)육

膽(담) 쓸개 ⑩ 臥薪嘗膽 와신상담
胃(위) 위 ⑩ 胃腸 위장
　　위(胃)와 창자를 아울러 이르는 말
肥(비) 살찌다 ⑩ 肥滿 비만
　　살이 쪄서 몸이 뚱뚱함.
肉(육) 고기 ⑩ 豚肉 돈육
　　　　　　　돼지고기

흰 눈썹이라는 뜻으로, 여럿 가운데에서 가
장 뛰어난 사람이나 훌륭한 물건을 비유적으
로 이르는 말. 중국 촉한(蜀漢) 때 마씨
(馬氏) 다섯 형제가 모두 재주가 있었는데
그중에서도 눈썹 속에 흰 털이 난 마량(馬
良)이 가장 뛰어났다는 데서 유래함.

新 한자 모아 보기

한자	음	뜻	부수	획수	총획
宰	재	재상	宀	7	10
潤	윤	윤택하다	水(氵)	12	15
銳	예	날카롭다	金	7	15
薪*	신	섶나무	艸(艹)	13	17
嘗	상	맛보다	口	11	14
胃	위	위	肉(月)	5	9
腸	장	창자	肉(月)	9	13
肥	비	살찌다	肉(月)	4	8
豚	돈	돼지	豕	4	11
慣	관	익숙하다	心(忄)	11	14

[유래] 중국 춘추 시대 오나라의 왕 부차가 아버지의 원수를 갚기 위하여 장작더미 위에서 잠을 자며 월나라의 왕 구천에게 복수할 것을 맹세하였고, 그에게 패배한 월나라의 왕 구천이 쓸개를 핥으면서 복수를 다짐한 데서 유래하였다.

똑똑한 지식

① 부수와 자전 찾기

• 부수: 한자를 자전에서 찾을 때 기본이 되는 글자
　⑩ 肝과 膽은 모두 '肉(月)'을 부수로 하는 한자임.
　　간 간 담 쓸개 육
• 자전 찾기
　− 자전을 찾을 때는 부수, 총획, 자음을 이용하는 방법이 있다.
　− 총획을 이용할 때에는 필순에 따라 쓰면 정확하고 빠르게 찾을 수 있다.

② 필순의 일반적인 원칙

• 왼쪽에서 오른쪽으로 씀. ⑩ 川 천
• 가로획 다음 세로획을 씀. ⑩ 十 십
• 좌우의 모양이 같으면 가운데 먼저 씀. ⑩ 小 소
• 꿰뚫는 획은 나중에 씀. ⑩ 中 중
• 받침은 나중에 씀. ⑩ 道 도

• 위에서부터 아래로 씀. ⑩ 三 삼
• 삐침 다음 파임을 씀. ⑩ 人 인
• 바깥쪽 다음 안쪽을 씀. ⑩ 同 동
• 오른쪽 위의 점은 나중에 씀. ⑩ 犬 견

몹시 어리석은 사람. ≒
[이해 더하기] 성어 八不用(팔불용): 여러 모로 쓸모가 없음.

관용어: 두 개 이상의 단어로 이루어져 있으면
서 그 단어들의 의미만으로는 전체의 의미를 알
수 없는, 특수한 의미를 나타내는 어구

성어(成語)는 옛 사람이 만든 특별한 의미가 있는 慣用語로, 특히 역사·문학·신
화·전설·고전 작품 같은 옛이야기에서 유래한 성어를 고사성어(故事成語)라고 한다.
성어는 4자로 이루어진 것이 대부분이지만, 2자에서부터 5자 이상인 것도 있다.

⑩ • 2자: 백미(白眉), 기우(杞憂)
• 4자: 간담상조(肝膽相照)
• 3자: 팔불출(八不出), 사이비(似而非)
• 5자: 오십보백보(五十步百步)
걸으로는 비슷하나 속은 완
전히 다름. 또는 그런 것

조금 낫고 못한 정도의 차이는 있으나 본질적으로는 차이가 없음을 이르는 말. 중국 양
(梁)나라 혜왕(惠王)이 정사(政事)에 관하여 맹자에게 물었을 때, 전쟁에 패하여 어떤
자는 백 보를, 또 어떤 자는 오십 보를 도망했다면, 백 보를 물러간 사람이나 오십 보를
물러간 사람이나 도망한 것에는 양자의 차이가 없다고 대답한 데서 유래함.

앞일에 대해 쓸데없는 걱정을 함. 또는 그 걱정. 옛날
중국 기(杞)나라에 살던 한 사람이 '만일 하늘이 무너
지면 어디로 피해야 좋을 것인가?' 하고 잠자는 일과
먹는 일을 잊고 걱정하였다는 데서 유래함.

한문으로 여는 세상

방글라데시의 선상 학교

◎ 교과서 23쪽

우리나라 3월의 학교는 매우 활기차다. 遲刻하지 않으려고 헐레벌떡 들어오는 친구부터 새로운 선생님과 친구들을 만나 설레는 친구 등 학생들과 선생님들은 매일같이 일어나는 騷動으로 분주한 하루를 보낸다. 학교에서 만나는 친구들, 先後輩와의 金蘭之契는 우리의 삶을 더 풍성하고 향기롭게 만든다.

지각: 정해진 시각보다 늦게 출근하거나 등교함.

소동: 사람들이 놀라거나 흥분하여 시끄럽게 법석거리고 떠들어 대는 일

선후배: 선배와 후배를 아울러 이르는 말

금란지계: 쇠와 난초 같은 맺음. → 친구 사이의 매우 두터운 정

피해: 생명이나 신체, 재산, 명예 따위에 손해를 입음. 또는 그 손해

다른 나라의 학교는 대부분 비슷하겠지만 독특한 모습의 학교가 있다. 장마철이 다섯 달에 이르는 방글라데시는 洪水被害가 잦은데, 특히 보바티 지역은 자주 길이 끊겨 아이들이 학교에 가는 것을 포기한다. 그러나 1998년 태양열 발전 시설을 갖춘 선상 학교가 만들어져 집집마다 돌아다니며 아이들을 배에 태우고 부두에 정박해 수업을 한다. 겉은 대나무로 만든 조악한 보트지만 내부는 책상과 걸상, 개인용 컴퓨터 등을 갖춘 어엿한 교실이다. 비영리 단체의 모금과 자원봉사를 통해 현재 20척이 運營되고 있다.

홍수: 비가 많이 와서 강이나 개천에 갑자기 크게 불은 물

자체의 이익을 추구하지 아니하고 공익을 목적으로 하는 단체

『○○○○』, 2012. 11. 20.

운영: 조직이나 기구, 사업체 따위를 운용하고 경영함.

| 학교 관련 용어 |

활동 빈칸에 알맞은 음을 쓰고, 각 어휘에 해당하는 풀이를 바르게 연결해 보자.

① 漆板([칠][판])
② 缺席([결][석])
③ 敎具([교][구])
④ 粉筆([분][필])
⑤ 獎學金([장][학][금])
⑥ 召集日([소][집][일])
⑦ 大淸掃([대][청][소])

㉮ 대규모의 청소
㉯ 나가야 할 자리에 나가지 않음.
㉰ 칠판에 글씨를 쓰는 필기구
㉱ 학문의 연구를 돕기 위하여 주는 장려금
㉲ 단체나 조직체의 구성원을 불러서 모으는 날
㉳ 학습을 효과적으로 지도하기 위하여 사용하는 도구
㉴ 분필로 글씨를 쓰거나 그림을 그리게 만든 검정 판

新 한자 모아 보기

한자	음	뜻	부수	획수	총획
遲	지	더디다, 늦다	辵(辶)	12	16
刻	각	새기다	刀(刂)	6	8
騷	소	떠들다	馬	10	20
輩	배	무리	車	8	15
洪	홍	넓다	水(氵)	6	9
被	피	입다	衣(衤)	5	10
營	영	경영하다	火	13	17
漆	칠	옻, 검다	水(氵)	11	14
板	판	널빤지	木	4	8
缺	결	이지러지다	缶	4	10
具	구	갖추다	八	6	8
粉	분	가루	米	4	10
獎	장	장려하다	大	11	14
召	소	부르다	口	2	5
掃	소	쓸다	手(扌)	8	11

1. 다음 조건을 모두 만족하는 한자는? ②

도움말
- 間의 음: (간)
- 忘 총획: 7
- 胃의 부수: 月 = 肉
- 속마음을 비유적으로 이르는 말: 간담(肝膽)

음은 間와/과 같아. (간 사이)

총획은 忘과 같지. 망 잊다 총획:7획

부수는 胃와 같네. (위 위 부수: 肉(月))

뒤에 膽을 결합하면 '속마음'을 비유적으로 이르기도 해. (담 쓸개)

① 看 간 보다 총획: 9획 부수: 目

② 肝 간 간 총획: 7획 부수: 肉

③ 賤 천 천하다 총획: 15획 부수: 貝

④ 貧 빈 가난하다 총획: 11획 부수: 貝

⑤ 男 남 남자 총획: 7획 부수: 田

2. 다음 이야기에서 유래한 성어를 한자로 써 보자.

> 중국 춘추 시대에 백아는 거문고를 매우 잘 탔고 그의 벗 종자기는 그 거문고 소리를 잘 들었다. 그런데 종자기가 죽어 그 거문고 소리를 제대로 알아들을 사람이 없게 되자 백아가 절망하여 거문고 줄을 끊어 버리고 다시는 거문고를 타지 않았다고 한다.

➡ 伯 牙 絶 絃
백 아 절 현

창의형

3. 본문의 성어를 활용하여 겉뜻과 속뜻을 쓰고, 짧은 글을 지어 보자.

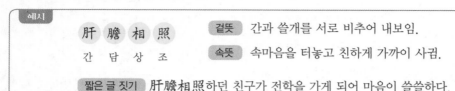

예시

肝 膽 相 照
간 담 상 조

겉뜻 간과 쓸개를 서로 비추어 내보임.

속뜻 속마음을 터놓고 친하게 가까이 사귐.

짧은 글 짓기 肝膽相照하던 친구가 전학을 가게 되어 마음이 쓸쓸하다.

[예시 답안]
金蘭之契 [겉뜻] 쇠와 난초 같은 맺음.
금란지계 [속뜻] 친구 사이의 매우 두터운 정
[짧은 글 짓기] 밝고 따뜻한 광고로 고객과 함께 金蘭之契를 나누는 기업이 되겠습니다.

도움말 소단원 학습이 끝나면 소단원 학습 목표에 해당하는 질문에 답하며 자신의 학업 성취도를 스스로 점검해 본다. 성취 목표에 도달하지 못한 경우에는 제시된 위치로 돌아가서 내용을 다시 읽고 공부하도록 한다.

소단원 자기 점검

배운 내용에 관해 자기 점검을 하면서 학업 성취도 도달 정도를 확인해 보자.

[별이 3개 이하인 경우] • 교과서 22쪽 '똑똑한 지식 – 부수와 자전 찾기' 다시 읽기

- 한자의 부수를 알고, 자전에서 한자를 찾는 데 활용할 수 있는가? ☆☆☆☆☆
- 성어의 속뜻을 알고 성어를 일상생활에서 활용할 수 있는가? ☆☆☆☆☆

[별이 3개 이하인 경우] • 교과서 20~22쪽 다시 읽기

• 한자, 음, 뜻, 부수의 순서로 제시

1. **한자**

際 (제) 사이, 사귀다 [阜(阝)]
替 (체) 바꾸다 [❶□]
換 (환) 바꾸다 [手(扌)]
了 (료) 마치다 [亅]
幅 (폭) 너비 [巾]
❷□ (간) 간 [肉(月)]
膽* (담) ❸□□ [肉(月)]
照 (조) 비치다 [火(灬)]
伯 (백) 맏이 [人(亻)]
牙 (아) 어금니 [牙]
絃 (현) 줄 [糸]
❹□ (천) 천하다 [貝]
契 (계) 맺다 [大]
斷 (단) 끊다 [斤]

臭 (취) 냄새 [❺□]
蘭 (란) 난초 [艸(艹)]
宰 (재) 재상 [宀]
潤 (윤) 윤택하다 [水(氵)]
銳 ❻□ 날카롭다 [金]
薪* (신) 섶나무 [艸(艹)]
嘗 (상) 맛보다 [口]
胃 (위) 위 [肉(月)]
腸 (장) 창자 [肉(月)]
肥 (비) 살찌다 [肉(月)]
❼□ (돈) 돼지 [豕]
慣 (관) 익숙하다 [心(忄)]
遲 (지) 더디다, 늦다 [辵(辶)]
刻 ❽□ 새기다 [刀(刂)]

騷 (소) 떠들다 [馬]
輩 ❾□ 무리 [車]
洪 (홍) 넓다 [水(氵)]
被 (피) 입다 [衣(衤)]
營 (영) 경영하다 [火]
漆 (칠) 옻, 검다 [水(氵)]
❿□ (판) 널빤지 [木]
缺 (결) 이지러지다 [缶]
具 (구) 갖추다 [八]
粉 (분) ⓫□□ [米]
獎 (장) 장려하다 [大]
召 (소) 부르다 [⓬□]
掃 (소) 쓸다 [手(扌)]

2. **본문**

肝膽相照(간담상조)	간과 쓸개를 서로 비추어 내보임. → 속마음을 터놓고 가까이 사귐.
伯牙❶□絃(백아절현)	백아가 (거문고의) 줄을 끊음. → 자기를 알아주는 절친한 벗의 죽음을 슬퍼함.
貧賤之交(빈천지교)는 不可❷□(불가망)이라.	가난하고 천할 때의 사귐은 잊을 수 없다. → 어려울 때 사귄 친구는 (언제까지나) 잊어서는 안 됨.
金蘭之契(금란지계)	❸□와 난초 같은 맺음. → 친구 사이의 매우 두터운 정
二人同心(이인동심)이면 其利斷❹□(기리단금)이요, 同心之言(동심지언)은 其臭如蘭(기취여란)이라.	두 사람이 마음을 같이하면 그 날카로움은 쇠를 자르고, 마음을 같이하는 ❺□은 그 향기가 난초와 같다.

3. **부수와 자전 찾기, 필순의 일반적인 원칙**

(1) ❶□□: 한자를 자전에서 찾을 때 기본이 되는 글자
(2) 자전 찾기: 자전을 찾을 때는 부수, 총획, ❷□□을 이용하는 방법이 있음.

(3) 필순의 일반적인 원칙

① ❸□□에서 오른쪽으로 씀. 예 川(천)

② 위에서부터 아래로 씀. 예 三(삼)

③ 가로획 다음 세로획을 씀. 예 十(십)

④ 삐침 다음 파임을 씀. 예 人(인)

⑤ 좌우의 모양이 같으면 ❹□□□ 먼저 씀. 예 小(소)

⑥ 바깥쪽 다음 안쪽을 씀. 예 同(동)

⑦ 꿰뚫는 획은 나중에 씀. 예 中(중)

⑧ 오른쪽 위의 점은 나중에 씀. 예 犬(견)

⑨ 받침은 나중에 씀. 예 道(도)

4. 어휘 - 학교 관련 용어

• 漆板(❶□□): 분필로 글씨를 쓰거나 그림을 그리게 만든 검정 판

• 獎學金(❹□□□): 학문의 연구를 돕기 위하여 주는 장려금

• ❷□□(결석): 나가야 할 자리에 나가지 않음.

• ❺□□□(소집일): 단체나 조직체의 구성원을 불러서 모으는 날

• 教具(교구): 학습을 효과적으로 지도하기 위하여 사용하는 도구

• 大淸掃(대청소): 대규모의 청소

• ❸□□(분필): 칠판에 글씨를 쓰는 필기구

쪽지 시험

01 다음 한자의 공통되는 뜻을 쓰시오.

> 替　　換

02 다음 한자의 공통되는 부수를 쓰시오.

> 胃　肥　腸

03 다음과 같은 뜻을 가진 단어를 〈보기〉에서 찾아 한자 어휘와 독음을 쓰시오.

(1) 선배와 후배를 아울러 이르는 말

(2) 정해진 시각보다 늦게 출근하거나 등교함.

(3) 조직이나 기구, 사업체 따위를 운용하고 경영함.

> 보기
>
> 先後輩　　運營　　遲刻

04 다음과 같은 뜻을 가진 한자 어휘를 한자로 쓰시오.

(1) 장사 따위를 하여 남은 돈: □□

(2) 나가야 할 자리에 나가지 않음.: □□

(3) 학문의 연구를 돕기 위하여 주는 장려금: □□□

(4) 단체나 조직체의 구성원을 불러서 모으는 날: □□□

05 한자와 필순의 원칙을 바르게 연결하시오.

(1) 川 ・

・㉠ 가로획 다음 세로획을 씀.

(2) 十 ・

・㉡ 왼쪽에서 오른쪽으로 씀.

(3) 中 ・

・㉢ 받침은 나중에 씀.

(4) 道 ・

・㉣ 꿰뚫는 획은 나중에 씀.

01 한자의 뜻이 바르지 않은 것은?

① 斷: 길다   ② 換: 바꾸다   ③ 了: 마치다
④ 際: 사귀다   ⑤ 替: 바꾸다

02 두 자를 합하여 하나의 한자를 만들 때, ㉠과 ㉡의 음으로 알맞은 것은?

分+貝 =(㉠)   亡+心=(㉡)

　　㉠ ㉡　　　　　　　㉠ ㉡
① 분　망　　　② 빈　심
③ 분　심　　　④ 패　망
⑤ 빈　망

03 한자의 뜻이 바르지 않은 것은?

① 被: 입다   ② 幅: 너비   ③ 契: 비추다
④ 賤: 천하다   ⑤ 慣: 익숙하다

04 빈칸에 공통으로 들어갈 알맞은 한자를 쓰시오.

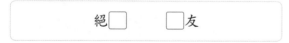

絕□   □友

05 자전에서 한자를 찾을 때, ㉠에 들어갈 한자로 알맞은 것은?

【 ㉠ 】　　부수 刀
　　　　　　총획 7획

자원 벼에 손을 대고 날카로운 쟁기로 흙을 갈아엎는 모양. '날카롭다'의 뜻으로 농사일에 유용하게 하다의 뜻을 나타냄.

① 宰   ② 潤   ③ 銳   ④ 嘗   ⑤ 利

06 밑줄 친 부분을 한자로 바꾸어 쓸 때, 알맞은 것은?

〈현악기의 종류〉

① 刻   ② 絕   ③ 遲   ④ 絃   ⑤ 騷

07 다음 한자의 공통되는 부수로 알맞은 것은?

肝　　膽

① 水   ② 肉   ③ 火   ④ 人   ⑤ 心

08 한자의 짜임이 나머지와 다른 하나는?

① 伯   ② 臭   ③ 忘   ④ 絃   ⑤ 貧

09 필순의 원칙이 바른 것은?

① 받침은 먼저 쓴다.
② 아래에서 위로 쓴다.
③ 오른쪽에서 왼쪽으로 쓴다.
④ 세로획 다음에 가로획을 쓴다.
⑤ 오른쪽 위의 점은 나중에 쓴다.

10 한자 어휘의 뜻이 바른 것은?

① 粉筆: 칠판에 글씨를 쓰는 필기구
② 漆板: 나가야 할 자리에 나가지 않음.
③ 獎學金: 단체나 조직체의 구성원을 불러서 모으는 날
④ 教具: 분필로 글씨를 쓰거나 그림을 그리게 만든 검정 판
⑤ 缺席: 학습을 효과적으로 지도하기 위하여 사용하는 도구

11 한자 어휘의 활용이 적절하지 <u>않은</u> 것은?

① 그는 似而非 종교에 심취하였다.
② 49등이나 50등이나 五十步百步다.
③ 『춘향전』은 한국 고전 문학의 伯眉이다.
④ 혹시 일이 잘못되지나 않을까 하는 걱정은 杞憂였다.
⑤ 자식 자랑은 八不出이라지만 우리 아들 자랑 좀 해야겠다.

12 풀이 순서가 <u>다른</u> 하나는?

① 絕絃   ② 不可   ③ 貧賤
④ 斷金   ⑤ 如蘭

13 다음과 같은 뜻을 가진 한자 어휘를 한자로 쓰시오.

□□□: 대규모의 청소

14 ㉠과 ㉡의 뜻으로 알맞은 것은?

肝膽㉠相照.
二人同心이면 其㉡利斷金이요.

	㉠	㉡		㉠	㉡
①	정승	이롭다	②	정승	날카롭다
③	서로	이롭다	④	서로	날카롭다
⑤	얼굴	이롭다			

15 밑줄 친 부분과 바꾸어 쓸 수 있는 한자는?

金蘭之<u>契</u>

① 交   ② 之   ③ 心   ④ 如   ⑤ 言

16 밑줄 친 부분의 의미로 알맞은 것은?

肝膽相照

① 나이   ② 세월   ③ 얼굴
④ 욕심   ⑤ 속마음

출제 유력
17 다음 성어의 공통되는 주제는?

金蘭之契   肝膽相照   伯牙絕絃

① 건강   ② 노력   ③ 우정
④ 절약   ⑤ 정직

18 다음 문장에 대한 설명으로 바르지 <u>않은</u> 것은?

貧賤之交는 不可忘이라.

① 貧의 음은 '빈'이다.
② 賤의 뜻은 '천하다'이다.
③ 之는 '~의'라는 의미이다.
④ 不可는 '~할 수 없다'는 뜻이다.
⑤ 忘은 '향기'라는 의미로 사용되었다.

19 다음 문장에서 가장 마지막으로 풀이되는 한자는?

同心之言은 其臭如蘭이라.

① 心   ② 言   ③ 臭   ④ 如   ⑤ 蘭

출제 유형

• 다음 성어의 공통되는 주제로 알맞은 것은?
• 한자의 뜻이 바르지 않은 것은?
• 다음 한자 어휘의 독음을 쓰시오.

03
미래를 준비하는 자세 ○ 교과서 25쪽

| 생각을 여는 활동 |

1. 빈칸에 알맞은 한자를 〈보기〉에서 찾아 쓰고, 뜻과 음을 구별해 보자.

(1) 圖 書 館
　　 서 책

도서관: 온갖 종류의 도서, 문서, 기록, 출판물 따위의 자료를 모아 두고 일반이 볼 수 있도록 한 시설

(2) 晝 耕夜讀
　　 주 낮

주경야독: 낮에는 농사짓고, 밤에는 글을 읽는다는 뜻으로, 어려운 여건 속에서도 꿋꿋이 공부함을 이르는 말

(3) 肖像 畫
　　　 화 그림

초상화: 사람의 얼굴을 중심으로 그린 그림

보기

書　　　　畫　　　　晝
서 책　　　화 그림　　주 낮

2. 빈칸에 알맞은 독서의 방법을 〈보기〉에서 찾아 써 보자.

보기

通讀　　　精讀　　　多讀　　　速讀
통 독　　　정 독　　　다 독　　　속 독

(1) 짧은 시간에 빠르게 읽는 방법 → 速 讀

(2) 여러 분야에 걸쳐 많이 읽는 방법 → 多 讀

(3) 통째로 처음부터 끝까지 내리 읽는 방법 → 通 讀

(4) 자세히 내용을 검토하면서 차근차근 읽는 방법 → 精 讀

학습 계획 세우기　도움말 공부의 자세와 방법을 알아보는 활동을 통해 소단원 학습에 대한 자신의 배경지식을 활성화한다. 또 이를 바탕으로 소단원에서 어떤 내용을 공부할지 스스로 계획을 세워 본다.

● 위 활동을 바탕으로 스스로 학습 계획을 세워 보자.

나는 이 단원에서 ＿＿＿＿＿＿＿＿＿＿＿ 예 공부의 자세와 방법 ＿＿＿＿＿＿＿＿＿＿＿ 을/를 공부하겠다.

한자 모아 보기　자신이 알고 있는 한자에 ✓표시를 해 보자.

한자	음	뜻	부수	획수	총획	한자	음	뜻	부수	획수	총획
館	관	집	食	8	17	像	상	모양	人(亻)	12	14
肖	초	닮다	肉(月)	3	7						

미래를 준비하는 자세 ○ 교과서 26, 27쪽

미래에는 어떤 일들이 우리를 기다리고 있을까? 미래에 대한 꿈과 희망을 품고 있다면 그것을 이루려는 아낌없는 노력이 필요하다. 이 단원에서는 선인들이 미래를 위해 어떤 마음가짐을 가졌으며, 준비와 노력을 어떻게 하였는지 알아보자.

新 한자 모아 보기

한자	음	뜻	부수	획수	총획
恥	치	부끄럽다	心	6	10
息	식	쉬다	心	6	10
釋	석	풀다, 놓다	釆	13	20
螢	형	반딧불이	虫	10	16
映	영	비치다	日	5	9

不恥下問. ≒孔子穿珠(공자천주)
불 치 하 문
아니다 부끄럽다 아래 묻다
아랫사람에게 묻는 것을 부끄러워하지 않음.

> **성어의 유래** 공자가 아홉 굽이 구부러진 구슬 구멍에 실 꿰는 방법을 몰라 바느질하는 아낙네에게 물어 개미 허리에 실을 매고 구슬 구멍 반대편에 꿀을 발라 개미가 꿀 냄새를 맡고 바늘을 통과하게 하여 구슬에 실을 꿰었다고 한다.

> **성어의 유래** 자공(子貢)이 공문자(孔文子)의 시호(諡號)가 '문(文)'이라고 한 이유를 묻자, 공자가 '민첩해서 배우기를 좋아하고 아랫사람에게 묻는 것을 부끄럽게 여기지 않아서이다'라고 대답한 데서 유래하였다.

自強不息.
① 쉬다
② 자식
자 강 불 식
스스로 힘쓰다 아니다 쉬다
스스로 힘써 쉬지 않음.

> **성어의 유래** '천체의 운행은 건실하다. 군자는 그것을 본받아 스스로 힘써 쉬지 않는다.'에서 유래하였다.

手不釋卷.
수 불 석 권
손 아니다 놓다 책
손에서 책을 놓지 않음.

> **성어의 유래** 오나라 장수 여몽은 어려서 매우 가난하여 글을 읽고 공부할 형편이 되지 못하였다. 그러나 그는 무공을 쌓아 전쟁에서 공로를 세워 장군이 될 수 있었다. 그의 군주인 손권은 학식이 부족한 여몽에게 책을 읽으며 공부하라고 권하였다. 독서할 겨를이 없다는 여몽에게 손권은 자신이 젊었을 때 글을 읽었던 경험을 말해 주고, 현재까지도 역사와 병법에 관한 책을 계속 읽고 있다면서 "후한의 황제 광무제는 변방 일로 바쁜 가운데서도 손에서 책을 놓지 않았으며, 위나라의 조조는 늙어서도 배우기를 좋아하였다."라는 이야기를 들려주었다. 이후에 여몽은 전장에서도 학문에 정진하였다. 그 뒤 같은 손권의 신하인 노숙이 옛 친구 여몽에게 찾아와 대화를 나누다가 몰라보게 박식해진 여몽을 보고 놀랐다. 노숙이 언제 그만큼의 학식을 쌓았는지 묻자, 여몽은 "선비가 만나서 헤어졌다가 사흘이 지난 뒤 다시 만날 때는 눈을 비비고 다시 볼 정도[刮目相對(괄목상대)]로 달라져야만 한다."라고 말하였다.

螢雪之功. ≒螢窓雪案(형창설안)
형 설 지 공
반딧불이 눈 어조사 공

반딧불이와 눈의 공로
→ 반딧불이와 눈을 통하여 이룬 성공

성어의 유래 차윤은 집이 가난하여 엷은 명주 주머니에 반딧불이를 수십 마리 잡아넣어 거기서 나오는 빛에 책을 비추어 읽었다. 손강 역시 집이 가난하여 쌓인 눈빛에 책을 비추어 읽었다. 차윤과 손강은 이렇게 열심히 노력하여 높은 벼슬에 올랐다.

✏ 스스로 확인

螢雪之功에서 불빛 대신 사용한 것은 무엇인가?

반딧불이와 눈의 빛(또는 螢火와 雪)

盛數十螢火하여 以照書라.
성 수 십 형 화   이 조 서
담다 셈 열 반딧불이 불   써 비치다 책
                                    『진서』

수십 마리의 반딧불이의 불빛을 담아서 책을 비추다.

家貧無油하여 常映雪讀書라.
가 빈 무 유   상 영 설 독 서
집 가난하다 없다 기름   항상 비치다 눈 읽다 책
                                    『몽구』

집이 가난하여 기름이 없어서 항상 눈빛에 비추어 책을 읽었다.

· 『진서(晉書)』: 진(晉)나라의 정사(正史)로 25사(史) 가운데 하나
· 『몽구(蒙求)』: 당(唐)나라 때의 학자 이한(李瀚)이 지은 문자 교육용 아동 교재

스스로 다지는
본문
○ 교과서 28쪽

不恥下問 늑 孔子穿珠
불 치 하 문   공 자 천 주

息: ① 쉬다 예 休息
식   휴식: 하던 일을 멈추고
          잠깐 쉼.
    ② 자식 예 子息 자식
          부모가 낳은 아이를, 그 부모에 상
          대하여 이르는 말
螢雪之功 늑 螢窓雪案
형 설 지 공   형 창 설 안

부수가 같은 한자 – 火(灬)화

照(조) 비추다 예 照明 조명
광선으로 밝게 비춤. 또는 그 광선
爐(로) 화로 예 火爐 화로
숯불을 담아 놓는 그릇
炭(탄) 숯 예 炭鑛 탄광: 석탄을 캐내는 광산
煩(번) 번거롭다 예 煩惱 번뇌
마음이 시달려서 괴로워함.
또는 그런 괴로움.

➕ 어휘 더하기

• 모양이 비슷한 한자
┌ 卷(권) 책 예 壓卷 압권
│   여러 책이나 작품 가운데 제일
│   잘된 책이나 작품
├ 券(권) 문서 예 旅券 여권: 외국을 여행
│   하는 사람의 신분이나 국적을 증명하고 상대
│   국에 그 보호를 의뢰하는 문서
└ 拳(권) 주먹 예 拳銃 권총
한 손으로 다룰 수 있는 짧고 작은 총

---

^{4 3 1 2}
不恥下問. 아랫사람에게 묻는 것을 부끄러워하지 않음.
불 치 하 문
유래 자공(子貢)이 공문자(孔文子)의 시호(諡號)를 '문(文)'이라고 한 이유를 묻자, 공자(孔子)가
'민첩해서 배우기를 좋아하고 아랫사람에게 묻는 것을 부끄럽게 여기지 않아서이다.'라고 대답한 데서
유래하였다.

^{1 2 4 3}
自強不息. 스스로 힘써 쉬지 않음.
자 강 불 식
유래 '천체의 운행은 건실하다. 군자는 그것을 본받아 스스로 힘써 쉬지 않는다.'에서 유래하였다.

^{1 4 3 2}
手不釋卷. 손에서 책을 놓지 않음.
수 불 석 권
유래 오나라 장수 여몽은 매우 가난하여 공부를 하지 못했으나 전쟁에서 공을 세워 장군이 되었다.
그의 군주인 손권이 여몽에게 후한의 광무제는 변방 일로 바쁜 가운데서도 손에서 책을 놓지 않았다는
이야기를 해 주며 학문에 정진할 것을 권하였고, 여몽은 그렇게 하였다.

^{1 2 3 4}
螢雪之功. 반딧불이와 눈의 공로
형 설 지 공   → 반딧불이와 눈을 통하여 이룬 성공

^{5 1 2 3 4   6 8 7}
盛數十螢火하여 **以照書**라. 수십 마리의 반딧불이의 불빛을 담아서 책을 비추다.
성 수 십 형 화   이 조 서

^{1 2 4 3   5 7 6 9 8}
家貧無油하여 **常映雪讀書**라. 집이 가난하여 기름이 없어서 항상 눈빛에 비
가 빈 무 유   상 영 설 독 서   추어 책을 읽었다.
유래 차윤은 집이 가난하여 얇은 명주 주머니에 반딧불이를 수십 마리 잡아넣어 거기서 나오는 빛에
책을 비추어 읽었다. 손강 역시 집이 가난하여 쌓인 눈빛에 책을 비추어 읽었다. 차윤과 손강은 이렇게 열
심히 노력하여 높은 벼슬에 올랐다.

新 한자 모아 보기

한자	음	뜻	부수	획수	총획
孔	공	구멍, 성씨	子	1	4
穿	천	뚫다	穴	4	9
珠	주	구슬	玉	6	10
爐	로	화로	火	16	20
炭	탄	숯	火	5	9
鑛	광	쇳돌	金	15	23
煩	번	번거롭다	火	9	13
惱	뇌	번뇌하다	心(忄)	9	12
壓	압	누르다	土	14	17
券	권	문서	刀	6	8
拳	권	주먹	手	6	10
銃	총	총	金	6	14
竝	병	나란히	立	5	10
啓	계	열다	口	8	11
標	표	표하다	木	11	15

〔똑똑한 지식〕 단어의 짜임

수식 관계	술목 관계
성 수 십 형 화 盛數十螢火	상 영 설 독 서 常映雪讀書.
반딧불이의 불빛	읽다 책을
수식어 + 피수식어	서술어 + 목적어
• 수식 관계: 수식어와 피수식어의 관계로 이루어진 단어	• 술목 관계: 서술어와 목적어의 관계로 이루어진 단어

이 외에도 성분이 같은 말들이 나란히 놓여 이루어진 병렬 관계, 주어와 서술어로 이루어진 주술 관계, 서술어와 보어로 이루어진 술보 관계 등이 있다.

• 병렬 관계: 성분이 같은 말들이 나란히 놓여 이루어진 단어 예 有無(유무), 信賴(신뢰)
          상대되는 의미 비슷한 의미
• 주술 관계: 주어와 서술어의 관계로 이루어진 단어 예 伯牙絕(백아절), 家貧(가빈)
• 술보 관계: 서술어와 보어의 관계로 이루어진 단어 예 難解(난해), 多情(다정)

〔이해 더하기〕 자기 계발을 위해 노력한 사람들
└ 계발: 슬기나 재능, 사상 따위를 일깨워 줌.
본문의 성어와 문장은 자신의 꿈을 성취하고 맡은 역할을 다하기 위해 어려운 상황에
서도 학업을 竝行하고 자신을 啓發하려 노력한 사람들의 이야기이다. 전쟁터에서도 손
에서 책을 놓지 않았던 여몽, 가난한 살림살이에서도 주경야독으로 성공한 차윤과 손강
과 같이 우리도 자신의 目標를 이루기 위해 힘써야 할 것이다.
병행: 둘 이상의 일을   └ 목표: 어떤 목적을 이루려고 지향하는
한꺼번에 행함.   실제적 대상으로 삼음. 또는 그 대상

이미 모든 사물이 인터넷으로 연결되는 사물 인터넷이 도입되고 있으며, 로봇에게 委任하는 일도 많아졌다. 바이오 기술과 나노 기술 등이 급속히 발전하면서 尖端 과학 기술이 직업 세계를 크게 바꿀 것으로 예상되는 등 職業 세계는 지속적으로 변화하고 있다. 특히 최근의 이러한 변화 속도는 그 어느 때보다도 빨라서 변화의 방향을 이해하고 자신의 진로를 선택하는 것은 매우 중요하다.

> 위임: 어떤 일을 책임 지워 맡김.
> 첨단: 시대 사조, 학문, 유행 따위의 맨 앞장

몇 가지 변화의 방향을 예측해 보면, 우선 우리나라도 이미 저출산, 인구 고령화 현상이 나타나고 있어 노인을 위한 산업과 직업이 중요해질 것이다. 그리고 미래 사회에서는 더 나은 삶의 질을 위해 안전한 먹거리, 수준 높은 예술의 享有, 健康한 삶의 유지, 스트레스가 적은 직장 생활 등을 고려하게 될 것이다.

> 직업: 생계를 유지하기 위하여 자신의 적성과 능력에 따라 일정한 기간 동안 계속하여 종사하는 일
> 향유: 누리어 가짐.
> 건강: 정신적으로나 육체적으로 아무 탈이 없고 튼튼함.

– 교육부 · 한국직업능력개발원, 2015

청소년들이 자신의 미래 직업을 선택하기 위해서는 수시로 자신의 적성을 찾으려는 노력이 중요하다. 遂行 평가 과제를 하거나 수업 시간에 토론할 때에 유독 관심이 생기는 분야를 기억했다가 정보를 詳細하게 검색하여 정리해 두는 것도 좋은 습관이다.

> 수행: 생각하거나 계획한 대로 일을 해냄.
> 상세: 낱낱이 자세함.

| 진로(직업) 관련 용어 |

新 한자 모아 보기

한자	음	뜻	부수	획수	총획
委	위	맡기다	女	5	8
任	임	맡기다	人(亻)	4	6
尖	첨	뾰족하다	小	3	6
職	직	벼슬	耳	12	18
享	향	누리다	亠	6	8
健	건	굳세다	人(亻)	9	11
康	강	편안하다	广	8	11
遂	수	드디어, 이루다	辶(辶)	9	13
詳	상	자세하다	言	6	13
仲	중	버금	人(亻)	4	6
介	개	끼다	人	2	4
團	단	둥글다, 모이다	囗	11	14
管	관	대롱, 맡아 다스리다	竹	8	14
專	전	오로지	寸	8	11
犯	범	범하다	犬(犭)	2	5
護	호	돕다	言	14	21
航	항	배	舟	4	10

활동 ▶ 빈칸에 알맞은 음을 써 보자.

① 情報仲介人(정보 中 개 인): 각종 정보에 관한 정보를 수집하여 정보를 필요로 한 곳에 제공하는 직업

② 市民團體活動家(시민 단 체 활동가): 각종 시민 사회단체에서 근무하며 각 단체의 성격에 맞는 다양한 비영리 활동을 하는 사람

③ 健康管理專門家(건 강 관리 전문가): 운동을 통해 운동 참여자의 생활 습관을 올바른 방향으로 개선하는 건강 교육 지도자

④ 犯罪被害者保護士(범 죄 피해자 보 호 사): 범죄 수사 과정에서 피해자와 목격자의 심리적 안정을 돕고, 수사 종료 후에도 정신적 피해를 극복할 수 있도록 상담하는 역할을 하는 사람

⑤ 航空宇宙工學技術者(항 공 우 주 공학 기술자): 공기 중을 비행하는 물체 즉, 여객기, 전투기, 우주선 등의 각종 비행 물체를 설계하고 개발하는 사람

실력을 키우는

평가
○ 교과서 30쪽

도움말
단어의 짜임

• 수식 관계
• 술목 관계
• 병렬 관계
• 주술 관계
• 술보 관계

1. 성어를 단어의 짜임에 유의하여 풀이해 보자.

> 책을 놓음. – 술목 관계
> **手不釋卷**
> 수 불 석 권

✏ 손에서 책을 놓지 않음.

2. 다음 밑줄 친 내용과 관련 있는 성어는? ①

도움말

제시된 내용은 孔子穿珠(공자천주)의 유래로 공자의 배움에 대한 태도를 알 수 있다.

> 공자(孔子)가 아홉 구비 굽은 구슬에 실을 꿰지 못하고 있다가 바느질하는 시골 여인의 도움을 받아 구슬의 반대편에 꿀을 바르고 개미허리에 실을 매어 그 구멍으로 내보내 실을 꿰었다는 이야기가 있다. 이처럼 공자도 모르는 것이 있으면 <u>아랫사람에게 묻는 것을 부끄러워하지 않았다</u>고 한다.

① **不恥下問**
불 치 하 문

② **自強不息**
자 강 불 식
: 스스로 힘써 쉬지 않음.

③ **手不釋卷**
수 불 석 권
: 손에서 책을 놓지 않음.

④ **螢雪之功**
형 설 지 공
: 반딧불이와 눈을 통하여 이룬 성공

⑤ **晝耕夜讀**
주 경 야 독
: 낮에는 농사짓고, 밤에는 글을 읽음.

3. ㉠과 ㉡에 알맞은 한자를 각각 써 보자. ㉠ 螢, ㉡ 雪

> ○○○○ 매장 앞 길가에 앉아 희미한 가게 불빛으로 공부하는 필리핀의 한 소년. 반딧불이 불빛이 ○○○○ 간판 조명으로 바뀐 현대판 '㉠㉡지공'이 다름없는데요, 이 소년의 사연을 안타까워한 사람들의 기부금, 학용품 등의 도움의 손길이 밀려들고 있습니다.
>
> 『뉴스○』, 2015. 7. 10.

<u>창의형</u>

4. 고등학교 생활 동안 펼치고자 하는 자신의 뜻과, 뜻을 이루기 위한 구체적인 노력을 '**自強不息**'과 관련하여 100자 이내로 서술해 보자.
자 강 불 식

도움말

自強不息: 스스로 힘쓰고 쉬지 않는다.

> ✏ [예시 답안] 나의 꿈은 국가대표로 선발되어 올림픽에 나가는 것이고, 장차 후진을 양성하는 지도자가 되는 것이다. 나는 이를 위해서 늘 自強不息의 자세를 유지하고 있다. 항상 스스로 계획을 세워 적극적으로 훈련하고, 학업에도 충실하기 위해 노력한다.

도움말 소단원 학습이 끝나면 소단원 학습 목표에 해당하는 질문에 답하며 자신의 학업 성취도를 스스로 점검해 본다. 성취 목표에 도달하지 못한 경우에는 제시된 위치로 돌아가서 내용을 다시 읽고 공부하도록 한다.

소단원 자기 점검	배운 내용에 관해 자기 점검을 하면서 학업 성취도 도달 정도를 확인해 보자. [별이 3개 이하인 경우] • 교과서 26~28쪽 다시 읽기	
	• 성어의 속뜻을 알고 성어를 일상생활에서 바르게 활용할 수 있는가?	☆☆☆☆☆
	• 성어에 담긴 선인들의 삶의 지혜와 사상을 알 수 있는가?	☆☆☆☆☆

• 한자, 음, 뜻, 부수의 순서로 제시

1. 한자

館 (관) ❶[　] [食]
肖 (초) 닮다 [肉(月)]
像 (상) 모양 [人(亻)]
❷[　] (치) 부끄럽다 [心]
息 (식) 쉬다 [心]
釋 (석) 풀다, 놓다 [采]
螢 (형) 반딧불이 [虫]
映 (영) 비치다 [❸[　]]
孔 (공) 구멍, 성씨 [子]
穿* (천) 뚫다 [穴]
珠 (주) 구슬 [❹[　]]
爐 (로) 화로 [火]
炭 (탄) 숯 [火]
鑛 (광) 쇳돌 [金]

煩 (번) 번거롭다 [火]
惱 (뇌) 번뇌하다 [心(忄)]
壓 (압) 누르다 [土]
券 (권) 문서 [刀]
拳 (권) ❺[　][　] [手]
銃 (총) 총 [金]
❻[　] (병) 나란히 [立]
啓 (계) 열다 [口]
標 (표) 표하다 [木]
委 (위) 맡기다 [女]
任 (임) 맡기다 [人(亻)]
尖 (첨) ❼[　]뾰족하다 [小]
職 (직) 벼슬 [❽[　]]
享 (향) 누리다 [亠]

健 ❾[　] 굳세다 [人(亻)]
康 (강) 편안하다 [广]
遂 (수) 드디어, 이루다
　　　　[辵(辶)]
詳 (상) 자세하다 [言]
❿[　] (중) 버금 [人(亻)]
介 (개) 끼다 [人]
團 (단) 둥글다, 모이다 [口]
管 (관) 대롱, 맡아 다스리다 [竹]
專 (전) 오로지 [寸]
犯 (범) ⓫[　][　] [犬(犭)]
護 (호) 돕다 [言]
航 (항) 배 [⓬[　]]

2. 본문

不恥下❶[　] (불치하문)	아랫사람에게 묻는 것을 부끄러워하지 않음.
自強不息 (자강불식)	스스로 힘써 쉬지 않음.
手不釋卷 (수불석권)	❷[　]에서 책을 놓지 않음.
❸[　]雪之功 (형설지공)	반딧불이와 눈의 공로 → 반딧불이와 눈을 통하여 이룬 성공
盛數十螢火 (성수십형화)하여 以照書 (이조서)라.	수십 마리의 반딧불이의 불빛을 담아서 ❹[　]을 비추다.
家貧無油 (가빈무유)하여 常映雪讀❺[　] (상영설독서)라.	집이 가난하여 기름이 없어서 항상 눈빛에 비추어 책을 읽었다.

3. 단어의 짜임

• ❶[　][　] 관계: 수식어와 피수식어의 관계로 이루어진 단어 예 螢火 → 반딧불이의 불빛[수식어 + 피수식어]
• 술목 관계: 서술어와 ❷[　][　][　]의 관계로 이루어진 단어 예 讀書 → 읽다 책을[서술어 + 목적어]

4. **어휘** – 진로(직업) 관련 용어

* ❶ ☐☐仲介人(정보 중개인): 각종 정보에 관한 정보를 수집하여 정보를 필요한 곳에 제공하는 직업
* 市民團體活動家❷(☐☐ ☐☐ ☐☐☐): 각종 시민 사회단체에서 근무하며 각 단체의 성격에 맞는 다양한 비영리 활동을 하는 사람
* ❸ ☐☐管理專門家(건강 관리 전문가): 운동을 통해 운동 참여자의 생활 습관을 올바른 방향으로 개선하는 건강 교육 지도자

* 犯罪被害者保護士❹(☐☐ ☐☐☐ ☐☐ ☐): 범죄 수사 과정에서 피해자와 목격자의 심리적 안정을 돕고, 수사 종료 후에도 정신적 피해를 극복할 수 있도록 상담하는 역할을 하는 사람
* 航空宇宙工學技術者(항공 우주 공학 기술자): 공기 중을 ❺☐☐하는 물체 즉, 여객기, 전투기, 우주선 등의 각종 비행 물체를 설계하고 개발하는 사람

쪽지 시험

01 다음 한자의 공통되는 뜻을 쓰시오.

> 委　任

02 다음과 같은 뜻을 가진 단어를 〈보기〉에서 찾아 한자 어휘와 독음을 쓰시오.

(1) 한 손으로 다룰 수 있는 짧고 작은 총
(2) 여러 책이나 작품 가운데 제일 잘된 책이나 작품
(3) 외국을 여행하는 사람의 신분이나 국적을 증명하고 상대국에 그 보호를 의뢰하는 문서

> 보기
> 壓卷　旅券　拳銃

03 빈칸에 들어갈 알맞은 한자를 쓰시오.

> 手☐釋卷

04 다음과 같은 뜻을 가진 한자 어휘를 한자로 쓰시오.

(1) 누리어 가짐.: ☐☐
(2) 시대 사조, 학문, 유행 따위의 맨 앞장: ☐☐
(3) 각종 정보에 관한 정보를 수집하여 필요한 곳에 제공하는 직업: 情報☐☐☐
(4) 생계를 유지하기 위하여 자신의 적성과 능력에 따라 일정한 기간 동안 계속하여 종사하는 일: ☐☐

05 단어의 짜임과 설명을 바르게 연결하시오.

(1) 술보 관계 •　　• ㉠ 주어와 서술어로 이루어짐.

(2) 병렬 관계 •　　• ㉡ 성분이 같은 말들이 나란히 놓여 이루어짐.

(3) 주술 관계 •　　• ㉢ 서술어와 보어로 이루어짐.

(4) 술목 관계 •　　• ㉣ 서술어와 목적어의 관계로 이루어짐.

01 한자의 음이 바르지 않은 것은?

① 尖 (첨) ② 釋 (석) ③ 像 (상)
④ 館 (관) ⑤ 映 (형)

02 두 자를 합하여 하나의 한자를 만들 때, ㉠과 ㉡의 음으로 알맞은 것은?

自+犬=(㉠)   自+心=(㉡)

    ㉠ ㉡   ㉠ ㉡
① 견 심   ② 견 자
③ 자 식   ④ 취 식
⑤ 취 심

출제 유력
03 한자의 뜻이 바르지 않은 것은?

① 肖: 닮다 ② 釋: 놓다 ③ 職: 벼슬
④ 盛: 이루다 ⑤ 螢: 반딧불이

04 다음 한자의 공통되는 부수로 알맞은 것은?

炭　　照

① 山 ② 火 ③ 日 ④ 口 ⑤ 心

05 한자의 부수가 바르지 않은 것은?

① 螢 [火] ② 映 [日] ③ 雪 [雨]
④ 功 [力] ⑤ 貧 [貝]

출제 유력
06 다음 한자 어휘의 독음을 쓰시오.

晝耕夜讀

07 빈칸에 들어갈 한자 어휘로 알맞은 것은?

市民 ☐☐ 活動家: 각종 시민 사회단체에서 근무하며 각 단체의 성격에 맞는 다양한 비영리 활동을 하는 사람

① 團體 ② 仲介 ③ 健康
④ 犯罪 ⑤ 情報

08 풀이 순서가 다른 하나는?

① 不恥 ② 自強 ③ 釋卷
④ 無油 ⑤ 讀書

09 밑줄 친 한자의 뜻으로 알맞은 것은?

自強不息

① 담다 ② 묻다 ③ 쉬다
④ 읽다 ⑤ 자식

10 다음 설명에 해당하는 성어로 알맞은 것은?

아랫사람에게 묻는 것을 부끄러워하지 않음.

① 不恥下問 ② 不下恥問 ③ 恥下不問
④ 問恥下不 ⑤ 下恥不問

11 화살표 방향으로 성어를 채울 때, ㉠에 들어갈 알맞은 한자를 쓰시오.

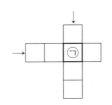

【가로 열쇠】
스스로 힘써 쉬지 않음.

【세로 열쇠】
손에서 책을 놓지 않음.

12 밑줄 친 한자의 뜻으로 알맞은 것은?

螢雪<u>之</u>功

① 가다　　　② 그것　　　③ ~은(는)
④ ~을(를)　　⑤ ~의

13 다음 성어의 공통되는 주제로 알맞은 것은?

自強不息　　不恥下問　　手不釋卷

① 검소　　　② 공경　　　③ 노력
④ 배려　　　⑤ 우정

14 성어의 속뜻으로 바르지 <u>않은</u> 것은?

① 不恥下問: 끊임없이 인격을 수양함.
② 螢雪之功: 고생을 하면서 부지런히 공부함.
③ 晝耕夜讀: 어려운 여건 속에서도 꿋꿋이 공부함.
④ 手不釋卷: 손에서 책을 놓을 사이 없이 열심히 공부함.
⑤ 自強不息: 스스로 힘써 몸과 마음을 가다듬어 쉬지 아니함.

[15~17] 다음 문장을 읽고 물음에 답하시오.

盛數十㉠螢火하여 以照書라.

15 위 문장에 쓰인 한자의 음이 <u>아닌</u> 것은?

① 성　　② 시　　③ 십　　④ 형　　⑤ 화

16 위 문장에서 가장 마지막으로 풀이되는 한자는?

① 盛　　② 螢　　③ 火　　④ 照　　⑤ 書

17 ㉠의 짜임으로 알맞은 것은?

① 주술　　　② 술목　　　③ 술보
④ 수식　　　⑤ 병렬

[18~20] 다음 문장을 읽고 물음에 답하시오.

家☐無油하여 常㉠映雪讀書라.

18 빈칸에 들어갈 한자로 알맞은 것은?

① 貧　　② 螢　　③ 愛　　④ 信　　⑤ 火

19 위 문장에 쓰인 한자의 음과 뜻이 <u>아닌</u> 것은?

① (가) 집　　② (무) 없다　　③ (유) 기름
④ (설) 비　　⑤ (독) 읽다

20 ㉠과 바꾸어 쓸 수 있는 한자는?

① 照　　② 自　　③ 不　　④ 恥　　⑤ 十

출제 유형

• 다음 문장에서 강조하는 덕목으로 알맞은 것은?
• 문장과 속담의 연결이 바르지 않은 것은?
• 다음 문장의 교훈으로 알맞은 것은?

04
짧은 글에 담긴 지혜 ○ 교과서 31쪽

| 생각을 여는 활동 |

● 다음을 보고, 사진 속 어린이에게 해 줄 수 있는 한문 속담을 〈보기〉에서 찾아 써 보자. ㉯

> 속담
> 俗談은 예로부터 민간에 전해 내려오는 짧은 말로, 표현 방식은 나라마다 조금씩 다르지만 內包하는 의미가 같거나 비슷한 속담도 있다. 제시된 그림 속 어린이에게 해 줄 우리나라 속담은 무엇이 있을까?
> └ 내포: 어떤 성질이나 뜻 따위를 속에 품음.

Good medicine tastes bitter.

> 영어로 쓰여 있고 아이가 쓴 약을 먹기 싫어서 거부의 손짓을 하고 있네. 영어를 풀이하면 '좋은 약은 입에 쓰다.'이고, '입에 쓴 약이 몸에 좋다.'라는 속담을 해 줄 수 있어. 그럼 '입에 쓴 약이 몸에 좋다.'와 관련 있는 한문 속담에는 무엇이 있을까?

보기

┌ 쇠귀에 경 읽기라는 뜻으로, 아무리 가르치고 일러 주어도 알아듣지 못함을 이르는 말
└ ㉮ 우이독경(牛耳讀經)

┌ 좋은 약은 입에 쓰다는 뜻으로, 충언(忠言)은 귀에 거슬리나 자신에게 이로움을 이르는 말
└ ㉯ 양약고구(良藥苦口)

┌ ㉰ 화중지병(畫中之餠)
└ 그림의 떡이라는 뜻으로, 아무리 마음에 들어도 이용할 수 없거나 차지할 수 없는 경우를 이르는 말

┌ ㉱ 초록동색(草綠同色)
└ 풀빛과 녹색은 같은 빛깔이라는 뜻으로, 같은 처지의 사람들끼리 어울리는 것을 이르는 말

학습 계획 세우기 [도움말] 한문 속담의 의미를 알아보는 활동을 통해 소단원 학습에 대한 자신의 배경지식을 활성화한다. 또 이를 바탕으로 소단원에서 어떤 내용을 공부할지 스스로 계획을 세워 본다.

● 위 활동을 바탕으로 스스로 학습 계획을 세워 보자.

나는 이 단원에서 _____ 예 한문 속담의 의미 _____ 을/를 공부하겠다.

한자 모아 보기 자신이 알고 있는 한자에 ✓ 표시를 해 보자.

新 한자	음	뜻	부수	획수	총획
包	포	싸다	勹	3	5

출제 유형

- 위 문장을 바르게 끊어 읽으시오.
- 문장에 쓰인 한자의 음과 뜻으로 알맞은 것은?
- 윗글의 밑줄 친 한자 어휘에 대한 이해로 바르지 않은 것은?

짧은 글에 담긴 지혜 ○ 교과서 32, 33쪽

속담은 예로부터 민간에 전해 내려오는, 생활 속의 교훈을 담은 비유적인 짧은 말이다. 우리 조상들은 일상생활에서 많이 쓰이는 속담을 한문으로 기록해 두었는데, 이는 오늘날의 우리에게 경계가 되고 있다. 이 단원에서는 한문 속담을 풀이하고 그 속뜻까지 파악하여 조상들의 사상과 지혜를 배워 보자.

新 한자 모아 보기

한자	음	뜻	부수	획수	총획
騎	기	말 타다	馬	8	18
率	률	비율	玄	6	11
	솔	거느리다			
奴	노	종	女	2	5
積	적	쌓다	禾	11	16
塔	탑	탑	土	10	13
墮	타	떨어지다	土	12	15
	휴	무너지다			
帶	대	띠	巾	8	11
矢	시	화살	矢	0	5
腹	복	배	肉(月)	9	13
飽	포	배부르다	食	5	14
飢	기	굶주리다	食	2	11
窮	궁	다하다, 궁하다	穴	10	15
飜	번	뒤집다	飛	12	21
狗	구	개	犬(犭)	5	8
貌	모	모양	豸	7	14
餓	아	굶주리다	食	7	16
枕	침	베다	木	4	8
厥	궐	그	厂	10	12

① (률) 비율
② (솔) 거느리다

※ 奴(노)는 사내종을, 婢(비)는 여자종을 뜻함.
奴婢(노비)는 사내종과 여자종을 아울러 이르는 말임.

騎馬면 欲率奴라.

기 마 　 욕 솔 노

말타다 말 　 하고자 거느리다 종
하다

말을 타면 종(마부)을 거느리고 싶다.

『순오지』

① (타) 떨어지다
② (휴) 무너지다

積功之塔은 不墮라.

적 공 지 탑 　 불 휴

쌓다 공 어조사 탑 　 아니다 무너지다

공들여 쌓은 탑은 무너지지 않는다.

『순오지』

띠다 ☞ 맞다
[비슷한 모양의 한자]
矢 (시) 화살 ⑨ 矢石(시석)
失 (실) 잃다 ⑨ 失點(실점)

鳥久止면 必帶矢라.

조 구 지 　 필 대 시

새 오래다 머무르다 　 반드시 띠 화살

새가 오래 머물면 반드시 화살을 맞는다.

『열상방언』

我腹旣飽면 不察奴飢라.

아 복 기 포 　 불 찰 노 기

나 배 이미 배부르다 　 아니다 살피다 종 굶주리다

내 배가 이미 부르면 종의 배고픔을 살피지 않는다.

『이담속찬』

窮人之事는 飜亦破鼻라.
궁 인 지 사 번 역 파 비
궁하다 사람 어조사 일 뒤집다 또 깨뜨리다 코

곤궁한 사람의 일은 뒤로 넘어져도 또한 코가 깨진다.

『이담속찬』

┌──── 浴烏狗인데, 烏狗와 浴이
│ 도치되면서 之를 넣었음.

烏狗之浴이라도 不變其黑이라.
오 구 지 욕 불 변 기 흑
검다 개 어조사 목욕하다 아니다 변하다 그 검다
└ ① 까마귀
② 검다 ≒ 黑(흑)

검은 개를 목욕시키더라도 그 검은색을 변화시키지 못한다.

『이담속찬』

衣視其體요 名視其貌라.
의 시 기 체 명 시 기 모
옷 보다 그 몸 이름 보다 그 모양

옷을 지을 때는 그 몸을 보고, 이름을 지을 때는 그 용모를 본다.

『이담속찬』

農夫餓死라도 枕厥種子라.
농 부 아 사 침 궐 종 자
농사 지아비 굶주리다 죽다 베다 그 씨 열매

농부는 굶어 죽더라도 그 씨앗을 벤다.

『이담속찬』

① 자신이 맡은 일에 최선을 다하는 투철한 직업의식을 지닌 사람을 비유하 ┐
는 말 ├ 상반된 해석
② 어리석고 인색한 사람은 죽고 나면 재물이 소용없음을 모른다는 말 ┘

✏ 스스로 확인

본문의 속담 속에 나오는 동물의 종류는 무엇인가?
말[馬], 새[鳥], 개[狗]

• 『순오지(旬五志)』: 조선 숙종 때의 학자인 홍만종(洪萬宗)이 지은 잡록
• 『열상방언(洌上方言)』: 조선 영조·정조 때의 학자인 이덕무(李德懋)가 수집, 한역한 속담집
  『청장관전서(靑莊館全書)』에 속해 있음.
• 『이담속찬(耳談續纂)』: 조선 순조 때의 학자인 정약용(丁若鏞)이 편찬한 속담집. 『여유당전서
  (與猶堂全書)』에 속해 있음.

본문

○ 교과서 34쪽

率: ① (률) 비율 예 投票率 투표율
　　유권자 전체에 대한
　　투표자 수의 비율
　　② (솔) 거느리다 예 統率 통솔
　　무리를 거느려 다스림.

帶: 띠다 ☞ '맞다'의 의미
대

烏: ① 까마귀 예 三足烏 삼족오
오　　동양 신화에 나오는, 태양 속에서
　　산다는 세 발을 가진 까마귀
　　② 검다 예 烏骨鷄 오골계
　　닭 품종의 하나. 살, 가죽, 뼈가 모
　　두 어두운 자색(紫色)임.

之: 浴烏狗인데 ,烏狗와 浴이
지　　욕오구 오구 욕
　　도치되면서 之를 넣었음.
　　(검은 개를 목욕시키다.)
　　　　　　　　지

부수가 같은 한자 – 食(食)식

食(식) 먹다 예 食糧 식량
飽(포) 배부르다 예 飽和 포화
餓(아) 굶주리다 예 飢餓 기아
飾(식) 꾸미다 예 粧飾 장식

• 식량: 생존을 위하여 필요한 사람의 먹을거리
• 포화: 더 이상의 양을 수용할 수 없이 가득 참.
• 기아: 굶주림.
• 장식: ① 옷이나 액세서리 따위로 치장함. 또는 그 꾸밈새 ② 그릇, 가구, 옷 등에 쇠붙이·헝겊·뿔·돌 따위로 여러 모양을 만들어 다는 데 쓰는 물건

新 한자 모아 보기

한자	음	뜻	부수	획수	총획
票	표	표	示	6	11
糧	량	양식	米	12	18
飾	식	꾸미다	食	5	14
粧	장	단장하다	米	6	12
吐	토	토하다, 토를 달다	口	3	6
驗	험	시험하다	馬	13	23

騎馬면 欲率奴라.
기 마 　 욕 솔 노
[속담] 말 타면 경마 잡히고 싶다.
말을 타면 종(마부)을 거느리고 싶다.
남의 탄 말의 고삐를 잡고 말을 모는 일. 또는 그 고삐

積功之塔은 不墮라.
적 공 지 탑 　 불 휴
[속담] 공든 탑이 무너지랴?
공들여 쌓은 탑은 무너지지 않는다.

鳥久止면 必帶矢라.
조 구 지 　 필 대 시
[속담] 오래 앉으면 새도 화살 맞는다.
새가 오래 머물면 반드시 화살을 맞는다.

我腹旣飽면 不察奴飢라.
아 복 기 포 　 불 찰 노 기
[속담] 내 배가 부르니 종의 배고픔을 모른다.
내 배가 이미 부르면 종의 배고픔을 살피지 않는다.

窮人之事는 飜亦破鼻라.
궁 인 지 사 　 번 역 파 비
[속담] 안되는 사람은 자빠져도 코가 깨진다.
곤궁한 사람의 일은 뒤로 넘어져도 또한 코가 깨진다.

烏狗之浴이라도 不變其黑이라.
오 구 지 욕 　 불 변 기 흑
[속담] 검둥개 미역 감긴다고 희어지지 않는다.
검은 개를 목욕시키더라도 그 검은색을 변화시키지 못한다.
→ 악한 사람은 자신의 잘못을 끝내 고치지 못한다.

衣視其體요 名視其貌라.
의 시 기 체 　 명 시 기 모
[속담] 몸 보고 옷 짓고 꼴 보고 이름 짓는다.
옷을 지을 때는 그 몸을 보고, 이름을 지을 때는 그 용모를 본다.

農夫餓死라도 枕厥種子라. 농부는 굶어 죽더라도 그 씨앗을 벤다.
농 부 아 사 　 침 궐 종 자
→ 자신이 맡은 일에 최선을 다하는 투철한 직업의식을 지닌 사람을 비유한다. 또는 어리석고 인색한 사람은 죽고 나면 재물이 소용없음을 모른다.

[똑똑한 지식] 끊어 읽기

騎馬欲率奴
기 마 욕 솔 노

— 끊어 읽기　　　騎馬 / 欲率奴
— 문장 부호 사용하기 騎馬, 欲率奴.
— 吐를 달아 읽기　騎馬면 欲率奴라. ┐구두법

└ 懸吐(현토): '~이, ~이면, ~하고, ~이라'와 같이 우리말 토(吐)를 다는 방법
• 주어 뒤에: 은, 는, 이, 가
• 서술어에: ~니라, ~이라, ~라, ~로라

[이해 더하기] 속담

경험: 자신이 실제로 해 보거나 겪어 봄. ┐
또는 거기서 얻은 지식이나 기능 ┘

속담(俗談)은 옛날부터 입에서 입으로 전해 내려오는 짧은 말로, 누가, 언제, 어떻게 만들었는지는 정확히 알 수 없다. 또한, 속담은 많은 사람의 經驗과 지혜에서 우러난 진리를 간결한 말로 표현한 것이 특징인데, 속담에는 그것을 사용하는 대중들의 공동체 문화가 잘 반영되어 있다. 한문으로 된 속담은 단순한 뜻풀이에서 그칠 것이 아니라 속뜻까지 이해하고 활용하는 것이 중요하다.

속담은 일상생활 속에서 사람들에 의해 만들어지고 전해지면서 여러 사람의 경험과 지혜가 반영되고, 다양한 경험적 과학 지식이 녹아들게 된다. 특히 농경 생활을 했던 조상들은 기후를 통해 농사를 準備하는 등 조상들의 삶은 기후와 매우 緊密했기 때문에 우리 속담 중에는 기후와 관련된 것이 많이 있다. 기후와 관련된 다음 속담의 의미와 과학적 근거를 알아보자.

└─ 준비: 미리 마련하여 갖춤.

└─ 긴밀: 서로의 관계가 매우 가까워 빈틈이 없음.

㉮의 속담은 '개미가 이동하면 비가 올 것을 豫想할 수 있다.'는 의미이다. 개미는 微物이지만 濕氣를 감지하는 기능이 매우 예민하여 저기압 狀態가 되면 비가 올 것을 예감하고 안전지대로 옮겨 가는 습성이 있다.

└─ 예상: 어떤 일을 직접 당하기 전에 미리 생각하여 둠.

㉯의 속담은 '배에서 쥐가 이동하면 폭풍우가 올 것을 예상할 수 있다.'는 뜻이다. 쥐는 본능적으로 폭풍우 조짐을 감지하면 미리 待避하는 습성이 있다.

> ㉮ 개미가 이사하면 비 온다.
> ㉯ 쥐가 배에서 내리면 폭풍우 조짐이 있다.

└─ 습기: 물기가 많아 젖은 듯한 기운

└─ 상태: 사물 · 현상이 놓여 있는 모양이나 형편

미물: 인간에 비하여 보잘것없는 것이라는 뜻으로, '동물'을 이르는 말

대피: 위험이나 피해를 입지 않도록 일시적으로 피함.

내일 날씨를 말씀드리겠습니다. 우리 속담에 '오뉴월 소나기는 쇠 등을 두고 다툰다.' 라는 말이 있습니다. 이 속담은 오뉴월 소나기는 소의 등을 경계로 한쪽에는 내리고, 한쪽에는 내리지 않을 수도 있다는 뜻으로, 여름철에 국부적으로 내리는 소나기를 비유적으로 일컫는 말입니다. 내일은 강한 여름철 햇빛으로 인하여 적란운이 만들어져 국지적으로 강한 소나기가 올 것으로 예상됩니다. 밖에 나가실 때는 우산을 준비하시고, 계곡에서 물놀이하시는 분들은 갑작스러운 수위 상승에 주의해야겠습니다.

新 한자 모아 보기

한자	음	뜻	부수	획수	총획
準	준	준하다, 고르다	水(氵)	10	13
緊	긴	긴하다, 굳다	糸	8	14
豫	예	미리	豕	9	16
微	미	작다	彳	10	13
濕	습	젖다	水(氵)	14	17
狀	상	형상	犬	4	8
狀	장	문서			
態	태	모습	心	10	14
避	피	피하다	辵(辶)	13	17
旱	한	가물다	日	3	7
燥	조	마르다	火	13	17
霧	무	안개	雨	11	19
暢	창	화창하다	日	10	14
雷	뢰	우레	雨	5	13
凍	동	얼다	冫	8	10
蒸	증	찌다	艸(艹)	10	14

| 기후 관련 용어 |

활동 풀이에 해당하는 한자 어휘를 찾아 가로 또는 세로 방향으로 묶어 보자.

① 가뭄으로 인한 재해: 한 해

② 천둥소리와 함께 내리는 비: 뇌 우

③ 습기나 물기가 없는 상태: 건 조

④ 대기 중의 수증기의 압력: 수 증 기 압

⑤ 연기와 안개를 아울러 이르는 말: 연 무

⑥ 날씨 따위가 온화하고 활짝 펴서 맑음: 화 창

⑦ 추위 때문에 살갗이 얼어서 조직이 상하는 일: 동 상

	①		⑥
乾 (건)	旱 (한)	害 (해)	和 (화)
⑤			
燥 (조)	煙 (연)	霧 (무)	暢 (창)
②		⑦	
雷 (뇌)	雨 (우)	凍 (동)	傷 (상)
④			
水 (수)	蒸 (증)	氣 (기)	壓 (압)

1. 제시된 문장에 토를 달고 문장을 끊어 읽어 보자.

도움말

'토'를 다는 방법

• 주어 뒤에 '은, 는, 이, 가' 등을 붙인다.
• 서술어에 '~니라, 이라, ~라, 로라' 등을 붙인다.

> 積功之塔/不墮 [풀이] 공들여 쌓은 탑은 무너지지 않는다.
> 적 공 지 탑 불 휴

✎ 적공지탑은 불휴라.

2. 속담과 의미가 통하는 것끼리 연결해 보자.

① 鳥久止, 必帶矢.
　조 구 지 　필 대 시

② 農夫餓死, 枕厥種子.
　농 부 아 사 　침 궐 종 자

③ 窮人之事, 飜亦破鼻.
　궁 인 지 사 　번 역 파 비

㉮ 농부는 죽는 한이 있더라도 종자만은 꼭 보관한다.

㉯ 운수가 나쁜 사람은 보통 사람에게는 생기지도 않는 나쁜 일까지 생긴다.

㉰ 편안함이 지속되면 위험을 겪게 된다.

[창의형]

3. 본문의 속담 중 하나를 골라 현대적 가치로 새롭게 해석해 보자.

[예시]

• 속담: 騎馬, 欲率奴.
　　　　 기 마 　욕 솔 노

• 속뜻: 사람의 욕심은 끝이 없다.

• 새로운 해석: 말을 타면 마부인 종을 거느리고 싶은 마음은 당연하다. 마치 손수 운전자가 운전기사를 두고 싶어 하는 것과 같은데, 사람은 하나를 가지면 둘을 가지고 싶은 욕심이 생기기 마련이다. 이런 욕심을 채우려면 노력을 하게 될 것이고, 따라서 욕심을 부리는 것은 어느 정도 필요하리라 본다.

• 속담: 積功之塔, 不墮.
　　　　 적 공 지 탑 　불 휴

• 속뜻: 힘을 다하고 정성을 다하여 한 일은 그 결과가 반드시 헛되지 않다.

• 새로운 해석: 아무리 공을 들여 한 일이라 하더라도 결과가 반드시 좋은 것은 아니다. 나보다 더 재능이 뛰어나거나 노력을 많이 한 사람이 있을 수 있기 때문이다. 결과에 대해 무조건 낙관한다면 결과가 좋지 않을 때 절망할 수도 있다. 우리에게는 결과에 승복하고 다시 한 번 노력할 수 있는 자세가 필요할 것이다.

도움말 소단원 학습이 끝나면 소단원 학습 목표에 해당하는 질문에 답하며 자신의 학업 성취도를 스스로 점검해 본다. 성취 목표에 도달하지 못한 경우에는 제시된 위치로 돌아가서 내용을 다시 읽고 공부하도록 한다.

소단원 자기 점검	배운 내용에 관해 자기 점검을 하면서 학업 성취도 도달 정도를 확인해 보자.	[별이 3개 이하인 경우] • 교과서 34쪽 '똑똑한 지식' 다시 읽기
	• 문장을 바르게 끊어 읽을 수 있는가?	☆☆☆☆☆
	• 속담의 속뜻을 알고 일상생활에서 바르게 사용할 수 있는가?	☆☆☆☆☆
	• 속담에 담긴 선인들의 지혜를 이해하고 현대적 가치로 새롭게 해석할 수 있는가?	☆☆☆☆☆

[별이 3개 이하인 경우] • 교과서 32~34쪽 다시 읽기

1. 한자

包 (포) 싸다 [勹]
騎 (기) 말 타다 [馬]
❶[ ] (률) 비율,
   (솔) 거느리다 [玄]
奴 (노) 종 [女]
積 (적) 쌓다 [禾]
❷塔 [ ] 탑 [土]
墮 (타) 떨어지다,
   (휴) 무너지다 [土]
帶 (대) 띠 [巾]
矢 (시) 화살 [❸[ ]]
腹 (복) 배 [肉(月)]
飽 (포) 배부르다 [食]
飢 (기) 굶주리다 [食]

窮 (궁) 다하다, 궁하다 [穴]
飜 (번) 뒤집다 [飛]
狗 (구) ❹[ ] [犬(犭)]
貌 (모) 모양 [豸]
餓 ❺[ ] 굶주리다 [食]
枕 (침) 베다 [木]
厥 (궐) 그 [厂]
票 (표) 표 [示]
糧 (량) 양식 [米]
飾 (식) ❻[ ][ ][ ] [食]
粧 (장) 단장하다 [米]
❼[ ] (토) 토하다, 토를 달다 [口]
驗 (험) 시험하다 [馬]
準 (준) 준하다, 고르다 [水(氵)]

緊 (긴) 긴하다, 굳다 [糸]
豫 (예) ❽[ ][ ] [豕]
微 (미) 작다 [彳]
濕 (습) 젖다 [水(氵)]
狀 (상) 형상, (장) 문서 [犬]
態 ❾[ ] 모습 [心]
避 (피) 피하다 [辵(辶)]
旱 (한) 가물다 [❿[ ]]
燥 (조) 마르다 [火]
霧 (무) ⓫[ ][ ] [雨]
暢 (창) 화창하다 [日]
⓬[ ] (뢰) 우레 [雨]
凍 (동) 얼다 [冫]
蒸 (증) 찌다 [艸(艹)]

2. 본문

騎❶[ ](기마)면 欲率奴(욕솔노)라.	말을 타면 종(마부)을 거느리고 싶다.
積功之塔(적공지탑)은 不墮(불휴)라.	공들여 쌓은 탑은 무너지지 않는다.
鳥久止(조구지)면 必帶矢(필대시)라.	새가 오래 머물면 반드시 ❷[ ][ ]을 맞는다.
我腹旣飽(아복기포)면 不察奴飢(불찰노기)라.	내 배가 이미 부르면 ❸[ ]의 배고픔을 살피지 않는다.
窮人之事(궁인지사)는 飜亦破鼻(번역파비)라.	곤궁한 사람의 일은 뒤로 넘어져도 또한 ❹[ ]가 깨진다.
烏狗之浴(오구지욕)이라도 不變其❺[ ](불변기흑)이라.	검은 개를 목욕시키더라도 그 검은색을 변화시키지 못한다.
衣視其體(의시기체)요 ❻[ ]視其貌(명시기모)라.	옷을 지을 때는 그 몸을 보고, 이름을 지을 때는 그 용모를 본다.
農夫餓死(농부아사)라도 枕厥❼[ ][ ](침궐종자)라.	농부는 굶어 죽더라도 그 씨앗을 벤다.

3. 끊어 읽기

- 끊어 읽기: 騎馬(기마) / 欲率奴(욕솔노)
- 문장 부호 사용하기: 騎馬(기마), 欲率奴(욕솔노).
- ❶◻를 달아 읽기: 騎馬(기마)면 欲率奴(욕솔노)라.

4. 어휘 – 기후 관련 용어

- 旱害(❶◻◻): 가뭄으로 인한 재해
- 雷雨(❷◻◻): 천둥소리와 함께 내리는 비
- ❸◻◻(건조): 습기나 물기가 없는 상태
- 水蒸氣壓(수증기압): 대기 중의 수증기의 압력
- ❹◻◻(연무): 연기와 안개를 아울러 이르는 말
- 和暢(❺◻◻): 날씨 따위가 온화하고 활짝 펴서 맑음.
- 凍傷(동상): 추위 때문에 살갗이 얼어서 조직이 상하는 일

쪽지 시험

01 다음 한자의 공통되는 뜻을 쓰시오.

> 餓　飢

02 다음 한자의 공통되는 부수를 쓰시오.

> 食　飽　飾

03 다음과 같은 뜻을 가진 단어를 〈보기〉에서 찾아 한자 어휘와 독음을 쓰시오.

(1) 서로의 관계가 매우 가까워 빈틈이 없음.
(2) 어떤 일을 직접 당하기 전에 미리 생각하여 둠.
(3) 인간에 비하여 보잘것없는 것이라는 뜻으로, '동물'을 이르는 말

> ── 보기 ──
> 緊密　豫想　微物

04 다음과 같은 뜻을 가진 한자 어휘를 한자로 쓰시오.

(1) 무리를 거느려 다스림.: ◻◻
(2) 습기나 물기가 없는 상태: ◻◻
(3) 대기 중의 수증기의 입력: ◻◻◻◻
(4) 연기와 안개를 아울러 이르는 말: ◻◻
(5) 날씨 따위가 온화하고 활짝 펴서 맑음: ◻◻
(6) 추위 때문에 살갗이 얼어서 조직이 상하는 일:
◻◻

05 제시된 동물과 관련 있는 문장을 바르게 연결하시오.

(1) 새　·
(2) 말　·
(3) 개　·

· ㉠ 騎馬면 欲率奴라.
· ㉡ 鳥久止면 必帶矢라.
· ㉢ 烏狗之浴이라도 不變 其黑이라.

01 음이 같은 한자의 연결이 바르지 <u>않은</u> 것은?

① 欲-浴　② 烏-鳥　③ 我-餓
④ 久-狗　⑤ 旣-其

02 다음 한자와 뜻이 비슷한 것은?

> 飢

① 騎　② 餓　③ 視　④ 飽　⑤ 破

출제 유력

03 한자의 뜻이 바르지 <u>않은</u> 것은?

① 率: 종　② 微: 작다　③ 豫: 미리
④ 窮: 궁하다　⑤ 粧: 단장하다

04 다음 한자의 공통점으로 알맞은 것은?

> 馬　鳥　狗

① 동물을 뜻함.　② 색깔을 뜻함.
③ 성격을 나타냄.　④ 식물을 뜻함.
⑤ 직업을 뜻함.

05 다음 설명에 해당하는 한자 어휘로 알맞은 것은?

> 습기나 물기가 없는 상태

① 旱害　② 雷雨　③ 乾燥
④ 煙霧　⑤ 和暢

06 다음과 같은 뜻을 지닌 한자 어휘를 한자로 쓰시오.

> □□: 추위 때문에 살갗이 얼어서 조직이 상하는 일

07 한자 어휘의 활용이 적절하지 <u>않은</u> 것은?

① 그는 容貌가 준수하다.
② 미래를 위해 積金을 들었다.
③ 사회 복지 시설의 視察에 나섰다.
④ 벼의 種子를 개량하여 수출을 늘렸다.
⑤ 전쟁으로 수많은 사람이 旣餓와 궁핍에 떨고 있다.

08 다음 문장의 교훈으로 알맞은 것은?

> 積功之塔은 不墮라.

① 노력　② 배려　③ 용서
④ 우정　⑤ 효도

[09~12] 다음 문장을 읽고 물음에 답하시오.

> (가) 騎馬면 欲率奴라.
> (나) 積功之塔은 不墮라.
> (다) 鳥久止면 必帶矢라.
> (라) 窮人之事는 飜亦破鼻라.
> (마) 我腹旣飽면 不察奴飢라.

출제 유력

09 (가)~(마) 중, 〈조건〉과 관련 있는 문장으로 알맞은 것은?

> 조건
> • 말[馬]과 관련 있는 문장이다.
> • '거느리다'라는 뜻을 가진 한자가 있다.
> • '말 타면 경마 잡히고 싶다'는 속담과 관련이 있다.

① (가)　② (나)　③ (다)
④ (라)　⑤ (마)

10 (가)~(마) 중, 다음 내용과 가장 관련 있는 문장은?

> • 내가 공부를 하지 않은 부분에서 시험 문제가 나왔다.
> • 버스를 기다리다가 목이 말라서 잠깐 편의점에 갔는데 타야 하는 버스가 지나갔다.

① (가)   ② (나)   ③ (다)
④ (라)   ⑤ (마)

11 (가)~(마) 중, 다음 내용과 관련 있는 글은?

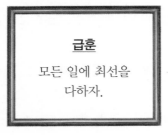

급훈

모든 일에 최선을
다하자.

① (가)   ② (나)   ③ (다)
④ (라)   ⑤ (마)

서술형
12 (다)의 풀이를 쓰시오.

[13~14] 다음 문장을 읽고 물음에 답하시오.

> ㉠烏狗之浴이라도 不㉡變其黑이라.

출제 유력
13 ㉠과 같은 뜻을 가진 한자는?

① 狗   ② 浴   ③ 不   ④ 變   ⑤ 黑

14 ㉡의 음과 뜻으로 알맞은 것은?

① (구) 개   ② (지) 어조사   ③ (흑) 검다
④ (변) 변하다 ⑤ (욕) 목욕하다

[15~16] 다음 문장을 읽고 물음에 답하시오.

> ㉠視其體요 ㉡視其貌라.

15 위 문장에 쓰인 한자의 뜻이 아닌 것은?

① 그   ② 몸   ③ 먹다
④ 모양   ⑤ 보다

16 ㉠과 ㉡에 들어갈 알맞은 한자를 차례대로 쓰시오.

[17~19] 다음 문장을 읽고 물음에 답하시오.

> 農夫餓死枕厥種子.

출제 유력
17 위 문장의 農夫에 대한 이해로 바르지 않은 것은?

① 인색하고 미련한 사람이야.
② 융통성이 없는 사람이기도 해.
③ 프로의식을 가졌다고 볼 수도 있지.
④ 굶어 죽는 이웃을 불쌍히 여기고 있어.
⑤ 우물 옆에서 목말라 죽는 것과 똑같아.

18 위 문장에서 가장 마지막으로 풀이되는 한자는?

① 餓   ② 死   ③ 枕   ④ 厥   ⑤ 子

출제 유력
19 위 문장을 바르게 끊어 읽으시오. ('/ '로 끊음 표시를 할 것)

출제 유형

• 한자의 음과 뜻이 바르지 않은 것은?
• 다음과 같은 뜻을 가진 단어를 〈보기〉에서 찾아 한자 어휘와 독음을 쓰시오.

05

마음에 새기는 글 ○ 교과서 37쪽

| 생각을 여는 활동 |

● 대화를 읽고, 제시된 명언·명구와 관련 있는 사람을 〈보기〉에서 찾아 써 보자.

늘 자리 옆에 갖추어 두고 가르침으로 삼는 말이나 문구를 座右銘(좌우명)이라고 하는데 名言(명언)이나 格言(격언)을 좌우명으로 삼기도 해. 내 좌우명은 '인생 최대의 지혜는 친절이다.'야. 인간 관계를 잘 맺고 유지하는 데 기본이 되는 것이 주위 사람들을 친절하게 대하는 것이지. 그런데 너도 좌우명을 갖고 있니?

명언: ① 사리에 맞는 훌륭한 말 ② 널리 알려진 말

격언: 오랜 역사적 생활 체험을 통하여 이루어진 인생에 대한 교훈이나 경계 따위를 간결하게 표현한 짧은 글

미치지 않으면 미칠 수 없다.

나도 있어. 내 좌우명은 '不狂不及(불광불급)'을 풀이한 '미치지 않으면 미칠 수 없다.'야. 어떤 일을 해내려면 나중에 後悔(후회)하지 않도록, 미친 듯이 해야 한다는 말이지. 좌우명으로 삼을 만한 명언·명구를 좀 더 알아볼까?

후회: 이전의 잘못을 깨치고 뉘우침.

B.C. 6세기경에 활동한, 중국 제자백가 가운데 하나인 도가(道家: 만물의 근원으로서의 자연을 숭배함.)의 창시자

• 세상에서 가장 여린 것이 가장 단단한 것을 뚫는다. ···················· 노자
• 악법도 법이다. (물)(바위) ··· (❶ 소크라테스
• 죽고자 하면 살고 살고자 하면 죽는다. ···················· (❷ 이순신(李舜臣)
• 산속의 적을 멸하기는 쉬워도 마음속의 적을 멸하기는 어렵다. ······· (❸ 왕양명(王陽明)

중국 명나라 때의 사상가이자 교육가. 심성론(心性論: 천리를 탐구해 나가는 데 있어 자기 자신의 마음속에서 그 이치를 찾아야 한다.)으로 동아시아 여러 나라의 철학 사상에 깊은 영향을 미쳤음.

보기

이순신(李舜臣)   소크라테스   왕양명(王陽明)

임진왜란 당시 삼도 수군통제사를 지냈으며, 나라가 존망의 위기에 처했을 때 바다를 제패한 명장. "죽고자 하는 자는 살고, 살고자 하는 자는 죽을 것이다.[必死卽生(필사즉생), 必生卽死(필생즉사).]"라는 각오로 전투에 임했으며, 왜군과의 전투에서 한 번도 패배하지 않고 모두 승리했음.

그리스 철학자. 문답을 통해 사람의 무지를 깨닫게 한 것으로 유명함. 소크라테스는 돈을 받고 지식을 파는 소피스트로 인해 혼란해진 아테네에 등장하여 그들의 논리적 허점을 지적하였으나, 그를 시기하던 자들은 소크라테스가 신을 모독하고 청년을 타락시켰다며 사형 선고를 내림. 도망치라는 주변 사람의 권유에도 '악법도 법이다.'라고 하며 독배를 마심.

학습 계획 세우기

도움말 명언·명구의 의미를 알아보는 활동을 통해 소단원 학습에 대한 자신의 배경지식을 활성화한다. 또 이를 바탕으로 소단원에서 어떤 내용을 공부할지 스스로 계획을 세워 본다.

● 위 활동을 바탕으로 스스로 학습 계획을 세워 보자.

나는 이 단원에서 _____ (예) 명언·명구의 의미 _____ 을/를 공부하겠다.

한자 모아 보기   자신이 알고 있는 한자에 ✓표시를 해 보자.

新

한자	음	뜻	부수	획수	총획	한자	음	뜻	부수	획수	총획	한자	음	뜻	부수	획수	총획
座	좌	자리	广	7	10	格	격	격식	木	6	10	悔	회	뉘우치다	心(忄)	7	10
銘	명	새기다	金	6	14	狂	광	미치다	犬(犭)	4	7						

출제 유형

- 다음의 문장 유형으로 알맞은 것은?
- 다음 중, 문장 유형이 <u>다른</u> 하나는?
- 위 문장에서 도치된 문장을 찾아 도치되기 전의 문장으로 고쳐 쓰시오.

新 한자 모아 보기

한자	음	뜻	부수	획수	총획
賊	적	도둑	貝	6	13
桃	도	복숭아	木	6	10
蹊*	혜	지름길	足	10	17
篤	독	도탑다	竹	10	16
切	절	끊다, 간절히	刀	2	4
	체	모두			
逝	서	가다	辶(辶)	7	11
延	연	늘이다	廴	4	7
嗚	오	탄식하다	口	10	13
愆	건	허물	心	9	13
壤	양	흙덩이	土	17	20
擇	택	가리다	手(扌)	13	16

마음에 새기는 글 ● 교과서 38, 39쪽

선인들은 삶을 살면서 얻어 낸 지혜와 교훈이 그대로 녹아 있는 말들을 많이 남겨 놓았다. 선인들의 이러한 말은 현대를 사는 우리에게 커다란 가르침을 준다. 이 단원에서는 선인들이 남긴 명언과 명구를 학습해 보자.

道　　　　① 길
　　　　② 도리
　　　　③ 말하다

者　　　　① 사람
　　　　② ~라는 것

道吾善者는 **是吾賊**이요,
도 오 선 자　　　시 오 적
말하다 나 착하다 사람　이 나 적

道吾惡者는 **是吾師**니라.
도 오 악 자　　　시 오 사
말하다 나 악하다 사람　이 나 스승

『명심보감』

나의 선한 점을 말해 주는 사람은 이는 나의 적이요, 나의 악한 점을 말해 주는 사람은 이는 나의 스승이니라.

蹊　　　　① 저절로
　　　　② 자기
　　　　③ ~부터

桃李不言이라도 **下自成蹊**라.
도 리 불 언　　　하 자 성 혜
복숭아 자두나무 아니다 말씀　아래 스스로 이루다 지름길

『사기』

복숭아나무와 자두나무는 말하지 않아도 아래에 저절로 길이 생긴다.

近思　가까이 자기 몸에 견주어 생각하는 것

博學而篤志하며 **切問而近思**하면 **仁在其中**
박 학 이 독 지　　절 문 이 근 사　　인 재 기 중
넓다 배우다 말 잇다 도탑다 뜻　간절히 묻다 말 잇다 가깝다 생각　어질다 있다 그 가운데

矣　~이다

矣니라.
의
어조사

『논어』

배우기를 널리 하고 뜻을 돈독히 하며, 간절히 묻고 가까이 생각하면, 인이 그 가운데에 있느니라.

해와 달
→ 시간, 세월　　～이다

日月逝矣라. 歲不我延이니,
일 월 서 의　　세 불 아 연
해 달 가다 어조사　　해 아니다 나 늘이다

누구 ≒ 孰(숙)

嗚呼老矣라! 是誰之愆고?
오 호 로 의　　시 수 지 건
탄식하다 어조사 늙다 어조사　　이 누구 어조사 허물

『고문진보』

시간은 흘러간다. 세월은 나의 시간을 늘려 주지 않으니, 애 늙었구나! 이것은 누구의 잘못인가?

✐ 스스로 확인

포용과 관련된 문장
은 무엇인가?

　太山 ～ 能就其深.

～할 수 있다

太山은 不讓土壤이라. 故로 能成其大하고,
태 산　　불 양 토 양　　고　　능 성 기 대
크다 산　　아니다 사양하다 흙 흙덩이　　그러므로　　능하다 이루다 그 크다

～할 수 있다

河海는 不擇細流라. 故로 能就其深이라.
하 해　　불 택 세 류　　고　　능 취 기 심
강 바다　　아니다 가리다 가늘다 흐르다　　그러므로　　능하다 이루다 그 깊다

『사기』

큰 강과 바다는 가느다란 물줄기를 가리지 않는다. 그러므로 그 깊음을 이룰 수 있다.

「간축객서(諫逐客書: 빈객을 추방하는 것에 대한 건의문)」의 일부분이다. 진(秦)나라 승상을 지낸 이사는 원래 초(楚)나라 사람이었다. 그는 품은 뜻을 펼치고자 진나라로 가서 객경(다른 나라 출신의 인사를 등용하여 주는 벼슬)에 오르게 된다. 그러나 진시황이 다른 제후국 출신의 대신들이 진나라에 해가 된다고 생각하여 축출하려고 하자, 이사는 상소문을 올려 이러한 생각이 옳지 않다고 주장하였다.

• 『명심보감(明心寶鑑)』: 고려 충렬왕 때의 문신 추적(秋適)이 금언(金言), 명구(名句)를 모아 놓은 책
• 『사기(史記)』: 중국 전한(前漢)의 역사가 사마천(司馬遷)이 지은 역사책
• 『논어(論語)』: 공자(孔子)의 언행과 공자가 그 제자들과 문답한 내용을 담고 있는 유가(儒家)의 대표적인 경전(經典)
• 『고문진보(古文眞寶)』: 중국 송나라 말기의 학자 황견(黃堅)이 편찬한 시문(詩文) 선집

길에서 듣고 길에서 말한다는 뜻으로, 길거리에 퍼져 돌아다니는 뜬소문을 이르는 말

道: ① 길 예 道聽塗說 도청도설
도 ② 도리 예 安貧樂道 안빈낙도
　　 가난한 생활을 하면서도 편안한
　　 마음으로 도를 즐겨 지킴.
　 ③ 말하다 예 報道 보도
대중 전달 매체를 통하여 일반 사람들에게 새로운 소식을 알림. 또는 그 소식

者: ① 사람 예 關聯者 관련자
자 어떤 사건, 현상 따위에 관계를 맺고 있는 사람

　 ② ~라는 것 예 難得者 난득자: 얻기
　　 어려운 것

自: ① 저절로 예 下自成蹊 하자성혜
자 　 아래에 저절로 길이 생긴다.
　 ② 자기 예 自己自身 자신
자기: 그 사람 자신 —— 그 사람의 몸 또는 바로
　　 그 사람을 이르는 말
　 ③ ~부터 예 自初至終
　　 자초지종: 처음부터 끝까지의 과정

近思: 가까이 자기 몸에 견주어 생
근사 ┐ 각하는 것

矣: ~이다
의

日月: 해와 달 → 시간, 세월
일월

誰: 누구 늑 孰
수　　　 숙

부수가 같은 한자 – 言언

讓(양) 사양하다 예 謙讓 겸양
겸손한 태도로 남에게 양보하거나 사양함.

謹(근) 삼가다 예 謹弔 근조
사람의 죽음에 대하여 삼가 슬픈 마음을 나타냄.

詞(사) 글 예 詞賦 사부

誦(송) 외다 예 暗誦 암송: 글을 보지 아
니하고 입으로 욈.
① 사(詞)와 부(賦)를 아울러 이르는 말 ② 운자를 달아 지은 한시를 통틀어 이르는 말

新 한자 모아 보기

한자	음	뜻	부수	획수	총획
塗	도	칠하다, 길	土	10	13
聯	련	잇다	耳	11	17
孰	숙	누구	子	8	11
謙	겸	겸손하다	言	10	17
謹	근	삼가다	言	11	18
弔	조	조상하다	弓	1	4
詞	사	말, 글	言	5	12
賦	부	주다	貝	8	15
誦	송	외다	言	7	14
較	교	견주다	車	6	13

道吾善者는 是吾賊이요, 道吾惡者는 是吾師니라.
도 오 선 자　시 오 적　　도 오 악 자　시 오 사
나의 선한 점을 말해 주는 사람은 이는 나의 적이요, 나의 악한 점을 말해 주는 사람은 이는 나의 스승이니라.

桃李不言이라도 下自成蹊라.
도 리 불 언　　　　하 자 성 혜
복숭아나무와 자두나무는 말하지 않아도 아래에 저절로 길이 생긴다.

博學而篤志하며 切問而近思하면 仁在其中矣니라.
박 학 이 독 지　　 절 문 이 근 사　　 인 재 기 중 의
배우기를 널리 하고 뜻을 돈독히 하며, 간절히 묻고 가까이 생각하면, 인이 그 가운데에 있느니라.

日月逝矣라. 歲不我延이니, 嗚呼老矣라! 是誰之愆고?
일 월 서 의　　 세 불 아 연　　　 오 호 로 의　 시 수 지 건
시간은 흘러간다. 세월은 나의 시간을 늘려 주지 않으니, 아! 늙었구나! 이것은 누구의 잘못인가?

太山은 不讓土壤이라. 故로 能成其大하고,
태 산　 불 양 토 양　　　 고　 능 성 기 대
큰 산은 흙을 사양하지 않는다. 그러므로 그 거대함을 이룰 수 있고,

河海는 不擇細流라. 故로 能就其深이라.
하 해　 불 택 세 류　　 고　 능 취 기 심
큰 강과 바다는 가느다란 물줄기를 가리지 않는다. 그러므로 그 깊음을 이룰 수 있다.

똑똑한 지식

이야기를 하는 사람 ─┐
일월서의 ─┐

① **문장의 유형** – 화자가 나타내는 어기(語氣)를 기준으로
• 평서문(平敍文): 日月逝矣.(시간은 흘러간다.)
• 의문문(疑問文): 是誰之愆?(이것은 누구의 잘못인가?)
└─ 시수지건
• 감탄문(感歎文): 嗚呼老矣!(아! 늙었구나!)
이 외에도 화자가 청자에게 어떤 행동을 하도록 요구하거나 요청하는 명령문(命令文)이 있다.
오호로의 ─┘
└─ 이야기를 듣는 사람
臨難無苟免.(어려움에 임해 구차히 면하려 하지 마라.)
(임난무구면)

② **문장 성분의 도치**
세 불 연 아　　　 세 불 아 연
歲不延我 → 歲不我延: 부정의 뜻을 나타내는 구문에서 지시 대명사나 인칭 대명사가 목적어로 쓰일 때는 목적어가 서술어 앞에 온다.
인칭 대명사, 목적어　　　서술어

不叛吾也 → 不吾叛也: 나를 배반하지 않는다.
(불반오야)　 (불오반야)

이해 더하기 명언 · 명구

선인들이 남긴 짤막한 명언 · 명구는 많은 경험을 한 훌륭한 사람들에게서 나온 말이기 때문에 청소년들의 가치관을 형성하고 삶을 발전시키는 데 좋은 기초가 된다. 명언 · 명구는 포괄적이고 일반적인 의미를 담고 있으며, 표현의 효과를 높인다는 점에서 속담과 비슷하나 속담과 比較하여 볼 때 그 유래나 출처가 분명하다는 특징이 있다.
비교: 둘 이상의 사물을 견주어 서로 간의 유사점.
차이점, 일반 법칙 따위를 고찰하는 일

넘침을 경계하는 잔, 계영배

한문으로 여는 세상

좌우명의 유래

座 우명(座右銘)은 중국 후한(後漢) 시대 학자인 최원(崔瑗)이 자리[座]의 오른쪽[右]에 일생의 지침이 될 좋은 글[銘]을 새겨 놓고 생활의 거울로 삼은 것에서 유래한다. 그러나 좌우명의 시작은 원래 문장이 아닌 술독이었다고 한다. 춘추오패(春秋五霸)의 하나였던 제(齊)나라 환공(桓公)에게는 묘한 술독이 있었다. 비어 있을 때는 비스듬히 기울었다가, 반쯤 차면 바로 서고, 가득 차면 엎어졌다. "滿則覆(만즉복: 가득 차면 뒤집힌다.)."이라는 말도 여기에서 나왔다. 환공은 이 술독을 늘 자리 오른쪽 가까운 距離에 두고 교만을 警戒하고자 하였다.

경계: 옳지 않은 일이나 잘못된 일들을 하지 않도록 타일러서 주의하게 함.

거리: 두 개의 물건이나 장소 따위가 공간적으로 떨어진 길이

『○○일보』, 2010. 3. 4.

○ 교과서 41쪽

중국 춘추 시대의 제후 가운데서 패업(霸業: 제후의 으뜸이 되는 사업)을 이룬 다섯 사람. 제(齊)나라의 환공(桓公), 진(晉)나라의 문공(文公), 진(秦)나라의 목공(穆公), 송(宋)나라의 양공(襄公), 초(楚)나라의 장왕(莊王) 등을 이르는데, 목공과 양공 대신에 오(吳)나라의 부차(夫差)와 월(越)나라의 구천(句踐)을 이르기도 함.

은퇴: 직임에서 물러나거나 사회 활동에서 손을 떼고 한가히 지냄.

우리나라에도 교만을 경계하는 유사한 일화가 있다. 隱退 후에 큰 재물을 가난한 사람들에게 나누어 주고 淸廉하게 살다간, 정조 때의 거상 임상옥은 늘 계영배를 두고 욕심을 다스렸다. 그의 문집 속 만시(輓詩)에는 다음과 같은 글이 실려 있다. "재물은 평등하기가 물과 같고, 사람은 바르기가 저울과 같아야 한다."

청렴: 성품과 행실이 높고 맑으며, 탐욕이 없음.

죽은 사람을 애도하는 시

▲ 계영배(戒盈杯)의 원리: 술을 부어 술의 높이가 속에 감추어진 관보다 낮으면 술이 빠져나가지 않고, 일정 부분 이상을 채워 술의 높이가 관보다 높아지면 압력의 차이에 의해 술이 빠져나간다.

| 청렴(사회) 관련 용어 |

활동 빈칸에 들어갈 한자를 〈보기〉에서 찾아 써 보자.

보기

腐	儉	直	濯	物	遵	廉
부	검	직	탁	물	준	렴

① 剛直(강직): 마음이 꼿꼿하고 곧음.

② 不正腐敗(부정부패): 바르지 못하고 부패함.

③ 欺人取物(기인취물): 사람을 속이고 재물을 빼앗음.

④ 勤儉節約(근검절약): 부지런하고 알뜰하게 재물을 아낌.

⑤ 淸廉潔白(청렴결백): 마음이 맑고 깨끗하며 탐욕이 없음.

⑥ 遵法精神(준법정신): 법률이나 규칙을 잘 지키는 정신

⑦ 資金洗濯(자금 세탁): 범죄 행위를 통해 얻은 수입을 적법한 자산인 것처럼 조작하는 일

新 한자 모아 보기

한자	음	뜻	부수	획수	총획
覆	복	다시, 엎어지다	襾	12	18
	부	덮다			
距	거	떨어지다	足	5	12
離	리	떠나다	隹	11	19
警	경	깨우치다	言	13	20
戒	계	경계하다	戈	3	7
隱	은	숨다	阜(阝)	14	17
廉	렴	청렴하다	广	10	13
腐	부	썩다	肉	8	14
儉	검	검소하다	人(亻)	13	15
濯	탁	씻다	水(氵)	14	17
遵	준	좇다	辵(辶)	12	16
剛	강	굳세다	刀(刂)	8	10
欺	기	속이다	欠	8	12
資	자	재물	貝	6	13

실력을 키우는
평가
○ 교과서 42쪽

1. 문장을 풀이하고 문장의 유형을 써 보자.

> 嗚呼老矣
> 오 호 로 의

✎ 아! 늙었구나!, 감탄문

감탄문은 사물이나 사실에 느낌을 받아 슬픔, 기쁨, 놀라움 등의 감정을 나타내는 문장이다.

2. 밑줄 친 문장에서 도치된 목적어를 찾아 써 보자.

> 歲不我延. [풀이] 세월은 나의 시간을 늘려 주지 않는다.
> 세 불 아 연

✎ 我

도움말

부정의 뜻을 나타내는 구문에서 인칭 대명사가 목적어로 쓰일 때는 목적어가 서술어 앞에 온다.

창의형
3. 본문에서 오늘의 명언을 선정하고, 그것을 바탕으로 성찰 일지를 작성해 보자.

예시

날짜	2000년 OO월 OO일
오늘의 명언	太山, 不讓土壤. 故, 能成其大. [풀이] 큰 산은 흙을 사양하지 않는다. 그러므로 그 태 산 불 양 토 양 고 능 성 기 대 거대함을 이룰 수 있고, 큰 강과 바다는 가느다란 河海, 不擇細流. 故, 能就其深. 물줄기를 가리지 않는다. 그러므로 그 깊이를 이룰 하 해 불 택 세 류 고 능 취 기 심 수 있다.
성찰 일지	오늘을 돌아보며! 오늘 영철이와 다투었다. 큰 사람이 되려면 나와 의견이 다른 사람도 포용할 수 있어야 하는데 아직도 나는 부족한 점이 많다. 큰 산과 깊은 바다와 같은 포용력을 갖춘 사람이 되도록 노력해야겠다.

	오늘의 명언:	일 월 서 의 세 불 아 연 日月逝矣. 歲不我延, 嗚呼老矣! 是誰之愆? 오 호 로 의 시 수 지 건	[풀이] 시간은 흘러간다. 세월은 나의 시간을 늘려 주지 않으니, 아! 늙었구나! 이것은 누구의 잘못인가?
날짜: 2000년 OO월 OO일	성찰 일지	[예시 답안] 오늘도 별로 한 것도 없이 하루가 빨리 지나갔다. 지난 시간은 다시 돌이킬 수 없으니, 졸업하고 나서 후회해도 소용이 없을 것이다. 좀 더 시간을 효율적으로 써야겠다.	

도움말 소단원 학습이 끝나면 소단원 학습 목표에 해당하는 질문에 답하며 자신의 학업 성취도를 스스로 점검해 본다.
성취 목표에 도달하지 못한 경우에는 제시된 위치로 돌아가서 내용을 다시 읽고 공부하도록 한다.

[별이 3개 이하인 경우]
· 교과서 40쪽 '똑똑한 지식' 다시 읽기

소단원
자기 점검

배운 내용에 관해 자기 점검을 하면서 학업 성취도 도달 정도를 확인해 보자.

· 문장의 유형을 구별할 수 있는가?	☆☆☆☆☆
· 문장 속에서 도치된 성분을 알고, 문장을 바르게 풀이할 수 있는가?	☆☆☆☆☆
· 명언 · 명구의 의미를 파악하고, 이를 자기 성찰의 계기로 삼을 수 있는가?	☆☆☆☆☆

[별이 3개 이하인 경우] · 교과서 38~40쪽 다시 읽기

• 한자, 음, 뜻, 부수의 순서로 제시

1. 한자

座 (좌) 자리 [⬛❶]	愆* (건) 허물 [心]	(부) 덮다 [襾]
銘 (명) 새기다 [金]	壤 (양) 흙덩이 [土]	距 (거) 떨어지다 [足]
格 (격) 격식 [木]	擇 ❺[⬛] 가리다 [手(扌)]	離 (리) ❾[⬛⬛⬛] [隹]
狂 (광) 미치다 [犬(犭)]	塗 (도) 칠하다, 길 [土]	警 (경) 깨우치다 [言]
悔 (회) 뉘우치다 [心(忄)]	聯 (련) 잇다 [耳]	戒 (계) 경계하다 [戈]
賊 (적) 도둑 [貝]	孰 (숙) 누구 [子]	隱 (은) ❿[⬛⬛] [阜(阝)]
桃 (도) ❷[⬛⬛⬛] [木]	謙 (겸) 겸손하다 [言]	廉 (렴) 청렴하다 [广]
蹊* (혜) 지름길 [足]	謹 (근) 삼가다 [⬛❻]	腐 (부) 썩다 [肉]
篤 (독)[⬛] 도탑다 [竹]	弔 (조) 조상하다 [弓]	儉 (검) ⓫[⬛] 검소하다 [人(亻)]
切 (절) 끊다, 간절히,	❼[⬛] (사) 말, 글 [言]	濯 (탁) 씻다 [水(氵)]
(체) 모두 [刀]	賦 (부) 주다 [貝]	遵 (준) 좇다 [辵(辶)]
逝 (서) 가다 [辵(辶)]	誦 (송) 외다 [言]	剛 (강) 굳세다 [刀(刂)]
延 (연) 늘이다 [廴]	較 (교) 견주다 [⬛❽]	欺 (기) 속이다 [欠]
❹[⬛] (오) 탄식하다 [口]	覆 (복) 다시, 엎어지다,	資 (자) 재물 [⬛⓬]

2. 본문

道吾❶[⬛]者(도오선자)는 是吾賊(시오적)이요, 道吾惡者(도오악자)는 是吾師(시오사)니라.	나의 선한 점을 말해 주는 사람은 이는 나의 적이요, 나의 악한 점을 말해 주는 사람은 이는 나의 스승이니라.
桃李不言(도리불언)이라도 下❷[⬛]成蹊(하자성혜)라.	복숭아나무와 자두나무는 말하지 않아도 아래에 저절로 길이 생긴다.
博❸[⬛]而篤志(박학이독지)하며 切問而近思(절문이근사)하면 仁在其中矣(인재기중의)니라.	배우기를 널리 하고 ❹[⬛]을 돈독히 하며, 간절히 묻고 가까이 생각하면, ❺[⬛]이 그 가운데에 있느니라.
❻[⬛][⬛]逝矣(일월서의)라. 歲不我延(세불아연)이니, 嗚呼老矣(오호로의)라! 是誰之愆(시수지건)고?	시간은 흘러간다. 세월은 나의 시간을 늘려 주지 않으니, 아! 늙었구나! 이것은 누구의 잘못인가?
太山(태산)은 不讓土壤(불양토양)이라. ❼[⬛](고)로 能成其大(능성기대)하고, 河海(하해)는 不擇細流(불택세류)라. 故(고)로 能就其深(능취기심)이라.	큰 산은 흙을 사양하지 않는다. 그러므로 그 거대함을 이룰 수 있고, 큰 강과 바다는 가느다란 물줄기를 가리지 않는다. 그러므로 그 ❽[⬛][⬛]을 이룰 수 있다.

3. 문장의 유형, 문장 성분의 도치

(1) 문장의 유형

- 평서문(平敍文): 日月逝矣.(시간은 흘러간다.)
- 의문문(疑問文): 是☐之愆?(이것은 누구의 잘못인가?) ❶
- ☐☐문(感歎文): 嗚呼老矣!(아! 늙었구나!) ❷

(2) 문장 성분의 ☐☐ ❸

歲不延我(세불연아) → 歲不我延(세불아연): ☐☐의 ❹ 뜻을 나타내는 구문에서 지시 대명사나 인칭 대명사가 목적어로 쓰일 때는 목적어가 서술어 앞에 옴.

4. 어휘 – 청렴(사회) 관련 용어

- 剛直(☐☐): 마음이 꼿꼿하고 곧음. ❶
- 不正腐敗(☐☐☐☐): 바르지 못하고 부패함. ❷
- 欺人取物(기인취물): 사람을 속이고 재물을 빼앗음. ❸
- ☐☐☐☐(근검절약): 부지런하고 알뜰하게 재물을 아낌.
- 淸廉潔白(☐☐☐☐): 마음이 맑고 깨끗하며 탐욕이 없음. ❹
- ☐☐☐☐(준법정신): 법률이나 규칙을 잘 지키는 정신 ❺
- 資金洗濯(자금 세탁): 범죄 행위를 통해 얻은 수입을 적법한 자산인 것처럼 조작하는 일

쪽지 시험

01 다음 한자의 공통되는 부수를 쓰시오.

> 謹   詞   誦

02 다음 한자 어휘에서 밑줄 친 한자의 음과 뜻을 쓰시오.

> 報道

(1) 음:

(2) 뜻:

03 다음과 같은 뜻을 가진 단어를 〈보기〉에서 찾아 한자 어휘와 독음을 쓰시오.

(1) 이전의 잘못을 깨치고 뉘우침.

(2) 성품과 행실이 높고 맑으며, 탐욕이 없음.

> 보기
> 後悔   淸廉

04 다음과 같은 뜻을 가진 한자 어휘를 한자로 쓰시오.

(1) 마음이 꼿꼿하고 곧음.: ☐☐

(2) 법률이나 규칙을 잘 지키는 정신: ☐☐☐☐

(3) 부지런하고 알뜰하게 재물을 아낌.: ☐☐☐☐

(4) 마음이 맑고 깨끗하며 탐욕이 없음.: ☐☐☐☐

(5) 둘 이상의 사물을 견주어 서로 간의 유사점, 차이점, 일반 법칙 따위를 고찰하는 일: ☐☐

05 문장의 유형에 해당하는 문장을 바르게 연결하시오.

(1) 의문문 •   • ㉠ 日月逝矣.

(2) 평서문 •   • ㉡ 是誰之愆?

(3) 감탄문 •   • ㉢ 嗚呼老矣!

01 한자의 음이 바르지 <u>않은</u> 것은?

① 座 (좌)　② 銘 (명)　③ 格 (격)

④ 延 (서)　⑤ 狂 (광)

02 한자의 뜻이 바르지 <u>않은</u> 것은?

① 賊: 도둑　　② 師: 스승

③ 深: 깊다　　④ 壤: 사양하다

⑤ 鳴: 탄식하다

출제 유력

03 한자의 음과 뜻이 바르지 <u>않은</u> 것은?

① 隱 (은) 숨다　　② 離 (리) 떠나다

③ 悠 (취) 나가다　　④ 覆 (복) 엎어지다

⑤ 距 (거) 떨어지다

04 다음 한자의 공통되는 부수로 알맞은 것은?

> 河　海　深

① 火　② 心　③ 木　④ 人　⑤ 水

05 다음 한자의 공통점으로 알맞은 것은?

> 桃　李

① 과일을 의미한다.　② 동물을 뜻한다.

③ 색깔을 나타낸다.　④ 성격을 나타낸다.

⑤ 직업을 나타낸다.

06 다음 한자 어휘를 한자로 쓰시오.

> 부정부패

07 한자 어휘의 활용이 적절하지 <u>않은</u> 것은?

① 自初至終을 털어놓았다.

② 교만을 警戒하고자 하였다.

③ 10분 隱退를 한 시간 동안 걸었다.

④ 편지를 건네지 못한 것이 後悔된다.

⑤ 座右銘은 일생의 지침이 될 좋은 글이다.

08 청렴 사회에서 필요한 덕목이 <u>아닌</u> 것은?

① 剛直　② 欺人　③ 勤儉

④ 潔白　⑤ 準法

출제 유력

09 다음 중, 문장의 유형이 <u>다른</u> 하나는?

① 是吾賊　　② 不讓土壤

③ 是誰之愆　　④ 能就其深

⑤ 仁在其中矣

10 ㉠~㉣에 차례로 들어갈 알맞은 한자끼리 짝지어진 것은?

> (㉠)學而(㉡)志하며 (㉢)問而(㉣)思하면
> 仁在其中矣니라.

	㉠	㉡	㉢	㉣
①	博	篤	切	近
②	博	近	篤	切
③	近	博	切	篤
④	切	近	博	篤
⑤	切	篤	博	近

[11~13] 다음 문장을 읽고 물음에 답하시오.

> ㉠道吾㉡者는 是吾賊이요,
> 道㉢吾㉣者는 是吾師니라.

11 ㉠의 풀이로 알맞은 것은?

① 길 　　　② 도로 　　　③ 도리

④ 말하다 　　⑤ 통하다

12 ㉡과 ㉣에 차례로 들어갈 알맞은 한자로 짝지어진 것은?

　　　㉡　㉣　　　　　　㉡　㉣
① 惡　志　　　② 志　思
③ 志　惡　　　④ 善　惡
⑤ 思　善

13 ㉢과 바꾸어 쓸 수 있는 한자는?

① 而　② 者　③ 我　④ 子　⑤ 之

[14~17] 다음 문장을 읽고 물음에 답하시오.

> ㉠日月逝矣라. 歲不我延이니,
> ㉡嗚呼老矣라! 是㉢誰之愆고?

14 ㉠의 풀이로 알맞은 것은?

① 시간은 흘러간다.
② 저절로 길이 생긴다.
③ 해와 달이 떠 있다.
④ 첫째 달이 지나간다.
⑤ 시간은 늘려 주지 않는다.

15 ㉡의 문장 유형으로 알맞은 것은?

① 감탄문　　　② 명령문　　　③ 부정문
④ 의문문　　　⑤ 평서문

16 ㉢의 음과 뜻으로 알맞은 것은?

① (건) 허물　　② (세) 해　　　③ (수) 누구
④ (의) 어조사　⑤ (연) 늘이다

17 위 문장에서 도치된 문장을 찾아 도치되기 전의 문장으로 고쳐 쓰시오.

[18~19] 다음 문장을 읽고 물음에 답하시오.

> 太山은 不讓土壤이라. ㉠故로 能成其大하고,
> ㉡河海는 不擇細流라. 故로 能就其深이라.

18 ㉠의 풀이로 알맞은 것은?

① 본래　　　② 사고　　　③ 옛날
④ 죽다　　　⑤ 그러므로

19 ㉡의 풀이 순서로 알맞은 것은?

① 1-2-3-4-5-6　　② 1-2-6-5-4-3
③ 1-2-6-5-3-4　　④ 2-1-6-5-4-3
⑤ 2-1-3-4-5-6

이야기가 있는 한자 성어

○ 교과서 43쪽

주제별로 묶은 성어

숙어: ① 익숙해진 말 ② 관용구(두 개 이상의 단어로 이루어져 있으면서 그 단어들의 의미만으로는 전체의 의미를 알 수 없는, 특수한 의미를 나타내는 어구)

성어(成語)란 옛사람들이 만든 **熟語**로, 둘 이상의 한자가 결합하여 한 토막으로 굳어져 새로운 뜻을 나타내는 말을 뜻한다. 성어는 특정한 뜻을 함축하고 있으며, 일종의 **逸話**에 바탕을 두고 있다. 또 일상생활 속에서 관습적으로 사용되면서 다양한 경험과 지혜를 알려 주는 역할을 한다. 의미하는 바가 유사한 다음 성어들을 알아보자.

일화: 세상에 널리 알려지지 아니한 흥미 있는 이야기

面從腹背 (면종복배)

겉으로는 복종하는 체하면서 내심으로는 배반함을 이르는 말

+ 笑裏藏刀 (소리장도)

공통 주제: 겉과 속이 다름.

1) 表裏不同 (표리부동)
2) 口蜜腹劍 (구밀복검)
3) 羊頭狗肉 (양두구육)

1) 겉으로 드러나는 언행과 속으로 가지는 생각이 다름.
2) 입에는 꿀이 있고 배 속에는 칼이 있다는 뜻으로, 말로는 친한 듯하나 속으로는 해칠 생각이 있음을 이르는 말
3) 양의 머리를 걸어 놓고 개고기를 판다는 뜻으로, 겉보기만 그럴듯하게 보이고 속은 변변하지 아니함을 이르는 말

刻舟求劍 (각주구검)

> 초나라 사람이 배에서 칼을 물속에 떨어뜨리고 그 위치를 뱃전에 표시하였다가 나중에 배가 움직인 것을 생각하지 않고 칼을 찾았다는 데서 유래

융통성 없이 현실에 맞지 않는 낡은 생각을 고집하는 어리석음을 이르는 말

공통 주제: 융통성이 없고 어리석음.

4) 守株待兔 (수주대토)
5) 膠柱鼓瑟 (교주고슬)
6) 尾生之信 (미생지신)

4) 그루터기를 지키며 토끼를 기다린다는 뜻으로, 한 가지 일에만 얽매여 발전을 모르는 어리석은 사람을 비유적으로 이르는 말
5) 아교풀로 비파나 거문고의 기러기발을 붙여 놓으면 음조를 바꿀 수 없다는 뜻으로, 고지식하여 조금도 융통성이 없음을 이르는 말
6) 미생의 믿음이라는 뜻으로, 우직하여 융통성이 없이 약속만을 굳게 지킴을 비유적으로 이르는 말

如履薄氷 (여리박빙)

살얼음을 밟는 것과 같다는 뜻으로, 아슬아슬하고 위험한 일을 비유적으로 이르는 말

+ 命在頃刻 (명재경각), 焦眉之急 (초미지급), 百尺竿頭 (백척간두)

공통 주제: 무척 위태로운 일의 형세

7) 風前燈火 (풍전등화)
8) 累卵之勢 (누란지세)
9) 一觸卽發 (일촉즉발)

7) ① 바람 앞의 등불이라는 뜻으로, 사물이 매우 위태로운 처지에 놓여 있음을 비유적으로 이르는 말 ② 사물이 덧없음을 비유적으로 이르는 말
8) 층층이 쌓아 놓은 알의 형세라는 뜻으로, 몹시 위태로운 형세를 비유적으로 이르는 말
9) 한 번 건드리기만 해도 폭발할 것같이 몹시 위급한 상태

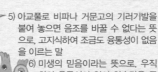

群鷄一鶴 (군계일학)

닭의 무리 가운데에서 한 마리의 학이란 뜻으로, 많은 사람 가운데서 뛰어난 인물을 이르는 말

+ 囊中之錐 (낭중지추), 拔群 (발군), 出衆 (출중)

공통 주제: 출중(出衆)한 사람

10) 白眉 (백미)
11) 棟梁之材 (동량지재)
12) 泰山北斗 (태산북두)

10) 흰 눈썹이라는 뜻으로, 여럿 가운데에서 가장 뛰어난 사람이나 훌륭한 물건을 비유적으로 이르는 말
11) 기둥과 들보로 쓸 만한 재목이라는 뜻으로, 한 집안이나 한 나라를 떠받치는 중대한 일을 맡을 만한 인재를 이르는 말
12) ① 태산(泰山)과 북두칠성을 아울러 이르는 말 ② 세상 사람들로부터 존경 받는 사람을 비유적으로 이르는 말

新 한자 모아 보기

한자	음	뜻	부수	획수	총획
熟	숙	익다	火(灬)	11	15
逸	일	편안하다, 숨다	辵(辶)	8	12
背	배	등, 배반하다	肉(月)	5	9
裏	리	속	衣	7	13
蜜	밀	꿀	虫	8	14
劍	검	칼	刀(刂)	13	15
舟	주	배	舟	0	6
株	주	그루	木	6	10
兔*	토	토끼	儿	6	8
膠*	교	아교	肉(月)	11	15
柱	주	기둥	木	5	9
鼓	고	북, 연주하다	鼓	0	13
瑟*	슬	큰 거문고	玉	9	13
履	리	밟다	尸	12	15
薄	박	엷다	艸(艹)	13	17
累	루	포개다	糸	5	11
觸	촉	닿다	角	13	20
群	군	무리	羊	7	13
鶴	학	학	鳥	10	21
眉	미	눈썹	目	4	9
棟*	동	용마루	木	8	12
梁	량	들보, 서까래	木	7	11

스스로 완성하는
마무리 ○ 교과서 44, 45쪽

1단계 정리하기

1. 한자와 어휘

배려 • **配慮**.: (마음을) 나누어 (남도) 생각해 줌.
　　　나누다

자강불식 • **自強不息**.: 스스로 힘써 쉬지 않음.
　　　　　스스로

도리불언, 하자성혜 • **桃李不言, 下自成蹊**.: 복숭아나무와 자두나무는 말하지 않아도 아래에 저절로 길이
　　　　　　　　　　　　　저절로
생긴다.

태산, 불양토양. 고, 능성기대 • **太山, 不讓土壤. 故, 能成其大**.: 큰 산은 흙을 사양하지 않는다. 그러므로 그 거대
　　　　　　　　　　　　사양하다
함을 이룰 수 있다.

2. 단어의 짜임

(1) **수식 관계**: 예 **螢火** 반딧불이의 불빛
　　　　　　　　　형 화
(2) **술목 관계**: 예 **讀書** 책을 읽다.
　　　　　　　　　독 서

3. 문장의 유형

일월서의 (1) **평서문**: **日月逝矣**.(시간은 흘러간다.)
　　　　　　　　화자가 청자에게 특별히 요구하는 바 없이 하고 싶은 말을 단순하게 진술하는 문장

시수지건? (2) **의문문**: **是誰之愆**?(이것은 누구의 잘못인가?)
　　　　　　　　화자가 청자에게 질문하여 대답을 요구하는 문장

오호로의! (3) **감탄문**: **嗚呼老矣**!(아! 늙었구나!)
　　　　　　　　사물이나 사실에 느낌을 받아 슬픔, 기쁨, 놀라움 등의 감정을 나타내는 문장

2단계 점검하기

1. 어휘와 그 뜻을 바르게 연결해 보자.

(1) **汚染** • ・ ㉮ 마음이 맑고 깨끗하며 탐욕이 없음.
　오 염
(2) **和暢** • ・ ㉯ 단체나 조직체의 구성원을 불러서 모으는 날
　화 창
(3) **召集日** • ・ ㉰ 날씨 따위가 온화하고 활짝 펴서 맑음
　소 집 일
(4) **清廉潔白** • ・ ㉱ 더럽게 물듦. 또는 더럽게 물들게 함.
　청 렴 결 백

2. 빈칸에 알맞은 한자를 써 보자.

(1) **遠水, 不救近火, 遠親, 不如近[鄰]**.: 멀리 있는 물은 가까운 불을 구제하지(끄지)
　원 수　불 구 근 화　원 친　불 여 근 린
못하고, 멀리 있는 친척은 가까운 이웃만 같지 못하다.

(2) **二人同心, 其[利]斷金, 同心之言, 其臭如蘭**.: 두 사람이 마음을 같이하면 그 날
　이 인 동 심　기 리 단 금　동 심 지 언　기 취 여 란
카로움은 쇠를 자르고, 마음을 같이하는 말은 그 향기가 난초와 같다.

(3) **[積]功之塔, 不墮**.: 공들여 쌓은 탑은 무너지지 않는다.
　적 공 지 탑　불 휴

(4) **[道]吾善者, 是吾賊, [道]吾惡者, 是吾師**.: 나의 선한 점을 말해 주는 사람은 이는
　도 오 선 자　시 오 적　도 오 악 자　시 오 사
나의 적이요, 나의 악한 점을 말해 주는 사람은 이는 나의 스승이다.

62 I. 생활을 풍요롭게 하는 글

3단계

응용하기

[1~3] 다음 글을 읽고 물음에 답하시오.

> (가) ㉠遠水, 不救近火, 遠親, 不如近鄰.
> 　　　원수　불구근화　원친　불여근린
> (나) 二人同心, 其利斷金, 同心之言, 其臭如蘭.
> 　　　이인동심　기리단금　동심지언　기취여란
> (다) 盛數十㉡螢火, 以照書.
> 　　　성수십　형화　이조서
> 　　　家貧無油, 常映雪㉢讀書.
> 　　　가빈무유　상영설　독서
> (라) 農夫㉣餓死, 枕厥種子.
> 　　　농부　아사　침궐종자
> (마) 日月逝矣. 歲不我延, 嗚呼老矣! 是誰之愆?
> 　　　일월서의　세불아연　오호로의　시수지건
> (바) 太山, 不讓土壤. 故, 能成其大. 河海, 不擇㉤細流. 故, 能就其深.
> 　　　태산　불양토양　고　능성기대　하해　불택　세류　고　능취기심

1. (가)~(마)에 대한 이해로 적절하지 않은 것은? ⑤

① (가): 가까운 이웃이 먼 친척보다 낫다는 뜻이니 이웃과 서로 돕고 가깝게 지내야겠어.

② (나): 두터운 정을 지닌 친구 두 사람이 힘을 합치면 어떤 어려움도 극복할 수 있을 거야.

③ (다): 어려운 환경 속에서도 열심히 공부하는 사람에게 격려의 의미로 알려 줘야겠어.

④ (라): 농부는 자신이 맡은 일에 최선을 다하는 사람이라고도 볼 수 있지만, 어리석고 인색한 사람이라고도 할 수 있어.

⑤ (마): 시간은 사람을 기다려 주지 않으니 몸이 아프더라도 여유를 부리지 말고 무조건 열심히 해야겠어.

⑤ 젊어서 학문에 정진하는 것은 좋은 자세이나, 건강을 해칠 정도로 무리해서는 안 된다.

도움말

2. 단어의 짜임
① 遠水: 멀리 있는 물
② 螢火: 반딧불이의 불
③ 讀書: 책을 읽음.
④ 餓死: 굶어 죽음.
⑤ 細流: 가느다란 물줄기

2. ㉠~㉤의 단어의 짜임이 나머지와 다른 하나는? ③

① ㉠遠水 원수　② ㉡螢火 형화　③ ㉢讀書 독서　④ ㉣餓死 아사　⑤ ㉤細流 세류

㉠, ㉡, ㉤은 앞의 한자가 뒤의 명사류를 수식하고, ㉣은 앞의 한자가 뒤의 동사류를 수식하고 있다. 따라서 수식어와 피수식어로 이루어진 수식 관계이다. ㉢은 서술어와 목적어로 이루어진 술목 관계이다.

3. 문장에 담긴 교훈
　큰 산은 흙을 사양하지 않는다. 그러므로 그 거대함을 이룰 수 있고, 큰 강과 바다는 가느다란 물줄기를 가리지 않는다. 그러므로 그 깊음을 이룰 수 있다.

🖋 서술형

3. (바)의 문장이 우리 삶에 주는 교훈을 太山과 河海, 土壤과 細流가 비유하는 바에 유의하여 써 보자.
　　　　　　　　　　태산　　하해　　토양　세류

사소한 의견이나 인물[土壤, 細流]을 수용할 수 있는 자만이 큰 인물[太山, 河海]이 될 수 있다.

土壤과 細流는 사소한 의견이나 인물을, 太山과 河海는 큰 인물을 비유하고 있다.

마무리 자기 평가

이 단원에서 배운 내용을 스스로 평가해 보자.

점검 항목	잘함	보통	노력 필요	찾아보기 ↻
• 문장의 유형을 구분할 수 있다.				40쪽
• 성어의 의미를 알고 바르게 활용할 수 있다.				20, 26쪽
• 한문 기록에 담긴 선인들의 지혜를 배울 수 있다.				20, 26, 32, 38쪽

도움말 대단원 학습이 끝나면 대단원 학습 목표에 해당하는 질문에 답하며 자신의 학업 성취도를 스스로 점검해 본다. 성취 목표에 도달하지 못한 경우에는 제시된 위치로 돌아가서 내용을 다시 읽고 공부하도록 한다.

01. 더불어 사는 삶

01 〈보기〉에서 한자에 대한 설명을 고른 것 중, 알맞은 것끼리 짝지어진 것은?

> 보기
> ㄱ. 한자는 표의 문자이다.
> ㄴ. 상형은 구체적인 사물의 모양을 본뜬 것이다.
> ㄷ. 회의는 글자의 뜻과 음을 합친 것이다.
> ㄹ. 형성은 글자의 뜻과 뜻을 합친 것이다.
> ㅁ. '信'은 지사의 원리로 만들어졌다.

① ㄱ, ㄴ 　② ㄱ, ㄷ 　③ ㄴ, ㄷ
④ ㄴ, ㄹ, ㅁ 　⑤ ㄷ, ㄹ, ㅁ

02 다음 설명에 해당하는 것은?

> 추상적인 생각이나 뜻을 점이나 선으로 나타냄.

① 갑골 문자 　② 상형 자 　③ 지사 자
④ 형성 자 　⑤ 회의 자

03 부수가 나머지와 다른 한자는?

① 慮 　② 愛 　③ 情 　④ 慕 　⑤ 鄰

04 밑줄 친 '信'의 뜻이 다른 하나는?

① 信賴 　② 盲信 　③ 通信
④ 不信 　⑤ 信心

05 한자 어휘를 풀이한 것이다. 빈칸에 들어갈 알맞은 한자를 쓰시오.

> 配□ : (마음을) 나누어 (남도) 생각해 줌.

06 한자 어휘의 활용이 적절하지 않은 것은?

① 이웃의 무례를 容恕하였다.
② 그녀는 思慮가 깊은 사람이다.
③ 그는 자기 憐憫에 빠져 있었다.
④ 化石燃料의 사용을 줄여야 한다.
⑤ 나는 친구의 말을 지나치게 通信하였다.

02. 정답고 진실한 사귐

07 자전에서 한자를 찾을 때, ㉠에 들어갈 한자로 알맞은 것은?

> 【 ㉠ 】　부수 心
> 　　총획 7획
> 자원 '잊다'의 뜻을 나타냄.

① 息 　② 慣 　③ 忘 　④ 惡 　⑤ 慮

08 필순의 원칙으로 바르지 않은 것은?

① 삐침 다음 파임을 쓴다.
② 꿰뚫는 획은 먼저 쓴다.
③ 바깥쪽 다음 안쪽을 쓴다.
④ 가로획 다음 세로획을 쓴다.
⑤ 좌우의 모양이 같으면 가운데를 먼저 쓴다.

09 성어의 의미가 바르지 않은 것은?

① 八不出 : 몹시 어리석은 사람
② 五十步百步 : 처지를 바꾸어서 생각하여 봄.
③ 杞憂 : 앞일에 대해 쓸데없는 걱정을 함. 또는 그 걱정
④ 白眉 : 여럿 가운데에서 가장 뛰어난 사람이나 훌륭한 물건
⑤ 似而非 : 겉으로는 비슷하나 속은 완전히 다름. 또는 그런 것

10 다음 문장에서 가장 마지막으로 풀이되는 한자는?

> 貧賤之交는 不可忘이라.

① 之 　② 交 　③ 不 　④ 可 　⑤ 忘

11 빈칸에 들어갈 알맞은 한자를 쓰시오.

> 同心之言은 其臭□蘭이라.

03. 미래를 준비하는 자세

12 한자의 음과 뜻이 바르지 <u>않은</u> 것은?

① 常 (상) 항상   ② 卷 (독) 읽다
③ 功 (공) 공   ④ 爐 (로) 화로
⑤ 強 (강) 강하다

13 날씨와 관련 있는 한자는?

① 問   ② 手   ③ 螢   ④ 雪   ⑤ 油

14 한자가 만들어진 원리가 <u>다른</u> 하나는?

① 盛   ② 貧   ③ 油   ④ 問   ⑤ 息

15 다음 단어의 짜임으로 알맞은 것은?

> 讀書

① 주술   ② 술목   ③ 술보
④ 수식   ⑤ 병렬

출제 유력
16 〈보기〉의 한자로 만들 수 있는 성어의 속뜻은?

> 보기
> 之 自 雪 恥
> 卷 螢 問 功

① 굳게 믿고 의지함.
② 친구 사이의 매우 두터운 정
③ 반딧불이와 눈을 통하여 이룬 성공
④ 아랫사람에게 묻는 것을 부끄러워하지 않음.
⑤ 자기를 알아주는 절친한 벗의 죽음을 슬퍼함.

17 다음 유래와 관련 있는 성어를 한자로 쓰시오.

> 천체의 운행은 건실하다. 군자는 그것을 본받아 스스로 힘써 쉬지 않는다.

04. 짧은 글에 담긴 지혜

18 다음 그림과 관련 있는 한자로 알맞은 것은?

① 騎
② 塔
③ 矢
④ 鼻
⑤ 狗

19 다음 내용에 해당하는 한자로 알맞은 것은?

> • 그릇에 따뜻한 음식이 담긴 모습을 본뜬 한자
> • 부수로 쓰이면 음식이나 먹는 일과 관련된 뜻을 지님.

① 肉   ② 木   ③ 食   ④ 水   ⑤ 人

20 다음을 한문으로 변환했을 때 알맞은 것은?

> 한자사전   전체   기마욕솔노   검색

① 騎馬欲帶怒   ② 馬馬欲率奴
③ 騎馬欠率怒   ④ 騎馬欲率奴
⑤ 奇馬浴率奴

21 빈칸에 공통으로 들어갈 한자 어휘로 알맞은 것은?

> • 너를 믿은 것이 나의 □□이었다.
> • 진작 말씀드리지 못한 것이 저의 □□입니다.

① 不如   ② 不察   ③ 不救
④ 不可   ⑤ 不信

22 다음 문장에서 강조하는 덕목으로 알맞은 것은?

> 我腹旣飽면 不察奴飢라.

① 配慮　　② 孝道　　③ 友情
④ 友愛　　⑤ 人生

출제 유력
23 문장과 속담의 연결이 바르지 <u>않은</u> 것은?

① 積功之塔은 不墮라.: 공든 탑이 무너지랴?
② 鳥久止면 必帶矢라.: 오래 앉으면 새도 화살 맞는다.
③ 烏狗之浴이라도 不變其黑이라.: 말 타면 경마 잡히고 싶다.
④ 衣視其體요 名視其貌라.: 몸 보고 옷 짓고 꼴 보고 이름 짓는다.
⑤ 窮人之事는 飜亦破鼻라.: 안되는 사람은 자빠져도 코가 깨진다.

05. 마음에 새기는 글

24 두 자를 합하여 하나의 한자를 만들 때, ㉠과 ㉡의 음으로 알맞은 것은?

> • 水+可=(㉠)　　• 七+刀=(㉡)

	㉠	㉡		㉠	㉡
①	가	체	②	가	도
③	하	칠	④	하	절
⑤	강	절			

25 뜻이 비슷한 한자의 연결이 바른 것은?

① 座－銘　　② 狂－桃　　③ 道－塗
④ 鳴－怨　　⑤ 壤－警

26 빈칸에 들어갈 알맞은 한자를 쓰시오.

> 博學而篤志하며 切問而近思하면
> □在其中矣니라.

고난도　출제 유력
27 다음 문장에 대한 설명으로 알맞은 것은?

> 道吾善者는 是吾賊이요,
> 道吾惡者는 是吾師니라.

① 道는 '말하다'라는 뜻이다.
② 是는 '옳다'라고 해석한다.
③ 칭찬의 중요성에 관한 내용이다.
④ 다른 사람의 단점을 말하지 말라는 의미이다.
⑤ 착한 일을 하면 결국에는 복을 받는다는 교훈을 주고 있다.

출제 유력
28 다음 문장의 의미로 알맞은 것은?

> 桃李不言이라도 下自成蹊라.

① 말과 행동을 일치시켜야 한다.
② 가는 말이 고와야 오는 말이 곱다.
③ 죽고자 하면 살고 살고자 하면 죽는다.
④ 뜻이 독실하지 않으면 힘써 행할 수 없다.
⑤ 뛰어난 인격을 갖춘 사람 주위에는 많은 사람이 모인다.

29 ㉠에서 가장 마지막으로 풀이되는 한자는?

> 太山은 不讓土壤이라. 故로 能成其大하고,
> 河海는 不擇細流라. ㉠<u>故로 能就其深</u>이라.

① 故　② 能　③ 就　④ 其　⑤ 深

> 대단원 복합 문제

30 두 한자를 결합했을 때, 음이 변하는 것을 〈보기〉에서 고른 것은?

> 보기
> ㄱ. 亡+心=忘　ㄴ. 成+皿=盛　ㄷ. 如+心=恕
> ㄹ. 食+我=餓　ㅁ. 口+鳥=鳴

① ㄱ　② ㄴ　③ ㄷ　④ ㄹ　⑤ ㅁ

31 다음 한자의 공통점으로 알맞은 것은?

腹　頭　口

① 감정　　② 동물　　③ 색깔
④ 식물　　⑤ 신체

32 단어의 짜임이 같은 것만을 〈보기〉에서 고른 것은?

보기
ㄱ. 讀書　　ㄴ. 飢餓　　ㄷ. 積功
ㄹ. 餓死　　ㅁ. 近鄰　　ㅂ. 窮人

① ㄱ, ㄴ, ㄷ　　② ㄱ, ㄷ, ㄹ　　③ ㄴ, ㄷ, ㅁ
④ ㄴ, ㄹ, ㅂ　　⑤ ㄹ, ㅁ, ㅂ

33 빈칸에 공통으로 들어갈 한자 어휘로 알맞은 것은?

• 『태백산맥』은 분단 문학의 □□로 꼽힌다.
• 그 연주회의 □□는 단연 바이올린 독주였다.

① 白米　　② 白眉　　③ 百美
④ 百米　　⑤ 百眉

34 성어의 주제가 나머지와 다른 하나는?

① 手不釋卷　　② 不恥下問　　③ 肝膽相照
④ 自強不息　　⑤ 螢雪之功

35 〈보기〉의 한자로 만들 수 있는 성어의 뜻은?

보기
羊　金　之　頭
舟　契　風　蘭

① 출중한 사람
② 겉과 속이 다름.
③ 쇠와 난초 같은 맺음.
④ 융통성이 없고 어리석음
⑤ 무척 위태로운 일의 형세

[36~38] 다음 성어를 읽고 물음에 답하시오.

(가) 伯牙絕絃　　(나) 棟梁之材　　(다) 易地思之
(라) 刻舟求劍　　(마) 一觸卽發

36 (가)~(마) 중, ㉠에 공통으로 들어갈 성어로 알맞은 것은?

불길과 금강소나무 숲 불과 1~2km
한때 '(㉠)'

강릉 산불이 진화된 9일 대관령 자연 휴양림 관계자는 "하마터면 국내 최고 산림 자원인 대관령 금강소나무 숲을 모두 태울 뻔 했습니다. 정말 조마조마했다."며 가슴을 쓸어내렸다.
지난 6일에 이어 7일 밤 재발화한 산불은 모두 대관령 마을인 성산면 어흘리에서 시작됐다. 이곳은 대관령자연휴양림에서 불과 1~2km 거리다. 바람만 한번 불면 대관령이 자랑하는 금강소나무 숲으로 불이 걷잡을 수 없이 번질 수 있는 (㉠) 위기 상황이 시시각각 반복됐다.

『○○일보』, 20○○. 5. 10.

① (가)　② (나)　③ (다)　④ (라)　⑤ (마)

37 (가)~(마) 중, 다음 그림과 관련 있는 성어로 알맞은 것은?

① (가)　② (나)　③ (다)　④ (라)　⑤ (마)

38 (가)~(마) 중, 다음 내용과 관련 있는 성어로 알맞은 것은?

• 기둥과 들보로 쓸 만한 재목
• 한 집안이나 한 나라를 떠받치는 중대한 일을 맡을 만한 인재

① (가)　② (나)　③ (다)　④ (라)　⑤ (마)

Ⅱ. 지혜와 감동을 전하는 인물

우리 선인들 중에는 주어진 상황에서 최선을 다하며 가치 있는 삶을 살아간 훌륭한 인물들이 많다. 우리는 그들의 모습에서 위기를 벗어나는 기지, 배움에 대한 열정, 백성의 고생을 덜어 주려는 마음, 다양한 직업 세계 등을 접하게 된다. 이 단원에서는 선인들의 지혜와 열정, 개성이 담긴 일화를 통해 그들의 삶과 가치관을 이해해 보자.

| 이 단원에서 배울 내용 |
· 문장에 사용된 실사와 허사를 구별한다.
· 문장 안에서의 쓰임에 따라 품사가 바뀌는 '품사의 활용'을 구별한다.
· 문장의 구조를 구별한다.
· 문장에서 생략되거나 도치된 성분을 찾고, 이를 문장 풀이에 활용한다.
· 한자로 이루어진 일상용어를 맥락에 맞게 활용한다.
· 한자로 이루어진 다른 교과 학습 용어를 맥락에 맞게 활용한다.
· 한문 기록에 담긴 선인들의 지혜, 사상 등을 이해하고, 현재적 의미에서 가치가 있는 것을 내면화하여 건전한 가치관과 바람직한 인성을 함양한다.
· 한문 기록에 담긴 우리의 전통문화를 바르게 이해하고, 미래 지향적인 새로운 문화 창조의 원동력으로 삼으려는 태도를 형성한다.

소단원 미리 보기

소단원	소단원 소개	소단원 학습 요소
06	순간적으로 지혜를 발휘하여 사람의 목숨을 구한 소년의 일화를 통해 선인의 기지와 재치를 알아보는 단원이다.	· 품사의 개념과 활용 · 지혜 관련 일상용어 · 선인들의 지혜에 대한 이해와 공감
07	스승의 집 창문 앞에서 거문고 소리를 몰래 듣고 이를 연구했던 김성기의 일화를 통해 꿈을 이루기 위한 선인들의 열정과 노력을 알아보는 단원이다.	· 문장의 구조, 절 · 음악 관련 학습 용어 · 노력하는 삶의 자세 함양
08	수원성 공사에서 백성들의 고생을 덜어 주고자 거중기를 만든 정약용의 실학 정신과 애민 정신을 알아보는 단원이다.	· 실사와 허사 · 현재적 의미와 가치 발견 · 전통문화의 계승과 발전
09	영화와 드라마로 재창조된 문헌 속의 옛사람인 대장금, 사야가검, 다모의 이야기를 통해 과거의 인물이 현대적으로 재해석됨을 알아보는 단원이다.	· 문장 성분의 생략 · 대중문화 관련 일상용어 · 현재적 의미와 가치 발견

출제 유형

• 〈조건〉을 모두 만족하는 한자로 알맞은 것은?
• 밑줄 친 한자 어휘의 독음이 바른 것은?
• 밑줄 친 한자 어휘를 바꾸어 쓸 때, 알맞은 것은?

O6
소년, 이웃을 살린 지혜 ○ 교과서 47쪽

| 생각을 여는 활동 |

• 글을 읽고, 빈칸에 알맞은 어휘를 아래의 풀이를 참고하여 써 보자.

어린이들의 ❶ ㄱㅈ, 용의자 두 명을 체포하다

▲ 헬리콥터에서 촬영한 인간 화살표 장면

┌ 교외: 도시의 주변 지역

20○○년 ○○월 ○○일, 영국 런던 郊外의 작은 마을에 사는 6~12살 아이들은 들판으로 부활절 달걀을 찾아 나섰다. 그런데 그때 머리 위로 헬리콥터가 윙윙거리는 가운데 두 남자가 들판을 따라 허겁지겁 달려가는 모습이 눈에 들어왔다. 아이들은 두 명의 강도 용의자가 경찰을 피해 도망가는 상황임을 직감하고 손짓과 발짓으로 표현하며 헬리콥터를 향해 방향을 알렸으나 ❷ ㅅㅅㅁㅊ이었다. 暫時後 한 어린이가 '인간 화살표'를 제안했고, 곧바로 들판에 엎드려 용의자들이 도주한 방향으로 화살표 모양을 만들었다.

└ 잠시 후: 짧은 시간이 지나간 얼마 뒤

경찰은 "아이들의 '인간 화살표'가 용의자들을 붙잡는 데 큰 貢獻을 했다. 헬리콥터 조종사들이 아이들에게서 얻은 정보를 경찰에게 알려 줬고, 들판에 있던 경찰이 곧 두 용의자를 체포했다."라고 말했다.

└ 공헌: 힘을 써 이바지함.

『○○뉴스』, 2016. 4. 4.

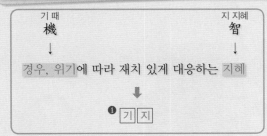

기 때   지 지혜
機   →   智
  ↓   ↓
경우, 위기에 따라 재치 있게 대응하는 지혜
          ↓
       ❶ 기 지

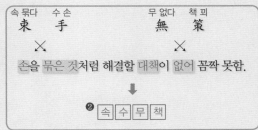

속 묶다 수 손   무 없다 책 꾀
束手   ×   無策
손을 묶은 것처럼 해결할 대책이 없어 꼼짝 못함.
          ↓
     ❷ 속 수 무 책

학습 계획 세우기   도움말 기지를 발휘하여 위기를 극복한 이야기를 알아보는 활동을 통해 소단원 학습에 대한 자신의 배경지식을 활성화한다. 또 이를 바탕으로 소단원에서 어떤 내용을 공부할지 스스로 계획을 세워 본다.

• 위 활동을 바탕으로 스스로 학습 계획을 세워 보자.
나는 이 단원에서 _____ 예 기지를 발휘하여 위기를 극복한 이야기 _____ 을/를 공부하겠다.

한자 모아 보기 자신이 알고 있는 한자에 ✓ 표시를 해 보자.

한자	음	뜻	부수	획수	총획	한자	음	뜻	부수	획수	총획	한자	음	뜻	부수	획수	총획
郊	교	들	邑(阝)	6	9	獻	헌	드리다	犬	16	20	束	속	묶다	木	3	7
暫	잠	잠깐	日	11	15	機	기	틀, 때	木	12	16	策	책	꾀	竹	6	12

출제 유형

• 한자 어휘의 활용이 적절하지 않은 것은?
• 문장을 풀이하고, 허사를 찾아 쓰시오.
• 윗글에 나타난 소년의 행동을 '지혜'와 관련하여 서술하시오.

소년, 이웃을 살린 지혜 ○ 교과서 48, 49쪽

정조 때 좌의정을 지냈던 김종수와 관련된 일화로, 김종수가 예상하지 못한 위기에 처한 것을 목격한 소년이 순간적으로 재치와 지혜를 발휘하여 이를 해결하는 모습이 드러나 있다. 이 단원을 통해 다양한 삶의 이야기 속에서 선인들이 보여 준 위기 극복의 지혜와 재치를 배워 보자.

新 한자 모아 보기

한자	음	뜻	부수	획수	총획
寢	침	잠자다	宀	11	14
廳	청	관청, 대청	广	22	25
蛇	사	뱀	虫	5	11
盤	반	소반, 서리다	皿	10	15
旁*	방	두루, 곁	方	6	10
惶	황	두려워하다	心(忄)	9	12
吏	리	벼슬아치	口	3	6
捕	포	잡다	手(扌)	7	10
蛙*	와	개구리	虫	6	12
擲*	척	던지다	手(扌)	15	18

晝寢於廳할새 有大蛇盤於腹上이어늘 旁人
주 침 어 청   유 대 사 반 어 복 상   방 인
낮 잠자다 어조사 대청 있다 크다 뱀 서리다 어조사 배 위   곁 사람

(晝寢於廳: ~에서)(有大蛇盤於腹上: 서리다, 똬리를 틀다 / ~에)(旁: 곁, 옆 = 側(측))

이 驚惶莫知所爲러라.
경 황 막 지 소 위
놀라다 두려워하다 없다 알다 바 하다 ① 하다 ② 위하다

대청에서 낮잠을 자는데 큰 뱀이 배 위에 똬리를 튼 일이 있었거늘 곁의 사람들이 놀라 당황하여 할 바를 알지 못하였다.

[앞부분의 이야기]
김종수는 청풍인으로 자는 정부, 호는 진솔과 몽촌이다. 영조 무자년에 진사를 거쳐 문과에 급제하였고, 정조 기유년에 벼슬을 사양하고 퇴임 관리들의 예우를 목적으로 설치한 기로소(耆老所)에 들어갔다. 일찍이 일(1772년 당폐를 일으킨 죄로 경상도 기장에 유배됨.)로 남쪽 지방으로 귀양을 가서 이방의 집에 머물렀다.

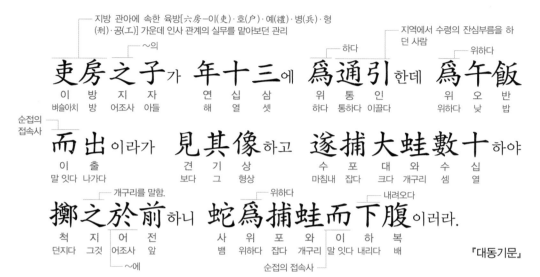

지방 관아에 속한 육방[六房-이(吏)·호(戶)·예(禮)·병(兵)·형(刑)·공(工)] 가운데 인사 관계의 실무를 맡아보던 관리

~의

하다

지역에서 수령의 잔심부름을 하던 사람

위하다

吏房之子가 **年十三**에 **爲通引**한데 **爲午飯**
이 방 지 자   연 십 삼   위 통 인   위 오 반
벼슬아치 방 어조사 아들   해 열 셋   하다 통하다 이끌다   위하다 낮 밥

순접의 접속사

而出이라가 **見其像**하고 **遂捕大蛙數十**하야
이 출   견 기 상   수 포 대 와 수 십
말 잇다 나가다   보다 그 형상   마침내 잡다 크다 개구리 셈 열

개구리를 말함.

위하다

내려오다

擲之於前하니 **蛇爲捕蛙而下腹**이러라.
척 지 어 전   사 위 포 와 이 하 복
던지다 그것 어조사 앞   뱀 위하다 잡다 개구리 말 잇다 내리다 배
   ~에   순접의 접속사

『대동기문』

> ✏ **스스로 확인**
>
> 본문의 이야기처럼 순간적인 지혜를 발휘해 위기에 대응한다는 뜻의 성어는 무엇인가?
>
> 임기응변(臨機應變)

이방의 아들이 나이가 열셋에 통인 노릇을 하였는데 점심밥을 먹기 위해 나가다가 그 모습을 보고 마침내 큰 개구리 수십 마리를 잡아 그것을 앞에 던지니 뱀이 개구리를 잡기 위해 배에서 내려왔다.

[뒷부분의 이야기]
김종수가 그를 매우 기특하게 여겨 그 아이와 함께 서울로 돌아왔다.

• 『**대동기문(大東奇聞)**』: 조선 시대 역대 인물들의 전기·일화들을 뽑아 엮은 책으로, 강효석 (姜斅錫)이 편찬하고 윤영구(尹寗求)와 이종일(李鐘一)이 교정하여 간행함.

上: ① 위 예 頂上 정상: ① 산 따위의 맨 꼭대기
상 　② 그 이상 더없는 최고의 상태
　② 오르다 예 上京 상경: 지방에서 서울로 감.

旁: 곁, 옆 = 側
방 　　　측

爲: ① 하다 예 爲通引 하다.
위 　② 위하다 예 爲捕蛙 위포와: 개구리를
　　　　잡기 위하여

下: ① 아래 예 地下 지하: 땅속이나 땅속을
하 　파고 만든 구조물의 공간
　② 내리다 예 下車 하차: ① 타고 있던
　　　차에서 내림. ② 차에서 짐을
　　　내림.

＋ 어휘 더하기
• 뜻이 비슷한 한자로 이루어진 어휘
　공황: 두려워서 어찌할 바를 모름.
　寢睡　恐惶　鎭壓
　침수: '잠'의 높임말　진압: 강압적인 힘으로 억눌러 진정시킴.

부수가 같은 한자 – 辵(辶)착
逐(수) 이루다 예 遂行 수행: 생각하거나 계획한 대로 일을 해냄.
退(퇴) 물러나다 예 衰退 쇠퇴: 기세나 상태가 쇠하여 전보다 못하여 감.
遞(체) 번갈아 하다 우체국: 미래 창조 과학부에 딸려 우편, 우편환, 우편 대체, 체신 예금,
　　예 郵遞局 체신 보험, 전신 전화 수탁 업무 따위를 맡아보는 기관
適(적) 가다 예 悠悠自適 유유자적: 속세를 떠나 아무 속박 없이 조용하고 편안하게 삶.

新 한자 모아 보기

한자	음	뜻	부수	획수	총획
側	측	곁	人(亻)	9	11
睡	수	잠자다	目	8	13
恐	공	두려워하다	心	6	10
鎭	진	진압하다	金	10	18
辵*	착	쉬엄쉬엄 가다	辵	0	7
衰	쇠	쇠하다	衣	4	10
遞	체	번갈아 하다	辵(辶)	10	14
郵	우	우편	邑(阝)	8	11
局	국	판	尸	4	7
悠	유	멀다, 한가롭다	心	7	11
捨	사	버리다	手(扌)	8	11
毒	독	독	毋	4	8
況	황	하물며, 상황	水(氵)	5	8
沈	침	잠기다	水(氵)	4	7
	심	성씨			

---

³晝 ⁴寢 ²於 ¹廳할새 ¹¹有 ⁵大 ⁶蛇 ¹⁰盤 ⁹於 ⁷腹 ⁸上이어늘
주 침 어 청　　유 대 사 반 어 복 상
대청에서 낮잠을 자는데 큰 뱀이 배 위에 똬리를 튼 일이 있었거늘

반
盤: 서리다, 똬리(둥글게 빙빙 틀어 놓은 모양)를 틀다

¹旁 ²人이 ³驚 ⁴惶 ⁸莫 ⁷知 ⁶所 ⁵爲러라.
방 인　경 황 막 지 소 위
곁의 사람들이 놀라 당황하여 할 바를 알지 못하였다.

¹吏 ²房 ³之 ⁴子가 ⁵年 ⁶十 ⁷三에 ¹⁰爲 ⁸通 ⁹引한데
이 방 지 자　연 십 삼　위 통 인
이방의 아들이 나이가 열셋에 통인 노릇을 하였는데

통인
通引: 조선 시대에 관아 소속으로 잔심부름하던 사람

³爲 ¹午 ²飯 ⁴而 ⁵出이라가 ⁸見 ⁶其 ⁷像하고
위 오 반 이 출　　견 기 상
점심밥을 먹기 위해 나가다가 그 모습을 보고

¹遂 ²捕 ³大 ⁴蛙 ⁵數 ⁶十하야 ¹⁰擲 ⁷之 ⁹於 ⁸前하니 ¹蛇 ⁴爲 ³捕 ²蛙 ⁵而 ⁶下 ⁷腹이러라.
수 포 대 와 수 십　척 지 어 전　사 위 포 와 이 하 복
마침내 큰 개구리 수십 마리를 잡아 그것을 앞에 던지니 뱀이 개구리를 잡기 위해 배에서 내려왔다.

• 명사(名詞): 사물이나 개념의 이름을 나타내는 단어
• 대명사(代名詞): 사람이나 사물, 장소 및 상태나 동작 등을 대신하여 가리키는 뜻을 나타내는 단어
• 수사(數詞): 사물의 수량이나 차례를 나타내는 단어
• 동사(動詞): 사람이나 사물의 동작, 행위, 심리 활동, 소유, 존재 등을 나타내는 단어
• 형용사(形容詞): 사람이나 사물의 성질 또는 상태를 나타내는 단어
• 부사(副詞): 동사나 형용사 또는 다른 부사를 수식하여 정도, 범위, 시간, 부정 등을 나타내는 단어

똑똑한 지식 품사
① 뜻: 어휘를 의미와 기능에 따라 분류하여 공통된 성질을 가진 것끼리 모아 놓은 단어들의 갈래
② 종류

실사	단독으로 어휘적 의미를 가짐.	명사, 대명사, 수사, 동사, 형용사, 부사
허사	문법적 의미만을 나타냄.	介詞 語助詞 개사, 접속사, 어조사, 감탄사

감탄사(感歎詞): 문장의 밖에 독립적으로 놓여 화자(話者)의 부름, 느낌, 놀람이나 응답을 나타내는 단어

접속사(接續詞): 단어와 단어, 어구와 어구, 문장과 문장 등을 서로 이어 주는 역할을 하는 단어

→ 단어나 어구 또는 문장의 앞, 가운데나 뒤에 와서 문법적인 의미나 어기 등을 나타내는 단어

→ 명사, 대명사 등 명사류 앞에 놓여 그 명사류를 서술어와 연결해 주면서 처소, 대상, 도구, 시간, 원인, 비교 등의 뜻을 나타내는 단어

③ 활용: 한문의 단어는 문장 안에서의 쓰임에 따라 품사가 바뀌고 의미가 달라지기도 한다. 예 蛇爲捕蛙而下腹
　사 위 포 와 이 하 복
명사: 아래 → 동사: 내려오다

이해 더하기 捨人從蛙: 사람을 버리고 개구리를 쫓다
　사 인 종 와
이방의 아들은 비록 어린 나이였지만, 뱀이 사람을 물면 毒이 퍼져 죽는다는 것, 뱀은 개구리를 먹는다는 것 등을 알고 있었다. 그리고 김종수의 배 위에 뱀이 올라가 있는 위험한 狀況을 보고도 놀라서 소리를 지르지 않고, 沈着하게 機智를 발휘하여 사람의 목숨을 살릴 수 있었다.
독: 건강이나 생명에 해가 되는 성분
침착: 행동이 들뜨지 아니하고 차분함.
기지: 경우에 따라 재치 있게 대응하는 지혜
상황: 일이 되어 가는 과정이나 형편

※ 이와 비슷한 다른 이야기도 전해지는데, 선조 때 영의정을 지닌 홍섬(1504~1585년) 역시 어린 시절 개구리를 풀어 뱀을 유인하여 아버지를 구했다고 한다.

요한 볼프강 폰 괴테(Johann Wolfgang von Goethe): 1749~1832년. 독일의 시인·소설가·극작가. 독일 고전주의의 대표자로, 자기 체험을 바탕으로 한 고백과 참회의 작품을 썼음. 작품에 희곡 「파우스트」, 소설 「젊은 베르테르의 슬픔」, 자서전 「시와 진실」 따위가 있음.

괴테의 말과 이해인의 시를 통해 지혜로운 사람은 어떤 사람인지 생각해 보자.

세계적인 **大文豪** 괴테는 이렇게 말했다.
대문호: 세상에 널리 알려진 매우 뛰어난 작가

"영리한 사람은 거의 모든 것을 우습게 보지만, 분별 있는 사람은 아무것도 우습게 보지 않는다."

여기서 분별 있는 사람은 지혜로운 사람이라 말해도 좋다.

지혜로운 사람

싫다 좋다 / 옳다 그르다
판단의 말을 **衝動的**으로
쉽게 하지 않는 사람
충동적: 마음속에서 어떤 욕구 같은 것이 갑작스럽게 일어나는. 또는 그런 것

좀체 화를 내지 않지만
남에게 조금이라도
언짢은 행동을 했다 싶으면
즉시 용서를 청하는 사람

남에게 잔소리와 넋두리를 안 하고
자신이 먼저 / **率先垂範**하는 사람
솔선수범: 남보다 앞장서서 행동해서 몸소 다른 사람의 본보기가 됨.

선한 일을 하고도
생색내지 않고 / 고요히 **沈默**하며
淡白한 표정을 짓는 사람
담백: 욕심이 없고 마음이 깨끗함.
침묵: 아무 말도 없이 잠잠히 있음. 또는 그런 상태

자신의 삶을 / 끊임없이 성찰하고
남에 대해서는 사소한 것에도
사랑의 배려가 앞서는 사람

언제 어디서나
자연스러운 표정과 몸짓으로
남에게 부담을 주지 않는 사람

– 이해인, 『희망은 깨어 있네』
1945년 강원도 양구 출생. 부산 성 베네딕도회 수녀. 저서로 『작은 기도』, 『풀꽃 단상』, 『민들레의 영토』, 『꽃이 지고 나면 잎이 보이듯이』 등이 있음.

| 지혜 관련 용어 |

활동 빈칸에 알맞은 음을 써 보자.

① 미리 헤아려 짐작함을 豫測(예측)이라고 한다.
② 남의 사정을 잘 헤아려 너그러이 받아들이는 것을 諒解(양해)라고 한다.
③ 사물의 이치를 빨리 깨닫고 사물을 정확하게 처리하는 정신적 능력을 智慧(지혜)라고 한다.
④ 사물의 옳고 그름이나 좋고 나쁨을 가리는 능력을 辨別力(변별력)이라고 한다.
⑤ 어떤 일이 일어나기 전에 미리 앞을 내다보고 아는 지혜를 先見之明(선견지명)이라 한다.
⑥ 그때그때 처한 사태에 맞추어 즉각 그 자리에서 결정하거나 처리함을 臨機應變(임기응변)이라고 한다.

 新 **한자 모아 보기**

한자	음	뜻	부수	획수	총획
豪	호	호걸	豕	7	14
衝	충	찌르다	行	9	15
垂	수	드리우다	土	5	8
範	범	법	竹	9	15
默	묵	잠잠하다	黑	4	16
淡	담	맑다	水(氵)	8	11
測	측	헤아리다	水(氵)	9	12
諒	량	살펴 알다	言	8	15
慧	혜	슬기롭다	心	11	15
辨	변	분별하다	辛	9	16
臨	림	임하다	臣	11	17

[1~3] 다음 글을 읽고 물음에 답하시오.

畫寢於㉠廳, 有大蛇㉡盤於腹上, 旁人, 驚惶莫知㉢所爲. 吏房之㉣子, 年
주침어 청 유대사 반어복상 방인 경황막지 소위 이방지 자 연

十三, ㉤爲通引, 爲午飯而出, 見其像, 遂捕大蛙數十, 擲之於前, ㉰蛇爲捕蛙
십삼 위통인 위오반이출 견기상 수포대와수십 척지어전 사위포와

而 下 腹.
이 하 복

[풀이] 대청에서 낮잠을 자는데 큰 뱀이 배 위에 똬리를 튼 일이 있었거늘 곁의 사람들이 놀라 당황하여 할 바를 알지 못하였다. 이방의 아들이 나이가 열셋에 통인 노릇을 하였는데 점심밥을 먹기 위해 나가다가 그 모습을 보고 마침내 큰 개구리 수십 마리를 잡아 그것을 앞에 던지니 뱀이 개구리를 잡기 위해 배에서 내려왔다.

1. ㉠~㉤의 뜻으로 알맞은 것은? ①

① ㉠: 대청
② ㉡: 쟁반
× → 똬리를 틀다
③ ㉢: 장소
× → ~할 것(바)
④ ㉣: 스승
× → 아들
⑤ ㉤: 위하다
× → 하다

2. ㉰를 □ 안의 한자에 유의하여 풀이해 보자.

✎ 뱀이 개구리를 잡기 위해 배에서 내려왔다.

下는 '내려오다'로 풀이 되고, '동사'로 쓰였다.

도움말

下 하
① 아래
② 내리다

3. 소년의 기지가 발휘된 부분의 내용으로 알맞은 것은? ⑤

① 畫寢於廳. - 대청에서 낮잠을 자다.

② 旁人, 驚惶莫知所爲. ┌ 곁의 사람들이 놀라 당황하여 할 바를 알지 못하다.

③ 年十三, 爲通引. - 나이가 열셋에 통인 노릇을 하다.

④ 爲午飯而出, 見其像. - 점심밥을 먹기 위해 나가다가 그 모습을 보다.

⑤ 遂捕大蛙數十, 擲之於前. ┐
마침내 큰 개구리 수십 마리를 잡아 그것을 앞에 던지다.
→ 뱀을 놀라게 하면 사람을 물 수도 있으므로, 개구리를 던져 뱀이 배에서 내려오도록 유도한 것이다.

도움말

기지(機智): 위기에 따라 재치 있게 대응하는 자세

창의형

4. 기지를 발휘하여 위기를 극복했던 경험을 발표해 보자.

예시

송나라의 사마광이 일곱 살이던 어느 날, 친구들과 함께 동네에서 놀고 있었는데, 주변에 물이 가득 담긴 큰 항아리가 있었다. 한 친구가 항아리 위에까지 기어 올라가 놀다가 그만 발을 헛디뎌 항아리 속에 빠지고 말았다. 이 광경을 목격한 다른 친구들은 너무 놀라서 어쩔 줄 몰랐지만, 사마광은 커다란 돌을 주워 물이 담긴 항아리를 깨고 친구를 구해 냈다.

[예시 답안] 유치원 때, 놀이터에서 동생과 놀고 있었는데 동생이 다쳐서 걸을 수가 없게 되었다. 그때는 핸드폰이 없었고, 주변에 아는 사람도 없어서 어떻게 해야 할지 난감했다. 그러다가 용기를 내어 지나가던 어떤 아주머니를 보고 큰 소리로 "아주머니! 동생이 다쳤어요! 저 좀 도와주세요!"라고 외쳤다. 아주머니는 동생을 업고 병원으로 가주셨고, 나는 아주머니의 핸드폰을 빌려서 부모님께 연락을 드릴 수 있었다.

도움말 소단원 학습이 끝나면 소단원 학습 목표에 해당하는 질문에 답하며 자신의 학업 성취도를 스스로 점검해 본다. 성취 목표에 도달하지 못한 경우에는 제시된 위치로 돌아가서 내용을 다시 읽고 공부하도록 한다.

소단원 자기 점검

배운 내용에 관해 자기 점검을 하면서 학업 성취도 도달 정도를 확인해 보자.

[별이 3개 이하인 경우] • 교과서 50쪽 '똑똑한 지식' 다시 읽기

• 문장의 풀이를 통해 下의 품사와 의미를 구별할 수 있는가?	☆☆☆☆☆
• 지혜와 관련된 일상용어를 맥락에 맞게 활용할 수 있는가?	☆☆☆☆☆
• 한문 기록에 담긴 선인들의 지혜를 이해할 수 있는가?	☆☆☆☆☆

[별이 3개 이하인 경우] • 교과서 51쪽 '지혜 관련 용어' 다시 읽기

[별이 3개 이하인 경우] • 교과서 48~50쪽 '이해 더하기' 다시 읽기

• 한자, 음, 뜻, 부수의 순서로 제시

1. 한자

郊	❶ [ ] 들 [邑(阝)]	蛙	(와) 개구리 [虫]	況	(황) 하물며, 상황 [水(氵)]
暫	(잠) 잠깐 [日]	擲	(척) 던지다 [手(扌)]	沈	(침) 잠기다,
❷ [ ]	(헌) 드리다 [犬]	側	(측) ❺ [ ] [人(亻)]		(심) 성씨 [水(氵)]
機	(기) 틀, 때 [木]	睡	(수) 잠자다 [目]	豪	(호) 호걸 [豕]
束	(속) ❸ [ ][ ] [木]	恐	(공) 두려워하다 [心]	衝	(충) 찌르다 [行]
策	(책) 꾀 [竹]	❻ [ ]	(진) 진압하다 [金]	❾ [ ]	(수) 드리우다 [土]
寢	(침) 잠자다 [宀]	辵	(착) 쉬엄쉬엄 가다 [辵]	範	(범) 법 [竹]
廳	(청) 관청, 대청 [广]	衰	(쇠) ❼ [ ][ ] [衣]	❿ 黙	잠잠하다 [黑]
蛇	(사) 뱀 [虫]	遞	(체) 번갈아 하다 [辵(辶)]	淡	(담) 맑다 [水(氵)]
盤	(반) 소반, 서리다 [皿]	郵	(우) 우편 [邑(阝)]	測	(측) 헤아리다 [水(氵)]
旁	(방) 두루, 곁 [方]	局	(국) 판 [尸]	諒	(량) 살펴 알다 [言]
惶	(황) 두려워하다 [心(忄)]	❽ 悠	[ ] 멀다, 한가롭다 [心]	慧	(혜) 슬기롭다 [⓫ [ ]]
吏	(리) 벼슬아치 [❹ [ ]]	捨	(사) 버리다 [手(扌)]	辨	(변) 분별하다 [辛]
捕	(포) 잡다 [手(扌)]	毒	(독) 독 [毋]	臨	(림) ⓬ [ ][ ][ ] [臣]

2. 본문

❶[ ][ ]於廳(주침어청)할새 有❷[ ][ ]盤於腹上(유대사반어복상)이어늘 旁人(방인)이 驚惶莫知所爲(경황막지소위)러라.

대청에서 낮잠을 자는데 큰 뱀이 배 위에 똬리를 튼 일이 있었거늘 ❸[ ]의 사람들이 놀라 당황하여 할 바를 알지 못하였다.

❹[ ][ ]之子(이방지자)가 年十三(연십삼)에 爲通引(위통인)한데 爲午飯而出(위오반이출)이라가 見其傷(견기상)하고 遂捕❺[ ][ ]數十(수포대와수십)하야 擲之於前(척지어전)하니 蛇爲捕蛙而下腹(사위포와이하복)이러라.

이방의 아들이 나이가 열셋에 ❻[ ][ ] 노릇을 하였는데 점심밥을 먹기 위해 나가다가 그 모습을 보고 마침내 큰 개구리 수십 마리를 잡아 그것을 앞에 던지니 뱀이 개구리를 잡기 위해 ❼[ ]에서 내려왔다.

3. 품사

(1) 뜻: 어휘를 의미와 기능에 따라 분류하여 공통된 성질을 가진 것끼리 모아 놓은 단어들의 갈래

(2) 종류

- 실사: 단독으로 어휘적 의미를 가짐. 예 명사, 대명사, 수사, 동사, 형용사, 부사
- ❶[ ][ ]: 문법적 의미만을 나타냄. 예 개사, 접속사, 어조사, 감탄사

(3) 활용: 한문의 단어는 문장 안에서의 쓰임에 따라 품사가 바뀌고 의미가 달라지기도 함.

　　예 蛇爲捕蛙而下腹(사위포와이하복)

　　　　명사: 아래 → 동사: ❷ ☐☐☐☐

4. 어휘 – 지혜 관련 용어

- 豫測(예측): ❶ ☐☐ 헤아려 짐작함.
- ❷ ☐☐(양해): 남의 사정을 잘 헤아려 너그러이 받아들임.
- 知慧(지혜): 사물의 이치를 빨리 깨닫고 사물을 정확하게 처리하는 정신적 능력
- 辨別力(❸ ☐☐☐): 사물의 옳고 그름이나 좋고 나쁨

을 가리는 능력
- ❹ ☐☐☐☐(선견지명): 어떤 일이 일어나기 전에 미리 앞을 내다보고 아는 지혜
- 臨機應變(❺ ☐☐☐☐): 그때그때 처한 사태에 맞추어 즉각 그 자리에서 결정하거나 처리함.

쪽지 시험

01 다음 한자의 공통되는 뜻을 쓰시오.

寢　　睡

02 다음 한자의 공통되는 부수를 쓰시오.

況　　沈　　淡

03 한자 어휘와 독음을 연결하시오.

(1) 晝寢　　•　　　• ㉠ 오반

(2) 驚惶　　•　　　• ㉡ 주침

(3) 午飯　　•　　　• ㉢ 경황

04 다음과 같은 뜻을 가진 한자 어휘를 한자로 쓰시오.

(1) 남의 사정을 잘 헤아려 너그러이 받아들임.:
　　☐☐

(2) 사물의 옳고 그름이나 좋고 나쁨을 가리는 능력: ☐☐☐

(3) 어떤 일이 일어나기 전에 미리 앞을 내다보고 아는 지혜: ☐☐☐☐

(4) 그때그때 처한 사태에 맞추어 즉각 그 자리에서 결정하거나 처리함.: ☐☐☐☐

(5) 사물의 이치를 빨리 깨닫고 사물을 정확하게 처리하는 정신적 능력: ☐☐

05 다음 문장에서 허사를 찾아 쓰시오.

吏房之子, 年十三, 爲通引.

01 다음을 모두 만족하는, ㉠에 들어갈 한자의 뜻으로 알맞은 것은?

- 음은 '속'이다
- 총획은 7획이다.

① 나무   ② 근본   ③ 수풀
④ 묶다   ⑤ 꺾다

02 한자의 뜻이 바르지 않은 것은?

① 郊: 들   ② 暫: 잠깐   ③ 獻: 드리다
④ 機: 때   ⑤ 後: 먼저

03 〈조건〉을 모두 만족하는 한자로 알맞은 것은?

조건
- 부수는 竹이다.
- 총획은 12획이다.
- '꾀'라는 뜻을 가진다.

① 竹   ② 吏   ③ 捕   ④ 策   ⑤ 範

04 부수가 나머지와 다른 하나는?

① 側   ② 退   ③ 遞   ④ 適   ⑤ 遂

05 다음 중 연결이 바른 것은?

	모양	음	뜻	부수
①	沈	(심)	잠기다	[水]
②	況	(황)	상황	[水]
③	捨	(사)	버리다	[舍]
④	悠	(심)	멀다	[心]
⑤	局	(국)	나라	[尸]

06 한자 어휘의 독음이 바르지 않은 것은?

① 遂行 (수행)   ② 衰退 (쇠퇴)
③ 郊外 (해외)   ④ 郵遞局 (우체국)
⑤ 悠悠自適(유유자적)

출제 유력
07 밑줄 친 한자 어휘의 독음이 바른 것은?

아군의 계략에 빠진 적군들은 돌파구를 찾지 못한 채 **束手無策**으로 무너졌다.

① 수수방관   ② 삼삼오오   ③ 속수무책
④ 유비무환   ⑤ 결사항전

출제 유력
08 밑줄 친 부분을 한자 어휘로 바꾸어 쓸 때, 알맞은 것은?

아이들은 즉흥 연기와 기지로 관객들과 신나게 어우러지는 한판 축제를 만들어 내었다.

① 基地   ② 氣地   ③ 基智
④ 機智   ⑤ 氣志

09 다음 설명에 해당하는 한자 어휘로 알맞은 것은?

세상에 널리 알려진 매우 뛰어난 작가

① 沈默   ② 大文豪
③ 衝動的   ④ 率先垂範
⑤ 暫時後

10 화살표 방향으로 성어를 채울 때, ㉠에 들어갈 알맞은 한자를 쓰시오.

【가로 열쇠】
타고 있던 차에서 내림.

【세로 열쇠】
땅속이나 땅속을 파고 만든 구조물의 공간

11 한자 어휘의 활용이 적절하지 <u>않은</u> 것은?

① 시험이 너무 쉬워지면 辨別力이 없어진다.
② 전통 음식인 한과에는 조상들의 智慧가 담겨 있다.
③ 이번 주까지 비가 50mm 더 올 것으로 禮測된다.
④ 영실이는 臨機應變이 강하여 위기를 잘 모면하곤 한다.
⑤ 차가 고장이 나자 운전사는 승객에게 諒解를 구하고 차를 수리하기 시작했다.

[12~18] 다음 글을 읽고 물음에 답하시오.

> 晝寢於廳할새 有大蛇盤於腹㉠上이어늘 旁人이 驚惶莫知所㉡爲러라. 吏房之子가 年十三에 爲通引한데 ㉢爲午飯而出이라가 見㉣其像하고 ㉤遂捕大蛙數十하야 擲之於前하니 蛇爲捕蛙而㉥下腹이러라.

12 윗글에 쓰인 한자의 음과 뜻이 바르지 <u>않은</u> 것은?

① 蛇 (사) 뱀   ② 腹 (복) 배
③ 傍 (방) 곁   ④ 飯 (판) 밥
⑤ 前 (전) 앞

출제 유력
13 ㉠과 ㉥의 의미로 알맞은 것은?

	㉠	㉥		㉠	㉥
①	위	아래	②	오르다	아래
③	주상	아래	④	위	내리다
⑤	오르다	내리다			

14 ㉡과 ㉢에 대한 설명으로 바르지 <u>않은</u> 것은?

① ㉡은 '되다'의 뜻이다.
② ㉡은 '爲通引'의 '爲'와 같은 뜻이다.
③ ㉢은 '위하다'의 뜻이다.
④ ㉡과 ㉢의 음은 '위'이다.
⑤ ㉢은 '爲捕蛙'의 '爲'와 같은 뜻이다.

15 ㉣의 상황으로 알맞은 것은?

① 뱀이 배를 지나가는 모습
② 뱀이 배에 올라가는 모습
③ 뱀이 배에서 내려가는 모습
④ 뱀이 개구리를 쫓아가는 모습
⑤ 뱀이 배 위에 똬리를 틀고 있는 모습

16 ㉤에서 가장 마지막으로 풀이되는 한자는?

① 遂   ② 捕   ③ 蛙   ④ 數   ⑤ 十

출제 유력
17 윗글에서 소년이 뱀을 쫓아낸 방법은?

① 소리 지르기
② 약품 뿌리기
③ 막대기로 때리기
④ 개구리를 잡아다 던지기
⑤ 다른 뱀을 잡아서 풀어 놓기

서술형
18 윗글에 나타난 소년의 행동을 '지혜'와 관련하여 서술하시오.

출제 유형

· 한자 어휘의 독음이 바르지 않은 것은?
· 밑줄 친 한자 어휘의 독음이 바른 것은?
· 다음 설명에 해당하는 한자 어휘로 알맞은 것은?

07

김성기, 소리에 대한 열정

○ 교과서 53쪽

| 생각을 여는 활동 |

● '조선 시대 명창 학산수'에 관한 학생의 발표 내용을 읽고, 빈칸에 알맞은 어휘를 〈보기〉에서 찾아 써 보자.

명창 학산수(鶴山守)의 일화

→ 학문이나 기예 따위를 익숙하도록 되풀이하여 익힘.

노래 ❶ [練][習] 을 위하여 산에 들어가면 신발을 벗어 앞에 놓고, 노래 한 곡을 부를 때마다 모래 한 알을 주워 신발에 담으면서 명창이 되기 위해 ❷ [努][力] 함.

→ 목적을 이루기 위하여 몸과 마음을 다하여 애를 씀.

→ 어떤 일에 온 정신을 다 기울여 열중함.

몇 년이고 그렇게 ❸ [沒][頭] 한 끝에 모래가 신발에 가득 차면 그제야 산에서 내려옴. 나중에는 신발에서 풀이 싹텄다는 이야기까지 전해짐.

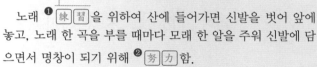

학산수의 일화를 통해 깨달은 점은 자신이 하고 싶은 분야에서 뛰어난 사람이 되기 위해서는 위의 학산수처럼 뜻을 세우고 목표를 정한 뒤에는 전력을 다하여 앞으로 나아가는 용기와 ❹ [忍][耐] 가 있어야 합니다!

→ 괴로움이나 어려움을 참고 견딤.

보기

| 沒頭 | 練習 | 努力 | 忍耐 |
| 몰 두 | 연 습 | 노 력 | 인 내 |

학습 계획 세우기 **도움말** 목표를 이루기 위해 노력한 이야기를 알아보는 활동을 통해 소단원 학습에 대한 자신의 배경지식을 활성화한다. 또 이를 바탕으로 소단원에서 어떤 내용을 공부할지 스스로 계획을 세워 본다.

● 위 활동을 바탕으로 스스로 학습 계획을 세워 보자.

나는 이 단원에서 _____ 예 목표를 이루기 위해 노력한 이야기 _____ 을/를 공부하겠다.

한자 모아 보기 자신이 알고 있는 한자에 ✓표시를 해 보자.

新						한자	음	뜻	부수	획수	총획
한자	음	뜻	부수	획수	총획	耐	내	견디다	而	3	9
沒	몰	빠지다	水(氵)	4	7						
努	노	힘쓰다	力	5	7						

출제 유형

- 제시된 문장의 문장 구조를 쓰시오.
- 문장에서 목적어를 한자를 쓰시오.
- 윗글에 대한 설명으로 바르지 않은 것은?

김성기, 소리에 대한 열정 ● 교과서 54, 55쪽

거문고의 명인인 김성기가 스승 왕세기의 인정을 받게 된 사연을 담고 있는 일화이다. 자신의 분야에서 성공하기 위해서는 타고난 재능도 중요하지만, 열정을 갖고 꾸준히 노력하는 자세 또한 꼭 필요한 것임을 보여 주고 있다. 스승까지 감동시킬 정도로 음악에 대한 열정을 지닌 예인의 정신 세계를 이해해 보자.

新 한자 모아 보기

한자	음	뜻	부수	획수	총획
琴	금	거문고	玉	8	12
器	기	그릇	口	13	16
輒*	첩	번번이	車	7	14
祕	비	숨기다	示	5	10
附	부	붙다	阜(阝)	5	8
竊	절	훔치다, 몰래	穴	17	22
寫	사	베끼다	宀	12	15
錯	착	어긋나다	金	8	16
彈	탄	탄알, 연주하다	弓	12	15
瞥*	별	언뜻 보다	目	11	16
拓	척	넓히다	手(扌)	5	8
	탁	밀다			
奇	기	기이하다	大	5	8

琴師¹⁾ 金聖器²⁾ 가 學琴於王世基³⁾ 할새 每遇
금 사   김 성 기   학 금 어 왕 세 기   매 우
거문고 스승 김성기(인명)   배우다 거문고 어조사 왕세기(인명)   매일 만나다

① ~에게
② ~에

新聲 하면 王輒祕不傳授 러라. 聖器夜夜來
신 성   왕 첩 비 부 전 수   성 기 야 야 래
새롭다 소리 왕세기(인명) 번번이 숨기다 아니다 전하다 주다   김성기(인명) 밤 밤 오다

다음 날 아침

하여 附王家窓前 하여 竊聽 하고 明朝 에 能傳
     부 왕 가 창 전   절 청   명 조   능 전
붙다 왕세기(인명) 집 창문 앞   몰래 듣다   밝다 아침   능하다 전하다
                        ① 훔치다   ① 옮기어 베낌.
                        ② 몰래   ② 서로 돌려 가면서 베껴 씀.

寫不錯 이러라.
사 불 착
베끼다 아니다 어긋나다

뒤에 ㅈ으로 시작하는 傳(전)이
오므로 '부'로 읽음.

금사 김성기가 왕세기에게 거문고를 배울 적에 매번 새로운 소리(가락)를 만나면 왕세기가 번번이 숨기고 전하여 주지 않았다. 김성기가 밤이면 밤마다 와서 왕세기의 집 창문 앞에 붙어 몰래 듣고 다음 날 아침에 옮겨 베껴서 틀리지 않을 수 있었다.

1) 금사(琴師): 거문고나 가야금을 가르치는 일을 맡아보던 벼슬아치
2) 김성기(金聖器): 조선 숙종~영조 때의 가인(歌人)으로 거문고, 통소, 비파의 명인
3) 왕세기(王世基): 숙종 때의 거문고 대가. 김성기의 스승

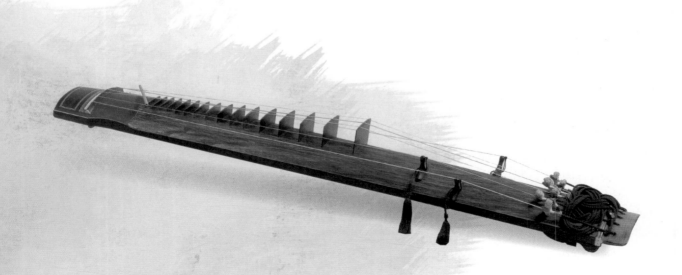

王固疑之하여 乃夜彈琴이라가 曲未半에 瞥
왕 고 의 지 내 야 탄 금 곡 미 반 별

① 굳다 / ② 참으로 (固)
그것(가르쳐 주지 않은 가락을 틀리지 않고 연주하는 것) (之)
① 탄알 / ② 연주하다 (彈)
갑작스러운 모양, 갑자기 ≒ 突然(돌연), 忽然(홀연) (瞥)

왕세기(인명) 참으로 의심하다 그것 이에 밤 연주하다 거문고 노래 아니다 반 언뜻 보다

然拓窓하니 聖器驚墮於地러라. 王乃大奇
연 탁 창 성 기 경 타 어 지 왕 내 대 기

~에 (於)

그러하다 밀다 창문 김성기(인명) 놀라다 떨어지다 어조사 땅 왕세기(인명) 이에 크다 기이하다

① (척) 넓히다 / ② (탁) 밀다 (拓)

之하여 盡以所著授之하니라.
지 진 이 소 저 수 지

그(김성기) (之)

그 다하다 써 것 짓다 주다 그

『추재집』

스스로 확인

김성기가 새로운 곡조를 배우기 위해 했던 행동은 무엇인가?

밤마다 왕세기의 집을 찾아와 소리를 몰래 듣고 다음 날 아침에 옮겨 적음.

왕세기가 참으로 그것을 의아하게 여겨서 이에 밤에 거문고를 연주하다가 곡이 반도 되지 않았을 때에 갑자기 창을 밀치니 김성기가 놀라서 땅에 떨어졌다. 왕세기는 이에 그를 크게 기특하게 여겨서 모두 지은 것으로써 그에게 전수하였다.

• 『추재집(秋齋集)』: 조선 정조~헌종 때의 문인 조수삼(趙秀三)의 문집

於: ① ~에게 왕세기에게 거문고를 배우다.
어　　⑩ 學琴於王世基 학금어왕세기
　　② ~에 ⑩ 驚墮於地 경타어지
　　　　　　놀라서 땅에 떨어지다.
竊: ① 훔치다 ⑩ 竊盜 절도: 남의 물건을
절　　② 몰래 ⑩ 竊聽 절청　몰래 훔침.
　　　　　　남의 이야기를 몰래 엿들음.
傳寫: ① 옮기어 베낌.
전사　② 서로 돌려 가면서 베껴 씀.
　　　액체 따위가 엉겨서 뭉쳐 딱딱하게 굳어짐.
固: ① 굳다 ⑩ 凝固 응고
고　② 참으로 ⑩ 王固疑之
총이나 포에 재어서 목표물을 향하여 쏘아 보내는 물건
彈: ① 탄알 ⑩ 彈丸 탄환
탄　② 연주하다 ⑩ 連彈 연탄
　한 대의 피아노를 두 사람이 함께 치며 연주함.
瞥然: 갑작스러운 모양, 갑자기
별 연 ≒ 突然, 忽然
　　　　돌연　　홀연
拓: ① (척) 넓히다 ⑩ 開拓 개척
　　② (탁) 밀다 ⑩ 拓窓 탁창: 창을 밂.
　　　거친 땅을 일구어 논이나 밭과 같
　　　이 쓸모 있는 땅으로 만듦.

부수가 같은 한자 – 耳 이

聖(성) 성인 ⑩ 聖誕節 성탄절: 예수의 성탄을 축하하는 명절
聲(성) 소리 ⑩ 聲援 성원: 소리를 질러 응원함.
聽(청) 듣다 ⑩ 傍聽 방청
聘(빙) 부르다 ⑩ 招聘 초빙: 예를 갖추어
　　　　　　　　　　불러 맞아들임.
정식 성원이 아니거나 직접적인 관계가 없는
사람이 회의, 토론, 연설, 공판(公判), 공개
없는 방송 따위에 참석하여 들음.

新 한자 모아 보기

한자	음	뜻	부수	획수	총획
盜	도	도둑	皿	7	12
凝	응	엉기다	冫	14	16
丸	환	둥글다	丶	2	3
突	돌	갑자기	穴	4	9
忽	홀	갑자기	心	4	8
誕	탄	낳다	言	7	14
援	원	돕다	手(扌)	9	12
傍	방	곁	人(亻)	10	12
聘	빙	부르다	耳	7	13
院	원	집	阜(阝)	7	10
懇	간	간절하다	心	13	17
諾	낙	허락하다	言	9	16
譜	보	족보	言	12	19

琴師金聖器가 學琴於王世基할새 每遇新聲하면 王輒祕不傳授러라.
금 사 김 성 기　학 금 어 왕 세 기　매 우 신 성　왕 첩 비 부 전 수
금사 김성기가 왕세기에게 거문고를 배울 적에 매번 새로운 소리(가락)를 만나면 왕세기가
번번이 숨기고 전하여 주지 않았다.

聖器夜夜來하여 附王家窓前하여 竊聽하고 明朝에 能傳寫不錯이러라.
성 기 야 야 래　부 왕 가 창 전　절 청　명 조　능 전 사 불 착
김성기가 밤이면 밤마다 와서 왕세기의 집 창문 앞에 붙어 몰래 듣고 다음 날 아침에 옮겨
베껴서 틀리지 않을 수 있었다.

王固疑之하여 乃夜彈琴이라가 曲未半에 瞥然拓窓하니
왕 고 의 지　내 야 탄 금　곡 미 반　별 연 탁 창
왕세기가 참으로 그것을 의아하게 여겨서 이에 밤에 거문고를 연주하다가 곡이 반도 되지
않았을 때에 갑자기 창을 밀치니

聖器驚墮於地러라.
성 기 경 타 어 지
김성기가 놀라서 땅에 떨어졌다.

王乃大奇之하여 盡以所著授之하니라.
왕 내 대 기 지　진 이 소 저 수 지
왕세기는 이에 그를 크게 기특하게 여겨서 모두 지은 것으로써 그에게 전수하였다.

[똑똑한 지식] 문장의 구조와 절

① 주술 구조: 聖器夜夜來. 성기야야래 – 김
　주어 + 서술어　성기가 밤이면
　　　　　　　　　밤마다 오다.

② 주술목 구조: 王固疑之. 왕고의지 – 왕세기가 참으로
　주어 + 서술어 + 목적어　그것을 의아하게 여기다.

③ 주술보 구조: 聖器 驚墮 於地.
　주어 + 서술어 + 보어　성기경타어지 – 김성기가
　　　　　　　　　　놀라서 땅에 떨어지다.

④ 주술목보 구조: 金聖器 學 琴 於王世基.
　주어 + 서술어 + 목적어 + 보어
　김성기학금어왕세기 – 김성기가 왕세기에게
　거문고를 배우다.

→ 문장 성분은 하나의 단어뿐만 아니라 몇 개의 단어가 결합한 어구나 그 자체로 주어와
　서술어를 포함하고 있는 절(節)일 수 있다.
⑩ ① 주술 구조: 自然師也(자연사야). – 자연은 스승이다.
　② 주술목 구조: 忠臣不事二君(충신불사이군). – 충성스러운 신하는 두 임금을 섬기지 않는다.
　③ 주술보 구조: 恩深於海(은심어해). – 은혜가 바다보다 깊다.
　④ 주술목보 구조: 孔子問禮於老子(공자문례어노자). – 공자가 예를 노자에게 묻는다.

[이해 더하기] 상의원: 조선 시대에, 임금의 의복과 궁내의
일용품, 보물 따위의 관리를 맡아보던 관아
간청: 간절히 청함.
허락: 청하는 일을 하도록 들어줌.

김성기는 尙衣院에서 활을 만드는 천민이었다. 왕세기의 거문고 연주를 처음 들은 김
성기는 그 길로 찾아가 제자로 받아 줄 것을 계속 懇請하였다. 하지만 許諾을 받지 못하
여 할 수 없이 밤마다 그 집으로 숨어들어 왕세기가 연주하는 것을 몰래 듣고는 집에 와
서 나름대로 연구하며 樂譜를 그렸다. 그렇게 하기를 6개월, 결국 왕세기는 그의 재능과
끈기를 인정하여 자신의 제자로 받아들이고, 그 이후 김성기는 당대 최고의 실력자라는
칭송을 받게 된다.
악보: 음악의 곡조를 일정한
기호를 써서 기록한 것

시조창: 조선 시대에 확립된 3장 형식의 정형시에 반주 없이 일정한 가락을 붙여 부르는 노래

김 성기는 왕세기의 제자가 된 이후 최고의 실력자로 이름을 알리고 이곳저곳에 불려 다니며 演奏를 하게 된다. 그러던 어느 날 그는 宴會 자리에서 時調唱을 하러 온 金天澤을 만난다.

연주: 악기를 다루어 곡을 표현하거나 들려주는 일

연회: 축하, 위로, 환영, 석별 따위를 위하여 여러 사람이 모여 베푸는 잔치

김천택은 김성기보다 20여 세 아래로, 그의 시조창은 듣는 사람들로부터 옷깃을 여미게 할 정도로 뛰어난 실력이었다고 한다. 서로에 대한 소문은 들어 왔지만 만날 기회가 없었던 김성기와 김천택은 이날 처음으로 만나서 이야기를 나누며 서로를 신뢰하게 된다. 즉석에서 당대의 최고수인 김성기와 김천택이 공연하니 사람들의 반응은 爆發的이었고, 자신들 공연에 만족하였다.

폭발적: 무엇이 갑작스레 퍼지거나 일어나는, 또는 그런 것

그 자리에서 김성기는 김천택과 忘年之友를 맺게 되고, 그 이후에는 당대의 傑出한 歌客들과 함께 교류하며 '敬亭山歌壇'을 만들었다. 그리고 후에 그들이 가단을 통해 발전시킨 자신들의 작품을 모아서 김천택이 한 권의 서책으로 만드니 그것이 『청구영언(靑丘永言)』이라는 시집이다.

망년지우
걸출
경정산 가단

조선 영조 4년(1728년)에 김천택(金天澤)이 역대 시조를 수집하여 펴낸 최초의 시조집.('청구'는 우리나라를 뜻함.)

가객

김천택: (?~?). 조선 영조 때의 가인(歌人). 평민 출신으로 창곡(唱曲)에 뛰어났으며, 김수장 등과 함께 경정산 가단에서 후진을 양성하였음. 영조 4년(1728년)에 『청구영언』을 편찬하여 시조 정리와 발전에 공헌하였으며, 그의 시조 57수가 『해동가요』에 전함.

▲ 『청구영언』, 1728년(영조 4년) 김천택이 편찬한 가집. 1권 1책. 필사본. 『해동가요』, 『가곡원류』와 함께 3대 시조집의 하나이다.

– 한국콘텐츠진흥원, 2004

• 망년지우: 나이에 거리끼지 않고 허물없이 사귄 벗
• 걸출: 남보다 훨씬 뛰어남.
• 가객: 예전에, 시조 따위를 잘 짓거나 창(唱)을 잘하는 사람을 이르던 말
• 경정산 가단: 조선 영조 때에, 시조를 지어 부르면서 풍류를 즐기던 시조 가객들의 단체. 김천택, 김수장 등이 중심인물이었음.

| 음악 관련 용어 |

활동 ▶ 빈칸에 알맞은 한자 어휘를 〈보기〉에서 골라 써 보자.

보기

音階	民謠	編曲	強弱符號	伴奏	作詞
음계	민요	편곡	강약부호	반주	작사

① 作詞 (작사): 노랫말을 지음.

② 音階 (음계): 일정한 음정의 순서로 음을 차례로 늘어놓은 것

③ 伴奏 (반주): 노래나 기악의 연주를 도와주기 위하여 옆에서 다른 악기를 연주함.

④ 民謠 (민요): 예로부터 민중 사이에 불려 오던 전통적인 노래를 통틀어 이르는 말

⑤ 編曲 (편곡): 지어 놓은 곡을 다른 형식으로 바꾸어 꾸미거나 다른 악기를 쓰도록 하여 연주 효과를 달리하는 일

⑥ 強弱符號 (강약 부호): 셈여림표. 악보에서, 그 곡을 강하게 또는 약하게 연주하라고 지시하는 부호

新 한자 모아 보기

한자	음	뜻	부수	획수	총획
演	연	펴다	水(氵)	11	14
奏	주	아뢰다, 연주하다	大	6	9
宴	연	잔치	宀	7	10
澤	택	연못	水(氵)	13	16
爆	폭	불 터지다	火	15	19
傑	걸	뛰어나다	人(亻)	10	12
亭	정	정자	亠	7	9
壇	단	단	土	13	16
階	계	섬돌	阜(阝)	9	12
謠	요	노래	言	10	17
編	편	엮다	糸	9	15
符	부	부호, 부적	竹	5	11
伴	반	짝	人(亻)	5	7

실력을 키우는
평가
○ 교과서 58쪽

[1~3] 다음 글을 읽고 물음에 답하시오.

琴師金聖器, 學琴㉠於王世基, ㉮每遇新聲, 王輒祕不傳授. 聖器夜夜來, 附
금사김성기　학금　어왕세기　매우신성　왕첩비부전수　성기야야래　부
ⓐ王家窓前, ⓑ竊聽, 明ⓒ朝, 能傳寫不錯. 王固疑之, 乃夜ⓓ彈琴, ⓔ曲未半,
왕가창전　절청　명조　능전사불착　왕고의지　내야탄금　곡미반
瞥然拓窓, 聖器驚墮㉡於地. ㉯王乃大奇之, 盡以所著授之.
별연탁창　성기경타　어지　왕내대기지　진이소저수지

[풀이] 금사 김성기가 왕세기에게 거문고를 배울 적에 매번 새로운 소리(가락)를 만나면 왕세기가 번번이 숨기고 전하여 주지 않았다. 김성기가 밤이면 밤마다 와서 왕세기의 집 창문 앞에 붙어 몰래 듣고 다음 날 아침에 옮겨 베껴서 틀리지 않을 수 있었다. 왕세기가 참으로 그것을 의아하게 여겨서 이에 밤에 거문고를 연주하다가 곡이 반도 되지 않았을 때에 갑자기 창을 밀치니 김성기가 놀라서 땅에 떨어졌다. 왕세기는 이에 그를 크게 기특하게 여겨서 모두 지은 것으로써 그에게 전수하였다.

1. ㉠과 ㉡의 뜻을 각각 써 보자.

✎ ㉠ ~에게　㉡ ~에

學琴於王世基: 왕세기에게 거문고를 배우다.
聖器驚墮於地: 김성기가 놀라서 땅에 떨어지다.

2. ⓐ~ⓔ의 뜻으로 알맞은 것은? ②

① ⓐ: 왕족　　② ⓑ: 몰래　　③ ⓒ: 조정　　④ ⓓ: 탄알　　⑤ ⓔ: 곡선
　× → 왕세기　　　　　　　　× → 아침　　× → 연주하다　× → 노래, 가락

3. ㉮와 ㉯의 서술어를 각각 써 보자.

✎ ㉮ 遇　㉯ 奇

㉮ 每遇新聲: 매번 새로운 소리(가락)을 만나다.　　㉯ 王乃大奇之: 왕세기가 이에 그를 크게 기특하게 여기다.
　　　서술어└─목적어　　　　　　　　　　　　　주어 서술어└─목적어

도움말

왕・王: 왕, 성씨
절・竊: 훔치다, 몰래
조・朝: 아침, 조정
탄・彈: 탄알, 연주하다
곡・曲: 굽다, 노래

창의형

4. 자신이 좋아하는 과목의 학습 용어로 나만의 학습 용어 공책을 만들어 보자.

예시
• 내가 좋아하는 과목: 미술
• 학습 용어 공책

도움말 소단원 학습이 끝나면 소단원 학습 목표에 해당하는 질문에 답하며 자신의 학업 성취도를 스스로 점검해 본다.
성취 목표에 도달하지 못한 경우에는 제시된 위치로 돌아가서 내용을 다시 읽고 공부하도록 한다.

소단원
자기 점검

배운 내용에 관해 자기 점검을 하면서 학업 성취도 도달 정도를 확인해 보자. [별이 3개 이하인 경우] • 교과서 56쪽 '똑똑한 지식' 다시 읽기

• 문장의 풀이를 통해 문장의 구조와 절을 알 수 있는가?	☆☆☆☆☆
• 음악 교과의 학습 용어의 의미를 알고 맥락에 맞게 활용할 수 있는가?	☆☆☆☆☆
• 김성기의 일화를 통해 노력하는 자세를 함양할 수 있는가?	☆☆☆☆☆

[별이 3개 이하인 경우] • 교과서 57쪽 '음악 관련 용어' 다시 읽기
[별이 3개 이하인 경우] • 교과서 54~56쪽 다시 읽기

• 한자, 음, 뜻, 부수의 순서로 제시

1. 한자

沒 (몰) 빠지다 [水(氵)]

努 (노) 힘쓰다 [力]

耐 (내) 견디다 [❶]

琴 (금) 거문고 [玉]

❷ (기) 그릇 [口]

輒* (첩) 번번이 [車]

祕 (비) ❸ [示]

附 (부) 붙다 [阜(阝)]

竊 ❹ 훔치다, 몰래 [穴]

寫 (사) 베끼다 [宀]

錯 (착) 어긋나다 [金]

彈 (탄) 탄알, 연주하다 [弓]

瞥* (별) 언뜻 보다 [目]

拓 (척) 넓히다,

(탁) 밀다 [手(扌)]

奇 (기) 기이하다 [大]

盜 (도) 도둑 [皿]

凝 (응) 엉기다 [冫]

丸 (환) 둥글다 [丶]

突 (돌) 갑자기 [❺]

忽 (홀) 갑자기 [心]

誕 ❻ 낳다 [言]

援 (원) 돕다 [手(扌)]

傍 (방) ❼ [人(亻)]

聘 (빙) 부르다 [耳]

院 (원) 집 [阜(阝)]

懇 (간) 간절하다 [心]

諾 (낙) 허락하다 [言]

譜 (보) 족보 [❽]

❾ (연) 펴다 [水(氵)]

奏 (주) 아뢰다, 연주하다 [大]

宴 ❿ 잔치 [宀]

澤 (택) 연못 [水(氵)]

⓫ (폭) 불 터지다 [火]

傑 (걸) 뛰어나다 [人(亻)]

亭 (정) 정자 [宀]

壇 (단) 단 [土]

階 (계) ⓬ [阜(阝)]

謠 (요) 노래 [言]

編 (편) 엮다 [糸]

符 (부) 부호, 부적 [竹]

伴 (반) 짝 [人(亻)]

2. 본문

琴師金聖器(금사김성기)가 學琴於王世基(학금어왕세기)할새 每遇新聲(매우신성)하면 王輒祕不❶□□(왕첩비부전수)러라.	❷□□ 김성기가 왕세기에게 거문고를 배울 적에 매번 새로운 소리(가락)를 만나면 왕세기가 번번이 숨기고 전하여 주지 않았다.
聖器夜夜來(성기야야래)하여 附王家❸□□(부왕가창전)하여 竊聽(절청)하고 明朝(명조)에 能傳寫不錯(능전사불착)이러라.	김성기가 밤이면 밤마다 와서 왕세기의 집 창문 앞에 붙어 몰래 듣고 다음 날 아침에 옮겨 ❹□□□ 틀리지 않을 수 있었다.
王固疑之(왕고의지)하여 乃夜❺□□(내야탄금)이라가 曲未半(곡미반)에 瞥然拓窓(별연탁창)하니 聖器驚墮於地(성기경타어지)러라.	왕세기가 참으로 그것을 의아하게 여겨서 이에 밤에 거문고를 연주하다가 곡이 반도 되지 않았을 때에 갑자기 창을 밀치니 김성기가 놀라서 ❻□에 떨어졌다.
王乃大奇之(왕내대기지)하여 盡以所著授❼□(진이소저수지)하니라.	왕세기는 이에 그를 크게 기특하게 여겨서 모두 지은 것으로써 그에게 전수하였다.

3. 문장의 구조와 절

- 주술 구조: <u>聖器夜夜來</u>. → 김성기가 밤이면 밤마다 왔다.
  주어+서술어
- 주술목 구조: <u>王固疑之</u>. → 왕세기가 참으로 그것을 의아하게 여겼다.
  주어+서술어+목적어
- 주술보 구조: <u>聖器驚墮於地</u>. → 김성기가 놀라서 땅❶☐☐ 떨어졌다.
  주어+서술어+보어
- 주술목보 구조: <u>金聖器學琴於王世基</u>. → 김성기가 왕세기❷☐☐ 거문고를 배웠다.
  주어+서술어+목적어+보어

4. 어휘 – 음악 관련 용어

- 作詞(❶☐☐): 노랫말을 지음.
- ❷☐☐(음계): 일정한 음정의 순서로 음을 차례로 늘어놓은 것
- 伴奏(반주): 노래나 기악의 연주를 도와주기 위하여 옆에서 다른 악기를 연주함.

- 民謠(❸☐☐): 예로부터 민중 사이에 불려 오던 전통적인 노래를 통틀어 이르는 말
- ❹☐☐(편곡): 지어 놓은 곡을 다른 형식으로 바꾸어 꾸미거나 다른 악기를 쓰도록 하여 연주 효과를 달리하는 일
- 強弱符號(강약 부호): 셈여림표. 악보에서, 그 곡을 강하게 또는 약하게 연주하라고 지시하는 ❺☐☐

쪽지 시험

01 다음 한자의 공통되는 뜻을 쓰시오.

> 突　忽

02 다음 한자의 공통되는 부수를 쓰시오.

> 諾　譜　謠

03 다음 한자 어휘의 독음을 쓰시오.

> ㉠ 勞力　　㉡ 忍耐

㉠: _____　　㉡: _____

04 다음과 같은 뜻을 가진 한자 어휘를 한자로 쓰시오.

(1) 노랫말을 지음.: ☐☐

(2) 음악의 곡조를 일정한 기호를 써서 기록한 것:

☐☐

(3) 일정한 음정의 순서로 음을 차례로 늘어놓은 것: ☐☐

05 문장의 구조와 절을 바르게 연결하시오.

(1) 주술 구조　　•

• ㉠ 金聖器學琴於王世基.

(2) 주술목 구조　　•

• ㉡ 聖器夜夜來.

(3) 주술보 구조　　•

• ㉢ 聖器驚墮於地.

(4) 주술목보 구조　•

• ㉣ 王固疑之.

01 다음을 모두 만족하는 한자로 알맞은 것은?

· 庐 → 聲

· 음은 '성'이다
· 부수은 耳이다.

① 耳　② 聽　③ 聲　④ 問　⑤ 門

02 한자의 음이 바르지 <u>않은</u> 것은?

① 沒 (몰)　② 奴 (노)　③ 耐 (내)
④ 寫 (사)　⑤ 丸 (구)

03 자전에서 한자를 찾을 때, ㉠에 들어갈 한자로 알맞은 것은?

	부수	玉
【 ㉠ 】	총획	12획

자원 기러기발이 있는 거문고의 단면을 본 떠, '거문고'의 뜻을 나타냄.

① 器　② 琴　③ 宴　④ 亭　⑤ 學

출제 유력

04 다음 한자의 공통되는 부수로 알맞은 것은?

聘　聖　聽　聲

① 水　② 木　③ 心　④ 口　⑤ 耳

05 다음 중 연결이 바른 것은?

	모양	음	부수
①	盜	(차)	[水]
②	突	(돌)	[犬]
③	援	(원)	[手]
④	傍	(방)	[立]
⑤	譜	(보)	[普]

06 한자 어휘의 독음이 바르지 <u>않은</u> 것은?

① 鍊習 (연습)　② 勞力 (노력)
③ 忍耐 (인내)　④ 許諾 (허락)
⑤ 演奏 (연출)

07 밑줄 친 한자 어휘의 독음이 바른 것은?

전 박사는 원자력 연구소의 물리학 연구실장을 맡으면서 환경 연구에 <u>沒頭</u>하기 시작했다.

① 몰입　② 몰두　③ 집중
④ 연습　⑤ 도전

출제 유력

08 다음 그림과 관련 있는 한자 어휘로 알맞은 것은?

① 樂譜　② 懇請　③ 伴奏
④ 作詞　⑤ 傑出

출제 유력

09 다음 설명에 해당하는 한자 어휘로 알맞은 것은?

예로부터 민중 사이에 불려 오던 전통적인 노래를 통틀어 일컫는 말

① 歌謠　② 民俗　③ 文化
④ 民謠　⑤ 民衆

10 다음 어휘를 한자로 쓰시오.

강약부호

11 밑줄 친 성어의 독음이 바른 것은?

> 김성기는 김천택과 <u>忘年之友</u>를 맺고 당대의 걸출한 가객과들과 교류하였다.

① 수어지교　② 죽마고우　③ 망년지우
④ 관포지교　⑤ 백아절현

12 한자 어휘의 활용이 적절하지 <u>않은</u> 것은?

① 최근 그 사람의 인기는 爆發的이다.
② 고산 윤선도는 時調 문학의 정점이다.
③ 그의 作詞 실력은 온 국민이 인정했다.
④ 큰 누나의 진로 문제로 가족 宴會를 열었다.
⑤ 그녀는 작곡뿐만 아니라 編曲까지 할 수 있다.

[13~19] 다음 글을 읽고 물음에 답하시오.

> 琴師金聖器가 ㉠學琴於王世基할새 每遇新聲하면 王輒祕不傳授러라. 聖器夜夜來하여 附王家窓前하여 竊聽하고 ㉡明朝에 能傳寫不錯이러라. ㉢王固疑之하여 乃夜㉣彈琴이라가 曲未半에 瞥然拓窓하니 聖器驚墮㉤地러라. 王乃大奇之하여 盡以所著授之하니라.

13 윗글에 쓰인 한자 어휘의 독음이 바르지 <u>않은</u> 것은?

① 琴師 (금사)　② 新聲 (신성)
③ 傳授 (전수)　④ 窓前 (문전)
⑤ 傳寫 (전사)

14 ㉠에서 가장 마지막으로 풀이되는 한자는?

① 學　② 琴　③ 於　④ 王　⑤ 基

15 ㉡의 의미로 적절한 것은?

① 어제 아침　　② 오늘 아침
③ 다음 날 아침　④ 오늘 저녁
⑤ 다음 날 저녁

출제 유력
16 ㉢에서 목적어를 한자로 쓰시오.

17 ㉣에 대한 설명으로 바르지 <u>않은</u> 것은?

① 음은 '탄'이다.
② 부수는 '弓'이다.
③ 뜻은 '연주하다'이다.
④ 쓰임의 예로 連彈이 있다.
⑤ 彈丸의 '彈'과 같은 의미이다.

18 ㉤에 들어갈 한자로 알맞은 것은?

① 之　② 矣　③ 以　④ 於　⑤ 而

출제 유력
19 윗글에 대한 설명으로 바르지 <u>않은</u> 것은?

① 김성기는 왕세기에게 거문고를 배웠다.
② 왕세기는 매번 김성기에게 거문고를 가르쳐 주었다.
③ 김성기는 밤마다 창문 앞에 붙어 거문고 연주를 들었다.
④ 왕세기는 밤에 몰래 듣고 다음 날 아침에 옮겨 베끼는데 틀리지 않았다.
⑤ 왕세기는 거문고를 배우려는 김성기의 끈기와 노력을 기특하게 여겼다.

08

다산, 그리고 조선의 르네상스

◑ 교과서 59쪽

• 기술자: 어떤 분야에 전문적 기술을 가진 사람
• 건축가: 건축에 대한 전문적인 지식이나 기술을 가진 사람
• 행정가: 정치나 사무를 행하는 사람
• 언어학자: 언어학을 연구하는 사람
• 법학자: 법학을 연구하는 학자
• 군사 전략가: 군대, 군비, 전쟁 따위와 같은 군에 관한 일에 대한 전략을 세우는 데 능한 사람

| 생각을 여는 활동 |

(丁若鏞): 1762〜1836년. 18세기 실학 사상을 집대성한 한국 최대의 실학자이자 개혁가

● 다산 정약용의 여러 면모를 생각하며 빈칸에 알맞은 음을 써 보자.

정약용은 백성들의 역경에 괴로워하면서 조선 사회를 새롭게 바꾸고자 하였다. 그래서 다양한 분야와 주제들에 관심을 가지고 技術者, 建築家, 行政家, 言語學者, 法學者, 軍事戰略家 등의 면모를 갖추었다. 『牧民心書』와 『我邦疆域考』 등을 보면 그가 나라와 백성을 얼마나 사랑했는지 알 수 있다.

• 목민심서: 조선 순조 때 정약용이 지은 계몽 도서
• 아방강역고: 조선 순조 11년(1811년)에 정약용이 편찬한 역사 지리서. 우리나라 옛날의 영토에 관한 역사적인 고증을 하였음.

정약용이라 하오.

수원 화성을 설계한 建築家(❶ 건 축 가)

『목민심서』를 쓴 行政家(❷ 행 정 가)
└─> 지방 관리들의 폐해를 없애고 지방 행정의 쇄신을 위해 옛 지방 관리들의 잘못된 사례를 들어 백성들을 다스리는 도리를 설명한 책

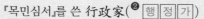

『아언각비』, 『이담속찬』을 쓴 言語學者(❸ 언 어 학 자)
나무 이름 따위의 200여 항목의 우리나라 속어를 ←─ 모아 어원적 오류를 고증한 어원 연구서
└─> 중국 명나라의 왕동궤가 지은 『이담(耳談)』에 우리나라 속담을 한문으로 실어 증보한 책

『흠흠신서』를 쓴 法學者(❹ 법 학 자)
└─> 형벌 일을 맡은 벼슬아치들이 유의할 점에 관한 책

※ 정약용의 다른 면모
• 천연두 예방법에 대한 체계적인 글을 쓴 의학자
• 2,000수가 넘는 감동적인 시를 남긴 시인
• 우리나라의 음악 이론을 정리한 책인 『악서고존』을 집필한 음악 연구가
• 조선의 차 문화에 활력을 불어넣은 조선 차 연구자

학습 계획 세우기

도움말 정약용의 면모와 업적을 알아보는 활동을 통해 소단원 학습에 대한 자신의 배경지식을 활성화한다. 또 이를 바탕으로 소단원에서 어떤 내용을 공부할지 스스로 계획을 세워 본다.

● 위 활동을 바탕으로 스스로 학습 계획을 세워 보자.

나는 이 단원에서 _____ (예) 정약용의 면모와 업적 _____ 을/를 공부하겠다.

한자 모아 보기 자신이 알고 있는 한자에 ✓표시를 해 보자.

新

한자	음	뜻	부수	획수	총획	한자	음	뜻	부수	획수	총획	한자	음	뜻	부수	획수	총획
築	축	쌓다	竹	10	16	牧	목	치다	牛	4	8	疆	강	지경	田	14	19
略	략	간략하다	田	6	11	邦	방	나라	邑(阝)	4	7	域	역	지경	土	8	11

출제 유형

• 한자의 뜻으로 알맞은 것은?
• 문장에서 허사를 찾아 한자로 쓰시오.
• 윗글에 대한 설명으로 바르지 않은 것은?
• 윗글에서 다산의 기중소가를 만드는 방법이 잘 드러난 부분은?

新 한자 모아 보기

한자	음	뜻	부수	획수	총획
艱	간	어렵다	艮	11	17
洵*	순	진실로	水(氵)	6	9
費	비	쓰다	貝	5	12
糜	미	소비하다	米	11	17
制	제	마르다, 만들다	刀(刂)	6	8
架	가	시렁	木	5	9
俾*	비	시키다	人(亻)	8	10
役	역	부리다	彳	4	7
姑	고	시어머니, 다만	女	5	8
粗	조	대강	米	5	11
聊*	료	애오라지, 대강	耳	5	11
玆	자	이	玄	5	10
橫	횡	가로	木	12	16

다산, 그리고 조선의 르네상스 ◉ 교과서 60, 61쪽

정조에게서 화성 설계의 임무를 부여 받은 정약용은 더욱 견고하고 기능적인 성을 만들기 위해 연구하였으며, 공사 기간을 단축하고 노동력과 자금을 절약할 수 있는 각종 기계를 고안해 냈다. 이 단원에서는 거중기라는 기계를 고안하여 백성들의 노고를 줄여 주고자 한 정약용의 실학자로서의 면모와 애민 정신을 느껴 보자.

城은 以石築하니 所須唯石이라. 非石之艱이
성 이 석 축   소 수 유 석   비 석 지 간
성 써 돌 쌓다   것 모름지기 오직 돌   아니다 돌 어조사 어렵다

（~로써）

요 唯起石與運石이 洵費力而糜財라. [중략]
유 기 석 여 운 석   순 비 력 이 미 재
오직 일어나다 돌 ~와/과 옮기다 돌   진실로 쓰다 힘 말 잇다 소비하다 재물

（① 주다 ② ~와/과(접속사)）（순접）

성은 돌로써 쌓으니 필요한 것은 오직 돌뿐이다. 돌을 구하는 게 어려운 것이 아니라 오직 돌을 세우는 것과 돌을 운반하는 것이 진실로 힘을 쓰게 하고 재물을 소모하게 한다.

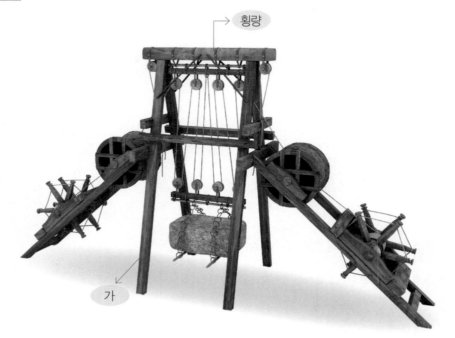

횡량

가

『기기도설(奇器圖說)』의 8조와 11조를 뜻하는데, 『기기도설(奇器圖說)』은 18세기 초 청나라에서 만든 서양 기계 기술에 관한 책인 『고금도서집성(古今圖書集成)』에 들어 있는 내용임.

① (참) 참고하다
② (삼) 셋

스스로 확인

글쓴이가 고안하여 사용하도록 한 기구는 무엇인가?

기중소가(起重小架)

今取古人遺意하고 **參以新制**하여 **製爲起**
금 취 고 인 유 의   참 이 신 제   제 위 기
지금 가지다 옛 사람 남기다 뜻 참고하다 써 새롭다 만들다 짓다 하다

'~하게 하다'의 사동의 의미를 지님. ≒ 使(사)
~에 = 於(어)

重小架하여 **俾用于城華** 之役이라. [중략]
중 소 가   비 용 우 성 화 지 역
기중소가(기계명) 시키다 쓰다 어조사 성 수원(지명) 어조사 부리다

초보적이고 간단한 것
① (이) 쉽다 ② (역) 바꾸다
대강, 그럭저럭
종결을 나타내는 어조사

姑取其粗淺易知者하여 **聊試之矣**라. **兹開**
고 취 기 조 천 이 지 자   요 시 지 의   자 개
다만 가지다 그 대강 얕다 쉽다 알다 것 대강 시험하다 그것 어조사 이 열다

'기중소가'를 뜻함.

列作圖如左하니 **一曰架**요 **二曰橫梁**이라.
렬 작 도 여 좌   일 왈 가   이 왈 횡 량
벌이다 짓다 그림 같다 왼쪽 하나 말하다 개(기계 부속명) 두 말하다 횡량(기계 부속명) 『다산 시문집』

옛날 책은 오른쪽에서 왼쪽으로 읽어 다음 내용이 왼쪽에 위치하게 됨.

[뒷부분의 내용] 세 번째는 활차(滑車)이고, 네 번째는 거(擧)인데, 거에는 고륜(鼓輪)과 녹로(轆轤)를 같이 설치해야 완전하게 사용할 수 있다.(이후 기중소가의 자세한 부품 설명이 그림과 함께 실려 있음.)

지금 옛사람들이 남긴 뜻을 취하고 새로운 제도로써 참고하여 기중소가를 지어 만들어 수원에 성을 쌓는 일에 쓰이게 하였다.
다만 그중에서 초보적이고 알기 쉬운 것을 취하여 대강 그것을 시험하였다.
이에 그림 그린 것을 펼쳐 나열한 것이 왼쪽과 같으니, 첫 번째는 '가'라 말하고, 두 번째는 '횡량'이라 말한다.

1) 기중소가(起重小架): 무거운 물건을 들어올리는 기구
2) 화(華): 수원

• 『**다산 시문집**(茶山詩文集)』: 조선 정조 때의 실학자 다산 정약용(丁若鏞)의 문집

본문
○ 교과서 62쪽

與: ① 주다 예 寄與
여　　　　기여: 도움이 되도록 이바지함.
　　② ~와/과 예 富與貴
　　　　부여귀: 부유함과 귀함
古人遺意: 『기기도설(奇器圖說)』
고인 유 의　의 8조와 11조

參: ① (참) 참고하다 예 參酌 참작
참　　　이리저리 비추어 보아서 알맞게 고려함.
　　② (삼) 셋 예 參學年 삼학년

俾: ~하게 하다 늑 使 사
비

粗淺: 초보적이고 간단한 것
조 천

부수가 같은 한자 – 木 목

橫(횡) 가로 예 縱橫 종횡: 세로와 가로
桂(계) 계수나무 예 月桂冠 월계관
① 고대 그리스에서, 월계수의 가지와 잎으로 만들어 경기의 우승자에게 씌워 주던 관 ② 승리하거나 남보다 앞섬으로써 가지는 영광스러운 명예를 비유적으로 이르는 말
棄(기) 버리다 예 棄却 기각
① 물품을 내버림. ② 소송을 수리한 법원이, 소나 상소가 형식적인 요건은 갖추었으나, 그 내용이 실체적으로 이유가 없다고 판단하여 소송을 종료하는 일
木(목) 나무 예 苗木 묘목: 옮겨 심는 어린나무

城은 以石築하니 所須唯石이라.
성　이석축　　소수유석
성은 돌로써 쌓으니 필요한 것은 오직 돌뿐이다.

非石之艱이요 唯起石與運石이 洵費力而糜財라.
비석지간　유기석여운석　순비력이미재
돌을 구하는 게 어려운 것이 아니라 오직 돌을 세우는 것과 돌을 운반하는 것이 진실로 힘을 쓰게 하고 재물을 소모하게 한다.

今取古人遺意하고 參以新制하여
금취고인유의　참이신제
지금 옛사람들이 남긴 뜻을 취하고 새로운 제도로써 참고하여

製爲起重小架하여 俾用于城華之役이라.
제위기중소가　비용우성화지역
기중소가를 지어 만들어 수원에 성을 쌓는 일에 쓰이게 하였다.

姑取其粗淺易知者하여 聊試之矣라.
고취기조천이지자　요시지의
다만 그중에서 초보적이고 알기 쉬운 것을 취하여 대강 그것을 시험하였다.

玆開列作圖如左하니 一曰架요 二曰橫梁이라.
자개렬작도여좌　일왈가　이왈횡량
이에 그림 그린 것을 펼쳐 나열한 것이 왼쪽과 같으니, 첫 번째는 '가'라 말하고, 두 번째는 '횡량'이라 말한다.

[똑똑한 지식] 실사와 허사의 구별

실사
단독으로 어휘적 의미를 가짐.

명사: 城 성 성　　대명사: 其 기 그
수사: 一 일 하나　동사: 築 축 쌓다
형용사: 古 고 옛　　부사: 唯 유 오직

허사
문법적 의미만을 나타냄.

개사: 以 이 써
접속사: 與 여 ~와/과
어조사: 矣 의 ~이다
감탄사: 嗚呼 오호 애!

예 唯 起 石 與 運 石
　　부사 동사 명사 접속사 동사 명사

新 한자 모아 보기

한자	음	뜻	부수	획수	총획
寄	기	부치다	宀	8	11
酌	작	술 따르다, 헤아리다	酉	3	10
縱	종	세로	糸	11	17
桂	계	계수나무	木	6	10
冠	관	갓	冖	7	9
棄	기	버리다	木	8	12
却	각	물리치다	卩	5	7
苗	묘	싹	艸(艹)	5	9
械	계	기계	木	7	11
儀	의	거동	人(亻)	13	15
軌	궤	바큇자국	車	2	9
載	재	싣다	車	6	13

[이해 더하기]

수원 화성은 조선 시대에 지어진 가장 뛰어난 건축물로, 축조 당시 정약용이 고안한 機械인 '기중소가(거중기)'가 활용되었다. '기중소가'는 도르래의 원리를 이용한 수동식 기중기인데 중국 것보다 무려 4배의 힘을 발휘할 수 있다고 한다. 화성은 오랜 세월을 지나오면서 훼손된 곳이 많았지만 『華城城役儀軌』가 남아 있어 훌륭하게 복원되었고, 유네스코 세계 문화유산에도 登載되었다.

▲ 『화성성역의궤』에 기록된 화성의 모습과 복원된 현재 모습

기계: 동력을 써서 움직이거나 일을 하는 장치

등재: 일정한 사항을 장부나 대장에 올림.

화성성역의궤: 화성 성곽 축조에 관한 경위와 제도 · 의식 등을 기록한 책

한문으로 여는 세상

북극 다산과학기지

◎ 교과서 63쪽

※ 우리나라의 극지 연구소에는 남극 세종과학기지, 북극 다산과학기지, 쇄빙 연구선 아라온, 남극 장보고과학기지 등이 있음.

우 리나라는 극지 연구 및 개발을 위해 남극 대륙 북쪽 사우스셔틀랜드 제도
— 1988년 2월 17일 세계에서 16번째로 준공됨.
의 킹조지섬 바턴반도에 '남극 세종과학기지'를, 노르웨이령 스발바드 군
도 스피츠베르겐섬의 니알슨에 '북극 다산과학기지'를 운영하고 있다. 2002년 4월
29일 다산과학기지를 설립하면서 우리나라는 세계에서 여덟 번째로 남극과 북극에
모두 기지를 보유한 국가가 되었다. 다산과학기지는 여러 분야에서 **多才多能**했던
다산 정약용의 호를 따서 지었다.
— 2002년 4월 29일 세계에서   다재다능: 재주와 능력이
12번째로 준공됨.   여러 가지로 많음.

다산과학기지에는 상주 인력은 없지만 연구원들이 필요 시 수시로 방문해 북극 연구를 할 수 있도록 각종 裝備를 설치해 놓고 있습니다. 한국 극지연구소는 다산기지를 중심으로 극지 해양 生態
— 장비: 갖추어 차림. 또는 그 장치와 설비   생태
系에서 규조, 해양 플랑크톤, 미세 해조류의 분포 특성에 대해 연구하고 있습니다. 또 다산과학기지
계
는 북극해 주변에 埋藏된 미지의 석탄, 석유, 천연가스, 鑛物 자원의 탐사 연구 센터로서 중요
한 역할을 합니다. 매장: 지하자원 따위가   광물
땅속에 묻히어 있음.

| 과학 관련 용어 |

활동 ▶ 한자 어휘 카드의 빈칸에 알맞은 음을 써 보자.

鑛物(❶ 광 물)

천연으로 나며 질이 고르고 화학적 조성이 일정한 물질

亞鉛(❷ 아 연)

질이 무르고 광택이 나는 청색을 띤 흰색의 금속 원소

震央(❸ 진 앙)

지진의 진원 바로 위에 있는 지점

生態系(❹ 생 태 계)

어느 환경 안에서 사는 생물군과 그 생물들을 제어하는 제반 요인을 포함한 복합 체계

抽出(❺ 추 출)

고체 또는 액체의 혼합물에 용매를 가하여 혼합물 속의 어떤 물질을 용매에 녹여 뽑아내는 일

鹽基性(❻ 염 기 성)

염기가 지니는 기본적 성질

新 한자 모아 보기

한자	음	뜻	부수	획수	총획
裝	장	꾸미다	衣	7	13
系	계	잇다	糸	1	7
埋	매	묻다	土	7	10
藏	장	감추다	艸(艹)	14	18
亞	아	버금	二	6	8
鉛	연	납	金	5	13
震	진	우레	雨	7	15
抽	추	뽑다	手(扌)	5	8
鹽	염	소금	鹵	13	24

실력을 키우는
평가
○ 교과서 64쪽

[1~3] 다음 글을 읽고 물음에 답하시오.

> ㉮城, 以石築, 所須唯石. 非石之艱, 唯起石與運石, 洵費力而糜財. [중략] ㉠今
> 성 이석축 소수유석 비석지간 유기석여운석 순비력이미재 금
> 取古人遺意, 参以新制, ㉡製爲起重小架, 俾用于城華之役.
> 취고인유의 참이신제 제위기중소가 비용우성화지역

[풀이] 성은 돌로써 쌓으니 필요한 것은 오직 돌뿐이다. 돌을 구하는 게 어려운 것이 아니라 오직 돌을 세우는 것과 돌을 운반하는 것이 진실로 힘을 쓰게 하고 재물을 소모하게 한다.
지금 옛사람들이 남긴 뜻을 취하고 새로운 제도로써 참고하여 기중소가를 지어 만들어 수원에 성을 쌓는 일에 쓰이게 하였다.

1. ㉠을 □ 안의 한자에 유의하여 풀이해 보자.

✎ 지금 옛사람들이 남긴 뜻을 취하고 새로운 제도로써 참고하여

参: ① (참) 참고하다
　　② (삼) 셋

2. ㉡에서 허사를 모두 찾아 써 보자.

✎ 于, 之

製(동사)爲(동사)起重小架(명사), 俾(동사)用(동사)于(어조사)城(명사)華(명사)之(어조사)役(동사).

도움말
허사
① 개사
② 접속사
③ 어조사
④ 감탄사

3. ㉮에서 정약용이 기중소가를 만든 이유를 써 보자.

✎ 돌을 세우는 것과 돌을 운반하는 것이 진실로 힘을 쓰게 하고 재물을 소모하게 한다.

성을 쌓기 위해 돌을 세우고 운반하는 데 비용과 노동력이 필요 이상으로 소비되고 있다.

창의형

4. 정약용과 같이 다양한 분야에서 활약한 인물을 조사하여 연표나 소책자를 만들어 보자.

예시

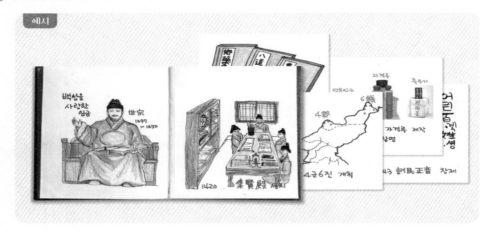

도움말 소단원 학습이 끝나면 소단원 학습 목표에 해당하는 질문에 답하며 자신의 학업 성취도를 스스로 점검해 본다.
성취 목표에 도달하지 못한 경우에는 제시된 위치로 돌아가서 내용을 다시 읽고 공부하도록 한다.

소단원 자기 점검	배운 내용에 관해 자기 점검을 하면서 학업 성취도 도달 정도를 확인해 보자.	[별이 3개 이하인 경우] • 교과서 62쪽 '똑똑한 지식' 다시 읽기
	• 문장에 사용된 실사와 허사를 구별할 수 있는가?	☆☆☆☆☆
	• 창의 융합형 인재 정약용을 통해 미래 지향적 문화 창조의 원동력을 알 수 있는가?	☆☆☆☆☆

[별이 3개 이하인 경우] • 교과서 59~62쪽 다시 읽기

• 한자, 음, 뜻, 부수의 순서로 제시

1. 한자

築 ❶[ ] 쌓다 [竹]
略 (략) 간략하다 [田]
❷[ ] (목) 치다 [牛]
邦 (방) ❸[ ][ ] [邑(阝)]
疆* (강) 지경 [田]
域 (역) 지경 [土]
艱* (간) 어렵다 [艮]
洵* (순) 진실로 [水(氵)]
費 (비) 쓰다 ❹[ ]
靡* (미) 소비하다 [米]
制 (제) 마르다, 만들다 [刀(刂)]
架 (가) 시렁 [木]
俾* (비) 시키다 [人(亻)]
役 (역) 부리다 [彳]

姑 (고) 시어머니, 다만 [女]
粗* (조) 대강 [米]
聊* (료) 애오라지, 대강 [耳]
玆 (자) 이 [玄]
橫 (횡) ❺[ ][ ] [木]
寄 (기) 부치다 [宀]
❻[ ] (작) 술 따르다, 헤아리다 [酉]
縱 (종) 세로 ❼[ ]
桂 (계) 계수나무 [木]
冠 (관) 갓 [冖]
❽[ ] 버리다 [木]
却 (각) 물리치다 [卩]
苗 (묘) 싹 [艸(艹)]
械 (계) 기계 [木]

儀 (의) 거동 [人(亻)]
軌 (궤) 바큇자국 [車]
載 (재) 싣다 [車]
❾[ ] (장) 꾸미다 [衣]
系 (계) 잇다 [糸]
埋 (매) 묻다 ❿[ ]
⓫[ ] (장) 감추다 [艸(艹)]
亞 (아) 버금 [二]
鉛 (연) 납 [金]
震 (진) 우레 [雨]
推 (추) 뽑다 [手(扌)]
鹽 (염) ⓬[ ][ ] [鹵]

2. 본문

城(성)은 以石築(이석축)하니 所須❶[ ]石(소수유석)이라.	성은 돌로써 쌓으니 필요한 것은 오직 돌뿐이다.
非石之艱(비석지간)이요 唯起石與運石(유기석여운석)이 洵費力而靡財(순비력이미재)라.	돌을 구하는 게 어려운 것이 아니라 오직 ❷[ ]을 세우는 것과 돌을 운반하는 것이 진실로 힘을 쓰게 하고 재물을 소모하게 한다.
今取古人遺意(금취고인유의)하고 ❸[ ]以新制(참이신제)하여 製爲起重小架(제위기중소가)하여 俾用于城華之役(비용우성화지역)이라.	지금 옛사람들이 남긴 뜻을 취하고 새로운 제도로써 참고하여 기중소가를 지어 만들어 수원에 성을 쌓는 일에 쓰이게 하였다.
姑取其粗淺易知者(고취기조천이지자)하여 聊試之矣(요시지의)라.	다만 그중에서 초보적이고 알기 쉬운 것을 취하여 ❹[ ][ ] 그것을 시험하였다.
玆開列作圖❺[ ]左(자개렬작도여좌)하니 一曰架(일왈가)요 二曰橫梁(이왈횡량)이라.	이에 그림 그린 것을 펼쳐 나열한 것이 왼쪽과 같으니, 첫 번째는 '❻[ ]'라 말하고, 두 번째는 '횡량'이라 말한다.

3. 실사와 허사의 구별

(1) ❶□□: 단독으로 어휘적 의미를 가짐.

⑩ 명사: 城(성) / 대명사: 其(기) / 수사: 一(일) / 동사: 築(축) / 형용사: 古(고) / 부사: 唯(유)

(2) 허사: 문법적 의미만을 나타냄.

⑩ 개사: 以(이) / ❷□□□: 與(여) / 어조사: 矣(의) / 감탄사: 嗚呼(오호)

4. 어휘 – 과학 관련 용어

· 鑛物(❶□□): 천연으로 나며 질이 고르고 화학적 조성이 일정한 물질

· 亞鉛(아연): 질이 무르고 광택이 나는 청색을 띤 흰색의 금속 원소

· 震央(진앙): ❷□□의 진원 바로 위에 있는 지점

· ❸□□□(생태계): 어느 환경 안에서 사는 생물군과 그 생물들을 제어하는 제반 요인을 포함한 복합 체계

· ❹□□(추출): 고체 또는 액체의 혼합물에 용매를 가하여 혼합물 속의 어떤 물질을 용매에 녹여 뽑아내는 일

· 鹽基性(❺□□□): 염기가 지니는 기본적인 성질

쪽지 시험

01 다음 한자의 공통되는 부수를 쓰시오.

略　疆

02 다음 한자 어휘에서 밑줄 친 한자의 음과 뜻을 쓰시오.

參酌

(1) 음:

(2) 뜻:

03 다음 한자 어휘의 독음을 쓰시오.

㉠ 奇與　㉡ 運石

㉠: _____　㉡: _____

04 다음 밑줄 친 부분을 한자로 바꾸어 쓰시오.

(1) 『목민심서』를 쓴 <u>행정가</u>: □□□

(2) 『흠흠신서』를 쓴 <u>법학자</u>: □□□

(3) 수원 화성을 설계한 <u>건축가</u>: □□□

(4) 『아언각비』, 『이담속찬』을 쓴 <u>언어학자</u>:

□□□□

05 실사와 허사에 해당하는 한자를 바르게 연결하시오.

(1) 수사　·　　　　·㉠ 城

(2) 명사　·　　　　·㉡ 嗚呼

(3) 어조사　·　　　　·㉢ 一

(4) 감탄사　·　　　　·㉣ 矣

01 다음의 내용을 모두 만족하는, ㉠에 들어갈 한자의 뜻으로 알맞은 것은?

> 蕭 ➡ 蕭 ➡ (㉠)
>
> • 부수는 竹, 총획은 16이다.
> • 음은 '축'이다.

① 나무　　② 쌓다　　③ 재물
④ 수풀　　⑤ 대나무

02 ㉠~㉢의 빈칸에 들어갈 알맞은 내용을 쓰시오.

모양	음	뜻
㉠	(역)	지경
邦	(방)	㉡
牧	㉢	치다

03 밑줄 친 부분을 한자로 바꾸어 쓸 때, 알맞은 것은?

> • 공장에 새로운 기계 한 대가 들어왔다.
> • 기계적인 문제가 있는 경우는 무료로 수리해 드립니다.

① 機　② 械　③ 木　④ 森　⑤ 林

04 부수가 나머지와 다른 하나는?

① 橫　② 架　③ 棄　④ 桂　⑤ 築

05 한자의 부수가 바른 것은?

① 寄 [奇]　② 酌 [勺]　③ 冠 [冖]
④ 儀 [我]　⑤ 軌 [九]

06 한자 어휘의 독음이 바르지 않은 것은?

① 縱橫 (종횡)　　② 棄却 (기각)
③ 苗木 (전목)　　④ 登載 (등재)
⑤ 月桂冠 (월계관)

07 다음은 정약용의 면모를 나타낸 그림이다. 이와 관련 있는 한자 어휘로 알맞은 것은?

① 建築家　　② 法學者　　③ 行政家
④ 言語學者　　⑤ 軍事戰略家

08 밑줄 친 한자 어휘를 한자로 쓰시오.

> 노래도 잘하고 그림 실력도 뛰어나다니, 너 정말 다재다능하구나.

09 다음 설명에 해당하는 한자 어휘로 알맞은 것은?

> 어느 환경 안에서 사는 생물군과 그 생물들을 제어하는 제반 요인을 포함하는 복합 체계

① 裝備　　② 埋葬　　③ 言語
④ 軍事　　⑤ 生態系

10 한자 어휘의 활용이 적절하지 않은 것은?

① 그 나라에서는 다양한 廣物이 채굴된다.
② 震央의 위치가 내륙과 멀어서 지진 피해가 없었다.
③ 최근 곤충에서 신물질을 抽出하는 연구가 진행되고 있다.
④ '중화 반응'은 鹽基性 물질과 산성 물질이 반응하는 것이다.
⑤ 공장에서는 동과 주석, 또는 납, 亞鉛 등을 합금하는 작업을 주로 한다.

[11~14] 다음 글을 읽고 물음에 답하시오.

城은 以石築하니 所須唯石이라. ㉠非石之艱이요
唯㉡起石㉢與㉣運石이 洵費力而糜財라.

11 윗글에 쓰인 한자의 독음이 바르지 <u>않은</u> 것은?

① 城 (성)　　② 須 (혈)　　③ 起 (기)
④ 費 (비)　　⑤ 財 (재)

12 ㉠에 대한 설명으로 바르지 <u>않은</u> 것은?

① 石은 '돌'을 의미한다.
② 艱은 '어렵다'는 뜻이다.
③ '비석지간'이라고 읽는다.
④ 풀이 순서는 '1-2-3-4'이다.
⑤ '돌을 구하는 게 어려운 것이 아니라'라고 풀
　이한다.

13 ㉡과 ㉣의 의미로 알맞은 것은?

	㉡	㉣
①	돌을 세우는 것	돌을 운반하는 것
②	돌을 운반하는 것	돌을 세우는 것
③	돌을 세우는 것	돌을 쌓는 것
④	돌을 쌓는 것	돌을 운반하는 것
⑤	돌을 운반하는 것	돌을 쌓는 것

출제 유력
14 ㉢의 뜻으로 알맞은 것은?

① 주다　　② ~와/과　　③ 더불어
④ 참여하다　　⑤ 간섭하다

[15~19] 다음 글을 읽고 물음에 답하시오.

今取古人遺意하고 ㉠參以新制하여 製爲起重小
架하여 ㉡俾用于城華之役이라. 姑取其粗淺易知
者하여 聊試㉢之矣라. 玆開列作圖如左하니 一曰
架요 二曰橫梁이라.

15 윗글에 쓰인 한자의 뜻으로 바르지 <u>않은</u> 것은?

① 參: 참고하다　　② 製: 만들다
③ 華: 시렁　　④ 姑: 다만
⑤ 玆: 이

출제 유력
16 ㉠에 쓰인 허사를 찾아 한자로 쓰시오.

17 ㉡에서 첫 번째로 풀이되는 한자로 알맞은 것은?

① 俾　②用　③ 于　④ 華　⑤ 役

18 ㉢이 가리키는 것으로 알맞은 것은?

① 돌　　　② 그림　　　③ 화성
④ 횡량　　⑤ 기중소가

19 윗글에서 다산의 기중소가를 만드는 방법이 잘 드러난
부분은?

① 今取古人遺意, 參以新制.
② 姑取其粗淺易知者.
③ 聊試之矣.
④ 玆開列作圖如左.
⑤ 一曰架, 二曰橫梁.

출제 유형

• 빈칸에 들어갈 한자로 알맞은 것은?
• 다음 설명에 해당하는 한자 어휘로 알맞은 것은?
• 밑줄 친 한자 어휘의 독음으로 알맞은 것은?

09

대장금, 현대에도 살아 있는 옛사람들

○ 교과서 65쪽

| 생각을 여는 활동 |

● 대중문화 잡지의 특집 기사이다. 빈칸에 알맞은 어휘를 〈보기〉에서 찾아 써 보자.

○○○ 드라마 조선 여형사 茶母 ┐ 다모: 조선 시대에, 일반 관아에서 차와
술대접 등의 잡일을 맡아 하던 관비

조선 시대 다모는 관청 소속으로 다양한 일을 맡아보던 여성을 말한다. ❶ □史□劇□
「조선 여형사 다모」는 신분적 한계와 성적 차별 속에서도 누구보다 적극적이고 진
보적으로 살아갔던 한성부 좌포도청의 다모 채옥을 주인공으로 한 作品이다. ┐ 작품: 예술 창작 활동으로
얻어지는 제작물
역모 죄에 휘말려 집안이 풍비박산한 뒤 官婢로 전락하여, 다모가 된 채옥 ┐ 관비: 예전에, 관가에
과 서자 출신의 포도청 종사관 황보윤, 혁명을 꿈꾸는 화적 두목 장성백의 뒤 속하여 있던 여자종
엉킨 운명과 비극적인 사랑이 그려진다. 여기에 영화 「와호장룡」을 연상케 하
는 채옥과 성백의 화려한 무술 대결, 옛 기록을 토대로 └ 재연한 흥미진진한 조
선 시대 수사 비화 등이 곁들여진다. 소설을 원작으로 2000년에 개봉한 리안
감독(타이완)의 중화권의 무술 영화

암살의 시작은 이름 없는 독립군의 사진

최동훈 감독은 2006년 이름 없는 독립군들의 사진을 보고, 주어진 운명
이 있는 한 사람이 흔들림 없이 그 운명 속으로 걸어가는 이미지를 떠올
렸다고 말했다.

영화 속 안옥윤은 '여자 안중근', '독립군의 어머니'로 불리던, 실제
여성 독립운동가 남자현 열사에서 창작 동기를 얻은 것이다. 을미 의병
으로 남편을 잃고 홀로 아들을 키우다 삼일 운동 가담을 계기로 만주
로 건너가 독립운동과 여성 운동에 앞장섰다. 총독을 암살하기 위해
국내로 ❷ □潛□入□하기도 했는데, 1933년에는 만주국 전권 대사를 사
살하려 逮捕되어 ❸ □殉□國□하였다.
└ 체포: 형법에서, 사람의 신체에 대하여 직접적이고
현실적인 구속을 가하여 행동의 자유를 빼앗는 일

┌ 사극: 역사에 있었던 사실을 바탕으로
하여 만든 연극이나 희곡

보기

殉國   史劇   潛入

순국: 나라를 위하여 목숨을 바침.   잠입: 남몰래 숨어듦.

학습 계획 세우기 도움말 새로운 장르로 재창조된 역사적 인물의 이야기를 알아보는 활동을 통해 소단원 학습에 대한 자신의 배경
지식을 활성화한다. 또 이를 바탕으로 소단원에서 어떤 내용을 공부할지 스스로 계획을 세워 본다.

● 위 활동을 바탕으로 스스로 학습 계획을 세워 보자.

나는 이 단원에서 _____ ⓔ 새로운 장르로 재창조된 역사적 인물의 이야기 _____ 을/를 공부하겠다.

한자 모아 보기 자신이 알고 있는 한자에 ✓ 표시를 해 보자.

한자	음	뜻	부수	획수	총획	한자	음	뜻	부수	획수	총획	한자	음	뜻	부수	획수	총획
茶	다, 차	차	艸(艹)	6	10	逮	체	잡다	辵(辶)	8	12	劇	극	심하다, 연극	刀(刂)	13	15
婢	비	여종	女	8	11	殉	순	따라 죽다	歹	6	10	潛	잠	잠기다	水(氵)	12	15

대장금, 현대에도 살아 있는 옛사람들 ○ 교과서 66, 67쪽

문헌 속에 남아 있는 선인들의 삶은 지금도 생생히 살아 움직인다. 그것은 그들의 이야기가 오늘날 우리에게 영감을 주어 드라마나 영화 등으로 재창조되기 때문이다. 이 단원에서는 역사 속의 인물에 관한 글을 이해하고, 여기에 후대인들이 의미를 부여하여 새로운 형식과 내용으로 창조할 수 있음을 알아보자.

① 네모
② 수단
③ 방위
④ 장소
⑤ 바야흐로

新 한자 모아 보기

한자	음	뜻	부수	획수	총획
稍*	초	조금	禾	7	12
優	우	넉넉하다, 낫다	人(亻)	15	17
類	류	무리	頁	10	19
焉	언	어조사	火	7	11
倭*	왜	왜나라	人(亻)	8	10
阿*	아	언덕	阜(阝)	5	8
屢	루	여러	尸	11	14
賜	사	주다	貝	8	15
叱*	질	꾸짖다	口	2	5
班	반	나누다	玉	6	10

주어 大長今이 생략됨.

醫女 大長今 醫術이 稍優於其類라. 故로
의 녀 대 장 금 의 술 초 우 어 기 류 고
의원 여자 크다 장금(인명) 의술 재주 조금 낫다 어조사 그 무리 그러므로

낫다, 뛰어나다
~보다

於之(그곳에서)의 뜻을 포함한, 종결을 나타내는 어조사

① 옛날 ② 일, 사건
③ 까닭, 연고 ④ 죽은 사람
⑤ 그러므로

方出入大內而看病焉이라.
방 출 입 대 내 이 간 병 언
바야흐로 나가다 들다 크다 안 말 잇다 보다 병 어조사

순접의 접속사

대전(임금이 거처하는 궁전)의 안

『조선왕조실록 – 중종대왕실록』
※ 의녀 장금의 이야기는 2003년 MBC에서 드라마로 제작되어 방영되었다.

의녀 대장금의 의술이 그 무리보다 조금 나았다. 그러므로 바야흐로 대전의 안에 출입하면서 병자들을 간호하였다.

1592년

목숨을 의탁하다 → 귀화하다
조선

壬辰에 倭將沙阿可劍이 歸命本朝하여
임 진 왜 장 사 아 가 검 귀 명 본 조
아홉째 천간 다섯째 지지 왜나라 장수 사아가검(인명) 돌아가다 목숨 근본 조정

주어 王이 생략됨.

① 아침
② 조정

屢立功하니 賜姓名金忠善이라 하다.
누 립 공 사 성 명 김 충 선
여러 세우다 공 주다 성씨 이름 김충선(인명)

『임하필기』
※ 사아가검(김충선)은 2014년 개봉된 영화 「명량」에 등장하는 준사 역의 모델이 된 인물이다.

임진년에 왜나라 장수 사아가검(沙阿可劍)이 본조(조선)로 목숨을 의탁하여 여러 차례 공을 세웠으니 성과 이름을 하사하여 '김충선'이라 하였다.

1) 의녀(醫女): 조선 시대에, 간단한 의술을 익혀 내의원과 혜민서에서 심부름하던 여자
2) 장금(長今): 조선 중종 때의 의녀로 뛰어난 의술을 인정받아 훗날 중종의 주치의 역할을 수행함. 실록에 열 번가량 등장하는데, 주로 의술과 관련된 공을 인정받는 내용임.
3) 사아가검(沙阿可劍): 임진왜란 때 우리나라로 귀화한 일본 출신 장수

생몰년 미상. 長今이라는 이름이 흔하여 大(몸집이 컸다고 함.)를 붙여서 구별하였다는 설도 있다.

1571~1642년. 가토 기요마사(加藤淸正)의 우 선봉장(右先鋒將)으로 4월 13일 부산에 상륙하였다. 그가 조선을 살펴보니 난리로 경황이 없는데도 예절과 겸양의 기풍이 있고 의관(衣冠) 문물이 정연(整然)하였다. 이에 일본이 군사를 일으켜 조선을 침략하는 것은 명분이 없고 가까운 이웃 나라에 화만 끼칠 뿐이라는 것을 느끼고, 같은 해 4월 15일에 이끌던 군사와 함께 조선에 귀화하였다.

茶母叱曰: "朝令何如而身爲班하여 犯禁은 何也오?"

다　모　질　왈　　조　령　하　여　이　신　위　반　　　범　금　　　　　　　하　야

차　어머니　꾸짖다　말하다　　조정　법령　어찌　같다　말 잇다　신분　되다　나누다　　범하다 금하다

조정　　역접의 접속사　　신분　되다

어째서인가?　　　답을 요구하기보다는 상황의 엄중함을 피차 알고 있지 않느냐는 의미(답을 요구할 때에는 주로 如何를 씀.)

법령. 여기서는 금주령(禁酒令)을 뜻함.

어찌 ≒ 豈(기), 那(나), 奚(내), 爰(해)　　하　　야

어찌　어조사　의문을 나타내는 어조사

『낭산문고』

※ 다모를 주인공으로 한 드라마 「다모」가 2003년 MBC에서 드라마로 제작되어 방영되었다.

다모가 꾸짖으며 말하였다. "조정의 법령이 어떠한데 신분은 양반이 되어서 금지령을 어긴 것은 어째서인가?"

> ✎ 스스로 확인
>
> 이 글에서 다모가 한 일은 무엇인가?
>
> 수사
> ─────────────
>
> 송지양의 문집 『낭산문고』에 실린 한문 소설 「다모전」의 일부로, 이 장면은 하단의 시나리오에 반영되어 있다. 「다모전」의 전체 줄거리는 교과서 69쪽 '한문으로 여는 세상'에 제시되어 있다.

연속극 극중 장면
다모 이야기

S#1 한성부 남산 아래 동네, 밤　포졸들과 다모, 거리의 외진 곳에 몸을 숨기고 있다.

포졸1　(조용한 목소리로) 다모야! 여기가 양반집이다. 우리 같은 포졸은 양반네 함부로 들어갈 수가 없으니 일단 네가 집 깊숙이 들어가서 몰래 술을 찾아봐라.

S#2 집 안　다모, 살금살금 집 안으로 들어가 수색하다. 항아리 속을 들여다보고는 들고나온다.

할머니　(기겁하며) 에구머니나! (그 자리에서 넘어져 정신을 잃는다.)

다모　(바가지에 물을 떠 와 할머니를 끌어안고 마시게 하며) 정신을 좀 차려 보시오.

S#3 방 안　할머니는 이제야 정신이 든다. 일어나 앉는다.

다모　(할머니를 다그치며) 나라에서 내린 법령이 어떤지 알고 있소? 양반이 법령을 어긴 것은 어째서요?

할머니　(눈물을 훔치며) 우리 영감이 평소 고질병이 좀 있어요. 술 끊은 다음에는 아무것도 못 삼켜. 가을부터 겨울이 지나도록 아무것도 못 먹고 있는데 어쩌겠나. 그래서 어제는 옆집에서 쌀을 좀 꾸어다가 뭐라도 좀 먹이려고 술을 빚었지. (다모의 손을 끌어다 붙잡으며) 내 딱한 사정을 봐서라도 한 번만 눈감아 주시면 안 되겠소? 이 은혜는 절대 잊지 않으리라.

• 『**조선왕조실록(朝鮮王朝實錄)**』: 조선 태조에서 철종까지 472년간에 걸친 25대 임금들의 역사를 연월일 순서에 따라 편년체(編年體)로 기록한 책
• 『**임하필기(林下筆記)**』: 조선 고종 때의 문신 이유원(李裕元)의 수록류(隨錄類)를 모아 엮은 책
• 『**낭산문고(朗山文稿)**』: 조선 순조 때의 문인 송지양(宋持養)의 문집

優: 낫다, 뛰어나다
우

於: ~보다
어

方: ① 네모 예 **方形** 방형: 네모반듯한 모양
방　② 수단 예 **方策** 방책: 방법과 꾀를 아울러 이르는 말
　　③ 방위 예 **方向** 방향: 어떤 방위(方位)를 향한 쪽
　　④ 장소 예 **邊方** 변방: 중심지에서 멀리 떨어진 가장자리 지역
　　⑤ 바야흐로 예 **今方** 금방
　　　① 말하고 있는 시점(時點)보다 바로 조금 전 ② 말하고 있는 시점과 같은 때 ③ 말하고 있는 시점부터 바로 조금 후

歸: 의탁하다
귀

朝: ① 아침 예 **朝飯** 조반: 아침 끼니로 먹는 밥
조　② 조정 예 **王朝** 왕조: 같은 왕가에 속하는 통치자의 계열. 또는 그 왕가가 다스리는 시대

何: 어찌 ≒ **豈, 那, 奈, 奚**
하　　　　　기　나　내　해

부수가 같은 한자 – 人(亻)인

優(우) 넉넉하다 예 **優雅** 우아
고상하고 기품이 있으며 아름다움.

介(개) 끼다 예 **媒介** 매개
둘 사이에서 양편의 관계를 맺어 줌.

僅(근) 겨우 예 **僅少** 근소
얼마 되지 않을 만큼 아주 적음.

像(상) 형상 예 **銅像** 동상
구리로 사람이나 동물의 형상을 만들거나 그런 형상을 구릿빛을 입혀서 만들어 놓은 기념물

新 한자 모아 보기

한자	음	뜻	부수	획수	총획
邊	변	가	辵(辶)	15	19
豈	기	어찌	豆	3	10
那	나	어찌	邑(阝)	4	7
奈	내	어찌	大	5	8
奚	해	어찌	大	7	10
雅	아	우아하다	隹	4	12
媒	매	중매	女	9	12
僅	근	겨우	人(亻)	11	13
銅	동	구리	金	6	14
錄	록	기록하다	金	8	16
亂	란	어지럽다	乙(乚)	12	13

其類: 의녀 무리
기 류

醫女大長今醫術이 **稍優於其類**라.
의 녀 대 장 금 의 술　초 우 어 기 류
의녀 대장금의 의술이 그 무리보다 조금 나았다.

馬: '於之(그곳에서)'의 뜻을 포함한 종결 어조사

故로 **方出入大內而看病焉**이라.
고　방 출 입 대 내 이 간 병 언
그러므로 바야흐로 대전의 안에 출입하면서 병자들을 간호하였다.

壬辰에 **倭將沙阿可劍**이 **歸命本朝**하여 **屢立功**하니 **賜姓名金忠善**이라 하다.
임 진　왜 장 사 아 가 검　귀 명 본 조　누 립 공　사 성 명 김 충 선
임진년에 왜나라 장수 사아가검(沙阿可劍)이 본조(조선)로 목숨을 의탁하여 여러 차례 공을 세웠으니 성과 이름을 하사하여 '김충선'이라 하였다.

茶母叱曰: "朝令何如而身爲班하여 **犯禁**은 **何也**오?"
다 모 질 왈　조 령 하 여 이 신 위 반　범 금　하 야
다모가 꾸짖으며 말하였다. "조정의 법령이 어떠한데 신분은 양반이 되어서 금지령을 어긴 것은 어째서인가?"

※ 의문을 나타내는 한자: 何(하), 豈(기), 那(나), 奚(내), 奚(해), 安(안), 寧(녕) 등
예 • 何花最好(하화최호)? – 어떤 꽃이 가장 좋은가?
　• 積功之塔(적공지탑), 豈毁乎(기훼호)? – 공을 들인 탑이 어찌 무너지랴?
　• 子將安之(자장안지)? – 그대는 장차 어디로 가려는가?
　• 王侯將相(왕후장상), 寧有種乎(영유종호)? – 왕후장상이 어찌 씨가 있겠는가?

똑똑한 지식 ｜ 문장 성분의 생략

한문은 문장 안에서 중복을 피하거나 표현을 간단하게 하기 위하여 문장 성분을 생략할 수 있다. 문장 성분의 생략은 앞뒤 문장을 살펴보아 생략된 내용을 알 수 있는 경우에 가능하다.
예 주어의 생략: 屢立功, 賜姓名.
　　　　　　 누 립 공　사 성 명
　→ (사아가검이) 여러 차례 공을 세웠으니, (임금이) 성과 이름을 하사하였다.
예 목적어의 생략: 王세秘不傳授(新聲).
　→ 왕세기가 (새로운 소리를) 번번이 숨기고 전하여 주지 않았다.
　• 주어, 목적어의 생략: (金聖器), 竊聽(新聲), 明朝, 能傳寫(新聲)不錯.
　→ (김성기가) (새로운 소리를) 몰래 듣고 다음 날 아침에 (새로운 소리를) 옮겨 베껴서 틀리지 않을 수 있었다.

이해 더하기

전 세계적으로 한류 열풍을 일으킨 드라마 「대장금(2003년)」의 주인공 '장금'은 중종실록에 왕의 신임을 받은 의녀 정도로 記錄되어 있다. 그러나 드라마에서는 작가의 상상력이 보태져 집념과 의지로 궁중 최고의 요리사가 되었다가, 우여곡절 끝에 조선 최고의 의녀가 되는 등의 성공담을 다루고 있다.
└ 기록: 주로 후일에 남길 목적으로 어떤 사실을 적음. 또는 그런 글

영화 「명량(2014년)」에서 이순신 장군의 부하로 나왔던 일본인 '준사'는 실제로 비슷한 인물이 존재하였다. 이 인물은 바로 **壬辰倭亂** 당시 조선으로 귀화한 김충선(사아가검)이라는 사람이다. 그 위패가 대구의 녹동서원(鹿洞書院)에 모셔져 있다.
└ 임진왜란: 조선 선조 25년(1592년)에 일본이 침입한 전쟁. 선조 31년(1598년)까지 7년 동안 두 차례에 걸쳐 침입하였으며, 1597년에 재침략한 것을 정유재란으로 달리 부르기도 함.

『**조**선왕조실록』을 보면 다모는 食母, 針母와 더불어 관가나 사대부 집의 허드렛일, 말 그대로 차와 술대접 등 잡일을 맡아보던 천민 신분의 사람을 이른다. 그러나 일부 다모에게는 수사 권한을 부여하여 규방 事件의 搜査, 염탐과 탐문을 통한 정보 수집, 여성 피의자 수색 등 다양한 役割을 맡겼다고 한다. 조선 후기 송지양의 문집 『낭산문고』의 「다모전」에는 다음과 같은 이야기가 전한다.

> 식모: 관아에 속하여 부엌 일을 맡아 하던 여자 종
> 침모: 남의 집에 매여 바느질을 맡아 하고 일정한 품삯을 받는 여자
> 사건: 사회적으로 문제를 일으키거나 주목을 받을 만한 뜻밖의 일
> 수사: 범죄의 혐의 유무를 명백히 하여 공소의 제기와 유지 여부를 결정하기 위하여서 범인을 발견·확보하고 증거를 수집·보전하는 수사 기관의 활동
> 역할: 자기가 마땅히 하여야 할 맡은 바 직책이나 임무

▲ 『조선왕조실록 –
　정종대왕실록』

▲ 『낭산문고』

「다모전」의 전체 줄거리

금주령을 위반한 양반을 조사하던 다모가 그 집의 딱한 사정을 알고는 잘못을 눈감아 준다. 대신 금전적 이익을 위해 형수를 밀고한 시동생을 찾아내 꾸짖는데 이것이 포졸들에 의해 상부에 보고가 되어 다모는 이 때문에 곤장을 맞는다. 하지만 상관이 이것을 의로운 일로 여겨 상으로 돈을 주자 다모는 이 돈을 다시 그 집에 몽땅 주고 뒤도 돌아보지 않고 가 버린다.

> 사극: 역사에 있었던 사실을 바탕으로 하여 만든 연극이나 희곡

史劇 「조선 여형사 다모」는 신분적 한계라는 옴짝달싹할 수 없는 울타리 속에 갇혀 성적 차별이라는 올가미까지 씌워진 채 세상을 살아가야 했던 한성부 左捕盜廳의 다모 채옥의 삶과 사랑을 그린 드라마이다.

> 좌포도청: 포도청(조선 시대에, 범죄자를 잡거나 다스리는 일을 맡아보던 관아)의 좌청(左廳)

이처럼 문헌에 기록된 인물과 사건은 오랜 시간이 지난 지금 藝術人, 영화감독, 演出家, 작가, 배우 등을 통해서 새로운 문화로 再創造되고 있다.

> 연출가: 연극이나 방송극 따위에서, 각본을 바탕으로 배우의 연기, 무대 장치, 의상, 분장, 조명, 음악 따위의 여러 가지 요소를 종합하여 효과적으로 무대 공연을 할 수 있도록 지도하는 일을 전문적으로 하는 사람
> 예술인: 예술 작품을 창작하거나 표현하는 것을 직업으로 하는 사람
> 재창조: 이미 있는 것을 고치거나 새로운 방식을 써서 다시 만들어 냄.

| 대중문화 관련 용어 |

활동 빈칸에 알맞은 한자를 〈보기〉에서 골라 써 보자.

보기
戱　外　弘　裳　殊　字　巧
희　외　홍　상　수　자　교

① 涉外 (섭외): 연락을 취하여 의논함.

② 弘報 (홍보): 널리 알림. 또는 그 소식이나 보도

③ 戱曲 (희곡): 공연을 목적으로 하는 연극의 대본

④ 衣裳 (의상): 배우나 무용하는 사람들이 연기할 때 입는 옷

⑤ 技巧 (기교): 기술이나 솜씨가 아주 교묘함. 또는 그런 기술이나 솜씨

⑥ 特殊效果 (특수 효과): 특수한 기술적 수단으로 만들어 낸 이미지

⑦ 字幕 (자막): 영화나 텔레비전 따위에서 관객이나 시청자가 읽을 수 있도록 화면에 비추는 글자

新 한자 모아 보기

한자	음	뜻	부수	획수	총획
件	건	물건	人(亻)	4	6
搜	수	찾다	手(扌)	10	13
査	사	조사하다	木	5	9
割	할	베다, 나누다	刀(刂)	10	12
創	창	비롯하다	刀(刂)	10	12
戱	희	놀다	戈	13	17
弘	홍	크다, 넓다	弓	2	5
裳	상	치마	衣	8	14
殊	수	다르다	歹	6	10
巧	교	공교하다	工	2	5
涉	섭	건너다	水(氵)	7	10
幕	막	장막	巾	11	14

실력을 키우는
평가
○ 교과서 70쪽

○ 교과서 70쪽

1. 문장에서 생략된 주어를 빈칸에 써 보자. (大)長今
대 장 금

> 醫女大長今醫術, 稍優於其類. 故, ( )方出入大內而看病焉.
> 의 녀 대 장 금 의 술   초 우 어 기 류   고   방 출 입 대 내 이 간 병 언

[풀이] 의녀 대장금의 의술이 그 무리보다 조금 나았다. 그러므로 바야흐로 (대장금이) 대전의 안에 출입하면서 병자들을 간호하였다.

도움말

문장 성분의 생략

• 중복을 피하기 위해서
• 표현을 간단히 하기 위해서
→ 앞뒤 문장을 살펴보아 생략된 내용을 알 수 있는 경우에 가능하다.

2. 본문의 내용을 연극 대본으로 바꾸어 써 보았다. 빈칸을 채워 보자.

(1) 壬辰, 倭將沙阿可劍, 歸命本朝, 屢立功, 賜姓名金忠善.
임 진   왜 장 사 아 가 검   귀 명 본 조   누 립 공   사 성 명 김 충 선
[풀이] 임진년에 왜나라 장수 사아가검(沙阿可劍)이 본조(조선)로 목숨을 의탁하여 여러 차례 공을 세웠으니 성과 이름을 하사하여 '김충선'이라 하였다.

> 임금: (사아가검을 쳐다보며 낮은 목소리로) 임진왜란 당시에 왜나라 장수인 네가 우리나라로 귀화하여 <u>여러 차례 공을 세웠으니</u> '김충선'이라는 이름을 내리겠
> 屢立功
> 다. 앞으로는 사아가검을 김충선이라 부르도록 하라.

(2) 茶母叱曰: "朝令何如而身爲班, 犯禁, 何也?"
다 모 질 왈   조 령 하 여 이 신 위 반   범 금   하 야
[풀이] 다모가 꾸짖으며 말하였다. "조정의 법령이 어떠한데 신분은 양반이 되어서 금지령을 어긴 것은 어째서인가?"

> 다모: (화를 내며 꾸짖으며) 조정의 법령이 얼마나 무서운데, 양반의 신분으로 <u>금지령을 어긴 것</u> 은 어째서입니까?
> 犯禁

창의형

3. 역사적 사건이나 인물을 소재로 한 문학 작품이나 드라마, 영화를 조사하여 발표해 보자.

예시

① 제목: 조선 과학 수사대 별순검
② 시대 배경: 대한 제국 시기
③ 등장인물: 강승조(경무관), 여진(별순검), 김강우(별순검) 등
④ 줄거리: 비밀 정탐에 종사하던 수사관인 별순검들이 다양한 범죄 사건을 과학적 기법으로 추적해 나간다.

① 제목:
② 시대 배경:
③ 등장인물:
④ 줄거리:

도움말 소단원 학습이 끝나면 소단원 학습 목표에 해당하는 질문에 답하며 자신의 학업 성취도를 스스로 점검해 본다.
성취 목표에 도달하지 못한 경우에는 제시된 위치로 돌아가서 내용을 다시 읽고 공부하도록 한다.

소단원 자기 점검 배운 내용에 관해 자기 점검을 하면서 학업 성취도 도달 정도를 확인해 보자. [별이 3개 이하인 경우] • 교과서 68쪽 '똑똑한 지식' 다시 읽기

• 생략된 문장 성분을 찾을 수 있는가?	☆☆☆☆☆
• 역사를 소재로 한 예술 작품을 통해 창의적 사고력을 기를 수 있는가?	☆☆☆☆☆

[별이 3개 이하인 경우] • 교과서 66∼68쪽 다시 읽기

• 한자, 음, 뜻, 부수의 순서로 제시

1. **한자**

茶 [ ]❶ (차) 차 [艸(艹)]
婢 (비) 여종 [女]
[ ]❷ (체) 잡다 [辵(辶)]
殉 (순) 따라 죽다 [歹]
劇 (극) 심하다, [ ][ ]❸ [刀(刂)]
潛 (잠) 잠기다 [水(氵)]
稍* (초) 조금 [禾]
優 (우) 넉넉하다, 낫다 [人(亻)]
類 (류) 무리 [ ]❹
焉 (언) 어조사 [火(灬)]
倭* (왜) 왜나라 [人(亻)]
阿* (아) 언덕 [阜(阝)]
屢 (루) 여러 [尸]

賜 (사) 주다 [貝]
叱* (질) 꾸짖다 [口]
班 (반) 나누다 [玉]
邊 (변) 가 [辵(辶)]
豈 (기) [ ][ ]❺ [豆]
那 (나) 어찌 [邑(阝)]
奈 (내) 어찌 [大]
奚 (해) 어찌 [大]
[ ]❻ (아) 우아하다 [佳]
媒 (매) 중매 [ ]❼
僅 (근) 겨우 [人(亻)]
銅 (동) 구리 [金]
錄 [ ]❽ 기록하다 [金]
亂 (란) 어지럽다 [乙(乚)]

件 (건) 물건 [人(亻)]
搜 (수) 찾다 [手(扌)]
査 (사) 조사하다 [木]
割 (할) 베다, 나누다 [刀(刂)]
創 (창) 비롯하다 [刀(刂)]
[ ]❾ (희) 놀다 [戈]
弘 (홍) 크다, 넓다 [弓]
裳 [ ]❿ 치마 [衣]
殊 (수) 다르다 [歹]
巧 (교) 공교하다 [ ]⓫
涉 (섭) 건너다 [水(氵)]
幕 (막) [ ][ ]⓬ [巾]

2. **본문**

醫女大長今[ ][ ]❶(의녀대장금의술)이 稍優於其類(초우어기류)라.	의녀 대장금의 의술이 그 무리보다 조금 나았다.
故(고)로 方出入大內而看病焉(방출입대내이간병언)이라.	그러므로 바야흐로 대전의 안에 [ ][ ]❷하면서 병자들을 간호하였다.
壬辰(임진)에 倭將沙阿可劍(왜장사아가검)이 歸命[ ][ ]❸(귀명본조)하여 屢立功(누립공)하니 賜姓名金忠善(사성명김충선)이라 하다.	임진년에 왜나라 장수 사아가검(沙阿可劍)이 본조(조선)로 목숨을 의탁하여 여러 차례 공을 세웠으니 성과 이름을 하사하여 '[ ][ ][ ]❹'이라 하였다.
茶母叱曰(다모질왈): "[ ][ ]❺何如而身爲班(조령하여이신위반)하여 犯禁(범금)은 何也(하야)오?"	다모가 꾸짖으며 말하였다. "조정의 법령이 어떠한데 신분은 양반이 되어서 금지령을 어긴 것은 어째서인가?"

3. **문장 성분의 생략**

• 한문은 문장 안에서 중복을 피하거나 표현을 간단하게 하기 위하여 문장 성분을 생략할 수 있음. 예 주어의 생략: 屢立功(누립공), 賜姓名(사성명). → ([ ][ ][ ][ ]❶이) 여러 차례 공을 세웠으니, ([ ][ ]❷이) 성과 이름을 하사하였다.

4. **어휘** – 대중문화 관련 용어

- ❶☐☐(섭외): 연락을 취하여 의논함.
- ❷弘報(☐☐): 널리 알림. 또는 그 소식이나 보도
- ❸☐☐(희곡): 공연을 목적으로 하는 연극의 대본
- 衣裳(의상): 배우나 무용하는 사람들이 연기할 때 입는 옷
- ❹☐☐(기교): 기술이나 솜씨가 아주 교묘함. 또는 그런 기술이나 솜씨

- 特殊效果(특수 효과): 특수한 기술적 수단으로 만들어 낸 이미지
- 字幕(자막): 영화나 텔레비전 따위에서 관객이나 시청자가 읽을 수 있도록 화면에 비추는 ❺☐☐

쪽지 시험

01 다음 한자의 부수를 쓰시오.

> 類

02 다음 한자 어휘에서 밑줄 친 한자의 음과 뜻을 쓰시오.

> 茶母

(1) 음:

(2) 뜻:

03 한자 어휘와 독음을 연결하시오.

(1) 史劇　　　•　　　　　　• ㉠ 왜장

(2) 出入　　　•　　　　　　• ㉡ 사극

(3) 倭將　　　•　　　　　　• ㉢ 출입

04 다음과 같은 뜻을 가진 한자 어휘를 한자로 쓰시오.

(1) 연락을 취하여 의논함. : ☐☐

(2) 공연을 목적으로 하는 연극의 대본: ☐☐

(3) 널리 알림. 또는 그 소식이나 보도: ☐☐

(4) 특수한 기술적 수단으로 만들어 낸 이미지:

☐☐☐☐

(5) 기술이나 솜씨가 아주 교묘함. 또는 그런 기술이나 솜씨: ☐☐

(6) 영화나 텔레비전 따위에서 관객이나 시청자가 읽을 수 있도록 화면에 비추는 글자: ☐☐

05 다음 한자의 공통되는 뜻을 쓰시오.

> 豈　奈　那　奚

06 다음 문장에서 고유명사로 쓰인 한자에 ○ 표시를 하시오.

> 壬辰에 倭將沙阿可劍이 歸命本朝하여 屢立功하니 賜姓名金忠善이라 하다.

01 다음을 모두 만족하는 한자로 알맞은 것은?

- 음은 '개'이다
- 부수은 '人'이고 총획은 4이다.

① 人   ② 大   ③ 介   ④ 二   ⑤ 竹

02 ㉠~㉢의 빈칸에 들어갈 알맞은 내용을 쓰시오.

모양	음	뜻
劇	㉠	연극
㉡	(비)	여종
逮	(체)	㉢

03 〈조건〉을 모두 만족하는 한자로 알맞은 것은?

조건
- 부수는 歹이다.
- 총획은 10획이다.
- '따라 죽다'라는 뜻을 가진다.

① 死   ② 殉   ③ 葬   ④ 殊   ⑤ 殘

04 다음 한자의 공통되는 부수로 알맞은 것은?

優 介 僅 像

① 二   ② 言   ③ 口   ④ 川   ⑤ 人

05 ㉠과 ㉡의 음으로 알맞은 것은?

㉠亂   ㉡錄

	㉠	㉡		㉠	㉡
①	란	록	②	란	연
③	록	연	④	록	란
⑤	연	록			

06 빈칸에 들어갈 한자로 알맞은 것은?

特☐效果: 특수한 기술적 수단으로 만들어 낸 이미지

① 殊   ② 戱   ③ 巧   ④ 裳   ⑤ 弘

07 밑줄 친 한자 어휘의 독음으로 알맞은 것은?

문헌에 기록된 인물과 사건은 오랜 시간이 지난 지금 예술인, 영화감독, 연출가, 작가, 배우 등을 통하여 새로운 문화로 再創造되고 있다.

① 재조명   ② 재발견   ③ 재창조
④ 재방송   ⑤ 재해석

08 빈칸에 들어갈 한자 어휘와 독음으로 알맞은 것은?

개미들의 (   ) 분담
일개미를 보호하는 병정개미는 이빨이 날카로워 잎을 따거나 자르고, 작게 잘린 잎은 일개미가 나른다.

① 事件 (사건)   ② 搜査 (수사)
③ 役割 (역할)   ④ 藝術人 (예술인)
⑤ 演出家 (연출가)

09 다음 설명에 해당하는 한자 어휘로 알맞은 것은?

식모, 침모와 더불어 관가나 사대부 집의 허드렛일, 말 그대로 차와 술대접 등 잡일을 맡아 보던 천민 신분의 사람을 이른다.

① 食母   ② 茶母   ③ 針母
④ 賤民   ⑤ 身分

출제 유력
10 한자 어휘의 활용이 적절하지 <u>않은</u> 것은?

① 이 영화에서 중요한 상황 설정은 字幕으로 처리되었다.
② 한복은 우리 민족이 오랫동안 입어 온 고유한 민족 儀裳이다.
③ 대중 매체를 통해 대대적인 弘報를 하자 물건이 불티나게 팔렸다.
④ 김 교수는 시사 토론회 프로그램 제작자로부터 출연 涉外를 받았다.
⑤ 수필은 시나 소설, 戱曲 등 문학의 어느 장르보다도 제재가 다양하다.

[11~18] 다음 글을 읽고 물음에 답하시오.

> 醫女大長今醫術이 ㉠稍優於其類라. 故로 方出入大內而看病焉이라.
>
> 壬辰에 倭將沙阿可劍이 ㉡歸命本朝하여 屢立功하니 ㉢賜姓名金忠善이라 하다.
>
> 茶母叱曰: "㉣朝令何如而身爲班하여 犯禁은 ㉤何也오?"

11 윗글에 쓰인 한자의 독음이 바르지 <u>않은</u> 것은?

① 稍 (초)   ② 類 (류)   ③ 將 (장)
④ 歸 (귀)   ⑤ 叱 (타)

12 ㉠에 대한 설명으로 바르지 <u>않은</u> 것은?

① 稍는 '조금'의 뜻이다.
② 優는 '낮다'는 의미이다.
③ 於는 '~에게'라는 뜻이다.
④ 풀이 순서는 '4-5-3-1-2'이다.
⑤ '그 무리보다 조금 나았다'라고 풀이한다.

서술형
13 ㉡의 의미를 쓰시오.

출제 유력
14 ㉢ 앞에 생략된 주어로 알맞은 것은?

① 다모   ② 신하
③ 임금   ④ 대장금
⑤ 사아가검

15 ㉣의 의미로 알맞은 것은?

① 조정의 싸움   ② 조정의 법령
③ 조정의 무서움   ④ 조정의 구성원
⑤ 조정의 어지러움

16 ㉤과 바꾸어 쓸 수 <u>없는</u> 것은?

① 豈   ② 那   ③ 奈   ④ 奚   ⑤ 之

17 윗글에서 임진왜란 때 우리나라로 귀화한 장수는?

① 醫女   ② 茶母   ③ 本朝
④ 大長今   ⑤ 沙阿可劍

18 다음 풀이에 해당하는 부분을 윗글에서 찾아 한자로 쓰시오.

> 신분은 양반이 되다.

함께하는 프로젝트

○ 교과서 71쪽

"역사 속 인물과 떠나는 시간 여행 - 5분 동영상 만들기"

역사 속 인물과 함께 시간 여행을 떠나 보자. 내가 과거로 가도 좋고, 그 인물이 현재로 와도 좋다. 상상 속 사건을 통해 역사 속 인물과 서로 도움을 주고받으면서 시대를 초월한 삶의 지혜를 공유해 보자.

| 활동 목표 | 시대를 초월한 삶의 지혜 공유하기

| 준비물 |

▲ 동영상 기능이 있는 휴대전화

▲ 동영상 기능이 있는 디지털카메라

▲ 캠코더

| 활동 방법 |

1. 역사 속 인물과 시대 배경 선정하기

2. 자료 수집 및 대본 작성하기

3. 장면 구성 및 역할 분담하기

4. 동영상 촬영 및 편집하기

5. 상영 및 감상하기

> **도움말** 최근 제작된 드라마나 영화에 등장하는 인물을 선정하도록 한다. ⑩ 드라마 「달의 연인」의 '고려 4대왕 광종', 영화 「사도」의 '사도세자' 등

| 예시 | **"다모"**

'나'를 깨우는 포졸 1

나: 여기가 어디지? (정신을 차리며) 조선 시대로 온 건가?

포졸 1: (나를 흔들며) 아니 신참이 아직도 자고 있으면 어떡해? 남산골에서 사건이 벌어졌다고!

나: (옆에 있는 포졸 옷을 걸친다.)

• 장소: 포도청 마구간
• 소품: 한복

다모를 따라나서는 '나'와 포졸

포졸 1: 저기 있는 다모를 따라가자고! 가서 수사해야지.

나: (계속 어리둥절한 채 따라간다.)

함께 수사 중인 다모와 '나'

다모: 사건 현장이 처음이시오?

나: 실제로는 처음이지만 셜록을 좋아해서 현장 보존을 해야 한다는 건 잘 알고 있습니다.

• 장소: 지저분한 창고
• 효과음: 「셜록」의 배경 음악

발자국을 발견한 다모와 '나'

다모: 서로구? 특이한 이름이오. 아, 여기!

나: 발자국이군요. (돋보기를 안주머니에서 꺼낸다.)

• 소품: 발자국 모양

스스로 평가하기	개인 평가표		모둠 평가표	
잘된 부분		수행 과정	인물의 특징과 시대상을 정확하게 파악하였는가?	☆☆☆☆☆
			모둠원의 역할 분담이 공평하게 이루어졌는가?	☆☆☆☆☆
아쉬운 부분		결과물	창의적이고 완성도 있는 결과물을 제시하였는가?	☆☆☆☆☆
			매체의 특성을 활용하여 효과적으로 전달하였는가?	☆☆☆☆☆

스스로 완성하는
마무리 ○ 교과서 72, 73쪽

1단계 정리하기

1. 한자와 어휘

방인, 경황막지소위 • 旁人, 驚惶莫知所爲.: 곁의 사람들이 놀라 당황하여 할 바를 알지 못했다.
　　　　　　　　　　　　 ~하다

명조, 능전사불착 • 明朝, 能傳寫不錯.: 다음 날 아침에 옮겨 베껴서 틀리지 않을 수 있었다.
　　　　　　　　　 아침

조령하여이신위반, 범금, 하야 • 朝令何如而身爲班, 犯禁, 何也?: 조정의 법령이 어떠한데 신분은 양반이 되어서
　　　　　　　　 조정
금지령을 어긴 것은 어째서인가?

2. 품사의 종류와 활용

(1) 품사의 종류

- 실사: 단독으로 어휘적 의미를 가짐. 예 명사, 대명사, 수사, 동사, 형용사, 부사

- 허사: 문법적 의미만을 나타냄. 예 개사, 접속사, 어조사, 감탄사
  제 위 기 중 소 가　　비 용 우 성 화 지 역
  예 製爲起重小架, 俾用于城華之役.: 기중소가를 지어 만들어 수원에 성을 쌓는
  　　　　　　　　　　~에(개사)　~하는(어조사)
  일에 쓰이게 하였다.

(2) 품사의 활용
사 위 포 와 이 하 복
예 蛇爲捕蛙而下腹.: 뱀이 개구리를 잡기 위해 배에서 내려왔다.
　　　　　　　内려오다

3. 문장의 구조와 문장 성분의 생략

김 성 기 학 금 어 왕 세 기
(1) 문장의 구조: 金聖器 學 琴 於王世基: 김성기가 왕세기에게 거문고를 배웠다.
　　　　　　　　주어＋서술어＋목적어＋보어

(2) 문장 성분의 생략: 屢立功, 賜姓名. → 주어 생략
　　　　　　　　　　두 립 공　사 성 명
(사아가검이) 여러 차례 공을 세웠으니 (임금이) 성과 이름을 하사하였다.

2단계 점검하기

1. 어휘와 그 뜻을 바르게 연결해 보자.

(1) 智慧 •　　　• ㉮ 지진의 진원 바로 위에 있는 지점
　　지 혜
(2) 音階 •　　　• ㉯ 사물의 이치를 빨리 깨닫고 사물을 정확하게 처리하는 정신적 능력
　　음 계
(3) 震央 •　　　• ㉰ 일정한 음정의 순서로 음을 차례로 늘어놓은 것
　　진 앙

2. 빈칸에 알맞은 한자를 써 보자.

(1) 旁人, 驚惶莫知所爲.: 곁의 사람들이 놀라 당황하여 할 바를 알지 못했다.
　　 방 인　경 황 막 지 소 위
(2) 琴師金聖器, 學琴於王世基.: 금사 김성기가 왕세기에게 거문고를 배웠다.
　　금 사 김 성 기　학 금 어 왕 세 기
(3) 城, 以石築, 所須唯石.: 성은 돌로써 쌓으니 필요한 것은 오직 돌뿐이다.
　　성　이 석 축　소 수 유 석
(4) 壬辰, 倭將沙阿可劍, 歸命本朝.: 임진년에 왜나라 장수 사아가검이 본조(조선)로
　　임 진　왜 장 사 아 가 검　귀 명 본 조
목숨을 의탁하였다.

응용하기

도움말

1. 어휘의 쓰임

소 · 所: ① 것 ② 바(일의 방법이나 방도) ③ 곳, 일정

탄 · 彈: ① 탄환 ② 연주하다 ┌참┐ ┌삼┐

· 參: ① 참고하다 ② 셋

고 · 故: ① 옛날 ② 일부러 ③ 사건 ④ 까닭 ⑤ 죽은 사람

위 · 爲: ① 하다 ② 되다 ③ 삼다

[1~4] 다음 글을 읽고 물음에 답하시오.

(가) 晝寢於廳, 有大蛇盤於腹上, 旁人, 驚惶莫知㉠所爲. 吏房之子, 年
　　　주침어청 유대사반어복상 방인 경황막지 소위 이방지자 연
　　十三, 爲通引, 爲午飯而出, 見其像, 遂捕大蛙數十, ㉮擲之於前, 蛇爲
　　십삼 위통인 위오반이출 견기상 수포대와수십 　척지어전 사위
　　捕蛙而下腹.
　　포와이하복

(나) 聖器夜夜來, 附王家窓前, ⓐ竊聽, 明朝, 能傳寫不錯. 王固疑之, 乃夜
　　　성기야야래 부왕가창전 절청 명조 능전사불착 왕고의지 내야
　　㉡彈琴, 曲未半, 瞥然拓窓, 聖器驚墮於地. 王乃大奇之, 盡以所著授之.
　　탄금 곡미반 별연탁창 성기경타어지 왕내대기지 진이소저수지

(다) 今取古人遺意, ㉢參以新制, 製爲起重小架, 俾用于城華之役. 姑取其粗
　　　금취고인유의 　참이신제 제위기중소가 비용우성화지역 고취기조
　　淺易知者, 聊試之矣. 兹開列作圖如左, 一曰架, 二曰橫梁.
　　천이지자 요시지의 자개열작도여좌 일왈가 이왈횡량

(라) 醫女大長今醫術, 稍優於其類, ㉣故, 方出入大內而看病焉.
　　　의녀대장금의술 초우어기류 　고 방출입대내이간병언

(마) 茶母叱曰: "朝令何如而身㉤爲班, 犯禁, 何也?"
　　　다모질왈 조령하여이신 위반 범금 하야

1. ㉠~㉤의 뜻이 알맞게 연결된 것은? ⑤

① ㉠ 所: 곳 → ~할 것(바)　　소 ✕
② ㉡ 彈: 탄환 → 연주하다　　탄 ✕
③ ㉢ 參: 셋 → 참고하다　　삼. 참 ✕
④ ㉣ 故: 옛날 → 그러므로　　고 ✕
⑤ ㉤ 爲: 되다　　위

(마): 다모가 꾸짖으며 말하였다. "조정의 법령이 어떠한데 신분은 양반이 되어서 금지령을 어긴 것은 어째서인가?"

2. 품사의 활용

절 · 竊: ① 훔치다 ② 몰래

2. ⓐ의 품사로 알맞은 것은? ③

① 명사　　② 동사　　③ 부사　　④ 대명사　　⑤ 형용사

竊聽은 '몰래 듣다'의 뜻이다. 따라서 여기서 竊의 뜻은 '몰래'이며, 품사는 부사이다.

3. ㉮에 쓰인 허사에 ○ 표시를 해 보자.

擲之㉮前, 蛇爲捕蛙㉲下腹.
척지어전 사위포와이하복

於는 어조사, 而는 접속사이다.

범금　하야
4. 犯禁, 何也?: 금지령을 어긴 것은 어째서인가?

서술형

다 모
4. (마)를 읽고 茶母가 했던 일을 설명해 보자.

법령을 어긴 원인 조사(심문 수사)

(마): 다모가 꾸짖으며 말하였다. "조정의 법령이 어떠한데 신분은 양반이 되어서 금지령을 어긴 것은 어째서인가?"

마무리 자기 평가

이 단원에서 배운 내용을 스스로 평가해 보자.

점검 항목	잘함	보통	노력 필요	찾아보기 ↻
· 문장에 쓰인 품사를 구별할 수 있다.				48, 54, 60, 66쪽
· 문장의 구조와 문장 성분의 생략을 알 수 있다.				50쪽
· 글에 나타난 선인들의 지혜와 사상 등을 통해 바람직한 가치관을 알 수 있다.				48, 54, 60, 66쪽

도움말 대단원 학습이 끝나면 대단원 학습 목표에 해당하는 질문에 답하며 자신의 학업 성취도를 스스로 점검해 본다. 성취 목표에 도달하지 못한 경우에는 제시된 위치로 돌아가서 내용을 다시 읽고 공부하도록 한다.

06. 소년, 이웃을 살린 지혜

01 다음 한자와 뜻이 비슷한 한자로 알맞은 것은?

> 恐

① 寢　② 睡　③ 鎭　④ 惶　⑤ 壓

02 한자의 음과 부수의 연결이 바른 것은?

① 獻 (헌) [犬]　② 行 (수) [宀]
③ 機 (계) [木]　④ 策 (속) [竹]
⑤ 捕 (포) [甫]

03 다음 뜻 풀이에 해당하는 한자 어휘를 〈보기〉에서 찾아 쓰시오.

> (가) 미리 헤아려 짐작함.
> (나) 어떤 일이 일어나기 전에 미리 앞을 내다보고 아는 지혜
> (다) 사물의 이치를 빨리 깨닫고 사물을 정확하게 처리하는 정신적 능력

> 보기
>
> 豫測　智慧　先見之明

[04~06] 다음 글을 읽고 물음에 답하시오.

> 晝寢於廳할새 ㉠有大蛇盤於腹上이어늘 旁人이 驚惶莫知所爲러라. 吏房之子가 年十三에 爲通引한데 ㉡爲午飯而出이라가 見其像하고 遂捕大蛇數十하야 擲㉢之於前하니 蛇爲捕蛙而下腹이러라.

04 ㉠에서 허사를 찾아 쓰시오.

05 ㉡에서 세 번째로 풀이되는 한자는?

① 爲　② 午　③ 飯　④ 而　⑤ 出

06 ㉢이 가리키는 것으로 알맞은 것은?

① 晝寢　　② 大蛙　　③ 吏房
④ 通人　　⑤ 下服

07. 김성기, 소리에 대한 열정

07 다음 한자의 공통되는 부수로 알맞은 것은?

> 誕　諾　譜

① 若　② 普　③ 言　④ 延　⑤ 古

08 〈조건〉을 모두 만족하는 한자로 알맞은 것은?

> 조건
> • 음은 '음'이다.
> • 뜻은 '소리'이다.

① 樂　② 音　③ 飮　④ 陰　⑤ 奏

09 다음 설명에 해당하는 한자 어휘로 알맞은 것은?

> 일정한 음정의 순서로 음을 차례로 늘어놓은 것

① 編曲　　② 作詞　　③ 演奏
④ 音階　　⑤ 伴奏

[10~12] 다음 글을 읽고 물음에 답하시오.

琴師金聖器가 學琴於王世基할새 每遇新聲하면 王輒秘不傳授러라. 聖器夜夜來하여 附王家窓前하여 竊聽하고 明朝에 能傳寫不錯이러라. ㉠王固疑之하여 乃夜彈琴이라가 曲未半에 瞥然拓窓하니 ㉡聖器驚墮於地러라. 王乃大奇之하여 盡以所著授㉢之하니라.

출제 유력

10 ㉠의 문장 구조를 쓰시오.

11 ㉡의 풀이 순서로 알맞은 것은?

① 聖器 → 驚 → 墮 → 於 → 地
② 聖器 → 墮 → 驚 → 於 → 地
③ 聖器 → 墮 → 驚 → 地 → 於
④ 聖器 → 驚 → 地 → 於 → 墮
⑤ 地 → 驚 → 墮 → 於 → 聖器

12 ㉢이 가리키는 것으로 알맞은 것은?

① 거문고 ② 가야금 ③ 김성기
④ 김천택 ⑤ 왕세기

---

08. 다산, 그리고 조선의 르네상스

13 다음을 모두 만족하는, ㉠에 들어갈 한자로 알맞은 것은?

- 음은 '목'이다
- 부수는 牛, 총획은 8획이다.

① 牧 ② 牛 ③ 犬 ④ 羊 ⑤ 鳥

14 한자 어휘의 독음이 바르지 않은 것은?

① 儀軌 (의궤) ② 苗木 (묘목)
③ 登載 (등재) ④ 牧民心書 (흠흠신서)
⑤ 軍事戰略家 (군사 전략가)

[15~17] 다음 글을 읽고 물음에 답하시오.

㉠城은 以石築하니 所須唯石이라. 非石之艱이요 唯起石與運石이 洵費力而糜財라. 今取古人遺意하고 參以新制하여 製爲起重小架하여 俾用于城華之役이라. 姑取其㉡粗淺易知者하여 聊試之矣라. 玆開列作圖如左하니 一曰架요 二曰橫梁이라.

15 ㉠에서 허사를 찾아 쓰시오.

출제 유력

16 ㉡의 의미로 가장 알맞은 것은?

① 익숙하고 완전한 것
② 미숙하나 완전한 것
③ 초보적이고 간단한 것
④ 완결되고 전문적인 것
⑤ 불완전하나 전문적인 것

17 윗글에 대한 설명으로 알맞은 것은?

① 성은 돌이 아닌 벽돌로 쌓았다.
② 성을 쌓을 때 돌을 구하는 것이 가장 중요하다.
③ 다산은 결국 기중소가(起重小架)를 만들지 못했다.
④ 기중소가(起重小架)는 성을 쌓는 일에 쓰이지 못했다.
⑤ 다산은 옛사람이 남긴 뜻을 취하여 새로 것을 제작하였다.

09. 대장금, 현대에도 살아 있는 옛사람들

18 자전에서 한자를 찾을 때, ㉠에 들어갈 한자를 쓰시오.

	부수	玉
【 ㉠ 】	총획	10획

자원 칼로 쪼개어 천자가 제후에게 증표의 옥을 나누어 주다의 뜻에서, '나누다'의 뜻을 나타냄.

19 다음 한자와 부수가 같은 한자로 알맞은 것은?

優 介 僅 像

① 劇 ② 茶 ③ 殉 ④ 件 ⑤ 潛

출제 유력
20 다음 설명에 해당하는 한자 어휘로 알맞은 것은?

연극, 영화, TV 드라마 등에서 전반적인 사항을 총괄하는 사람이다.

① 藝術人 ② 演出家 ③ 行政家
④ 技術者 ⑤ 建築家

[21~23] 다음 글을 읽고 물음에 답하시오.

醫女大長今醫術이 ㉠稍優於其類라. 故로 方出入大內而看病焉이라.

壬辰에 倭將沙阿可劍이 歸命本朝하여 屢立功하니 賜姓名金忠善이라 하다.

茶母叱曰: "朝令何如而㉡身爲班하여 犯禁은 何也오?"

21 ㉠에서 가장 마지막으로 풀이되는 한자는?

① 稍 ② 優 ③ 於 ④ 其 ⑤ 類

22 ㉡의 뜻으로 알맞은 것은?

① 몸 ② 자기 ③ 자신
④ 신체 ⑤ 신분

23 윗글에 대한 이해로 바른 것은?

① 대장금은 처음부터 뛰어난 의녀였다.
② 대장금의 의술은 무리들과 비슷하였다.
③ 대장금은 대전의 안에서 간병하지 못하였다.
④ 사아가검(沙阿可劍)은 본래 일본 사람이었다.
⑤ 다모가 법을 위반하여 양반에게 꾸지람을 들었다.

대단원 복합 문제

[24~26] 다음 글을 읽고 물음에 답하시오.

(가) ㉠旁人이 驚惶莫知所爲라.
(나) ㉡吏房之子가 年十三에 爲㉢通引한데
(다) 晝寢於廳할새 有大蛇盤於㉣腹上이어늘
(라) 擲之於前하니 蛇爲捕蛙而下腹이러라.
(마) 爲午飯而出이라가 見㉤其像하고 遂捕大蛙數十하야

24 ㉠~㉤ 중, 다음 설명에 해당하는 한자 어휘로 알맞은 것은?

조선 시대에 관아 소속으로 잔심부름을 하던 사람

① ㉠ ② ㉡ ③ ㉢ ④ ㉣ ⑤ ㉤

서술형
25 (라)를 풀이하고, 허사를 모두 찾아 쓰시오.

26 (가)~(마)를 이야기의 전개 순서에 맞게 배열한 것은?

① (가) → (나) → (다) → (라) → (마)
② (나) → (가) → (다) → (라) → (마)
③ (다) → (가) → (나) → (라) → (마)
④ (다) → (가) → (나) → (마) → (라)
⑤ (라) → (가) → (나) → (마) → (다)

[27~32] 다음 글을 읽고 물음에 답하시오.

> (가) 茶母叱曰 : "㉠朝令何如而身爲班하여 犯禁은 何也오?
>
> (나) 今取古人遺意하고 參以新制하여 製爲起重小架하여 俾用于城華之役이라.
>
> (다) ㉡醫女大長今㉢醫術이 稍優於其類라. 故로 方出入大內而看病焉이라.
>
> (라) 壬辰에 倭將沙阿可劍이 歸命㉣本朝하여 屢立功하니 賜姓名金忠善이라 하다.
>
> (마) 聖器夜夜來하여 附王家窓前하여 竊聽하고 明朝에 能傳寫不錯이러라. 王固疑之하여 乃夜㉤彈琴이라가 ㉥曲未半에 瞥然拓窓하니 聖器驚墮於地러라. ㉦王乃大奇之하여 盡以所著授之하니라.

27 윗글에 등장하는 인물을 가리키는 한자 어휘와 음이 바르지 <u>않은</u> 것은?

① 茶母(다모)　　② 長今(장금)
③ 聖基(성기)　　④ 金忠善(김충선)
⑤ 沙阿可劍(귀명본조)

28 ㉠~㉤ 중, 단어의 짜임이 <u>다른</u> 하나는?

① ㉠　② ㉡　③ ㉢　④ ㉣　⑤ ㉤

29 ㉥에 대한 설명으로 바르지 <u>않은</u> 것은?

① 曲은 '노래'의 뜻이다.
② 未半은 '반도 되지 않다'라고 해석한다.
③ 瞥然의 의미는 '갑자기'이다.
④ 拓의 음은 '척', 뜻은 '넓히다'이다.
⑤ 窓의 음은 '창', 뜻은 '창문'이다.

30 ㉦과 문장의 구조가 같은 것은?

① 犯禁, 何也?　　② 身爲班.
③ 歸命本朝.　　④ 聖器夜夜來.
⑤ 王固疑之.

31 (가)~(마) 중, 다음 그림과 관련 있는 글로 알맞은 것은?

① (가)　② (나)　③ (다)　④ (라)　⑤ (마)

32 (가)~(마) 중, 다음 내용과 관련 있는 글로 알맞은 것은?

> 조선 시대에 최흥효(崔興孝)라는 서예가가 있었는데, 그는 늘 왕희지(王羲之)의 글씨를 연습하였다. 어느 날 과거 시험장에서 답안지를 쓰는데, 한 글자가 왕희지의 글씨와 같게 써진 기쁨에 답안지를 제출하지 않고 집에 가져와 버렸다. 그는 이러한 열정으로 훌륭한 서예가가 되었다.

① (가)　② (나)　③ (다)　④ (라)　⑤ (마)

III. 마음을 울리는 노래

한시(漢詩)는 자신의 정서와 사상을 한자(漢字)로 표현한 시를 말한다. 한시는 제재가 다양하고, 압축된 표현과 정제된 형식 안에 감정과 정취를 표현한 것이 특징으로, 세련되고 예술적 가치가 높은 시 양식이다. 이 단원에서는 다양한 내용과 형식의 한시를 감상하면서 그 속에 담긴 시인의 마음을 헤아려 보고, 한시의 아름다움을 느껴 보자.

| 이 단원에서 배울 내용 |

• 글의 의미가 잘 드러나도록 바르게 소리 내어 읽는다.
• 글을 바르게 풀이하고 내용과 주제를 설명한다.
• 한시의 형식과 그 특징 및 시상 전개 방식을 통해 내용을 이해하고 감상한다.
• 한자로 이루어진 일상용어를 맥락에 맞게 활용한다.
• 한자로 이루어진 다른 교과 학습 용어를 맥락에 맞게 활용한다.

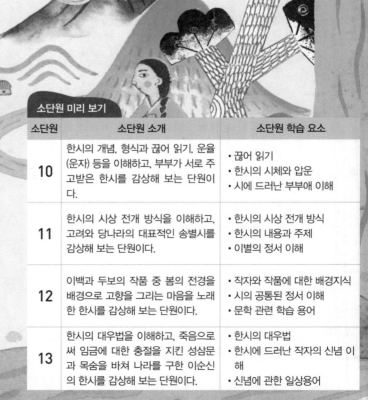

소단원	소단원 소개	소단원 학습 요소
10	한시의 개념, 형식과 끊어 읽기, 운율(운자) 등을 이해하고, 부부가 서로 주고받은 한시를 감상해 보는 단원이다.	• 끊어 읽기 • 한시의 시체와 압운 • 시에 드러난 부부애 이해
11	한시의 시상 전개 방식을 이해하고, 고려와 당나라의 대표적인 송별시를 감상해 보는 단원이다.	• 한시의 시상 전개 방식 • 한시의 내용과 주제 • 이별의 정서 이해
12	이백과 두보의 작품 중 봄의 전경을 배경으로 고향을 그리는 마음을 노래한 한시를 감상해 보는 단원이다.	• 작자와 작품에 대한 배경지식 • 시의 공통된 정서 이해 • 문학 관련 학습 용어
13	한시의 대우법을 이해하고, 죽음으로써 임금에 대한 충절을 지킨 성삼문과 목숨을 바쳐 나라를 구한 이순신의 한시를 감상해 보는 단원이다.	• 한시의 대우법 • 한시에 드러난 작자의 신념 이해 • 신념에 관한 일상용어

소단원 미리 보기

IO. 어느 부부의 사랑 노래

II. 이별의 슬픔과 아쉬움

I2. 고향을 그리는 마음

I3. 고난 속에 빛나는 충절

IO
어느 부부의 사랑 노래
○ 교과서 75쪽

| 생각을 여는 활동 |

● 한시에 대한 설명이다. 활동에 따라 표시해 보자.

한시는 예로부터 생각과 감정을 한자로 표현해 온 시 양식으로, 한 구(句)가 다섯 글자로 이루어진 오언시와 한 구(句)가 일곱 글자로 이루어진 칠언시가 있다. 한 구의 자수에 따라 다음과 같이 끊어 읽을 수 있음에 유의하여, 제시된 한시에 끊어 읽기 표시(/)를 해 보자.

2자와 3자로 끊어 읽기 ┄┄ 뜰의 풀은 본래 심은 것이 아니요, 4자와 3자로 끊어 읽기 ┄┄ 손자가 밤마다 독서를 않는구나.

五言詩
오언시

庭草本非種, 정초본비종
春風自發生. 춘풍자발생

┄ 봄바람에 저절로 돋은 것이라네.
– 이수익, 「정초교취(庭草交翠)」
뜰의 풀이 비췻빛으로 물듦.

七言詩
칠언시

孫子夜夜讀書不, 손자야야독서불
祖父朝朝藥酒猛. 조부조조약주맹

할아버지께서는 아침마다 약주
– 채수·무일의 시 를 많이 드시네요.

현대 국문 시처럼 한시도 운율 있는 韻文으로, 특정한 구의 끝자리에 중성과 종성의 글자를 운자로 배치한다. 제시된 한시에서 운자에 ○ 표시를 해 보자.
한시의 운으로 다는 글자 ┄ 운문: ① 일정한 운자(韻字)를 달아 지은 글 ② 시의 형식으로 지은 글 ③ 언어의 배열에 일정한 규율 또는 운율이 있는 글

섬이 날 가두고
회오리바람으로 날 가두고

원산도 앞에는 삽시도
삽시도 앞에는 녹도

파도가 날 가두고
피 몽둥이 바람으로 날 가두고 [후략]
– 홍희표, 「섬에 누워」

□: 충청남도 보령시 오천면에 속하는 섬. 안면도 남쪽에 있음.

→ 동일한 구절이 일정한 위치에서 규칙적으로 반복된다.

一家生三子, 일가생삼자: 한집에 세 아이가 태어났는데.
中者兩面平, 중자양면평: 가운데 놈은 양면이 평평하네.
隨風先後落, 수풍선후락: 바람 따라 앞서거니 뒤서거니 떨어지니.
難弟亦難兄. 난제역난형: 아우라 하기도 어렵고 또한 형이라 하기도 어렵네.
– 이산해, 「一殼三栗」일각삼률
하나의 밤송이 세 톨의 밤

→ 한시의 운자는 대체로 짝수 구의 끝 글자에 다는데, 첫째 구의 끝 글자에도 달 수 있다.

학습 계획 세우기
도움말 한시의 형식, 끊어 읽기, 운율을 알아보는 활동을 통해 소단원 학습에 대한 자신의 배경지식을 활성화한다. 또 이를 바탕으로 소단원에서 어떤 내용을 공부할지 스스로 계획을 세워 본다.

● 위 활동을 바탕으로 스스로 학습 계획을 세워 보자.
나는 이 단원에서 _____ 예 한시의 형식, 끊어 읽기, 운자 _____ 을/를 공부하겠다.

한자 모아 보기 자신이 알고 있는 한자에 ✓ 표시를 해 보자.

한자	음	뜻	부수	획수	총획	한자	음	뜻	부수	획수	총획	한자	음	뜻	부수	획수	총획
猛	맹	사납다	犬(犭)	8	11	隨	수	따르다	阜(阝)	13	16	栗	률	밤	木	6	10
韻	운	음운	音	10	19	殼*	각	껍질	殳	8	12						

新 한자 모아 보기

한자	음	뜻	부수	획수	총획
盆*	분	동이	皿	4	9
醪*	료	막걸리	酉	11	18
煖*	난	따뜻하다	火	9	13
菊	국	국화	艸(艹)	8	12
臺	대	대	至	8	14

어느 부부의 사랑 노래 ○ 교과서 76, 77쪽

아내와 떨어져 있게 된 남편이 추운 날 집에 남아 있는 아내를 생각하며 시를 지어 술과 함께 보내니, 아내 또한 남편의 방이 따뜻한지 염려하고 술을 보내 준 것에 감사하는 답시를 보내었다. 남편과 아내가 주고받은 시를 통해 드러난 부부애를 느껴 보자.

• 형식: 오언 절구
• 주제: 아내를 염려하는 남편의 마음

~로써 (수단) 술지게미를 걸러 낸 탁주 ~에(장소)

以 母 酒 一 盆 送 于 家 모주 한 동이를 집에 보내며
이 모 주 일 분 송 우 가
써 어머니 술 하나 동이 보내다 어조사 집 유희춘

① 아래
② 내리다 차다 = 寒(한) ↔ 煖(난)
○: 운자

雪 下／風 增 冷 하니, [기] 날씨 묘사
설 하 풍 증 랭
눈 내리다 바람 더욱 차갑다

당신, 그대 →煖房(난방)

思 君／坐 冷 房 이라. [승] 아내를 생각하는 마음
사 군 좌 랭 방
생각 그대 앉다 차갑다 방

此 醪／雖 品 下 이나, [전] 아내에게 보내는 모주
차 료 수 품 하
이 막걸리 비록 물건 아래

① 발
② 넉넉하다

亦 足／煖 寒 腸 이리라. [결] 아내가 따뜻하게 지내길 바라는 마음
역 족 난 한 장
또 넉넉하다 따뜻하다 차다 창자

『미암일기』

◆ 스스로 확인

이 시에서 아내가 있는 장소를 알 수 있는 2글자로 된 한자 어휘는 무엇인가?

冷房
냉방

눈 내리고 바람 더욱 차가우니,
찬 방에 앉아 있을 그대 생각하오.
이 술이 비록 품질은 낮지만,
또한, 차가운 속을 데우기에는 충분할게요.

학습 요소

・형식: 오언 절구
・주제: 남편이 보낸 술에 대한 감사

부인: 남의 아내를 높여 이르는 말. 또는 사대부 집 안의 남자가 자기 아내를 이르던 말

夫人和詩
부　인　화　시
지아비　사람　화답하다　시

부인이 화답한 시

송덕봉

菊葉/雖飛雪이나,　[기] 날씨 묘사
국　엽　수　비　설
국화　잎　비록　날다　눈

→ 冷房(냉방)

: 운자

1)
銀臺/有煖房가?　[승] 남편을 생각하는 마음
은　대　유　난　방
은　대　있다　따뜻하다　방

寒堂/溫酒受하니,　[전] 남편에게 받은 모주
한　당　온　주　수
차다　집　따뜻하다　술　받다

채우다 ≒ 足(족)
多謝/感充腸이라.　[결] 남편에게 받은 모주에 대한 고마움
다　사　감　충　장
많다　감사하다　느끼다　채우다　창자

『미암일기』

국화 꽃잎이 비록 눈발에 날리나,
은대에는 따뜻한 방 있겠지요?
추운 집에서 따뜻한 술 받으오니,
속을 채우는 느낌에 매우 고마워요.

✏ 스스로 확인

두 시의 작자는 서로 어떤 관계인가?

부부(夫婦)

1) 은대(銀臺): 승정원의 별칭

・**유희춘**(柳希春, 1513~1577): 조선 선조 때의 문신. 자는 인중(仁仲), 호는 미암(眉巖)
・**송덕봉**(宋德峯, 1521~1578): 미암 유희춘의 아내
・**『미암일기**(眉巖日記)』: 조선 선조 때의 유희춘(柳希春)의 친필 일기

스스로 다지는
본문
● 교과서 78쪽

母酒(모주): 술지게미를 걸러 낸 탁주

下(하):
① 아래 예 零下영하 ┐
② 내리다 예 下車하차: 타고 있던 차에서 내림. ┘
섭씨온도계에서, 눈금이 0℃ 이하의 온도

君(군): 당신, 그대

足(족):
① 발 예 足球족구 ┐
② 넉넉하다 예 充足충족 ┘
발로 공을 차서 네트를 넘겨 승부를 겨루는 경기
① 넉넉하여 모자람이 없음. ② 일정한 분량을 채워 모자람이 없게 함.

✚ 어휘 더하기
- 뜻이 상대되는 한자로 이루어진 어휘
  - 冷溫냉온 / 夫婦부부 / 緩急완급
  - 騰落등락 / 需給수급
  ① 느림과 빠름. ② 일의 급함과 급하지 않음.
  찬 기운과 따뜻한 기운을 아울러 이르는 말
  수급: 수요와 공급을 아울러 이르는 말
  물가 따위가 오르고 내림.
- 뜻이 비슷한 한자로 이루어진 어휘
  - 寒冷한랭 / 鋼鐵강철 / 抗拒항거
  - 慙愧참괴 / 怠慢태만 / 牽引견인
  순종하지 아니하고 맞서서 반항함.
  날씨 따위가 춥고 참.
  ① 탄소의 함유량이 0.035~1.7%인 철 ② 아주 단단하고 굳센 것을 비유적으로 이르는 말
  매우 부끄러워함.
  열심히 하려는 마음이 없이 게으름.
  견인: 끌어서 당김.

新 한자 모아 보기

한자	음	뜻	부수	획수	총획
零	령	떨어지다, 영	雨	5	13
緩	완	느리다	糸	9	15
騰	등	오르다	馬	10	20
需	수	쓰이다	雨	6	14
鋼	강	강철	金	8	16
抗	항	겨루다	手(扌)	4	7
拒	거	막다	手(扌)	5	8
慙	참	부끄럽다	心	11	15
愧	괴	부끄러워하다	心(忄)	10	13
怠	태	게으르다	心	5	9
慢	만	거만하다, 게으르다	心(忄)	11	14
牽	견	끌다	牛	7	11
敦	돈	도탑다	攵	8	12
般	반	가지, 일반	舟	4	10
押	압	누르다, 맞추다	手(扌)	5	8

5 1 2 3 4 8 7 6
以母酒一盆送于家
이 모 주 일 분 송 우 가
모주 한 동이를 집에 보내며

1 2 3 4 5
雪下/風增冷하니,
설 하 풍 증 랭
눈 내리고 바람 더욱 차가우니,

5 4 3 1 2
思君/坐冷房이라.
사 군 좌 랭 방
찬 방에 앉아 있을 그대 생각하오.

1 2 3 4 5
此醪/雖品下이나,
차 료 수 품 하
이 술이 비록 품질은 낮지만,

1 5 4 2 3
亦足/煖寒腸이리라.
역 족 난 한 장
또한, 차가운 속을 데우기에는 충분할게요.

1 2 3 4
夫人和詩
부 인 화 시
부인이 화답한 시

1 2 3 5 4
菊葉/雖飛雪이나,
국 엽 수 비 설
국화 꽃잎이 비록 눈발에 날리나,

1 2 3 5 4
銀臺/有煖房가?
은 대 유 난 방
은대에는 따뜻한 방 있겠지요?

1 2 3 4 5
寒堂/溫酒受하니,
한 당 온 주 수
추운 집에서 따뜻한 술 받으오니,

4 5 3 2 1
多謝/感充腸이라.
다 사 감 충 장
속을 채우는 느낌에 매우 고마워요.

〔감상 더하기〕
승정원에 속하여 왕명의 출납을 맡아보던 정삼품의 당상관
조선 시대에 왕명의 출납을 맡아보던 관아
관아에 들어가 차례로 숙직함.

미암이 승지(承旨)로 승정원에 입직(入直)한 지 엿새째 되는 날, 미안한 마음을 담아 아내에게 모주와 함께 보낸 시가 「以母酒一盆送于家」이다. 이에 아내가 남편의 사랑을 느끼면서 和答한 시가 「夫人和詩」이다. 특히 아내가 남편이 보낸 시의 운자를 자신의 시에서도 동일하게 압운하여 고마운 마음을 드러내고 있어 敦篤한 부부의 정을 느낄 수 있다.
화답: 시(詩)나 노래에 응하여 대답함.
돈독: 도탑고 성실함.

〔똑똑한 지식〕

① 한시의 형식과 끊어 읽기
평측이나 자수에 제한이 없어 비교적 자유로운 형식의 한시
구 수(句 數), 자수, 평측 등에 대한 엄격한 규칙이 있는 한시

당나라 이전에 지어진 시를 고체시, 이후에 지어진 시를 근체시라 한다. 고체시는 구수, 자수, 운율 등에 대한 규칙이 비교적 자유로우나 근체시는 이와 같은 규칙이 엄격하다. 근체시에는 4구로 이루어진 절구(絶句)와 8구로 이루어진 율시(律詩)가 있다. 五言詩는 다섯 글자로 이루어진 시로 오언 절구와 오언 율시가 있고, 七言詩는 일곱 글자로 이루어진 시로 칠언 절구와 칠언 율시가 있다. 一般的으로 한시에서 오언시는 2자와 3자, 칠언시는 4자와 3자로 끊어 읽고 풀이한다.
일반적: 일부에 한정되지 아니하고 전체에 걸치는. 또는 그런 것

② 한시의 운율
운: 한자의 음절에서 성모(聲母: 중국어 음절의 앞부분. 우리나라 말의 초성에 해당하는 부분임)를 제외한 부분

한시에서 특정한 구의 끝자리를 韻이 같은 글자[운자(韻字)]로 맞추는 것을 押韻法이라 한다. 운자는 발음에서 초성을 제외하고 중성과 종성의 발음이 서로 같거나 비슷한 글자들을 말한다. 운자는 대체로 짝수 구의 끝 글자에 다는데, 첫째 구의 끝 글자에도 달 수 있다.

압운법

오언 절구 운자	칠언 절구 운자
○○/○○◑	○○○○/○○◑
○○/○○●	○○○○/○○●
○○/○○○	○○○○/○○○
○○/○○●	○○○○/○○●

120 Ⅲ. 마음을 울리는 노래

◀ 비익조

▼ 연리지

寶物 제260호로 지정된 『미암일기』는 조선 중기의 학자이자 문신인 미암 유희춘이 관료 생활을 하며 약 11년에 걸쳐 쓴 일기이다. 그중 1책은 그의 일기이고, 1책은 자신과 부인 송씨의 시문을 모은 附錄이다.

└ 보물: ① 썩 드물고 귀한 가치가 있는 보배로운 물건 ② 예로부터 대대로 물려 오는 귀중한 가치가 있는 문화재

└ 직업적인 관리

└ 부록: 본문 끝에 덧붙이는 기록

『미암일기』에는 당시의 정치, 경제, 社會 상황뿐만 아니라 풍속, 날씨, 疾病의 자세한 증상, 가족들의 꿈풀이, 妾과의 사이에서 난 딸들의 혼인을 걱정하는 이야기 등이 기록되어 있다. 특히 미암과 아내 송덕봉이 주고받은 편지에는 관료 생활로 객지에 떠나 있는 남편의 건강을 염려하는 부인의 마음, 홀로 있을 아내를 걱정하는 남편의 마음 등이 담겨 있는데, 이를 통해 부부간의 애틋한 愛情을 느낄 수 있다.

└ 사회: 같은 무리끼리 모여 이루는 집단

└ 질병: 몸의 온갖 병

└ 첩: 정식 아내 외에 데리고 사는 여자

└ 애정: ① 사랑하는 마음 ② 남녀 간에 서로 그리워하는 마음. 또는 그런 일

└ 금슬: 거문고와 비파를 아울러 이르는 말. '금실'의 원말. 거문고와 비파가 서로 어울리는 모양처럼 잘 어울리는 부부 사이의 두터운 정과 사랑을 비유적으로 이르는 말임. 늑금실지락(琴瑟之樂), 이성지락(二姓之樂)

유희춘과 아내 송덕봉과 같이 혼인으로 맺어진 다정한 부부 사이를 말할 때 흔히 琴瑟이 좋다고 말한다. 금(琴)은 다섯 줄, 일곱 줄로 된 거문고이고, 슬(瑟)은 열다섯, 열아홉의 줄로 이루어진 거문고의 일종으로 금(琴)보다 훨씬 크다.

또한, 옛사람들이 부부 금슬이나 남녀 간의 사랑을 노래할 때 언급했던 말로 比翼鳥와 連理枝가 있다. 비익조는 암수의 눈과 날개가 각각 하나씩 이어서 짝을 짓지 않으면 날지 못한다는 전설상의 새이고, 연리지는 두 나무의 가지가 서로 맞닿아서 결이 서로 통한 것이다.

└ 비익조

└ 연리지

◀ 금슬

新 **한자 모아 보기**

한자	음	뜻	부수	획수	총획
寶	보	보배	宀	17	20
社	사	모이다	示	3	8
疾	질	병	疒	5	10
妾	첩	첩	女	5	8
翼	익	날개	羽	11	17
燭	촉	촛불	火	13	17
丈	장	어른	一	2	3
姪	질	조카	女	6	9
姻	인	혼인	女	6	9
戚	척	친척	戈	7	11
幣	폐	화폐, 비단	巾	12	15
帛	백	비단	巾	5	8
偶	우	짝	人(亻)	9	11
偕	해	함께	人(亻)	9	11
穴	혈	구멍	穴	0	5

| 혼인 관련 용어 |

활동 빈칸에 알맞은 음을 쓰고, 풀이를 바르게 연결해 보자.

① 華燭 (화·촉)

② 丈人 (장·인)

③ 姪婦 (질·부)

④ 姻戚 (인·척)

⑤ 幣帛 (폐·백)

⑥ 配偶者 (배·우·자)

⑦ 偕老同穴 (해·로·동·혈)

㉮ 혼인에 의하여 맺어진 친척

㉯ 아내의 아버지

㉰ 조카의 아내를 부르는 말

㉱ 빛깔을 들인 밀초. 흔히 혼례 의식에 씀.
└ 밀랍으로 만든 초

㉲ 남편 쪽에서는 아내를, 아내 쪽에서는 남편을 이르는 말

㉳ 생사를 같이하자는 부부의 굳은 맹세를 이르는 말

㉴ 신부가 처음으로 시부모를 뵐 때 큰절을 하고 올리는 물건

[1~4] 다음 글을 읽고 물음에 답하시오.

(가) ㉠雪下風增冷, ㉡思君坐冷房.
　　　설 하 풍 증 랭　　　사 군 좌 랭 방
　　　此醪雖品下, 亦足煖寒腸.
　　　차 료 수 품 하　　　역 족 난 한 장

(나) 菊葉雖飛雪, 銀臺有煖房?
　　　국 엽 수 비 설　　　은 대 유 난 방
　　　寒堂溫酒受, 多謝感充腸.
　　　한 당 온 주 수　　　다 사 감 충 장

[풀이]
(가) 눈 내리고 바람 더욱 차가우니,
찬 방에 앉아 있을 그대 생각하오.
이 술이 비록 품질은 낮지만,
또한, 차가운 속을 데우기에는 충분할게요.

(나) 국화 꽃잎이 비록 눈발에 날리나,
은대에는 따뜻한 방 있겠지요?
추운 집에서 따뜻한 술 받으오니,
속을 채우는 느낌에 매우 고마워요.

도움말

운자: 특정한 구의 끝 자리를 운이 같은 글자로 맞추는 것을 압운법이라 한다. 이때 압운 된 글자를 운자라고 하는데, 운자는 중성과 종성의 발음이 서로 같거나 비슷한 글자들을 말한다.

1. (가)와 (나)의 운자를 각각 찾아 써 보자.

 (가) 冷, 房, 腸 (나) 房, 腸

(가)에서는 冷(냉), 房(방), 腸(장)이, (나)에서는 房(방), 腸(장)이 중성과 종성의 발음이 비슷한 운자이다.

2. ㉠과 ㉡에 끊어 읽기 표시를 하고, 시구를 바르게 풀이해 보자.

㉠ 雪下風增冷: (눈) 내리고 (바람) 더욱 차가우니,
㉡ 思君坐冷房: (차가운(찬)) 방에 앉아 있을 (그대) 생각하오.
　　　　　　　　　　　　　　　　　　　　　또는 너(임)

3. (나)에서 아내 송덕봉이 남편 유희춘으로부터 받은 것을 찾아 써 보자.

 (溫)酒 또는 따뜻한 술

제3구(전구)에서 찾을 수 있다.

[창의형]

4. (가)와 (나)는 남편 유희춘과 아내 송덕봉이 주고받은 시이다. 각자가 남편과 아내의 입장이 되어 서로에게 사랑의 편지를 써 보자.

남편이 아내에게 보내는 사랑의 편지

[예시 답안] 여보, 회식이 끝난 후 집에 오늘 길에 당신이 좋아하는 딸기 아이스크림을 사 왔는데, 당신은 아이들을 재우다가 함께 잠들었네요. 일하느라 아이들 돌보랴 언제나 고생이 많아서 항상 마음이 아파요. 내일은 토요일이니 늦잠도 자고 오후까지 푹 쉬어요. 아이들은 내가 챙길 테니 걱정 말아요.

아내가 남편에게 보내는 사랑의 편지

[예시 답안] 일어나서 물을 마시려고 부엌에 갔다가 당신이 냉장고 문에 붙여 놓은 메모를 봤어요. 내가 좋아하는 것을 지금도 잊지 않았네요. 게다가 당신도 늦게까지 일하느라 힘들 텐데 나한테 쉴 시간을 주려고 아이들과 외출까지 하다니 정말 고마워요. 우리 앞으로도 서로 위하며 행복하게 살아요.

도움말 소단원 학습이 끝나면 소단원 학습 목표에 해당하는 질문에 답하며 자신의 학업 성취도를 스스로 점검해 본다. 성취 목표에 도달하지 못한 경우에는 제시된 위치로 돌아가서 내용을 다시 읽고 공부하도록 한다.

소단원 자기 점검 배운 내용에 관해 자기 점검을 하면서 학업 성취도 도달 정도를 확인해 보자.

[별이 3개 이하인 경우] • 교과서 78쪽 '똑똑한 지식' 다시 읽기

점검 항목	평가
• 한시를 끊어 읽을 수 있는가?	☆☆☆☆☆
• 한시의 시체와 압운을 이해할 수 있는가?	☆☆☆☆☆
• 화답 시를 통해 부부애를 느낄 수 있는가?	☆☆☆☆☆

[별이 3개 이하인 경우] • 교과서 76~78쪽 다시 읽기

소단원 스스로 정리

1. 한자

猛 (맹) 사납다 [犬(犭)]

韻 (　) 음운 [音] ❶

隨 (수) 따르다 [阜(阝)]

殼* (각) 껍질 [殳]

栗 (률) [木] ❷

盆* (분) 동이 [皿]

醪* (료) 막걸리 [酉]

煖* (난) 따뜻하다 [　] ❸

菊 (국) 국화 [艸(艹)]

臺 (대) 대 [至]

零 (령) 떨어지다, 영 [雨]

緩 (　) 느리다 [糸] ❹

騰 (등) 오르다 [馬]

需 (수) 쓰이다 [雨]

鋼 (　) 강철 [金] ❺

抗 (항) 겨루다 [手(扌)]

拒 (거) (　) [手(扌)] ❻

慙 (참) 부끄럽다 [心]

愧 (괴) 부끄러워하다 [心(忄)]

怠 (태) 게으르다 [心]

慢 (만) 거만하다, 게으르다 [心(忄)]

牽 (견) 끌다 [牛]

敦 (　) 도탑다 [攴(攵)] ❼

般 (반) 가지, 일반 [舟]

押 (압) 누르다, 맞추다 [手(扌)]

寶 (보) 보배 [宀]

(사) 모이다 [示] ❽

疾 (질) 병 [　] ❾

妾 (첩) 첩 [女]

翼 (익) 날개 [羽]

燭 (촉) 촛불 [火]

丈 (　) 어른 [一] ❿

姪 (질) 조카 [女]

姻 (인) (　) [女] ⓫

戚 (척) 친척 [戈]

幣 (폐) 화폐, 비단 [巾]

帛* (백) 비단 [巾]

偶 (우) (　) [人(亻)] ⓬

偕* (해) 함께 [人(亻)]

穴 (혈) 구멍 [穴]

2. 본문

❶(　) 下風增冷(설하풍증랭)하니,

思 ❸(　) 坐冷房(사군좌랭방)이라.

此醪雖品 ❹(　)(차료수품하)이나,

亦足煖寒腸(역족난한장)이리라.

눈 내리고 ❷(　)(　) 더욱 차가우니,

찬 방에 앉아 있을 그대 생각하오.

이 술이 비록 품질은 낮지만,

또한, ❺(　)(　)(　) 속을 데우기에는 충분할게요.

菊葉雖 ❻(　)雪(국엽수비설)이나,

銀臺有煖房(은대유난방)가?

寒堂溫酒受(한당온주수)하니,

多謝感充 ❾(　)(다사감충장)이라.

국화 꽃잎이 비록 눈발에 날리나,

은대에는 ❼(　)(　)(　) 방 있겠지요?

추운 ❽(　)에서 따뜻한 술 받으오니,

속을 채우는 느낌에 매우 고마워요.

3. 한시의 형식과 끊어 읽기, 한시의 운율

(1) 오언시: 다섯 글자로 이루어진 시로 오언 ❶(　)(　)와/과 오언 ❷(　)(　)이/가 있음. 2자와 3자로 끊어 읽고 풀이함.

(2) 칠언시: 일곱 글자로 이루어진 시로 칠언 절구와 칠언 율시가 있음. ❸(　)자와 (　)자로 끊어 읽고 풀이함.

(3) ❺(　)(　)(　): 특정한 구의 끝자리를 韻(운)이 같은 글자[운자(韻字)]로 맞추는 것

4. 어휘 - 혼인 관련 용어

- 華燭(❶□□): 빛깔을 들인 밀초. 흔히 혼례 의식에 씀.
- ❷□□(장인): 아내의 아버지
- 姪婦(질부): 조카의 아내를 부르는 말
- 姻戚(인척): 혼인에 의하여 맺어진 친척
- ❸□□(폐백): 신부가 처음으로 시부모를 뵐 때 큰절을 하고 올리는 물건

- 配偶者(❹□□□): 남편 쪽에서는 아내를, 아내 쪽에서는 남편을 이르는 말
- 偕老同穴(해로동혈): 생사를 같이하자는 ❺□□의 굳은 맹세를 이르는 말

쪽지 시험

01 다음 한자의 공통되는 뜻을 쓰시오.

牽　引

02 밑줄 친 한자의 음과 뜻을 쓰시오.

充足

(1) 음:

(2) 뜻:

03 다음과 같은 뜻을 가진 단어를 〈보기〉에서 찾아 한자 어휘와 독음을 쓰시오.

(1) 날씨 따위가 춥고 참.
(2) 남편과 아내를 아울러 이르는 말
(3) 순종하지 아니하고 맞서서 반항함.

보기
夫婦　寒冷　抗拒

04 다음과 같은 뜻을 가진 한자 어휘를 한자로 쓰시오.

(1) 도탑고 성실함.: □□

(2) 물가 따위가 오르고 내림.: □□

(3) 수요와 공급을 아울러 이르는 말: □□

(4) 열심히 하려는 마음이 없고 게으름.: □□

(5) 느림과 빠름. 또는 일의 급함과 급하지 않음.
　　　　　　　　　　　　　　　 : □□

(6) 남편 쪽에서는 아내를, 아내 쪽에서는 남편을 이르는 말: □□□

05 한시의 형식을 바르게 연결하시오.

(1) 五言詩 ・

(2) 七言詩 ・

(3) 押韻法 ・

・㉠ 일곱 글자로 이루어진 시

・㉡ 특정한 구의 끝 자리를 韻이 같은 글자로 맞추는 것

・㉢ 다섯 글자로 이루어진 시

01 한자의 음과 뜻이 바른 것은?

① 猛 (맹) 사납다　② 韻 (음) 음운
③ 隨 (종) 따르다　④ 栗 (속) 밤
⑤ 菊 (국) 매화

02 자전에서 자음색인으로 한자를 찾을 때, 첫 번째로 오는 것은?

① 臺　② 零　③ 騰　④ 需　⑤ 鋼

03 다음 설명에 해당하는 한자로 알맞은 것은?

부수	火	• 뜻 1. 촛불
총획	17획	2. 등불
		3. 비추다

① 燭　② 偶　③ 穴　④ 戚　⑤ 幣

04 뜻이 상대되는 한자의 연결이 바른 것은?

① 幣-帛　② 社-會　③ 疾-病
④ 夫-婦　⑤ 愛-情

05 부수가 나머지와 다른 하나는?

① 憨　② 愧　③ 怠　④ 慢　⑤ 緩

06 빈칸에 공통으로 들어갈 한자로 알맞은 것은?

| 零□ | □車 |

① 姻　② 寶　③ 抗　④ 下　⑤ 足

07 한자 어휘의 독음이 바른 것은?

① 附錄 (기록)　② 丈人 (장로)
③ 姪婦 (질녀)　④ 和答 (화해)
⑤ 敦篤 (돈독)

08 글의 내용으로 보아 빈칸에 들어갈 한자 어휘로 알맞은 것은?

거문고와 비파를 아울러 이르는 말로, 혼인으로 맺어진 다정한 부부 사이를 말할 때 흔히 '□□이 좋다.'고 말한다. 거문고와 비파 소리의 어울림이 좋다는 데에서 부부 사이의 두터운 정과 사랑을 비유적으로 이를 때 쓰는 말이다.

① 琴瑟　② 牽引　③ 緩急
④ 需給　⑤ 抗拒

09 한자 어휘의 활용이 알맞지 않은 것은?

① 곡물 가격이 기후에 따라 騰落하였다.
② 친구의 소개로 좋은 配偶者를 만났다.
③ 冷溫한 겨울바람이 쉼 없이 불고 있다.
④ 사랑하는 사람과 평생을 偕老할 것이다.
⑤ 이모는 한복을 곱게 입고 幣帛을 드렸다.

10 다음 그림에 해당하는 한자 어휘를 한자로 쓰시오.

11 다음 시의 소재로 알맞은 것은?

> 一家生三子, 中者兩面平.
> 隨風先後落, 難弟亦難兄.

① 栗　② 醪　③ 菊　④ 草　⑤ 風

12 오언 절구의 운자가 반드시 위치해야 할 곳을 '●'로 바르게 표시한 것은?

① ○○○○●
　○○○○●
　○○○○●
　○○○○●

② ○○○○●
　○○○○○
　○○○○○
　○○○○●

③ ○○○○○
　○○○○○
　○○○○●
　○○○○●

④ ○○○○○
　○○○○○
　○○○○●
　○○○○○

⑤ ○○○○○
　○○○○●
　○○○○○
　○○○○●

[13~20] 다음 시를 읽고 물음에 답하시오.

> (가) 雪下風增冷하니,
> 思 ㉠ 坐冷房이라.
> 此醪雖品下이나,
> 亦㉡足煖寒腸이리라.
>
> (나) ㉢菊葉雖飛雪이나,
> 銀臺有煖房가?
> ㉣寒堂溫酒受하니,
> 多謝感充腸이라.

13 ㉠에 들어갈 한자로 알맞은 것은?

① 是　② 此　③ 君　④ 吾　⑤ 其

14 밑줄 친 足의 의미가 ㉡과 다른 하나는?

① 不足　② 充足　③ 滿足
④ 手足　⑤ 豐足

15 ㉢의 끊어 읽기 표시가 알맞은 것은?

① 菊/葉雖飛雪　② 菊葉/雖飛雪
③ 菊葉雖/飛雪　④ 菊葉雖飛/雪
⑤ 菊葉/雖飛/雪

16 ㉣과 뜻이 상대되는 한자로 알맞은 것은?

① 雪　② 冷　③ 下　④ 煖　⑤ 多

17 (나)의 계절적 배경을 알 수 있는 시어로 알맞은 것은?

① 菊葉　② 飛雪　③ 銀臺
④ 煖房　⑤ 溫酒

18 (가)와 (나)의 공통되는 운자를 모두 찾아 쓰시오.

19 밑줄 친 한자에 유의하여 다음을 풀이하시오.

(1) 雪下:
(2) 品下:

20 (가)와 (나)에 대한 설명으로 바르지 않은 것은?

① (가)의 시에 화답한 시가 (나)이다.
② 두 시의 형식과 계절적 배경이 같다.
③ (가)의 작자는 은대에서 근무하고 있다.
④ 돈독한 부부 사이의 정을 느낄 수 있다.
⑤ (나)의 작자가 (가)의 작자에게 국화로 술을 담아 보냈다.

출제 유형

• 다음 설명에 해당하는 한자 어휘로 알맞은 것은?
• 한자의 뜻으로 알맞은 것은?
• 다음 어휘와 관련 있는 한자로 알맞은 것은?

11

이별의 슬픔과 아쉬움

○ 교과서 81쪽

| 생각을 여는 활동 |

┌ 시문: 시가와 산문을 아울러 이르는 말

• 고려 시대에 詩文으로 명성을 다투던 정지상과 김부식의 일화를 읽고, 빈칸을 채워 보자.

┌ 연루: 남이 저지른 범죄에 연관됨.

정지상은 묘청의 난에 緣累되어 김부식에게 죽임을 당했다. 김부식이 정지상을 죽이고 난
뒤, 어느 봄날의 풍경을 '柳色千絲綠, 桃花萬點紅.'이라고 읊었다.

그러자 문득 공중에서 정지상의 귀신이 나타나 김부식의 뺨을 때리며, "이 엉터리 같은 놈아,
네가 무슨 재주로 버들가지가 천 가지인지 복숭아꽃이 만 송이인지 세어 보았다는 것이냐? 시를
쓰려면 '柳色絲絲綠, 桃花點點紅.'이라고 써야지."라고 했다.

고려 인종 때의 승려(?~1135). 도참설로 중앙 정계에 진출하여, 서경 천도 따위의 개혁 정치와 금국 정벌론을 주장하다가 반대에 부딪치자 난을 일으켰으나 실패하였음.

고려 인종 때의 문신, 시인(?~1135). 초명은 지원(之元). 호는 남호(南湖). 묘청의 난에 연루되어 김부식에게 피살되었음. 시에 뛰어난 고려 12시인 중의 한 사람으로 꼽혔으며, 역학과 노장 철학에도 조예가 깊었음. 저서에 『정사간집(鄭司諫集)』이 있음.

고려 시대의 학자, 정치가(1075~1151). 자는 입지(立之). 호는 뇌천(雷川). 묘청의 난을 평정하여 수충정난정국공신(輸忠定難靖國功臣)의 호를 받았으며 인종 23년(1145에 『삼국사기』를 편찬하였음.

柳色千絲綠.(유색천사록)
桃花萬點紅.(도화만점홍)

버들 빛 천 가지 실처럼 푸르고,
복숭아꽃 일만 점 붉구나.

→

柳色絲絲綠.(유색사사록)
桃花點點紅.(도화점점홍)

버들 빛 ❶ (　　　) 푸르고,   ┌ 가지가지 또는 가지마다
복숭아꽃 ❷ (　　　) 붉구나.   └ 송이송이 또는 송이마다

정지상은 "버들 빛 가지가지 푸르고, 복숭아꽃은 송이송이 붉구나."라고 한 글자씩 고쳤을 뿐인
데 시의 분위기는 완전히 바뀌었다. 이처럼 한시에서는 한 글자 한 글자가 모두 소중하다.

이규보, 『백운소설(白雲小說)』

고려 중기의 문신, 문인(1168~1241). 자는 춘경(春卿). 호는 백운거사(白雲居士), 지헌(止軒), 삼혹호선생(三酷好先生). 벼슬은 정당문학을 거쳐 문하시랑평장사 등을 지냈음. 경전(經典)과 사기(史記)와 선교(禪敎)를 두루 섭렵하였고, 호탕 활달한 시풍은 당대를 풍미하였으며 명문장가였음. 저서에 『동국이상국집』, 『백운소설』 따위가 있음.

학습 계획 세우기　도움말　한시의 표현, 시구의 풀이를 알아보는 활동을 통해 소단원 학습에 대한 자신의 배경지식을 활성화한다. 또 이를 바탕으로 소단원에서 어떤 내용을 공부할지 스스로 계획을 세워 본다.

• 위 활동을 바탕으로 스스로 학습 계획을 세워 보자.

나는 이 단원에서 ＿＿＿＿ 예 한시의 표현, 시구의 풀이 ＿＿＿＿ 을/를 공부하겠다.

한자 모아 보기　자신이 알고 있는 한자에 ✔표시를 해 보자.

新

한자	음	뜻	부수	획수	총획	한자	음	뜻	부수	획수	총획
緣	연	인연	糸	9	15	點	점	점	黑	5	17

이별의 슬픔과 아쉬움 ○ 교과서 82, 83쪽

임을 떠나보내는 깊은 슬픔을 그린 시와 사신으로 떠나는 친구를 배웅하는 아쉬운 심경을 드러낸 시를 함께 제시하였다. 한국과 중국에서 각각 이별시의 백미(白眉)로 알려진 두 시를 감상하며 이별의 정경을 상상해 보고, 작자의 마음을 이해해 보자.

新 한자 모아 보기

한자	음	뜻	부수	획수	총획
歇*	헐	그치다	欠	9	13
堤	제	둑	土	9	12
浦	포	물가	水(氵)	7	10
淚	루	눈물	水(氵)	8	11
添	첨	더하다	水(氵)	8	11
渭*	위	강 이름	水(氵)	9	12
裛*	읍	적시다	衣	7	13
塵*	진	티끌	土	11	14

- 형식: 칠언 절구
- 주제: 이별의 슬픔

送人 임을 보내며
송   인
보내다 사람

정지상

많다 → 짙다
●: 운자

雨歇長堤草色多한데, [기] 막 피어나는 봄의 서경
우 헐 장 제 초 색 다
비 그치다 길다 둑 풀 색 많다

선경(先景): 비가 그친 강둑의 풍경 묘사

당신, 그대. 2인칭 대명사 / 움직이다 → 울리다

送君南浦¹⁾動悲歌라. [승] 임을 보내는 슬픔
송 군 남 포 동 비 가
보내다 그대 남포(지명) 움직이다 슬프다 노래

후정(後情): 사랑하는 임을 떠나 보내는 화자의 심정 표현

다하다 → 마르다

大同江²⁾水何時盡고? [전] 이별의 슬픔 심화
대 동 강 수 하 시 진
대동강(강 이름) 물 어느 때 다하다

別淚年年添綠波하니. [결] 이별의 정한과 눈물
별 루 년 년 첨 록 파
헤어지다 눈물 해 해 더하다 푸르다 물결

『동문선』

비 개인 긴 강둑 풀빛 짙은데,
임 보내는 남포에는 슬픈 노래 울리네.
대동강 물은 어느 때 마를꼬?
이별의 눈물 해마다 푸른 물결에 더해지니.

🖉 **스스로 확인**
이 시에서 작자가 사랑하는 임과 이별하고 있는 장소는 어디인가?
南浦(또는 大同江)

1) 남포(南浦): 대동강 주변 나루터
2) 대동강(大同江): 평안남도에서 황해로 흘러드는 강

- **정지상(鄭知常, ?~1135)**: 고려 예종~인종 때의 문신
- **『동문선(東文選)』**: 조선 성종의 명으로 1478년 서거정(徐居正) 등이 중심이 되어 편찬한 우리나라 역대 시문 선집

· 형식: 칠언 절구
· 주제: 친구와의 송별의
  아쉬움

사신 보내다

送元二³⁾ 使安西⁴⁾

원이(元二)를 안서(安西)로 사신 보내며

송 원 이 사 안 서
보내다 원이(지칭 명) 보내다 안서(지명)

왕유

○: 운자

渭城⁵⁾ 朝雨/裛輕塵하니,   [기] 아침 정경 묘사

서경(敍景): 비 온
뒤 푸른 버들잎의
산뜻한 풍경 묘사

위 성 조 우 읍 경 진
위성(지명) 아침 비 적시다 가볍다 티끌

客舍青青/柳色新이라.   [승] 객사 주변의 정경 묘사

객 사 청 청 류 색 신
손 집 푸르다 푸르다 버드나무 색 새롭다

스스로 확인

두 시의 작자가 처해
있는 공통적인 상황은
무엇인가?

이별의 상황

당신, 그대. 2인칭 대명사

① (갱) 다시
② (경) 고치다
③ (경) 시각

勸君更盡/一杯酒하라.   [전] 친구와의 이별에 대한 아쉬움

서정(敍情): 떠나는
친구에게 술을 권하
며 이별을 아쉬워하
는 심정 표현

권 군 갱 진 일 배 주
권하다 그대 다시 다하다 하나 잔 술

다하다 → (마셔서) 비우다

친구

西出陽關⁶⁾/無故人하리니.   [결] 떠나는 친구에 대한 염려

서 출 양 관 무 고 인
서녘 나가다 양관(지명) 없다 옛 사람

『왕우승집』

위성의 아침 비가 가벼운 먼지를 적시니,
객사엔 푸릇푸릇 버들 빛이 새롭네.
그대에게 권하노니 다시 한 잔 술 다 마시게.
서쪽으로 양관을 나서면 친구도 없을 것이니.

3) 원이(元二): 원 씨 집안의 둘째 아들
4) 안서(安西): 중국 감숙성 북서부에 있는 현
5) 위성(渭城): 중국 장안 북서쪽에 있었던 지명
6) 양관(陽關): 중국 감숙성 돈황의 남쪽

[두 시의 공통점] 이별의 상황을 그려 냄. 앞부분에서는 자연의 풍경을 묘사하고,
뒷부분에서는 화자의 심정을 노래함.

· **왕유(王維, 699~759)**: 중국 성당(盛唐)의 시인·화가. 자는 마힐(摩詰)
· 『**왕우승집(王右丞集)**』: 왕유의 문집.

본문
◎ 교과서 84쪽

更: (갱) 다시
고인

故人: 친구
고 인

푸르게 우거진 나무와 향기로운 풀이라는 뜻으로, 여름철의 자연 경관을 이르는 말

부수가 같은 한자 – 艸(⺾) 초

草(초) 풀 예 綠陰芳草 녹음방초
苟(구) 진실로 예 苟且 구차: 말이나 행동이 떳떳하거나 버젓하지 못함.
菌(균) 균 예 病菌 병균: 병의 원인이 되는 균
茫(망) 아득하다 예 茫茫大海 망망대해: 한없이 크고 넓은 바다

➕ 어휘 더하기

• 모양이 비슷한 한자
─堤(제) 둑 예 防波堤 방파제 ← 파도를 막기 위하여 항만에 쌓은 둑
─提(제) 이끌다 예 提携 제휴 ← 행동을 함께하기 위하여 서로 붙들어 도와줌.
─師(사) 스승 예 恩師 은사: 가르침을 받은 은혜로운 스승
─帥(수) 장수 예 總帥 총수 ← 어떤 집단의 우두머리
─波(파) 물결 예 波動 파동: 물결의 움직임
─破(파) 깨뜨리다 예 破裂 파열: 깨어지거나 갈라져 터짐.
─閱(열) 보다 예 閱覽 열람: 책이나 문서 따위를 죽 훑어보거나 조사하면서 봄.
─閏(윤) 윤달 예 閏秒 윤초 ← 세계시(世界時)와 실제 시각과의 오차를 조정하기 위하여 더하거나 빼는 시간

新 한자 모아 보기

한자	음	뜻	부수	획수	총획
艸*	초	풀	艸	0	6
芳	방	꽃답다	艸(⺾)	4	8
苟	구	진실로	艸(⺾)	5	9
菌	균	버섯, 균	艸(⺾)	8	12
茫	망	아득하다	艸(⺾)	6	10
提	제	이끌다	手(扌)	9	12
攜	휴	이끌다	手(扌)	10	13
帥	수	장수	巾	6	9
裂	렬	찢다	衣	6	12
閱	열	보다	門	7	15
覽	람	보다	見	14	21
閏	윤	윤달	門	4	12
秒	초	시간	禾	4	9
肩	견	어깨	肉(月)	4	8
卓	탁	높다	十	6	8
越	월	넘다	走	5	12
敍	서	펴다	攴	7	11
寂	적	고요하다	宀	8	11
趣	취	뜻	走	8	15
轉	전	구르다	車	11	18

---

② ①
送人 임을 보내며
송 인

1 2 3 4 5 6 7
雨歇長堤/草色多한데,
우 헐 장 제 초 색 다
비 개인 긴 강둑 풀빛 짙은데,

1 2 3 4 5
大同江水/何時盡고?
대 동 강 수 하 시 진
대동강 물은 어느 때 마를꼬?

② ① 3 6 4 5
送君南浦/動悲歌라.
송 군 남 포 동 비 가
임 보내는 남포에는 슬픈 노래 울리네.

1 2 3 4 7 5 6
別淚年年/添綠波하니.
별 루 년 년 첨 록 파
이별의 눈물 해마다 푸른 물결에 더해지니.

〔감상 더하기〕

기구와 승구에서는 비가 그친 강둑의 풍경을 묘사하고 있으며, 전구와 결구에서는 사랑하는 임을 떠나보내는 심정을 절묘하게 표현하고 있다. 이는 선경후정(先景後情)의 특징이 잘 드러나 있음을 알 수 있다. 대동강 강둑과 강물의 푸른 색채는 아름다운 배경을 이루지만, 자연의 아름다움은 인간의 슬픔과 대조를 이루어 슬픔의 정서를 부각한다.

작시(作詩)의 한 방법. 먼저 경치에 관한 묘사가 나타나고, 뒤에 정서적인 부분이 나타나게 함.

---

4 1 3 2
送元二使安西 원이(元二)를 안서(安西)로 사신 보내며
송 원 이 사 안 서

1 2 3 6 4 5
渭城朝雨/浥輕塵하니.
위 성 조 우 읍 경 진
위성의 아침 비가 가벼운 먼지를 적시니,

2 1 3 4 5 6 7
客舍青青/柳色新이라.
객 사 청 청 류 색 신
객사엔 푸릇푸릇 버들 빛이 새롭네.

2 1 3 7 4 5 6
勸君更盡/一杯酒하라.
권 군 갱 진 일 배 주
그대에게 권하노니 다시 한 잔 술 다 마시게.

1 3 2 6 4 5
西出陽關/無故人하리니.
서 출 양 관 무 고 인
서쪽으로 양관을 나서면 친구도 없을 것이니.

〔감상 더하기〕

탁월: 남보다 두드러지게 뛰어남.
비견: 앞서거나 뒤서지 않고 어깨를 나란히 한다는 뜻으로, 낫고 못할 것이 없이 정도가 서로 비슷하게 함을 이르는 말

당나라 때 애창되었던 송별의 노래로, 세 번 되풀이하여 부르기 때문에 '위성삼첩(渭城三疊)'이라고도 하였다. 「送人」과 比肩되는 작품으로 '시 속에 그림이 있다'는 詩中有畫의 예술성이 卓越하다. 전반 2구는 敍景으로, 비 온 뒤의 산뜻한 풍경을 묘사하였으며, 후반 2구는 敍情으로 친구와의 이별을 아쉬워하는 심정을 드러내고 있다. 왕유는 전원의 풍경과 閑寂한 情趣, 인간의 자연스러운 애정을 노래하였다.

서경
서정
시중유화: 경치를 교묘하게 묘사한 시(詩)를 칭찬한 말
한적: 한가하고 고요함.
정취: 깊은 정서를 자아내는 흥취

〔똑똑한 지식〕 한시의 시상 전개 방식

絕句 절구	律詩 율시	내용의 변화
起 기	수련(首聯)	시상을 불러일으킴.
承 승	함련(頷聯)	시상을 이어받아 확대하고 발전시킴.
轉 전	경련(頸聯)	시상에 변화를 주어 장면이나 분위기를 비약, 전환시킴.
結 결	미련(尾聯)	전체의 시상을 마무리 지어 끝맺음.

수함경미: 머리-턱-목-꼬리의 순에 비유함.

한문으로
여는
세상

버들가지는
왜 이별을
뜻하게
되었을까

◎ 교과서 85쪽

왕유의 「송원이사안서(送元二使安西)」에 나오는 '柳色新'과 이백의 「춘야낙성문적(春夜洛城聞笛)」에 나오는 '聞折柳'의 공통점은 離別을 상징하는 景物인 '버드나무'와 관련된 표현이라는 것이다. 중국에서는 예로부터 길 떠나는 이에게 折楊柳, 버들가지를 꺾어 주면서 전송하는 풍습이 있었다고 한다.

'버드나무 류(柳)'와 '머물 류(留)'는 발음이 비슷하여, 버드나무 가지를 꺾어 줌으로써 붙잡고 싶은 마음을 나타내고자 한 것이다.

- 유색신: 버들 빛이 새로움.
- 문절류: 절양류(折楊柳: 강변의 버들을 꺾어 떠나는 손님에게 주는 이별의 정경을 노래한 시)의 가락을 들음.
- 경물: 계절에 따라 달라지는 경치
- 이별: 서로 갈리어 떨어짐.
- 절양류: 버드나무 가지를 꺾음.

이별과 치유 시간에 관련한 재미난 실험

이별을 克服하는 방법으로 흔히 "시간이 약이다."라는 말을 한다. 실제로 미국 먼마우스 대학 연구팀은 이별의 고통을 겪은 이별 남녀 155명을 대상으로 6개월간 이별과 치유 시간 사이의 상관관계를 연구한 결과, 시간이 이별의 아픔을 극복하는 데 가장 좋은 약이 될 수 있음을 밝혀냈다.

연구를 이끈 니콜비조코 박사는 "헤어지기 전 남녀의 愛情 정도와 戀愛 기간에 따라 다를 수 있지만, 대략 3개월 정도의 시간이 지나면 이별이 주는 肯定的인 면을 깨닫게 되어 상처를 극복할 수 있다."고 전했다.

『○○○○○신문』, 2016. 7. 1.

- 극복: 악조건이나 고생 따위를 이겨 냄.
- 연애: 남녀가 서로 그리워하고 사랑함.
- 긍정적: ① 그러하거나 옳다고 인정하는. 또는 그런 것 ② 바람직한. 또는 그런 것
- 애정: ① 사랑하는 마음 ② 남녀 간에 서로 그리워하는 마음. 또는 그런 일

| 심리학 관련 용어 |

활동 빈칸에 알맞은 음을 써 보자.

① 模倣(모방): 다른 것을 본뜨거나 본받음.

② 思春期(사춘기): 육체적·정신적으로 성인이 되어 가는 시기

③ 症候群(증후군): 몇 가지 증후가 늘 함께 나타나지만, 그 원인이 명확하지 아니하거나 단일하지 아니한 병적인 증상들을 통틀어 이르는 말
└ 증세

④ 心理的離乳期(심리적 이유기): 성인의 보호·감독·간섭으로부터 벗어나 독립하려는 심리적 경향을 보이는 시기

⑤ 全生涯發達觀點(전 생애 발달 관점): 인간의 발달을 성장과 감소를 포함하여 수정에서부터 죽음에 이르기까지 나이와 함께 발생하는 변화 과정으로 보는 것

⑥ 強迫觀念(강박 관념): 마음속에서 떨쳐 버리려 해도 떠나지 아니하는 억눌린 생각

新 한자 모아 보기

한자	음	뜻	부수	획수	총획
折	절	꺾다	手(扌)	4	7
楊	양	버들	木	9	13
克	극	이기다	儿	5	7
肯	긍	즐기다	肉(月)	4	8
模	모	본뜨다	木	11	15
倣	방	본뜨다	人(亻)	8	10
乳	유	젖	乙(乚)	7	8
涯	애	물가	水(氵)	8	11
迫	박	핍박하다	辵(辶)	5	9

[1~3] 다음 글을 읽고 물음에 답하시오.

(가)
㉠ 大同江水何時盡?
　　대 동 강 수 하 시 진
㉡ 送君南浦動悲歌.
　　송 군 남 포 동 비 가
㉢ 別淚年年添綠波.
　　별 루 년 년 첨 록 파
㉣ 雨歇長堤草色多,
　　우 헐 장 제 초 색 다

(나)
渭城朝雨裛輕塵,
위 성 조 우 읍 경 진
客舍靑靑柳色新.
객 사 청 청 류 색 신
㉮ 勸君更盡一杯酒.
　　권 군 갱 진 일 배 주
西出陽關無故人.
서 출 양 관 무 고 인

[풀이]
(가) 대동강 물은 어느 때 마를꼬?
임 보내는 남포에는 슬픈 노래 울리네.
이별의 눈물 해마다 푸른 물결에 더해지니.
비 개인 긴 강둑 풀빛 짙은데.

(나) 위성의 아침 비가 가벼운 먼지를 적시니.
객사엔 푸릇푸릇 버들 빛이 새롭네.
그대에게 권하노니 다시 한 잔 술 다 마시게.
서쪽으로 양관을 나서면 친구도 없을 것이니.

1. (가)와 (나)의 공통 주제로 적절한 것은? ④

① 愛情
　애정
② 友情
　우정
③ 再會
　재회
④ 送別
　송별
⑤ 背信
　배신

(가)의 주제는 이별의 슬픔, (나)의 주제는 친구와의 송별의 아쉬움

도움말

(가)와 (나)의 후반 2구는 공통으로 이별의 심정을 드러내고 있다.

2. (가)의 시상 전개를 고려하여 ㉠~㉣을 바르게 배열해 보자.

✏️ ㉣, ㉡, ㉠, ㉢

[기] 막 피어나는 봄의 서경 → [승] 임을 보내는 슬픔 → [전] 이별의 슬픔 심화 → [결] 이별의 정한과 눈물

도움말

(가)는 선경후정(先景後情)의 방식으로 시상이 전개되고 있다.

창의형

3. ㉮의 풀이를 참고하여 빈칸을 채워 보자.

㉮의 풀이: 그대에게 권하노니 다시 한 잔 술 다 마시게나.
서쪽으로 양관을 나서면 친구도 없을 것이니.

예시
너에게 학급 단체 사진(을/를) 줄 것이니 잘 간직해라.
동쪽 교문을 나서면 우리(이/가) 없을 것이니.

너에게 　도시락　 (을/를) 줄 것이니 잘 간직해라.
　현관문　 을 나서면 　밥 줄 사람 (이/가) 없을 것이니.

예 컴퓨터용 싸인펜, 버스 문, 문구점

도움말 소단원 학습이 끝나면 소단원 학습 목표에 해당하는 질문에 답하며 자신의 학업 성취도를 스스로 점검해 본다. 성취 목표에 도달하지 못한 경우에는 제시된 위치로 돌아가서 내용을 다시 읽고 공부하도록 한다.

소단원 자기 점검

배운 내용에 관해 자기 점검을 하면서 학업 성취도 도달 정도를 확인해 보자.

[별이 3개 이하인 경우]
• 교과서 84쪽 '똑똑한 지식' 다시 읽기

• 한시의 전개 방식을 이해할 수 있는가? ☆☆☆☆☆
• 한시의 내용과 주제를 말할 수 있는가? ☆☆☆☆☆
• 송별 시에 드러난 공통된 정서를 이해할 수 있는가? ☆☆☆☆☆

[별이 3개 이하인 경우] • 교과서 82~84쪽 다시 읽기

• 한자, 음, 뜻, 부수의 순서로 제시

1. 한자

緣 (연) 인연 [糸]
點 ❶[ ] 점 [黑]
歇* (헐) 그치다 [欠]
堤 (제) 둑 [土]
浦 (포) 물가 [水(氵)]
淚 (루) ❷[ ][ ] [水(氵)]
添 (첨) 더하다 [水(氵)]
渭* (위) 강 이름 [水(氵)]
裛 (읍) 적시다 [衣]
塵* (진) 티끌 [土]
艸* (초) 풀 [艸]
芳 (방) 꽃답다 ❸[ ](艹)
苟 (구) 진실로 [艸(艹)]

菌 (균) 버섯, 균 [艸(艹)]
茫 (망) 아득하다 [艸(艹)]
提 (제) 이끌다 [手(扌)]
攜 (휴) 이끌다 [手(扌)]
帥 ❹[ ] 장수 [巾]
裂 (렬) 찢다 [衣]
閱 (열) 보다 [門]
覽 (람) ❺[ ][ ] [見]
閏 (윤) 윤달 [門]
秒 (초) 시간 [禾]
肩 (견) 어깨 [肉(月)]
❻[ ] (탁) 높다 [十]
越 (월) 넘다 [走]

敍 ❼[ ] 펴다 [攴]
寂 (적) 고요하다 [宀]
趣 (취) 뜻 [走]
轉 (전) 구르다 [車]
折 (절) ❽[ ][ ] [手(扌)]
楊 (양) 버들 [木]
❾[ ] (극) 이기다 [儿]
肯 (긍) 즐기다 [肉(月)]
模 (모) 본뜨다 [木]
倣 (방) 본뜨다 [人(亻)]
乳 ❿[ ] 젖 [乙(乚)]
涯 (애) ⓫[ ][ ] [水(氵)]
⓬[ ] (박) 핍박하다 [辵(辶)]

2. 본문

❶[ ]歇長堤草色多(우헐장제초색다)한데,	비 개인 긴 강둑 풀빛 짙은데,
送君南浦動悲歌(송군남포동비가)라.	임 보내는 남포에는 슬픈 ❷[ ][ ] 울리네.
大同江水❸[ ]時盡(대동강수하시진)고?	대동강 물은 어느 때 마를꼬?
別淚年年添綠波(별루년년첨록파)하니.	❹[ ][ ]의 눈물 해마다 푸른 물결에 더해지니.

渭城❺[ ]雨裛輕塵(위성조우읍경진)하니,	위성의 아침 비가 가벼운 먼지를 적시니,
客舍青青柳色新(객사청청류색신)이라.	객사엔 푸릇푸릇 ❻[ ][ ] 빛이 새롭네.
勸君❼[ ]盡一杯酒(권군갱진일배주)하라.	그대에게 권하노니 다시 한 잔 술 다 마시게.
西出陽關無故人(서출양관무고인)하리니.	서쪽으로 양관을 나서면 ❽[ ][ ]도 없을 것이니.

3. 한시의 시상 전개 방식

絕句	律詩	내용의 변화
❶ [　]	수련 (首聯)	시상을 불러일으킴.
承	❷ [　][　] (頷聯)	시상을 이어받아 확대하고 발전시킴.
轉	경련 (頸聯)	시상에 변화를 주어 장면이나 분위기를 비약, ❸ [　][　] 시킴.
❹ [　]	미련 (尾聯)	전체의 시상을 마무리 지어 끝맺음.

4. 어휘 – 심리학 관련 용어

- 模倣(❶ [　][　]): 다른 것을 본뜨거나 본받음.
- ❷ [　][　][　] (사춘기): 육체적 · 정신적으로 성인이 되어 가는 시기
- 症候群(증후군): 몇 가지 증후가 늘 함께 나타나지만, 그 원인이 명확하지 아니하거나 단일하지 아니한 병적인 증상들을 통틀어 이르는 말
- 心理的離乳期(심리적 이유기): 성인의 보호 · 감독 · 간섭으로부터 벗어나 ❸ [　][　] 하려는 심리적 경향을 보이는 시기
- 全生涯發達觀點(❹ [　] [　][　] 발달 관점): 인간의 발달을 성장과 감소를 포함하여 수정에서부터 죽음에 이르기까지 나이와 함께 발생하는 변화 과정으로 보는 것
- 強迫觀念(❺ [　][　] 관념): 마음속에서 떨쳐 버리려 해도 떠나지 아니하는 억눌린 생각

쪽지 시험

01 다음 한자의 공통되는 뜻을 쓰시오.

> 提　　携

02 다음 한자의 공통되는 부수를 쓰시오.

> 芳　　苟

03 다음과 같은 뜻을 가진 단어를 〈보기〉에서 찾아 한자 어휘와 독음을 쓰시오.

(1) 다른 것을 본뜨거나 본받음.
(2) 성인의 보호 · 감독 · 간섭으로부터 벗어나 독립하려는 심리적 경향을 보이는 시기

> 보기
> 模倣　　心理學的離乳期

04 다음과 같은 뜻을 가진 한자 어휘를 한자로 쓰시오.

(1) 어떤 집단의 우두머리: [　][　]
(2) 파도를 막기 위하여 항만에 쌓은 둑: [　][　][　]
(3) 책이나 문서 따위를 죽 훑어보거나 조사하면서 봄.: [　][　]

05 한시의 시상 전개 방식을 바르게 연결하시오.

(1) 起 • 　　• ㉠ 시상에 변화를 주어 장면이나 분위기를 비약, 전환시킴.

(2) 承 • 　　• ㉡ 시상을 불러일으킴.

(3) 轉 • 　　• ㉢ 시상을 이어받아 확대하고 발전시킴.

(4) 結 • 　　• ㉣ 전체의 시상을 마무리 지어 끝맺음.

01 한자의 뜻이 바른 것은?

① 點: 검다   ② 涙: 새다
③ 浦: 잡다   ④ 芳: 꽃답다
⑤ 添: 이끌다

출제 유력

02 모양이 비슷한 한자를 짝지은 것이다. 뜻의 연결이 바른 것은?

① ┌提: 둑   ② ┌師: 장수
   └堤: 이끌다   └帥: 스승
③ ┌破: 물결   ④ ┌閏: 윤달
   └波: 깨뜨리다   └閱: 보다
⑤ ┌緣: 인연
   └綠: 푸르다

03 자전에서 자음색인으로 한자를 찾을 때, 가장 마지막으로 오는 것은?

① 迫   ② 涯   ③ 乳   ④ 倣   ⑤ 肯

04 다음 어휘와 관련 있는 한자로 알맞은 것은?

버드나무

① 點   ② 涙   ③ 塵   ④ 柳   ⑤ 酒

05 음이 같은 한자의 연결이 바른 것은?

① 芳-倣   ② 楊-柳   ③ 浦-涙
④ 提-携   ⑤ 苟-菌

06 빈칸에 공통으로 들어갈 한자로 알맞은 것은?

☐+象 ⇒ (연) 인연   ☐+工 ⇒ (홍) 붉다

① 人   ② 糸   ③ 水   ④ 心   ⑤ 金

07 빈칸에 들어갈 알맞은 한자를 쓰시오.

중국에서는 예로부터 길 떠나는 이에게 버들 가지를 꺾어 주면서 전송하는 풍습이 있었다고 한다. '버드나무 류 ⓐ'와 '머물 류 ⓑ'는 발음이 비슷하여, 버드나무 가지를 꺾어 줌으로써 붙잡고 싶은 마음을 나타내고자 한 것이다.

08 다음 그림과 관련 있는 한자 어휘로 알맞은 것은?

① 綠陰芳草   ② 茫茫大海
③ 起承轉結   ④ 詩中有畵
⑤ 先景後情

09 다음 설명에 해당하는 한자 어휘로 알맞은 것은?

육체적·정신적으로 성인이 되어 가는 시기

① 模倣   ② 思春期   ③ 離乳期
④ 全生涯   ⑤ 強迫觀念

출제 유력

10 다음 내용에 해당하는 한자 어휘로 알맞은 것은?

먼저 경치에 관한 묘사가 나타나고, 뒤에 정서적인 부분이 나타나게 하는 작시(作詩)의 한 방법

① 敍景   ② 敍情   ③ 押韻法
④ 先景後情   ⑤ 詩中有畵

11 한자 어휘의 활용이 적절하지 <u>않은</u> 것은?

① 病菌에 감염되지 않도록 조심해라.
② 수도관이 波動되어 복도에 물이 넘쳤다.
③ 여고 때의 恩師를 찾아뵈러 학교에 갔다.
④ 그는 톨스토이에 比肩할 만한 소설가이다.
⑤ 그는 도서관에 가서 참고 서적을 閱覽했다.

[12~19] 다음 시를 읽고 물음에 답하시오.

> (가) 雨歇長堤草色多한데, 送君南浦動悲歌라.
> 大同江水何時盡고? ㉠別淚年年添綠波하니.
> (나) 渭城朝雨裛輕塵하니, 客舍青青柳色新이라.
> 勸君更盡一杯酒하라, 西出陽關無㉡故人하리니.

12 위 시에 쓰인 한자 중, 음이 같은 한자의 연결이 바른 것은?

① 草−綠   ② 輕−更   ③ 勸−關
④ 添−波   ⑤ 盡−塵

13 (가)의 운자의 연결이 바른 것은?

① 多−歌   ② 歌−盡   ③ 多−波
④ 多−歌−波 ⑤ 多−歌−盡−波

14 (가)에 대한 이해로 적절한 것은?

① 과장된 표현이 사용되었다.
② 시의 공간적 배경은 알 수 없다.
③ 색채의 대비가 뚜렷하게 나타나 있다.
④ 임금에 대한 충성을 은근히 표현하였다.
⑤ 청각적 심상으로 풍경을 형상화하고 있다.

15 ㉠에서 가장 마지막으로 풀이되는 한자로 알맞은 것은?

① 別   ② 淚   ③ 年   ④ 添   ⑤ 波

16 ㉡의 뜻으로 알맞은 것은?

① 시인   ② 조상   ③ 친구
④ 죽은 사람   ⑤ 같은 고향 사람

17 (나)의 장면을 그림으로 나타낼 때 그리지 <u>않아도</u> 되는 것은?

① 비   ② 강둑   ③ 객사
④ 술잔   ⑤ 버드나무

출제 유력
18 빈칸에 들어갈 알맞은 한자를 쓰시오.

> (나)의 ⓐ구와 ⓑ구는 비 온 뒤 산뜻한 풍경을 묘사하였으며, ⓒ구와 ⓓ구는 친구와의 이별을 아쉬워하는 심정을 잘 드러내고 있다.

출제 유력
19 (가)와 (나)에 대한 설명으로 바르지 <u>않은</u> 것은?

① (가)의 영향을 받아 (나)의 시가 지어졌다.
② (가)와 (나) 모두 離別을 주제로 하고 있다.
③ (가)와 (나) 모두 선경후정의 특징이 드러난다.
④ (가)에서 자연의 아름다움은 인간의 슬픔과 대조를 이룬다.
⑤ (나)는 시 속에 그림이 있다고 할 만큼 예술성이 탁월하다.

출제 유형
- 시구의 풀이로 알맞은 것은?
- 다음 제시어와 관련 있는 인물로 알맞은 것은?

12
고향을 그리는 마음

○ 교과서 87쪽

| 생각을 여는 활동 |

● **이백과 두보의 시 세계와 관련된 글을 읽고, 빈칸에 알맞은 음을 써 보자.**

한시는 중국 당나라 때에 크게 발전하였다. 당시(唐詩)를 대표하는 시인으로는 이백과 두보가 손꼽히며, 사람들은 이 두 시인을 '李杜'라고 부르기도 하였다. 이 두 시인은 優劣을 가리기가 어려울 정도였으며, 그들은 서로를 인정하며 나이를 超越한 우정을 나누었다. 두 사람 모두 많은 한시를 남겼는데, 특히 두보의 시는 조선 시대에 『두시언해(杜詩諺解)』로 飜譯되어 읽히기도 하였다.

- 이두: 이백과 두보를 아울러 이르는 말
- 당시: 중국 당나라 때의 시인들이 지은 시. 이때 5언, 7언의 율시(律詩)와 절구(絶句) 같은 근체시(近體詩)의 양식이 완성되었음.
- 우열: 나음과 못함.
- 초월: 어떠한 한계나 표준을 뛰어넘음.
- 번역: 어떤 언어로 된 글을 다른 언어의 글로 옮김.

이백(李白, 701~762)

자(字)는 태백(太白), 호(號)는 청련거사(淸蓮居士).

이백은 自由奔放하고 낙천적인 성품으로 술과 달을 유난히 좋아하였으며, 이를 소재로 하여 인생과 자연을 노래하였다. 후인들은 그를 '시의 신선'이란 뜻의 '詩仙'이라 부른다.

- 자유분방: 격식이나 관습에 얽매이지 아니하고 행동이 자유로움.
- 시선: 신선의 기풍이 있는 천재적인 시인

이백의 시 세계

(1) 浪漫的(낭 만 적)
(2) 唯美主義(유 미 주 의)
(3) 個人主義(개 인 주 의)

- 낭만적: 현실에 매이지 않고 감상적이고 이상적으로 사물을 대하는. 또는 그런 것
- 유미주의: 아름다움을 최고의 가치로 여겨 이를 추구하는 문예 사조. 19세기 후반 영국을 비롯한 유럽에서 나타났으며, 페이터, 보들레르, 와일드 등이 대표적 인물임. ≒ 탐미주의, 심미주의
- 개인주의: 사회나 국가 따위의 집단보다 개인이 존재에 있어서도 먼저이고, 가치에 있어서도 상위라고 생각하는 사상

두보(杜甫, 712~770)

자(字)는 자미(子美), 호(號)는 소릉(少陵).

두보는 심사숙고하여 엄격한 규칙에 따라 시를 썼다. 두보는 현실의 비참한 실상을 시에 표현하였으며, 그의 시는 중국 고전 시의 전범으로 불린다. 후인들은 그를 '시의 성인'이란 뜻의 '詩聖'이라 부른다.

- 전범: 본보기가 될 만한 모범
- 시성: 고금(古今)에 뛰어난 위대한 시인을 이르는 말

두보의 시 세계

(4) 事實的(사 실 적)
(5) 現實主義(현 실 주 의)
(6) 社會主義(사 회 주 의)

- 사실적: 사물을 있는 그대로 그려 내는. 또는 그런 것
- 현실주의: 현실의 조건이나 상태를 그대로 인정하며 그에 입각하여 사고하고 행동하는 태도
- 사회주의: 사유 재산 제도를 폐지하고 생산 수단을 사회화하여 자본주의 제도의 사회적·경제적 모순을 극복한 사회 제도를 실현하려는 사상. 또는 그 운동. 공산주의, 무정부주의, 사회 민주주의 따위를 포함하는 넓은 개념

학습 계획 세우기

도움말 이백과 두보의 한시 작품을 알아보는 활동을 통해 소단원 학습에 대한 자신의 배경지식을 활성화한다. 또 이를 바탕으로 소단원에서 어떤 내용을 공부할지 스스로 계획을 세워 본다.

● **위 활동을 바탕으로 스스로 학습 계획을 세워 보자.**

나는 이 단원에서 ___예) 이백과 두보의 한시 작품___ 을/를 공부하겠다.

新 한자 모아 보기

자신이 알고 있는 한자에 ✓ 표시를 해 보자.

한자	음	뜻	부수	획수	총획	한자	음	뜻	부수	획수	총획	한자	음	뜻	부수	획수	총획
杜*	두	섬, 막다	木	3	7	超	초	뛰어넘다	走	5	12	奔	분	달리다	大	6	9
劣	렬	못하다	力	4	6	譯	역	번역하다	言	13	20	漫	만	질펀하다, 흩어지다	水(氵)	11	14

출제 유형

- 두 시의 공통되는 주제로 알맞은 것은?
- 위 시에 대한 설명으로 알맞은 것은?
- 다음 내용과 관련 있는 한자 어휘로 알맞은 것은?

新 한자 모아 보기

한자	음	뜻	부수	획수	총획
碧	벽	푸르다	石	9	14
逾	유	더욱	走(辶)	9	12
洛	락	강 이름	水(氵)	6	9
笛	적	피리	竹	5	11

고향을 그리는 마음

○ 교과서 88, 89쪽

눈부시게 아름다운 봄날의 풍경은 고향에 돌아갈 수 없는 나그네의 향수를 더욱 깊게 한다. 고향에 대한 그리움의 정서를 표현한 두 편의 시가 제시되었다. 고향을 그리는 마음을 자연의 모습과 어떻게 대비하여 표현하였는지 살펴보면서 작품을 감상해 보자.

- 형식: 오언 절구
- 주제: 고향으로 돌아가고 싶은 애타는 마음

絕句
절 구
끊다 글귀   두보

(절구: 특별한 제목이 없을 때 한시 형식을 제목으로 붙임.)

색채의 대비

江碧/鳥逾白이요,
강 벽 조 유 백
강 푸르다 새 더욱 희다

[기] 강과 새의 색채 대비

색채의 대비

山青/花欲燃이라.
산 청 화 욕 연
산 푸르다 꽃 하고자하다 타다

●: 운자

[승] 산과 꽃의 색채 대비

今春/看又過하니,
금 춘 간 우 과
이제 봄 보다 또 지나다

[전] 봄이 헛되이 지나감.

何日/是歸年고?
하 일 시 귀 년
어느 날 이 돌아가다 해
└─ ① 이것
   ② 옳다

[결] 고향에 대한 그리움

『전당시』

✎ **스스로 확인**

이 시에서 '碧'과 색채 대비를 이루는 한자는 무엇인가?

白
백

강 푸르니 새 더욱 희고,
산 푸르니 꽃 불타는 듯하네.
올봄도 보고 또 지나가니,
어느 날이 이 몸 돌아갈 해인가?

[배경] 두보는 당시 안녹산의 난을 피해 성도에 머물면서 이 시를 지었는데, 기약 없이 세월만 보내면서 고향에 돌아가지 못하는 것을 매우 안타까워하였으나 결국 죽을 때까지 고향에 돌아가지 못했다.

• 두보(杜甫, 712~770): 중국 당나라 때의 시인

· 형식: 칠언 절구
· 주제: 고향을 그리워하는 마음

春夜洛城[1] 聞笛　봄밤 낙양성에서 피리 소리를 들으며
춘 야　낙 성　문 적
봄　밤　낙성(지명)　듣다 피리　　이백

날다 → 소리가 날려 들린다는 의미
●: 운자

誰家玉笛|暗飛聲고?　[기] 애절하게 들려오는 피리 소리
수 가 옥 적 암 비 성
누구 집 옥 피리 어둡다 날다 소리

散入春風|滿洛城이라.　[승] 봄바람을 타고 낙양성에 가득 찬 피리 소리
산 입 춘 풍 만 낙 성
흩어지다 들다 봄 바람 가득차다 낙성(지명)

此夜曲中|聞折柳[2]하니,　[전] 여러 곡조 중에 「절양류곡」이 들려옴.
차 야 곡 중 문 절 류
이 밤 노래 가운데 듣다 끊다 버들

고향을 그리는 마음 ≒ 鄕愁(향수)

何人不起|故園情고?　[결] 고향에 대한 그리움
하 인 불 기 고 원 정
어느 사람 아니다 일어나다 옛 동산 뜻
『전당시』

스스로 확인

이 시에서 이별할 때 부르는 노래를 의미하는 한자 어휘는 무엇인가?

折柳
절 류

누구 집 옥피리 은은히 소리를 내는가?
봄바람에 날아들어 낙양성에 가득 차네.
이 밤 노래 속에 절양류를 들으니,
누구인들 고향 그리는 마음 생기지 않으리오?

1) 낙성(洛城): 지금의 하남성 낙양시
2) 절류(折柳): 버드나무를 꺾다. 이별할 때 부르는 노래인 折揚柳曲을 뜻함.
　　　　　　　　　　　　　　　　　절 양 류 곡

· **이백**(李白, 701~762): 중국 당나라 때의 시인
· **『전당시(全唐詩)』**: 청(淸) 강희제(康熙帝)의 칙명에 따라 팽정구(彭定求) 등이 당시(唐詩)를 모아 엮은 한시집

碧: 푸르다 ≒ 蒼
벽　　　　창
是: ① 이것 예 是日也放聲大哭
시
　② 옳다 예 是非 시비
　① 옳음과 그름 ② 옳고 그름을 따지는 말다툼
故園情: 고향을 그리는 마음
고 원 정　鄕愁
　　　　　향수

시일야방성대곡: 1905년에 일본의 강요로 을사조약이 체결된 것을 슬퍼하여 장지연이 민족적 울분을 표현한 논설

부수가 같은 한자 - 水(氵)수

滿(만) 차다 예 滿朔 만삭: 아이 낳을 달이 다 참. 또는 달이 차서 배가 몹시 부름.

激(격) 부딪치다 예 激奮 격분: 몹시 흥분함.

湯(탕) 끓다 예 湯器 탕기
국이나 찌개 따위를 떠 놓는 자그마한 그릇

汗(한) 땀 예 汗牛充棟 한우충동
짐으로 실으면 소가 땀을 흘리고, 쌓으면 들보에까지 찬다는 뜻으로, 가지고 있는 책이 매우 많음을 이르는 말

➕ 어휘 더하기

• 한시의 소재 - 새

鳥, 鳳, 鶴, 雁, 鴻 ── 조 새 / 봉 봉황새 / 학 학 / 안 기러기 / 홍 큰 기러기

• 한시의 소재 - 나무

檀, 梨, 桑, 柳, 梅 ── 단 박달나무 / 리 배나무 / 상 뽕나무 / 류 버들(버드나무) / 매 매화(매실나무)

１　２
絕句 (절구: 특별한 제목이 없을 때 한시 형식을 제목으로 붙임.)
절 구

１　２／３　４　５
江碧／鳥逾白이요,
강 벽 조 유 백
강 푸르니 새 더욱 희고,

１　２／３　５　４
山靑／花欲燃이라.
산 청 화 욕 연
산 푸르니 꽃 불타는 듯하네.

１　２／３　４　５
今春／看又過하니,
금 춘 간 우 과
올봄도 보고 또 지나가니,

１　２／３　４　５
何日／是歸年고?
하 일 시 귀 년
어느 날이 이 몸 돌아갈 해인가?

[감상 더하기]

　두보가 안녹산의 난을 피해 성도(成都)에 머물 때 지은 시로, 봄날의 아름다운 풍경을 바라보며 고향에 대한 그리움을 노래하고 있다. 화려한 봄의 정경에서 고향에 대한 애틋한 그리움으로 시상을 발전시킨 선경후정(先景後情)의 構成을 보이며, 기구와 승구에서는 푸른색과 흰색 그리고 붉은색의 선명한 대조로써 봄의 아름다운 풍경을 그려 내고 있다.

구성: 문학 작품에서 형상화를 위한 여러 요소들을 유기적으로 배열하거나 서술하는 일

新 한자 모아 보기

한자	음	뜻	부수	획수	총획
蒼	창	푸르다	艸(艹)	10	14
哭	곡	울다	口	7	10
朔	삭	초하루	月	6	10
激	격	부딪치다	水(氵)	13	16
奮	분	떨치다	大	13	16
湯	탕	끓다	水(氵)	9	12
汗	한	땀	水(氵)	3	6
鳳	봉	봉황새	鳥	3	14
雁	안	기러기	隹	4	12
鴻	홍	큰 기러기	鳥	6	17
檀	단	박달나무	木	13	17
梨	리	배나무	木	7	11
桑	상	뽕나무	木	6	10
梅	매	매화	木	7	11
構	구	얽다	木	10	14

１　２／３　５　４
春夜洛城聞笛　봄밤 낙양성에서 피리 소리를 들으며
춘 야 낙 성 문 적

１　２　３／４　５　７　６
誰家玉笛／暗飛聲고?
수 가 옥 적 암 비 성
누구 집 옥피리 은은히 소리를 내는가?

３　４　１　２／６　５
散入春風／滿洛城이라.
산 입 춘 풍 만 낙 성
봄바람에 날아들어 낙양성에 가득 차네.

１　２　３　４／５　７　６
此夜曲中／聞折柳하니,
차 야 곡 중 문 절 류
이 밤 노래 속에 절양류를 들으니,

１　２　７　６／３　４　５
何人不起／故園情고?
하 인 불 기 고 원 정
누구인들 고향 그리는 마음 생기지 않으리오?

[감상 더하기]

　이백의 나이 35세 때 낙양(洛陽)에서 지은 시이다. 어느 봄밤 누군가가 부는 옥피리 소리가 온 낙양성 안에 은근히 울려 퍼진다. 타향을 떠도는 나그네는 봄이면 고향을 그리워하게 마련인데, 여기에 이별의 정을 나타내는 애절한 피리 곡조가 은은히 들려오니 고향 생각이 더욱 간절해짐을 알 수 있다.

한문으로
여는
세상

일상의
모든 것이
한시의
소재가 되다

○ 교과서 91쪽

물 의 성질은 본디 맑고 서늘한데,　　　　　(水性本淸涼) 수성본청량

어찌하여 뜨거운 물이 솟아나는가?　　　　(胡爲湧熱湯) 호위용열탕

대략 소철(蘇鐵) 나무와 같아 보이지만,　　(較看蘇鐵木) 교간소철목

거슬러 뿜어 나오니 이치를 자세히 알기 어렵네. (洄沴理難詳) 회혈리난상

> 소재: 예술 작품에서 지은이가 말하고자 하는 바를 나타내기 위해 선택하는 재료

위 시는 정백휴의 「온정(溫井)」으로 부산 동래 온천에서 몸을 씻은 다음 지은 작품이다. 이처럼 漢詩의 素材는 일상에서의 경험과 생각을 포함하여 무궁무진하다. 예를 들면 雪糖, 菜蔬, 屏風, 珍貴한 보석, 안경, 식사 예절, 가정의 和睦과 幸福을 바라는 마음 등 일상생활에서 접하는 사물이나 사건, 이에 대한 생각과 감정 등이 모두 한시의 소재가 될 수 있다.

> 진귀: 보배롭고 보기 드물게 귀함.

> 화목: 서로 뜻이 맞고 정다움.

> 행복: ① 복된 좋은 운수 ② 생활에서 충분한 만족과 기쁨을 느끼어 흐뭇함. 또는 그러한 상태

> 설탕: 맛이 달고 물에 잘 녹는 결정체

> 채소: 밭에서 기르는 농작물

> 병풍: 바람을 막거나 무엇을 가리거나 또는 장식용으로 방 안에 치는 물건

- 주제: 예술 작품에서 지은이가 나타내고자 하는 기본적인 사상
- 심상: 감각에 의하여 획득한 현상이 마음속에서 재생된 것
- 운율: 시문(詩文)의 음성적 형식

시의 특징

시 구성의 요소는 **主題**(주제), **心象**(심상), **韻律**(운율)이라고 할 수 있다. 시인이 전달하려는 사상이나 생각은 주제가 되고, 시를 읽을 때 마음속에 떠오르는 감각적인 모습이나 느낌은 심상이 되며, 시에서 일정하게 반복적으로 나타나는 소리의 **規則的**(규칙적)인 가락은 운율이 된다. 또한, 시에 사용된 **詩語**(시어)의 특징은 **含蓄性**(함축성), **音樂性**(음악성), **形象性**(형상성)을 갖는다.

> 규칙적: 일정한 질서가 있거나 규칙을 따르는. 또는 그런 것

> 형상성: 구체성과 진실성을 가지고 인간의 생활을 현실 그대로 그려 내는 문학예술의 특성

- 시어: 시에 쓰는 말. 또는 시에 있는 말
- 함축성: 말이나 글이 많은 뜻을 담고 있는 성질
- 음악성: 음악적인 성질

| 문학 관련 용어 |

활동 ▶ '문학' 관련 한자 어휘의 뜻을 사다리 타기 놀이를 통해 알아보자.

① 誇張 과장 ㉰
② 批評 비평 ㉱
③ 含蓄性 함축성 ㉮
④ 形象性 형상성 ㉲
⑤ 額子小說 액자소설 ㉯
⑥ 勸善懲惡 권선징악 ㉴

㉮ 말이나 글이 많은 뜻을 담고 있는 성질
㉯ 이야기 속에 하나 이상의 내부 이야기를 가진 소설
㉰ 사실보다 지나치게 불려서 나타냄.
㉱ 착한 일을 권장하고 악한 일을 징계함.
㉲ 사물의 옳고 그름, 아름다움과 추함 따위를 분석하여 가치를 논함.
㉴ 구체성과 진실성을 가지고 인간의 생활을 현실 그대로 그려 내는 문학예술의 특성

新 한자 모아 보기

한자	음	뜻	부수	획수	총획
糖	당, 탕	엿	米	10	16
蔬	소	나물	艸(艹)	12	16
屏	병	병풍	尸	8	11
珍	진	보배	玉	5	9
睦	목	화목하다	目	8	13
象	상	본뜨다	豕	5	12
規	규	법	見	4	11
含	함	머금다	口	4	7
蓄	축	모으다, 쌓다	艸(艹)	10	14
誇	과	자랑하다	言	6	13
張	장	베풀다	弓	8	11
批	비	비평하다	手(扌)	4	7
評	평	평하다	言	5	12
額	액	이마, 액자	頁	9	18
懲	징	징계하다	心	15	19

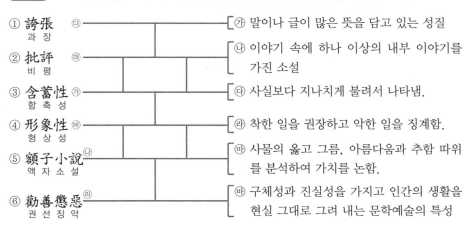

[1~2] 다음 글을 읽고 물음에 답하시오.

(가) ㉠江碧鳥逾白,
　　강 벽 조 유 백
　　㉡山靑花欲燃.
　　산 청 화 욕 연
　　今春看又過,
　　금 춘 간 우 과
　　何日是歸年?
　　하 일 시 귀 년

(나) 誰家玉笛暗飛聲?
　　수 가 옥 적 암 비 성
　　散入春風滿洛城.
　　산 입 춘 풍 만 낙 성
　　此夜曲中聞折柳,
　　차 야 곡 중 문 절 류
　　何人不起故園情?
　　하 인 불 기 고 원 정

[풀이]
(가) 강 푸르니 새 더욱 희고,
산 푸르니 꽃 불타는 듯하네.
올봄도 보고 또 지나가니,
어느 날이 이 몸 돌아갈 해인가?

(나) 누구 집 옥피리 은은히 소리를 내는가?
봄바람에 날아들어 낙양성에 가득 차네.
이 밤 노래 속에 절양류를 들으니,
누구인들 고향 그리는 마음 생기지 않으리오?

---

1. (가)와 (나)에 대한 설명으로 적절하지 않은 것은? ③

① (가)의 작자는 두보이고, (나)는 이백이다.
② (가)의 운자는 燃, 年이고, (나)는 聲, 城, 情이다.
　　　　　　　　　　　연　년　　　　　　　성　성　정
③ (가)의 계절적 배경은 늦여름이고, (나)는 가을에 해당한다.
④ (가)에서는 색채의 대비를 뚜렷하게 나타내어 봄날 풍경을 그리고 있다.
⑤ (나)에서는 청각적 심상을 통해 고향에 대한 그리움을 부각하고 있다.

今春看又過로 미루어 볼 때 (가)의 계절적 배경은 늦봄이고, 散入春風滿洛城으로 미루어 볼 때 (나)의 계절적 배경은 봄이다.

도움말
(가)와 (나)에서는 봄날의 풍경을 바라보며 고향에 대한 그리움을 드러내고 있다.

2. ㉠과 ㉡을 바르게 소리 내어 읽고 풀이해 보자.

㉠ (강벽) / 조유백: 　강　푸르니 (새) 더욱 희고,
㉡ 산청 / (화욕연): (산) 푸르니　꽃　불타는 듯하네.

창의형

3. 〈보기〉는 두보가 이백과 헤어진 후 그를 그리며 지은 시이다. 시에 드러난 두보의 마음을 헤아려 이백에게 편지를 써 보자.

> **보기**
>
> ### 봄날 이백을 추억하며　　　　두보　　(春日憶李白)
> 　　　　　　　　　　　　　　　　　　　　　　　　춘 일 억 이 백
> 이백의 시는 견줄 이가 없으니,　(白也詩無敵)
> 　　　　　　　　　　　　　　　　백 야 시 무 적
> 자유롭게 날아다니니 일반인보다 특출 나며.　(飄然思不群)
> 　　　　　　　　　　　　　　　　　　　　　　표 연 사 불 군
> 맑고 신선함은 육조의 유신과 같고,　(淸新庾開府)
> 　　　　　　　　　　　　　　　　　　청 신 유 개 부
> 우뚝 빼어남은 포조의 품격이라.　(俊逸鮑參軍)
> 　　　　　　　　　　　　　　　준 일 포 참 군
> 위수 북쪽 봄나무에서 하늘을 보니,　(渭北春天樹)
> 　　　　　　　　　　　　　　　　　위 북 춘 천 수
> 그대 계신 장강 동쪽에는 해가 구름에 지겠군요.　(江東日暮雲)
> 　　　　　　　　　　　　　　　　　　　　　　강 동 일 모 운
> 어느 때나 함께 술동이 펼쳐 놓고,　(何時一尊酒)
> 　　　　　　　　　　　　　　　　하 시 일 존 주
> 다시 함께 자세히 시문을 논할꼬?　(重與細論文)
> 　　　　　　　　　　　　　　　중 여 세 론 문

[예시 답안] 형님의 시는 너무나 뛰어나서 마치 자유롭게 날아다니는 듯 보통 사람들 보다 특별합니다. 감히 실력이 비슷한 자를 뽑으라면 유신과 포조 정도 들 수 있을까요? 위수 북쪽에서 나왔다가 봄 하늘을 바라보니 형님 계시는 장강 동쪽에는 해가 구름에 지겠군요. 하늘에 흘러가는 구름을 보니 지난 번 만남이 생각납니다. 우리 언제 다시 만나 술잔 기울이며 다시 한 번 시와 문학을 논할 수 있을까요? 그때까지 건강히 계십시오. 또 편지 드리겠습니다.

*유신(庾信): 유개부(庾開府). 주(周)나라 때 시인

*포조(鮑照): 포참군(鮑參軍). 당나라 때 시인

도움말 소단원 학습이 끝나면 소단원 학습 목표에 해당하는 질문에 답하며 자신의 학업 성취도를 스스로 점검해 본다.
성취 목표에 도달하지 못한 경우에는 제시된 위치로 돌아가서 내용을 다시 읽고 공부하도록 한다.

소단원 자기 점검　배운 내용에 관해 자기 점검을 하면서 학업 성취도 도달 정도를 확인해 보자.

[별이 3개 이하인 경우] • 교과서 90쪽 '감상 더하기' 다시 읽기

• 작자와 작품에 대한 배경지식을 활용할 수 있는가?	☆☆☆☆☆
• 한시의 공통된 정서를 이해할 수 있는가?	☆☆☆☆☆
• 문학과 관련된 학습 용어를 이해할 수 있는가?	☆☆☆☆☆

[별이 3개 이하인 경우] • 교과서 88~90쪽 다시 읽기

[별이 3개 이하인 경우] • 교과서 91쪽 '문학 관련 용어' 다시 읽기

• 한자, 음, 뜻, 부수의 순서로 제시

1. 한자

杜*	(두)	성, 막다 [木]		
劣❶	[ ]	못하다 [力]		
超	(초)	뛰어넘다 [走]		
譯	(역)	번역하다 [ ]❷		
奔	(분)	달리다 [大]		
漫	(만)	질펀하다, 흩어지다 [水(氵)]		
碧	(벽)	[ ][ ][ ]❸ [石]		
逾*	(유)	더욱 [辵(辶)]		
洛*	(락)	강 이름 [水(氵)]		
笛*	(적)	피리 [竹]		
蒼	(창)	푸르다 [艸(艹)]		
哭	[ ]❹	울다 [口]		
朔	(삭)	초하루 [月]		

激	(격)	부딪치다 [水(氵)]
奮	(분)	떨치다 [大]
湯	(탕)	끓다 [水(氵)]
汗	(한)	땀 [ ]❺(氵)
鳳	(봉)	봉황새 [鳥]
雁	(안)	기러기 [隹]
鴻	(홍)	큰 기러기 [鳥]
檀	(단)	박달나무 [木]
梨	[ ]❻	배나무 [木]
桑	(상)	뽕나무 [木]
梅	(매)	매화 [木]
構	(구)	얽다 [木]
糖	(당), (탕)	[ ]❼ [艸(艹)]
蔬	(소)	나물 [艸(艹)]

屛	(병)	병풍 [尸]
珍	(진)	보배 [玉]
睦	[ ]❽	화목하다 [目]
象	(상)	본뜨다 [豕]
規	(규)	[ ]❾ [見]
含	(함)	머금다 [口]
蓄	(축)	모으다, 쌓다 [艸(艹)]
誇	(과)	자랑하다 [ ]❿
張	(장)	베풀다 [弓]
批	(비)	비평하다 [手(扌)]
評	[ ]⓫	평하다 [言]
[ ]⓬	(액)	이마, 액자 [頁]
懲	(징)	징계하다 [心]

2. 본문

江[ ]❶鳥逾白(강벽조유백)이요,	강 푸르니 새 더욱 희고,
山靑花欲燃(산청화욕연)이라.	산 푸르니 꽃 [ ][ ][ ]❷ 듯하네.
今[ ]❸看又過(금춘간우과)하니,	올봄도 보고 또 지나가니,
何日是歸年(하일시귀년)고?	어느 [ ]❹이 이 몸 돌아갈 해인가?

誰家玉笛暗[ ]❺聲(수가옥적암비성)고?	누구 집 옥피리 은은히 소리를 내는가?
散入春風滿洛城(산입춘풍만낙성)이라.	봄[ ]❻에 날아들어 낙양성에 가득 차네.
此[ ]❼曲中聞折柳(차야곡중문절류)하니,	이 밤 노래 속에 절양류를 들으니,
何人不起故園情(하인불기고원정)고?	누구인들 [ ][ ]❽ 그리는 마음 생기지 않으리오?

3. **어휘** – 문학 관련 용어

- **誇張**(과장): 사실보다 지나치게 불려서 나타냄.
- ❶ □□(비평): 사물의 옳고 그름, 아름다움과 추함 따위를 분석하여 가치를 논함.
- ❷ □□□(함축성): 말이나 글이 많은 뜻을 담고 있는 성질
- **刑象性**❸(□□□): 구체성과 진실성을 가지고 인간의 생활을 현실 그대로 그려 내는 문학예술의 특성

- **額子小說**(액자 소설): 이야기 속에 하나 이상의 ❹□□ 이야기를 가진 소설
- **勸善懲惡**❺(□□□□): 착한 일을 권장하고 악한 일을 징계함.

쪽지 시험

01 다음 한자의 공통되는 뜻을 쓰시오.

> 碧　靑　蒼

02 다음 한자 어휘에서 밑줄 친 한자의 음과 뜻을 쓰시오.

> <u>是</u>非

(1) 음:

(2) 뜻:

03 다음과 같은 뜻을 가진 단어를 〈보기〉에서 찾아 한자 어휘와 독음을 쓰시오.

(1) 사실보다 지나치게 불려서 나타냄.

(2) 착한 일을 권장하고 악한 일을 징계함.

(3) 말이나 글이 많은 뜻을 담고 있는 성질

> 보기
>
> 誇張　　含蓄性　　勸善懲惡

04 다음과 같은 뜻을 가진 한자 어휘를 한자로 쓰시오.

(1) 몹시 흥분함.: □□

(2) 고향을 그리는 마음: □□□

(3) 문학 작품에서 형상화를 위한 여러 요소를 유기적으로 배열하거나 서술하는 일: □□

(4) 구체성과 진실성을 가지고 인간의 생활을 현실 그대로 그려 내는 문학예술의 특성: □□□□

05 한자 어휘와 의미를 바르게 연결하시오.

(1) 浪漫的 •

(2) 事實的 •

(3) 規則的 •

• ㉠ 사물을 있는 그대로 그려 내는. 또는 그런 것

• ㉡ 일정한 질서가 있거나 규칙을 따르는. 또는 그런 것

• ㉢ 현실에 매이지 않고 감상적이고 이상적으로 사물을 대하는. 또는 그런 것

01 한자의 음과 뜻이 바른 것은?

① 超 (월) 넘어뜨리다　② 哭 (기) 그릇
③ 張 (장) 베풀다　　　④ 譯 (번) 번역하다
⑤ 漫 (만) 게으르다

02 음이 같은 한자의 연결이 바른 것은?

① 奔-奮　　② 碧-蒼　　③ 鴻-雁
④ 優-劣　　⑤ 批-評

03 뜻이 상대되는 한자의 연결이 바른 것은?

① 優-劣　　② 超-越　　③ 飜-譯
④ 滿-朔　　⑤ 誇-張

04 다음 한시의 소재 중 나머지와 다른 하나는?

① 鳥　② 鳳　③ 雁　④ 鴻　⑤ 桑

05 〈조건〉을 모두 만족하는 한자로 알맞은 것은?

- '桑'와/과 음이 같다.
- 총획은 '評'와/과 같다.
- '心'과 결합하면 '감각에 의하여 획득한 현상이 마음속에서 재생된 것'을 뜻하는 말이 된다.

① 懲　② 額　③ 蓄　④ 舍　⑤ 象

06 빈칸에 공통으로 들어갈 한자로 알맞은 것은?

事□的　　現□主義

① 實　② 實　③ 珍　④ 懲　⑤ 譯

07 다음 그림과 관련 있는 한자 어휘로 알맞은 것은?

① 滿朔　　② 激奮　　③ 湯器
④ 汗牛充棟　⑤ 是日也放聲大哭

08 다음 제시어와 관련 있는 인물로 알맞은 것은?

太白　詩仙　달　浪漫的

① 왕유　　② 두보　　③ 이백
④ 정지상　⑤ 김부식

09 다음 설명에 해당하는 한자 어휘로 알맞은 것은?

말이나 글이 많은 뜻을 담고 있는 성질

① 主題　　② 心想　　③ 含蓄性
④ 音樂性　⑤ 刑象性

10 ㉠과 ㉡을 한자로 쓰시오.

한시의 ㉠소재는 일상에서의 경험과 생각을 포함하여 무궁무진하다. 예를 들면 설당, 채소, 병풍, 진귀한 보석, 안경, 식사 예절, 가정의 ㉡화목과 행복을 바라는 마음 등 일상생활에서 접하는 사물이나 사건, 이에 대한 생각과 감정 등이 모두 한시의 소재가 될 수 있다.

11 한자 어휘의 활용이 적절하지 <u>않은</u> 것은?

① 이 소설은 *構城*이 탄탄하다.
② 그가 제시한 의견은 상상을 *超越*했다.
③ 두 사람의 실력은 *優劣*을 가리기가 어렵다.
④ 그는 실제보다 *誇張*하여 말하는 버릇이 있다.
⑤ 그는 몸을 회복하기 위해 미음 한 *湯器*를 비웠다.

출제 유력
12 다음 내용과 관련 있는 한자 어휘로 알맞은 것은?

> 이야기 속에 또 하나의 이야기가 끼어들어 있는 소설을 말한다. 이러한 소설 형식은 이야기 밖에 또 다른 서술자의 시점을 배치함으로써, 전지적 전개 방식에서 탈피하여 다각적으로 이야기를 전개할 수 있는 장점이 있다.

① *勸善懲惡*　② *起承轉結*　③ *先景後情*
④ *額子小說*　⑤ *唯美主義*

[13~20] 다음 시를 읽고 물음에 답하시오.

> (가) 江㉠*碧鳥逾白*이요, 山靑花欲燃이라.
>   ㉡*今春看又過*하니, 何日是歸年고?
> (나) 誰家玉笛㉢*暗飛聲*고?　散入春風滿洛城이라.
>   ㉣*此夜曲中聞折柳*하니, 何人不起故園情고?

13 ㉠과 뜻이 같은 한자로 알맞은 것은?

① 白　② 靑　③ 燃　④ 風　⑤ 柳

14 ㉡의 풀이로 알맞은 것은?

① 강 푸르니 새 더욱 희고
② 올봄도 보고 또 지나가니,
③ 산 푸르니 꽃 불타는 듯하네.
④ 봄바람에 날아들어 낙양성에 가득 차네.
⑤ 누구인들 고향 그리는 마음 생기지 않으리오.

15 (가)에 대한 설명으로 알맞은 것은?

① 작자는 이백이다.
② 운자는 *白, 燃, 年*이다.
③ 선경후정의 구성을 보인다.
④ 청각적 심상이 드러나 있다.
⑤ 주제는 봄날의 아름다운 풍경이다.

16 ㉢의 뜻으로 알맞은 것은?

① 어둡다　② 숨기다　③ 어리석다
④ 은은하다　⑤ 깊숙하다

서술형
17 ㉣에 끊어 읽기 표시를 하고, 풀이를 쓰시오.

> 此夜曲中聞折柳

18 (나)의 운자로 알맞은 것은?

① 聲, 城　② 聲, 城　③ 城, 柳, 情
④ 聲, 城, 情　⑤ 聲, 城, 柳, 情

19 (나)와 관련이 <u>없는</u> 것은?

① 봄　② 시성　③ 낙양성
④ 칠언 절구　⑤ 옥피리 소리

출제 유력
20 (가)와 (나)의 공통되는 주제로 알맞은 것은?

① 愛情　② 送別　③ 友情
④ 再會　⑤ 鄕愁

13

고난 속에 빛나는 충절 ○ 교과서 93쪽

| 생각을 여는 활동 |

• 매죽헌: '성삼문'의 호
• 학사: 학술 연구에 전념하는 사람
• 사육신: 조선 세조 2년(1456년)에 단종의 복위를 꾀하다가 처형된 여섯 명의 충신. 이개, 하위지, 유성원, 성삼문, 유응부, 박팽년을 이름.

1. 제시된 내용과 관련 있는 인물을 〈보기〉에서 찾아 써 보자.

충무공
忠武公

전라도 全羅道 수군절도사
임진왜란과 海戰 해전
명량 해전 대승
노량 해전 戰死 전사

조선 시대에, 각 도의 수군을 통솔하는 일을 맡아보던 정3품 외직 무관(外職武官) 벼슬. 세조 12년(1466)에 수군도안무처치사를 고친 것으로, 모두 당상관이었음.

梅竹軒 매죽헌
집현전 學士 학사
訓民正音 훈민정음
단종 복위 운동
死六臣 사육신

• 충무공: 나라에 무공을 세워 죽은 후 충무(忠武)라는 시호를 받은 사람을 높여 이르는 말
• 해전: 바다에서 벌이는 싸움
• 전사: 전쟁터에서 적과 싸우다 죽음.

(1) _이순신(李舜臣)_

(2) _성삼문(成三問)_

보기
성삼문(成三問)   이순신(李舜臣)   세종 대왕(世宗大王)

2. 글을 읽고 빈칸에 한시의 제목을 한자로 써 보자.

조선 중종 때의 문신·성리학자(1482~1519). 부제학, 대사헌을 지냈음. 김종직의 학통을 이은 사림파의 영수로서, 급진적인 개혁을 추진하다가 훈구파 남곤 일파가 일으킨 기묘사화 때에 죽임을 당하였음. 저서에 『정암집』이 있음.

목숨[命]을 바치면서까지[絕] 올바른 자신의 신념을 지키려는 의지를 표현한 시(詩)이다. 우리 역사에서 이러한 시를 지은 대표적인 시인으로는 성삼문, 조광조, 전봉준, 최익현, 황현 등이 있다.

주둔: 군대가 임무 수행을 위하여 일정한 곳에 집단적으로 얼마 동안 머무르는 일

전쟁터에 駐屯하고 있는 상황에서, 진지[陣] 가운데에서[中] 읊었다는[吟] 뜻이다. 작자가 전쟁에 임하는 결의를 표현한 시라고 할 수 있다.

조선 후기 동학 농민 운동의 지도자(1855~1895). 고부 군수 조병갑의 수탈에 항거하여 동학 농민 운동을 일으켜 맹위를 떨쳤으나, 관군과 일본군에게 패하여 이듬해에 처형되었음.

구한말의 시인·학자(1855~1910). 자는 운경(雲卿). 호는 매천(梅泉). 성균관 생원으로 지내다가 갑신정변 이후 민씨 정권의 무능과 부패에 환멸을 느껴 벼슬하기를 단념하고 귀향하여 시작(詩作)에 전념하였음. 1910년에 일본에 국권을 강탈당하자 망국의 울분을 이기지 못하고 자결하였음. 저서에 『매천야록(梅泉野錄)』이 있음.

(1) 絕 命 詩 절명시
: 목숨을 바치며 쓴 시

(2) 陣 中 吟 진중음
: 진지 가운데에서 읊음.

구한말의 문신·학자·애국지사(1833~1906). 대유학자(大儒學者)로 대원군을 탄핵하였으며 갑오개혁 때 단발령에 반대하였음. 을사조약을 반대하여 의병을 일으켰으며 유배지 쓰시마(對馬) 섬에서 단식사(斷食死)하였음. 저서에 『면암집(勉菴集)』 따위가 있음.

학습 계획 세우기   도움말 한시의 내용에 드러난 화자의 신념, 한시의 제목에 담긴 의미를 알아보는 활동을 통해 소단원 학습에 대한 자신의 배경지식을 활성화한다. 또 이를 바탕으로 소단원에서 어떤 내용을 공부할지 스스로 계획을 세워 본다.

● 위 활동을 바탕으로 스스로 학습 계획을 세워 보자.

나는 이 단원에서 ___예 한시의 내용에 드러난 화자의 신념, 한시의 제목에 담긴 의미___ 을/를 공부하겠다.

한자 모아 보기 자신이 알고 있는 한자에 ✓ 표시를 해 보자.

新 한자	음	뜻	부수	획수	총획	한자	음	뜻	부수	획수	총획
羅*	라	벌이다. <u>비단</u>	网(罒)	14	19	駐*	주	머무르다	馬	5	15
軒	헌	집	車	3	10	屯	둔	진 치다	屮	1	4

출제 유형

- 다음 설명에 해당하는 있는 한자 어휘로 알맞은 것은?
- 위 시에 대한 설명으로 바르지 않은 것은?
- (나)에서 대우가 이루어 지고 있는 시구의 연결이 바른 것은?

고난 속에 빛나는 충절 ○ 교과서 94, 95쪽

자신의 안위를 추구하기보다는 대의를 위해 자신을 희생한 인물들이 읊은 시 두 편이 제시되었다. 죽음으로써 단종에 대한 충심을 지킨 성삼문과 임진왜란의 긴박한 상황에서 목숨을 바쳐 나라를 지키고자 한 이순신의 시를 감상해 보자.

新 한자 모아 보기

한자	음	뜻	부수	획수	총획
撃	격	치다	手	13	17
催	최	재촉하다	人(亻)	11	13
斜	사	기울다	斗	7	11
陣	진	진 치다	阜(阝)	7	10
儲	저	동궁	人(亻)	16	18
孤	고	외롭다	子	5	8
勳	훈	공	力	14	16
誓	서	맹세하다	言	7	14
龍	룡	용	龍	0	16
盟	맹	맹세	皿	8	13
讐	수	원수	言	16	23
夷	이	오랑캐	大	3	6
滅	멸	사라지다	水(氵)	10	13
辭	사	말씀, 사양하다	辛	12	19

- 형식: 오언 절구
- 주제: 죽음을 맞는 의연한 자세

絶命詩 목숨을 바치며 쓴 시
절 명 시
끊다 목숨 시 성삼문

撃鼓催人命한데, [기] 긴장감을 고조시키는 북소리
격 고 최 인 명
치다 북 재촉하다 사람 목숨

기울다 → 해가 지는 모습을 의미함.
● : 운자

回頭日欲斜라. [승] 죽음을 자연의 섭리라고 인식함.
회 두 일 욕 사
돌다 머리 해 하고자 하다 기울다

✎ 스스로 확인

이 시의 배경이 해질 무렵임을 알 수 있는 부분은 어디인가?

저승 ┐ ┌ 가게, 여관
黃泉無一店하니, [전] 죽음이 다가옴을 암시
황 천 무 일 점
누렇다 샘 없다 하나 가게

日欲斜
일욕사

今夜宿誰家오? [결] 죽음을 의연하게 맞이하는 자세
금 야 숙 수 가
이제 밤 자다 누구 집

『연려실기술』

북을 울려 사람 목숨 재촉하는데,
고개 돌려보니 해도 지려 하네.
황천에는 한 곳 주막도 없을 테니,
오늘 밤은 누구 집에서 잘까?

- **성삼문**(成三問, 1418~1456): 조선 세종 때의 문신으로 단종의 복위를 꾀하다 죽은 사육신 중 한 사람
- **『연려실기술**(燃藜室記述)』: 조선 영조 때의 실학자 이긍익(李肯翊)이 찬술한 사서(史書)

· 형식: 오언 율시
· 주제: 나라에 대한 걱정과
　무인으로서의 의지

陣中吟 (전쟁터의) 진지 가운데에서 읊음.
진 중 음
진 치다 가운데 읊다

이순신

임금의 행차
天步／西門遠이요,
천 보 서 문 원 　⟺
하늘 걸음 서녘 문 멀다 　대우법

태자
君儲／北地危로다. [수] 전쟁의 급박한 상황
군 저 북 지 위
임금 동궁 북녘 땅 위태롭다

① 나무
② 세우다

孤臣／憂國日이요,
고 신 우 국 일 　⟺
외롭다 신하 근심 나라 날

壯士／樹勳時로다. [함] 신하들의 위기
장 사 수 훈 시 　의식과 애국심 고취
씩씩하다 선비 세우다 공 때

誓海／魚龍動이요,
서 해 어 룡 동 　⟺
맹세하다 바다 물고기 용 움직이다

盟山／草木知로다. [경] 나라를 지키겠
맹 산 초 목 지 　다는 맹세
맹세 산 풀 나무 알다

讐夷／如盡滅이면,
수 이 여 진 멸
원수 오랑캐 같다 다하다 사라지다

雖死／不爲辭리라. [미] 죽음을 불사한 충성심
수 사 불 위 사
비록 죽음 아니다 하다 사양하다

『이충무공전서』

📝 **스스로 확인**

이 시에서 이순신 자
신을 의미하는 한자 어
휘 두 가지는 무엇인가?

孤臣과 壯士
고신　장사

임금의 행차 서쪽 문으로 멀어지고,
외로운 신하는 나라를 걱정할 날이요,
바다에 맹세하니 어룡이 감동하고,
원수를 만약 천부 없앨 수 있다면,

태자는 북쪽 땅에서 위태롭도다.
건장한 군사는 공훈을 세울 때로다.
산에 맹세하니 초목이 알아주도다.
비록 죽음이라도 사양하지 않으리라.

· **이순신(李舜臣, 1545~1598):** 조선 인종~선조 때의 명장. 본관은 덕수(德水), 자는 여해(汝諧)
· **『이충무공전서(李忠武公全書)』:** 이순신(李舜臣)의 유고 전집

본문

○ 교과서 96쪽

黃泉 : 저승
황천

天步 : 임금의 행차
천보

君儲 : 태자
군저

樹 : ① 나무 ⑩ 針葉樹 침엽수: 잎이 침엽으로
수　　　　　　　　　된 겉씨식물
② 세우다 ⑩ 樹立 수립
국가나 정부, 제도, 계획 따위를 이룩하여 세움.

부수가 같은 한자 - 手(扌)(수)

擊(격) 치다 ⑩ 襲擊 습격: 갑자기 상대편을 덮쳐 침.

拘(구) 잡다 ⑩ 拘束 구속: 행동이나 의사의
자유를 제한하거
나 속박함.

拂(불) 떨치다 ⑩ 支拂 지불: 돈을 내어 줌.
또는 값을 치름.

擁(옹) 안다 ⑩ 抱擁 포옹

'맹세'의 원말. 일정한 약속이나 목표를 꼭
실천하겠다고 다짐함.

➕ 어휘 더하기

• 뜻이 비슷한 한자로 이루
어진 어휘

盟誓 맹서　宿泊 숙박

監督 감독　繁榮 번영: 번성하고 영화롭게 됨.
일이나 사람 따위가 잘못되지 아
니하도록 살피어 단속함. 또는 일
의 전체를 지휘함.

新 한자 모아 보기

한자	음	뜻	부수	획수	총획
襲	습	엄습하다	衣	16	22
拘	구	잡다	手(扌)	5	8
拂	불	떨치다	手(扌)	5	8
擁	옹	안다	手(扌)	13	16
泊	박	머무르다	水(氵)	5	8
監	감	보다	皿	9	14
督	독	감독하다	目	8	13
繁	번	번성하다	糸	11	17
槪	개	대개, 절개	木	11	15
侵	침	침노하다	人(亻)	7	9
掠	략	노략질하다	手(扌)	8	11
覺	각	깨닫다	見	13	20
逃	도	도망하다	辵(辶)	6	10
蜂	봉	벌	虫	7	13

絕命詩 목숨을 바치며 쓴 시
절명시

擊鼓/催人命한데,
격고 최인명
북을 울려 사람 목숨 재촉하는데,

黃泉/無一店하니,
황천 무일점
황천에는 한 곳 주막도 없을 테니,

回頭/日欲斜라.
회두 일욕사
고개 돌려보니 해도 지려 하네.

今夜/宿誰家오?
금야 숙수가
오늘 밤은 누구 집에서 잘까?

〔감상 더하기〕

성삼문이 단종 복위 운동을 하다가 실패하여 형장으로 끌려가면서 지은 즉흥시이다. 자
신의 節槪를 지키며 의연하게 죽음을 맞이하는 모습에서 悲痛함을 자아내고 있다.
└── 절개: 신념, 신의 따위를 굽히지 아니하고 굳게 지키는 꿋꿋한 태도 ──┘ └ 몹시 슬퍼서 마음이 아픔.

陣中吟 (전쟁터의) 진지 가운데에서 읊음.
진중음

天步/西門遠이요,
천보 서문원
임금의 행차 서쪽 문으로 멀어지고,

孤臣/憂國日이요,
고신 우국일
외로운 신하는 나라를 걱정할 날이요,

誓海/魚龍動이요,
서해 어룡동
바다에 맹세하니 어룡이 감동하고,

讐夷/如盡滅이면,
수이 여진멸
원수를 만약 전부 없앨 수 있다면,

君儲/北地危로다.
군저 북지위
태자는 북쪽 땅에서 위태롭도다.

壯士/樹勳時로다.
장사 수훈시
건장한 군사는 공훈을 세울 때로다.

盟山/草木知로다.
맹산 초목지
산에 맹세하니 초목이 알아주도다.

雖死/不爲辭리라.
수사 불위사
비록 죽음이라도 사양하지 않으리라.

〔감상 더하기〕

└── 침략: 남의 나라를 불법으로 쳐들어가서 약탈함.
┌─ 각오: 앞으로 해야 할 일이나
겪을 일에 대한 마음의 준비

왜적의 侵掠으로 위태로운 조국을 구하겠다는 충무공의 覺悟가 드러나 있다. 임금까지
난리를 피하여 안전한 곳으로 떠나고, 태자가 쫓기며 간신이 逃亡하는 국가 존망의 위기
에서 화자 자신을 비롯하여 신하들과 장사들이 蜂起할 것을 독려하고 있다. 그리고 나라
를 구하는 일에 자신의 목숨을 바치겠다는 결의를 다지고 있다.
└ 봉기: 벌 떼처럼 때 지어 세차게 일어남. ──┘ └ 도망: 피하거나 └ 존속과 멸망 또는
쫓기어 달아남. 생존과 사망을 아
울러 이르는 말

〔똑똑한 지식〕 대우법

나란히 이어지는 두 구(句)가 내용상으로나 어법
상으로 서로 짝을 이루도록 하는 것을 대우법(對偶
法)이라 한다.

고신 우국일　　　서해 어룡동
孤臣 憂國日,　　誓海 魚龍動,
↕　　↕　　　　↕　　↕
壯士 樹勳時.　　盟山 草木知.
장사 수훈시　　　맹산 초목지

信念을 지키다!

└ 신념: 굳게 믿는 마음

이강년(李康年)
올곧은 신념의 **義兵將**
└ 의병장: 의병을 거느리는 장수

대한 제국 때의 의병장(1858∼1908). 자는 낙인(樂仁/樂寅). 호는 운강(雲岡). 고종 때 무과에 급제하여 선전관이 되었으나 1884년에 갑신정변이 일어나자 사직하고, 동학 농민 운동 때는 문경의 동학군을 지휘하여 왜병과 탐관오리를 물리쳤다. 1895년 을미사변 때에는 문경에서 의병을 일으켜 활약하다가 체포되어 사형되었음.

승려 · 시인 · 독립운동가(1879∼1944). 속명은 정옥(貞玉). 아명은 유천(裕天). 법호는 만해(萬海/卍海). 용운은 법명. 3 · 1 운동 때의 민족 대표 33인 가운데 한 사람임. 「조선 독립의 서(書)」 외에, 시집 「님의 침묵」, 소설 「흑풍」이 있고, 저서에 「조선 불교 유신론」 따위가 있음.

신채호(申采浩)
역사를 지킨 독립운동가

사학자 · 독립운동가 · 언론인(1880∼1936). 호는 단재(丹齋) · 단생(丹生) · 일편단생(一片丹生). 성균관 박사를 거쳐, 「황성신문」과 「대한매일신보」 등에 강직한 논설을 실어 독립 정신을 북돋우고, 국권 강탈 후에는 중국에 망명하여 독립운동과 국사 연구에 힘쓰다가 일본 경찰에 체포되어 옥사하였음. 저서에 「조선 상고사」, 「조선사 연구초(朝鮮史研究草)」 따위가 있음.

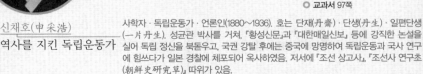

한용운(韓龍雲)
抵抗 문학에 앞장선 독립운동가 겸 시인
└ 저항: 어떤 힘이나 조건에 굽히지 아니하고 거역하거나 버팀.

김구(金九)
겨레의 큰 스승

아름다운 청년 이수현

└ 취객: 술에 취한 사람

2001년 1월 26일 오후 7시 20분쯤 일본 도쿄 신오쿠보 역에서 전철 선로에 떨어진 일본인 **醉客**을 구하려 숨진 한국인 유학생 이수현(26) 씨의 의로운 죽음이 일본 사회에 큰 반향을 일으켰다. 일본 **言論**은 술 취한 **乘客**을 구하기 위해 자신의 목숨까지 던진 **殺身成仁**이라며 이수현 씨의 안타까운 사연을 크게 보도했으며, 일본뿐만 아니라 전 세계가 큰 감명을 받았다. 그 후 그를 기리는 **追慕碑**가 건립되는 등 지금도 그의 희생정신은 되새겨지고 있다.

└ 언론
└ 승객
└ 추모비: 죽은 사람을 그리며 생각하기 위하여 세운 비
└ 살신성인: 자기의 몸을 희생하여 인(仁)을 이룸.

독립운동가 · 정치가(1876∼1949). 자는 연상(蓮上). 호는 백범(白凡) · 연하(蓮下). 본명은 창수(昌洙). 동학 농민 운동을 지휘하다가 일본군에 쫓겨 만주로 피신하여 의병단에 가입하였고, 3 · 1 운동 후 중국 상하이[上海]의 임시 정부 조직에 참여하였음. 1928년 이시영 등과 함께 한국 독립당을 조직하여 이봉창, 윤봉길 등의 의거를 지휘하였음. 1944년 임시 정부 주석으로 선임되었고, 8 · 15 광복 이후에는 신탁 통치와 남한 단독 총선을 반대하며 남북 협상을 제창하다가 1949년 안두희에게 암살당하였음. 저서에 「백범일지」가 있음.

義人 이수현

▲ 의인 이수현 동상

| 신념 관련 용어 |

활동 ▶ 빈칸에 들어갈 알맞은 한자를 〈보기〉에서 찾아 써 보자.

보기						
挑	辯	險	念	追	仁	名
도	변	험	념	추	인	명

① 信念(신념): 굳게 믿는 마음

② 挑戰(도전): 정면으로 맞서 싸움을 걺.

③ 冒險(모험): 위험을 무릅쓰고 어떠한 일을 함. 또는 그 일

④ 名譽(명예): 세상에서 훌륭하다고 인정되는 이름이나 자랑. 또는 그런 존엄이나 품위

⑤ 追慕碑(추모비): 죽은 사람을 그리며 생각하기 위하여 세운 비

⑥ 殺身成仁(살신성인): 자기의 몸을 희생하여 인(仁)을 이룸.

⑦ 國選辯護人(국선 변호인): 경제 능력이 없는 피고인을 변호하도록 국가가 임명한 변호사

└ 인물이나 지위 따위가 감히 범할 수 없을 정도로 높고 엄숙함.

新 한자 모아 보기

한자	음	뜻	부수	획수	총획
抵	저	막다	手(扌)	5	8
醉	취	취하다	酉	8	15
碑	비	비석	石	8	13
挑	도	돋우다	手(扌)	6	9
辯	변	말씀	辛	14	21
險	험	험하다	阜(阝)	13	16
冒	모	무릅쓰다	冂	7	9
譽	예	기리다	言	14	21

[1~3] 다음 글을 읽고 물음에 답하시오.

(가) 擊鼓催人命,
　　　격 고 최 인 명
　　　回頭日欲斜.
　　　회 두 일 욕 사
　　　黃泉無一店,
　　　황 천 무 일 점
　　　今夜宿誰家?
　　　금 야 숙 수 가

(나) ㉠天步西門遠, 君儲北地危.
　　　천 보 서 문 원 　 군 저 북 지 위
　　　孤臣憂國日, 壯士樹勳時.
　　　고 신 우 국 일 　 장 사 수 훈 시
　　　誓海魚龍動, 盟山草木知.
　　　서 해 어 룡 동 　 맹 산 초 목 지
　　　讐夷如盡滅, 雖死不爲辭.
　　　수 이 여 진 멸 　 수 사 불 위 사

[풀이]
(가) 북을 울려 사람 목숨 재촉하는데,
고개 돌려보니 해도 지려 하네.
황천에는 한 곳 주막도 없을 테니,
오늘 밤은 누구 집에서 잘까?

(나) 임금의 행차 서쪽 문으로 멀어지고,
태자는 북쪽 땅에서 위태롭도다.
외로운 신하는 나라를 걱정할 날이요,
건장한 군사는 공훈을 세울 때로다.
바다에 맹세하니 어룡이 감동하고,
산에 맹세하니 초목이 알아주도다.
원수를 만약 전부 없앨 수 있다면,
비록 죽음이라도 사양하지 않으리.

1. (가)와 (나)에 대한 설명으로 적절하지 <u>않은</u> 것은? ③

① (가)는 오언 절구이고, (나)는 오언 율시이다.

② (가)의 셋째 구는 '黃泉 / 無一店'으로 끊어 읽는다.

③ (가)는 전란 중에 죽음을 각오한 작자의 심정을 표현하고 있다.

④ (나)에서 운자(韻字)는 '危, 時, 知, 辭'이다.

⑤ (나)에는 자신의 목숨을 바쳐서라도 나라를 구하겠다는 작자의 의지가 표현되어 있다.

전란 중에 죽음을 각오한 작자의 심정을 표현한 것은 (가)가 아니라 (나)이다. (가)는 폐위된 단종에 대한 절개를 지키며 의연하게 죽음을 맞이하는 작자의 모습을, (나)는 전란 중에 죽음을 각오한 작자의 심정을 표현하였다.

2. 대우에 유의하면서 ㉠의 풀이를 바르게 적어 보자.

天步	西門	遠: 임금의 행차 (서쪽) 문으로 멀어지고
↕	↕	↕
君儲	北地	危: 태자는　　　북쪽 땅에서　 (위태롭다.)

도움말

대우법: 나란히 이어지는 두 구가 내용상으로나 어법상으로 서로 짝을 이루도록 하는 것을 말한다.

창의형

3. (가)와 〈보기〉의 역사적 배경을 각각 알아보고, 작자가 추구한 신념은 무엇이고 이를 위해 어떤 노력을 하였는지 비교해 보자.

보기

이 몸이 죽고 죽어 일백 번 고쳐 죽어

백골이 진토 되어 넋이라도 있고 없고

임 향한 일편단심(一片丹心)이야 가실 줄이 이시랴.
　　　고려 왕조　　　　　충성심

　　　　　　　　　　　　　　　정몽주, 「단심가(丹心歌)」

· 갈래: 평시조, 고시조
· 주제: 고려에 대한 충절

도움말 소단원 학습이 끝나면 소단원 학습 목표에 해당하는 질문에 답하며 자신의 학업 성취도를 스스로 점검해 본다. 성취 목표에 도달하지 못한 경우에는 제시된 위치로 돌아가서 내용을 다시 읽고 공부하도록 한다.

[예시 답안] (가)의 역사적 배경은 세조가 조카인 단종의 왕위를 찬탈하고 급기야 단종의 복위를 꾀하던 사육신을 죽인 사건이고, 〈보기〉의 역사적 배경은 이방원이 고려의 충신인 정몽주를 회유하려다 실패하자 그를 죽인 사건이다. (가)의 작자인 성삼문의 신념은 단종에 대한 충절을 지키는 것이었으며, 그는 단종을 복위시키려다 발각되어 모진 고문을 당하였으나 끝까지 절개를 지키면서 죽음을 맞이하였다. 〈보기〉의 작자인 정몽주의 신념은 고려에 대한 충심을 지키는 것이었으며, 그는 제도와 법령 등을 정비하여 기울어진 국운을 회복시키기 위해 노력하였으나 끝내 이방원에 의해 죽음을 맞았다.

소단원 자기 점검	배운 내용에 관해 자기 점검을 하면서 학업 성취도 도달 정도를 확인해 보자. [별이 3개 이하인 경우] · 교과서 96쪽 '똑똑한 지식' 다시 읽기	
	· 한시의 대우법을 알고 풀이할 수 있는가?	☆☆☆☆☆
	· 신념 관련 일상용어의 의미를 이해할 수 있는가?	☆☆☆☆☆
	· 작자가 자신의 신념을 선택한 배경을 이해할 수 있는가?	☆☆☆☆☆

[별이 3개 이하인 경우] · 교과서 97쪽 '신념 관련 용어' 다시 읽기

[별이 3개 이하인 경우] · 교과서 96쪽 '감상 더하기' 다시 읽기

소단원 스스로 정리

• 한자, 음, 뜻, 부수의 순서로 제시

1. 한자

羅 (라) 벌이다, 비단 [网(罒)]
軒 **①**[ ] 집 [車]
駐* (주) 머무르다 [馬]
屯 (둔) 진 치다 [屮]
擊 (격) 치다 [**②**[ ]]
催 (최) 재촉하다 [人(亻)]
斜 (사) 기울다 [斗]
陣 (진) 진 치다 [阜(阝)]
儲* (저) 동궁 [人(亻)]
孤 (고) **③**[ ][ ][ ] [子]
勳* (훈) 공 [力]
誓 (서) 맹세하다 [言]
④[ ] (룡) 용 [龍]
盟 (맹) 맹세 [皿]

讎* (수) 원수 [言]
夷 (이) 오랑캐 [大]
滅 (멸) 사라지다 [水(氵)]
辭 **⑤**[ ] 말씀, 사양하다 [辛]
襲 (습) 엄습하다 [衣]
拘 (구) 잡다 [手(扌)]
拂 (불) 떨치다 [手(扌)]
擁 (옹) **⑥**[ ][ ] [手(扌)]
泊 (박) 머무르다 [水(氵)]
監 (감) 보다 [皿]
督 (독) 감독하다 [**⑦**[ ]]
繁 (번) 번성하다 [糸]
槪 (개) 대개, 절개 [木]
侵 (침) 침노하다 [人(亻)]

掠 (략) 노략질하다 [手(扌)]
覺 (각) **⑧**[ ][ ][ ] [見]
逃 (도) 도망하다 [辵(辶)]
⑨[ ] (봉) 벌 [虫]
抵 (저) 막다 [手(扌)]
醉 (취) 취하다 [酉]
碑 (비) 비석 [**⑩**[ ]]
挑 (도) 돋우다 [手(扌)]
辯 **⑪**[ ] 말씀 [辛]
險 (험) 험하다 [阜(阝)]
冒 (모) 무릅쓰다 [冂]
譽 **⑫**[ ] 기리다 [言]

2. 본문

擊鼓催人**①**[ ](격고최인명)한데,
回頭日欲斜(회두일욕사)라.
黃泉無一**③**[ ](황천무일점)하니,
今夜宿誰家(금야숙수가)오?

북을 울려 사람 목숨 재촉하는데,
고개 돌려보니 **②**[ ]도 지려 하네.
황천에는 한 곳 주막도 없을 테니,
오늘 밤은 누구 **④**[ ]에서 잘까?

天步西門**⑤**[ ](천보서문원)이요,
君儲北地危(군저북지위)로다.
孤**⑦**[ ]憂國日(고신우국일)이요,
壯士樹勳時(장사수훈시)로다.
誓**⑨**[ ]魚龍動(서해어룡동)이요,
盟山草木知(맹산초목지)로다.
讎夷**⑪**[ ]盡滅(수이여진멸)이면,
雖死不爲辭(수사불위사)리라.

임금의 행차 서쪽 문으로 멀어지고,
태자는 북쪽 **⑥**[ ]에서 위태롭도다.
외로운 신하는 나라를 걱정할 날이요,
건장한 군사는 공훈을 세울 **⑧**[ ]로다.
바다에 맹세하니 어룡이 감동하고,
산에 맹세하니 **⑩**[ ][ ]이 알아주도다.
원수를 만약 전부 없앨 수 있다면,
비록 죽음이라도 **⑫**[ ][ ]하지 않으리라.

3. 대우법

나란히 이어지는 두 구(句)가 내용상으로나 어법상으로 서로 [❶] 을 이루도록 하는 것

4. 어휘 – 신념 관련 용어

• 信念([❶][ ]): 굳게 믿는 마음

• 挑戰(도전): 정면으로 맞서 싸움을 걺.

• 冒險(모험): [❷][ ]을 무릅쓰고 어떠한 일을 함. 또는 그 일

• 名譽(명예): 세상에서 훌륭하다고 인정되는 [❸][ ]이 나 자랑. 또는 그런 존엄이나 품위

• 追慕碑(추모비): 죽은 사람을 그리며 생각하기 위하여 세운 비

• [❹][ ][ ][ ]: 자기의 몸을 희생하여 인(仁)을 이룸.

• 國選辯護人(국선 변호인): 경제 능력이 없는 피고인을 변호하도록 [❺][ ]가 임명한 변호사

쪽지 시험

01 다음 한자의 공통되는 뜻을 쓰시오.

屯 陣

02 다음 한자 어휘에서 밑줄 친 한자의 음과 뜻을 쓰시오.

樹立

(1) 음:

(2) 뜻:

03 한자 어휘와 독음을 연결하시오.

(1) 信念 • • ㉠ 모험

(2) 冒險 • • ㉡ 신념

(3) 名譽 • • ㉢ 명예

04 다음과 같은 뜻을 가진 한자 어휘를 한자로 쓰시오.

(1) 굳게 믿는 마음: [ ][ ]

(2) 자기의 몸을 희생하여 인(仁)을 이룸: [ ][ ][ ][ ]

(3) 위험을 무릅쓰고 어떠한 일을 함. 또는 그 일: [ ][ ]

(4) 행동이나 의사의 자유를 제한하거나 속박함.: [ ][ ]

(5) 죽은 사람을 그리며 생각하기 위하여 세운 비: [ ][ ][ ]

(6) 세상에서 훌륭하다고 인정되는 이름이나 자랑, 또는 그런 존엄이나 품위: [ ][ ]

05 다음 글에서 설명하는 표현법을 쓰시오.

나란히 이어지는 두 구(句)가 내용상으로나 어법상으로 서로 짝을 이루도록 하는 것

01 한자의 음이 바르지 않은 것은?

① 軒 (헌)　　② 擊 (격)　　③ 斜 (사)
④ 屯 (둔)　　⑤ 催 (촉)

02 음이 같은 한자의 연결이 바른 것은?

① 屯-陣　　② 盟-誓　　③ 宿-泊
④ 監-督　　⑤ 逃-挑

03 빈칸에 공통으로 들어갈 한자로 알맞은 것은?

與
□ + ➡ (예) 기리다
折
□ + ➡ (서) 맹세하다

① 人　② 糸　③ 言　④ 心　⑤ 金

04 모양이 비슷한 한자를 짝지은 것이다. 뜻의 연결이 바른 것은?

① ┌命: 명령　② ┌斜: 기울다　③ ┌誰: 비록
　└令: 목숨　　└敍: 펴다　　　└雖: 누구

④ ┌儲: 여러　⑤ ┌知: 같다
　└諸: 동궁　　└如: 알다

05 부수가 나머지와 다른 하나는?

① 擊　② 拘　③ 拂　④ 擁　⑤ 誓

06 한자 어휘의 독음이 바른 것은?

① 海戰(전쟁)　　　② 學士(학생)
③ 節槪(지조)　　　④ 侵掠(침입)
⑤ 蜂起(봉기)

07 빈칸에 공통으로 들어갈 한자로 알맞은 것은?

針葉□　　□立

① 黃　② 步　③ 君　④ 樹　⑤ 悟

출제 유력
08 다음 설명에 해당하는 한자 어휘로 알맞은 것은?

굳게 믿는 마음

① 抵抗　　② 追慕　　③ 冒險
④ 節槪　　⑤ 信念

09 다음 글에서 설명하는 인물을 쓰시오.

　임진왜란 때 무공을 세워 죽은 후 **忠武**라는 시호를 받았으며, 명량 *海戰*에서 대승을 거두고, 노량 해전에서 *戰死*하였다.

10 다음 글에서 한자 어휘가 바르게 쓰이지 않은 것은?

　2001년 1월 26일 오후 7시 20분쯤 일본 도쿄 신오쿠보 역에서 전철 선로에 떨어진 일본인 ①醉客을 구하려다 숨진 한국인 유학생 이수현(26) 씨의 의로운 죽음이 일본 사회에 큰 반향을 일으켰다. 일본 ②言論은 술 취한 ③乘客을 구하기 위해 자신의 목숨까지 던진 ④殺身成人이라며 이수현 씨의 안타까운 사연을 크게 보도했으며, 일본뿐만 아니라 전 세계가 큰 감명을 받았다. 그 후 그를 기리는 ⑤追慕碑가 건립되는 등 지금도 그의 희생정신은 되새겨지고 있다.

11 한자 어휘의 활용이 적절하지 <u>않은</u> 것은?

① 적이 방심한 때를 틈타 적진을 襲擊하였다.

② 직원들에게 월급은 현금으로 支拂될 것이다.

③ 마중 나온 아버지는 깊은 抱擁으로 아들을 반겼다.

④ 식물 플랑크톤이 일시에 대량으로 繁榮하여 바닷물이 변색되었다.

⑤ 그는 사물의 변화에 拘束됨 없이 늘 한 가지 자세를 지닌 사람이다.

[12~18] 다음 시를 읽고 물음에 답하시오.

> (가) 擊鼓催人命한데,   回頭日欲斜라.
> ⓐ黃泉無一店하니, ㉠今夜宿誰家오?
> (나) ⓑ天步西門遠이요, ⓒ君儲北地危로다.
> 孤臣憂國日이요,   壯士ⓓ樹勳時로다.
> ㉡誓海魚龍動이요,   盟山草木知로다.
> ⓔ讐夷如盡滅이면,   雖死不爲辭리라.

12 ⓐ~ⓔ의 의미로 적절하지 <u>않은</u> 것은?

① ⓐ: 저승   ② ⓑ: 임금의 행차

③ ⓒ: 여러 신하들   ④ ⓓ: 공을 세움.

⑤ ⓔ: 왜적

13 ㉠을 풀이 순서대로 바르게 나열한 것은?

① 今 → 夜 → 宿 → 誰 → 家

② 今 → 夜 → 誰 → 家 → 宿

③ 宿 → 誰 → 家 → 今 → 夜

④ 宿 → 誰 → 今 → 夜 → 家

⑤ 誰 → 今 → 夜 → 宿 → 家

14 (가)에 대한 설명으로 바르지 <u>않은</u> 것은?

① 운자는 斜, 家이다.

② 작자는 성삼문이다.

③ 형식은 오언 절구이다.

④ 대우의 표현을 찾을 수 있다.

⑤ 화자가 의연하게 죽음을 맞는 자세가 나타나 있다.

15 ㉡의 풀이로 알맞은 것은?

① 바다에 맹세하니 어룡이 감동한다.

② 산에 맹세하니 초목이 알아주도다.

③ 임금의 행차 서쪽 문으로 멀어진다.

④ 건장한 군사는 공훈을 세울 때로다.

⑤ 비록 죽음이라도 사양하지 않으리라.

출제 유력

16 (나)에서 대우가 이루어지고 있는 시구의 연결이 바른 것은?

① 天步西門遠 – 誓海魚龍動

② 君儲北地危 – 雖死不爲辭

③ 孤臣憂國日 – 壯士樹勳時

④ 盟山草木知 – 讐夷如盡滅

⑤ 讐夷如盡滅 – 雖死不爲辭

출제 유력

17 (나)에 대한 설명으로 바르지 <u>않은</u> 것은?

① 시적 배경은 임진왜란이다.

② 수련에서는 국가 존망의 위기를 나타내고 있다.

③ 함련에서는 임금과 왕자들을 독려하고 있다.

④ 경련에는 나라를 지키겠다는 맹세가 명분에 맞는 일임을 강조하고 있다.

⑤ 미련에서는 작자가 결의를 다지고 있다.

18 (나)의 운자를 모두 찾아 쓰시오.

○ 교과서 99쪽

함께하는 프로젝트

"한시 감상과 시화(詩畫) 만들기"

배운 한시 작품이나 교과서 밖의 다른 한시 작품 중에서 한 편을 골라 모둠별로 시화를 만들어 보자. 한시의 내용과 주제를 파악하여 이를 시화로 형상화하는 것은 작품을 깊고 넓게 감상하는 데 도움이 된다.

| 활동 목표 |

시화로 한시 감상하기

| 준비물 |

종이, 물감, 색연필, 사인펜 등

도움말 시상 전개 과정을 스스로 정리하여 시와 관련된 다양한 내용을 그림을 그려 본다. 예 시의 배경 및 분위기, 인물의 심정과 모습, 중심 소재 등

| 활동 방법 |

1. 절구인 한시 작품을 자유롭게 선택한다.

2. 한시를 읽고 바르게 풀이한다.

3. 한시의 배경과 주제를 파악한다.

4. 절구(絕句)의 특성에 맞게 4장면으로 시화를 구성한다.
   (단, 시구가 포함되도록 한다.)

| 활동 Tip |

1. 각각의 장면에 시구(詩句)의 원문이나 풀이를 포함한다.

2. 전 활동을 모둠별로 토의하도록 유도한다.

| 예시 |
❶ 국화 꽃잎이 비록 눈밭에 날려도
❷ 그곳 온대에는 따뜻한 방 있겠지요?
❸ 찬 방에서 따뜻한 술 받으니
❹ 속을 채우는 느낌에 매우 고마워요

| 스스로 평가하기 |

개인 평가표		모둠 평가표	
잘된 부분	수행 과정	한시의 내용과 주제를 정확하게 파악하였는가?	☆☆☆☆☆
		모둠원의 역할 분담이 공평하게 이루어졌는가?	☆☆☆☆☆
아쉬운 부분	결과물	창의적이고 완성도 있는 결과물을 제시하였는가?	☆☆☆☆☆
		한시의 내용과 그림이 잘 어우러지도록 잘 형상화하였는가?	☆☆☆☆☆

1단계
정리하기

1. 한시의 내용

소단원	내용 정리
以母酒一盆送于家 이 모 주 일 분 송 우 가	승지(承旨)로 부임하여 아내와 떨어져 있음에, 아내에게 미안한 마음이 들어 시 한 수를 지어 모주와 함께 보냄.
夫人和詩 부 인 화 시	모주와 시를 받은 아내가 남편의 사랑을 느끼면서 화답하여 지은 시임. 남편의 시에 사용된 운자를 동일하게 압운함.
送人 송 인	대동강가에서 사랑하는 임을 떠나보내는 슬픔의 정서를 읊음.
送元二使安西 송 원 이 사 안 서	떠나는 친구에게 술을 권하며 아쉬운 이별의 심정을 드러냄.
絕句 절 구	봄날의 아름다운 풍경을 바라보며 고향에 대한 그리움을 노래함.
春夜洛城聞笛 춘 야 낙 성 문 적	피리 곡조가 은은히 들리는 봄날 고향을 그리는 서글픈 마음을 표현함.
絕命詩 절 명 시	절개를 지키며 의연하게 죽음을 맞이하는 작자의 모습이 비통함을 자아냄.
陣中吟 진 중 음	왜적의 침략으로 어지러워진 조국을 걱정하며 나라를 구하겠다고 맹세하는 충무공의 각오를 표현함.

2. 한시의 형식과 특징

	끊어 읽기, 압운법, 시상 전개 방식		표현법
	〈오언시〉	〈칠언시〉	대우법: 나란히 이어지는 두 구가 서로 짝을 이루도록 하는 것
기구(起句)	○○/○○◑	○○○○/○○◑	
승구(承句)	○○/○○●	○○○○/○○●	
전구(轉句)	○○/○○○	○○○○/○○○	
결구(結句)	○○/○○●	○○○○/○○● ※ ●, ◑: 압운 자리	

※ 율시는 '수(首: 1, 2구) → 함(頷: 3, 4구) → 경(頸: 5, 6구) → 미(尾: 7, 8구)'로 시상이 전개된다.
한 수가 8구로 이루어진 것

2단계
점검하기

1. 어휘와 그 뜻을 바르게 연결해 보자.

(1) 信念
신 념
(2) 配偶者
배 우 자
(3) 含蓄性
함 축 성

㉮ 남편 쪽에서는 아내를, 아내 쪽에서는 남편을 이르는 말
㉯ 말이나 글이 많은 뜻을 담고 있는 성질
㉰ 굳게 믿는 마음

2. 빈칸에 알맞은 한자를 써 보자.

(1) 別淚年年添綠波.: 이별의 눈물 해마다 푸른 물결에 더해지니.
    별 루 년 년 첨 록 파
(2) 西出陽關無故人.: 서쪽 양관을 나서면 친구도 없을 것이니.
    서 출 양 관 무 고 인
(3) 何人不起故園情?: 누구인들 고향 그리는 마음 생기지 않으리오?
    하 인 불 기 고 원 정
(4) 孤臣憂國日, 壯士樹勳時.: 외로운 신하는 나라를 걱정할 날이요, 건장한 군사는 공
    고 신 우 국 일 장 사 수 훈 시
    훈을 세울 때로다.

3단계 응용하기

[1~4] 다음 글을 읽고 물음에 답하시오.

> (가) 江碧鳥逾白,
> 　　강 벽 조 유 백,
> 　　山青花欲燃.
> 　　산 청 화 욕 연.
> 　　今春看又過,
> 　　금 춘 간 우 과,
> 　　何日是歸年?
> 　　하 일 시 귀 년
>
> (나) 雨歇長堤草色多,
> 　　우 헐 장 제 초 색 다,
> 　　送君南浦動悲歌.
> 　　송 군 남 포 동 비 가.
> 　　大同江水何時盡?
> 　　대 동 강 수 하 시 진?
> 　　別淚年年添綠波.
> 　　별 루 년 년 첨 록 파

1. (가)와 (나)에 대한 설명으로 적절하지 <u>않은</u> 것은? ②

① (가)는 두보, (나)는 정지상의 작품이다.

② (가)의 형식은 오언 절구이고, (나)는 칠언 율시이다.

③ (가)와 (나) 모두 선경후정(先景後情)의 구성을 보인다.

④ (가)는 타향에서 느끼는 고향에 대한 그리움을 표현하고 있다.

⑤ (나)는 사랑하는 임을 떠나보내면서 느끼는 감정을 표현하고 있다.

(가)의 형식은 오언 절구가 맞지만, (나)의 형식은 칠언 절구이다.

도움말

2. 한시의 압운법
　운자는 대체로 짝수 구의 끝 글자에 다는데, 첫째 구의 끝 글자에도 달 수 있다.

2. (가)와 (나)의 운자로 적절한 것은? ②

	(가)	(나)
①	燃, 年	歌, 波
②	燃, 年	多, 歌, 波
③	白, 燃, 年	歌, 波
④	白, 燃, 年	多, 歌, 波
⑤	燃, 過, 年	歌, 盡, 波

절구의 운자는 대체로 승구와 결구의 맨 마지막 글자이며, 여기에 덧붙여 기구의 맨 마지막 글자도 운자인 경우가 있다.

3. (가)에서 색채의 대조를 이루는 한자를 바르게 짝지은 것은? ③

① 碧 – 青　　　　② 山 – 青　　　　③ 碧 – 白

④ 鳥 – 花　　　　⑤ 春 – 日

기구에서 푸른[碧] 강과 흰[白] 새가 색채의 대조를 이루고 있다.

📖 서술형

4. (나)에서 작자가 전구(轉句)와 같이 생각하는 이유를 적어 보자.

자신이 한없이 흘리는 이별의 눈물이 대동강에 더해지고 있으므로

이어지는 결구(結句)에 그 이유가 제시되어 있다.

마무리 자기평가

이 단원에서 배운 내용을 스스로 평가해 보자.

점검 항목	잘함	보통	노력 필요	찾아보기 ↻
• 한시의 형식과 특징에 대해 알 수 있다.				78, 84, 96쪽
• 한시를 바르게 풀이하고 한시의 내용과 주제를 설명할 수 있다.				76, 82, 88, 94쪽
• 한시에 나타난 작자의 정서를 이해하고 감상할 수 있다.				76, 82, 88, 94쪽

도움말 대단원 학습이 끝나면 대단원의 주요 학습 목표에 해당하는 질문에 답하며 자신의 학업 성취도를 스스로 점검해 본다. 성취 목표에 도달하지 못한 경우에는 제시된 위치로 돌아가서 내용을 다시 읽고 공부하도록 한다.

10. 어느 부부의 사랑 노래

01 다음 설명에 해당하는 것은?

> 한 구에 다섯 글자씩 4구로 이루어진 시의 형식

① 고체시 　② 오언 절구 　③ 오언 율시
④ 칠언 절구 　⑤ 칠언 율시

[02~04] 다음 시를 읽고 물음에 답하시오.

> (가) 雪下風增冷하니,
> 　　思君坐冷房이라.
> 　　此醪雖品下이나,
> 　　亦足煖寒腸이리라.
>
> (나) 菊葉雖飛雪이나,
> 　　銀臺有煖房가?
> 　　寒堂溫酒受하니,
> 　　多謝感充腸이라.

출제 유력

02 위 시에서 사용된 한자에 대한 설명으로 바르지 않은 것은?

① (가)의 君은 선조를 나타낸다.
② (가)의 足은 (나)의 充과 같은 뜻으로 쓰였다.
③ (나)의 酒는 (가)의 醪를 가리킨다.
④ (가)에서 冷은 煖과 상대되는 뜻의 한자이다.
⑤ (나)의 雪은 계절적 배경을 알 수 있게 해 준다.

03 (가)와 (나)의 공통되는 주제로 알맞은 것은?

① 送別 　② 友情 　③ 忠節
④ 故園情 　⑤ 夫婦愛

04 빈칸에 들어갈 알맞은 한자 어휘를 한자로 쓰시오.

> 　(가)의 작자가 미안한 마음을 담아 아내에게 모주와 함께 시를 보내자, 아내가 남편의 사랑을 느끼면서 화답한 시가 (나)이다. 특히 아내가 남편이 보낸 시의 □□를 자신의 시에서도 동일하게 압운하여 고마운 마음을 드러내고 있다.

11. 이별의 슬픔과 아쉬움

05 빈칸에 들어갈 알맞은 내용을 쓰시오.

절구	율시	내용의 변화
기	수련	시상을 불러일으킴.
승	⊙련	시상을 이어받아 확대하고 발전시킴.
ⓒ	경련	시상에 변화를 주어 장면이나 분위기를 비약·전환시킴.
결	미련	전체의 시상을 마무리 지어 끝맺음.

[06~09] 다음 시를 읽고 물음에 답하시오.

> (가) 雨歇長堤草色多한데, 送君南浦動悲歌라.
> 　　大同江水何時盡고? 　別淚年年添⊙綠波하니.
> (나) 渭城朝雨裛輕塵하니, 客舍青青柳色新이라.
> 　　勸君更盡一杯酒하라, 西出陽關無故人하리니.

06 ⊙과 뜻이 같은 한자로 알맞은 것은?

① 色 　② 南 　③ 青 　④ 新 　⑤ 更

출제 유력

07 (나)의 운자의 연결이 바른 것은?

① 塵, 新, 酒 　② 塵, 新, 人 　③ 新, 酒, 人
④ 塵, 酒, 人 　⑤ 塵, 新, 酒, 人

08 비가 그친 강둑의 풍경을 묘사한 시구는?

① 雨歇長堤草色多 　② 大同江水何時盡
③ 渭城朝雨裛輕塵 　④ 客舍青青柳色新
⑤ 西出陽關無故人

09 (가)와 (나)에서 찾을 수 없는 소재는?

① 풀 　② 비 　③ 술
④ 피리 　⑤ 버들

12. 고향을 그리는 마음

10 다음 설명에 해당하는 한자 어휘로 알맞은 것은?

> 시를 읽을 때 마음속에 떠오르는 감각적인 모습이나 느낌

① 主題　　② 心想　　③ 韻律
④ 素材　　⑤ 對偶

[11~14] 다음 시를 읽고 물음에 답하시오.

> (가) 江碧鳥逾白이요, 山靑花欲燃이라.
> 　　今春看又過하니, 何日是歸年고?
> (나) 誰家玉笛暗飛聲고?　散入春風滿洛城이라.
> 　　㉠此夜曲中聞折柳하니, 何人不起故園情고?

11 (가)에서 푸른색과 붉은색이 선명한 대조를 나타내고 있는 시구의 음을 쓰시오 .

서술형
12 ㉠의 풀이를 쓰시오.

출제 유력
13 (가)와 (나)의 공통되는 계절적 배경은?

① 봄　　② 초여름　　③ 한여름
④ 늦가을　　⑤ 겨울

14 (가)와 (나)의 공통점으로 알맞은 것은?

① 운자　　② 작자　　③ 주제
④ 형식　　⑤ 청각적 심상

13. 고난 속에 빛나는 충절

[15~18] 다음 시를 읽고 물음에 답하시오.

> (가) 擊鼓催人命한데,　回頭日欲斜라.
> 　　黃泉無一店하니,　今夜宿誰家오?
> (나) 天步西門遠이요,　㉠君儲北地危로다.
> 　　孤臣憂國日이요,　壯士樹勳時로다.
> 　　㉡誓海魚龍動이요,　盟山草木知로다.
> 　　讐夷如盡滅이면,　雖死不爲辭리라.

15 다음 풀이에 해당되는 시구는?

> 황천에는 한 곳 주막도 없을 테니

① 擊鼓催人命　　② 黃泉無一店
③ 孤臣憂國日　　④ 壯士樹勳時
⑤ 誓海魚龍動

16 ㉠에서 마지막에 풀이되는 한자로 알맞은 것은?

① 君　② 儲　③ 北　④ 地　⑤ 危

고난도
17 ㉡과 대우를 이루는 시구로 알맞은 것은?

① 君儲北地危　　② 君儲北地危
③ 壯士樹勳時　　④ 盟山草木知
⑤ 讐夷如盡滅

출제 유력
18 다음 글을 참고하여 (나)의 제목을 한자로 쓰시오.

> 전쟁터에 주둔하고 있는 상황에서, 진지 가운데에서 읊었다는 뜻으로, 작자가 전쟁에 임하는 결의를 표현한 시라고 할 수 있다.

대단원 복합 문제

19 한자의 음이 나머지와 <u>다른</u> 하나는?

① 隨　② 需　③ 蔬　④ 帥　⑤ 讐

20 뜻이 비슷한 한자로 이루어진 어휘가 <u>아닌</u> 것은?

① 宿泊　② 監督　③ 繁榮
④ 抗拒　⑤ 緩急

21 다음 설명에 해당하는 한자 어휘로 알맞은 것은?

> 남보다 두드러지게 뛰어남.

① 和答　② 敦篤　③ 比肩
④ 卓越　⑤ 情趣

22 한자 어휘의 활용이 적절하지 <u>않은</u> 것은?

① 노사가 하나가 되어 위기를 克服하였다.
② 소비자들은 過張 광고에 현혹되기 쉽다.
③ 만장일치로 그를 名譽 회장으로 추대하였다.
④ 그 정책의 肯定的 측면과 부정적 측면을 생각해 보자.
⑤ 이 기종이 一般的으로 가장 많이 사용되고 있다고 한다.

[23~27] 다음 시를 읽고 물음에 답하시오.

> (가) 雪下風增冷하니,　思君坐冷房이라.
> 　　此醪雖品下이나,　亦足煖寒腸이리라.
> (나) 菊葉雖飛雪이나,　銀臺有煖房가?
> 　　寒堂溫酒受하니,　多謝感充腸이라.
> (다) 江碧鳥逾白이요,　山靑花欲燃이라.
> 　　今春看又過하니,　何㉠日是歸年고?
> (라) 擊鼓催人命한데,　回頭㉡日欲斜라.
> 　　黃泉無一店하니,　今夜宿誰家오?

23 음이 같은 한자의 연결이 바르지 <u>않은</u> 것은?

① 下-何　② 思-斜　③ 雖-誰
④ 有-逾　⑤ 冷-煖

24 (가)와 관련 있는 성어로 알맞은 것은?

① 偕老同穴　② 綠陰芳草　③ 茫茫大海
④ 汗牛充棟　⑤ 殺身成仁

25 ㉠과 ㉡의 뜻을 구분하여 쓰시오.

<u>출제 유력</u>
26 (다)의 주제로 알맞은 것은?

① 愛情　② 鄕愁　③ 送別
④ 節槪　⑤ 善行

27 (가)~(라)에 대한 설명으로 바르지 <u>않은</u> 것은?

① (가)의 운자는 冷, 房, 腸이다.
② (나)의 형식은 오언 절구이다.
③ (다)의 기구에는 색채 대비가 나타난다.
④ (라)는 형장에 끌려가면서 지은 즉흥시이다.
⑤ (나)와 (라)에서는 대우를 찾을 수 있다.

[28~30] 다음 시를 읽고 물음에 답하시오.

> (가) 雨歇㉠長堤草色多한데, 送㉡君南浦動悲歌라.
> 　　大同江水何時盡고?　　別淚年年添綠波하니.
> (나) 渭城㉢朝雨浥輕塵하니, 客㉣舍靑靑柳色新이라.
> 　　勸君㉤更盡一杯酒하라, 西出陽關無故人하리니.

28 ㉠~㉤의 풀이로 알맞은 것은?

① ㉠: 자라다　② ㉡: 임　③ ㉢: 조정
④ ㉣: 버리다　⑤ ㉤: 고치다

29 (가)와 (나)에 대한 설명이 바른 것만을 〈보기〉에서 고른 것은?

보기
ㄱ. (가)의 형식은 오언 절구이다.
ㄴ. (가)의 셋째 구와 넷째 구는 대우를 이룬다.
ㄷ. (나)의 운자는 塵, 新, 人이다.
ㄹ. (나)의 셋째 구는 '勸君更盡/一杯酒'로 띄어 읽는다.

① ㄱ, ㄴ   ② ㄴ, ㄹ   ③ ㄷ, ㄹ
④ ㄱ, ㄴ, ㄷ   ⑤ ㄱ, ㄷ, ㄹ

30 (가)와 (나)에 대한 이해로 바르지 않은 것은?

① (가)에는 과장된 표현이 사용되었군.
② (가)에는 이별의 공간이 나타나 있어.
③ (가)에는 시적 화자의 감정이 드러나 있군.
④ (나)는 소리를 통해 풍경을 형상화하고 있어.
⑤ (가)와 (나)에는 공통된 소재가 쓰였어.

[31~37] 다음 시를 읽고 물음에 답하시오.

(가) 誰家玉笛暗飛聲고?   散入春風滿洛城이라.
　　 此夜曲中聞折柳하니, ㉠何人不起故園情고?
(나) 天步西門遠이요,   君儲北地危로다.
　　 孤臣憂國日이요,   壯士樹勳時로다.
　　 誓海魚龍動이요,   盟山草木知로다.
　　 讐夷如盡滅이면,   雖死不爲辭리라.

31 뜻이 비슷한 한자의 연결이 바른 것은?

① 聲-城   ② 笛-柳   ③ 折-滅
④ 誓-盟   ⑤ 孤-壯

32 위 시에서 ㉠과 같은 뜻을 가진 한자를 찾아 쓰시오.

33 (가)에 쓰인 한자 중, 이별과 관련 있는 것은?

① 家   ② 春   ③ 風   ④ 夜   ⑤ 柳

34 (나)에서 동사로 쓰인 한자로 알맞은 것은?

① 步   ② 北   ③ 國   ④ 樹   ⑤ 勳

35 풀이 순서가 나머지와 다른 하나는?

① 西門   ② 孤臣   ③ 誓海
④ 木知   ⑤ 盡滅

36 (가)와 (나)의 주제의 연결이 바른 것은?

　　(가)　(나)　　　　(가)　(나)
① 愛情, 忠節   ② 鄕愁, 送別
③ 愛情, 送別   ④ 鄕愁, 忠節
⑤ 送別, 愛情

37 (가)와 (나)의 작자에 대한 설명으로 알맞은 것은?

① (가)의 작자는 詩仙으로 불린다.
② (가)의 작자는 현실의 비참한 실상을 표현했다.
③ (나)의 작자는 집현전 학사 출신이다.
④ (나)의 작자는 단종 복위 운동을 했다.
⑤ (가)와 (나)의 작자 모두 우리나라 사람이다.

IV. 우리 땅을 걸으며 만나는 역사

우리는 유구한 역사와 빛나는 전통을 지닌 민족이며, 백두산에서 한라산까지 아름다운 국토 산하를 가지고 있다. 이 단원에서는 선인들의 자부심이 담긴 지리, 건축물, 역사에 대한 기록을 통해 우리 국토와 문화의 소중함과 주체적 역사 인식의 필요성을 느껴 보자.

| 이 단원에서 배울 내용 |

· 문장의 구조를 구별한다.
· 글을 바르게 풀이하고 내용과 주제를 설명한다.
· 한문 산문의 다양한 서술 방식을 통해 글의 내용을 이해하고 감상한다.
· 한자로 이루어진 다른 교과 학습 용어를 맥락에 맞게 활용한다.
· 한문 기록에 담긴 우리의 전통문화를 바르게 이해하고 미래 지향적인 새로운 문화 창조의 원동력으로 삼으려는 태도를 형성한다.
· 한자 문화권의 문화에 대한 기초적인 지식을 통해 상호 이해와 교류를 증진시키려는 태도를 형성한다.

소단원 미리 보기

소단원	소단원 소개	소단원 학습 요소
14	한반도의 지형, 백두대간을 묘사한 글을 읽고, 국토 지리에 대한 이해를 넓히는 단원이다.	· 한문 산문의 서술 방식(지리 묘사) · 지리 관련 학습 용어 · 전통문화의 계승과 발전
15	조선 시대의 경성과 궁성을 묘사한 글을 읽고, 경성의 규모와 8개의 성문의 이름, 궁성의 규모와 4개의 성문의 이름을 알아보는 단원이다.	· 한문 산문의 서술 방식(궁궐 묘사) · 전통문화의 계승과 발전 · 한자 문화권의 상호 이해와 교류
16	남북국 중 북국에 해당하는 발해의 역사 편수의 당위성을 주장한 유득공의 글을 읽고, 발해가 우리 역사에서 차지하는 위상과 의의를 알아보는 단원이다.	· 문장의 구조와 절 · 한문 산문의 서술 방식(의론) · 글의 내용과 주제

[팔도(八道)의 어원]
팔도란 조선 태종 13년(1413년) 때 확정된 경기도, 충청도, 전라도, 경상도, 강원도, 황해도, 평안도, 함경도('영길도 → 함길도 → 영안도 → 함경도'로 명칭이 바뀜) 등 8개 도의 전국의 지방 행정 구역 명칭이다. 팔도란 말은 세조 1년(1455년)에 편찬하기 시작하여 성종 8년(1477년)에 완성된, 『팔도지리지(八道地理志)』란 책이 발간된 뒤 널리 쓰이기 시작했다.

| 생각을 여는 활동 |

• 〈보기〉를 참고하여, 빈칸에 해당 지역의 이름을 한자로 써 보자.

- 평양: 평안남도 서남쪽에 있는 시
- 안주: 평안남도 안주군에 있는 읍
- 황주: 황해도 황주군 가운데에 있는 읍
- 해주: 황해도 서남쪽에 있는 시
- 충주: 충청북도 북부 가운데에 있는 시
- 청주: 충청북도의 서부에 있는 시

보기

팔도의 지명 유래

❶ 평안도: 平壤(평양)과 安州(안주)에서 따온 말
❷ 황해도: 黃州(황주)와 海州(해주)에서 따온 말
❸ 경기도: 京은 임금의 궁이 있는 서울, 畿는 서울의 외곽 지역
❹ 충청도: 忠州(충주)와 清州(청주)에서 따온 말
❺ 전라도: 全州(전주)와 羅州(나주)에서 따온 말
❻ 경상도: 慶州(경주)와 尙州(상주)에서 따온 말
❼ 강원도: 江陵(강릉)과 原州(원주)에서 따온 말
❽ 함경도: 咸興(함흥)과 鏡城(경성)에서 따온 말

- 전주: 전라북도 중앙부에 있는 시
- 나주: 전라남도 중서부에 있는 시
- 경주: 경상북도의 동남부에 있는 시
- 상주: 경상북도의 서북부에 있는 시
- 강릉: 강원도 동부에 있는 시
- 원주: 강원도 서남쪽에 있는 시
- 함흥: 함경남도 중남부에 있는 시
- 경성: 함경북도 경성군에 있는 읍

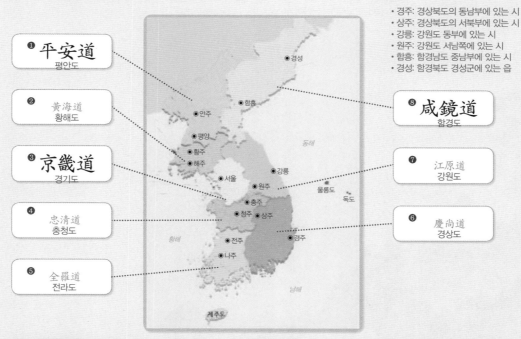

❶ 平安道 평안도
❷ 黃海道 황해도
❸ 京畿道 경기도
❹ 忠清道 충청도
❺ 全羅道 전라도
❽ 咸鏡道 함경도
❼ 江原道 강원도
❻ 慶尙道 경상도

학습 계획 세우기

도움말 우리나라의 위치와 지형을 알아보는 활동을 통해 소단원 학습에 대한 자신의 배경지식을 활성화한다. 또 이를 바탕으로 소단원에서 어떤 내용을 공부할지 스스로 계획을 세워 본다.

● 위 활동을 바탕으로 스스로 학습 계획을 세워 보자.

나는 이 단원에서 _____ (예) 우리나라의 위치와 지형 _____ 을/를 공부하겠다.

한자 모아 보기 자신이 알고 있는 한자에 ✓표시를 해 보자.

한자	음	뜻	부수	획수	총획	한자	음	뜻	부수	획수	총획	한자	음	뜻	부수	획수	총획
州	주	고을	巛(川)	3	6	陵	릉	언덕	阜(阝)	8	11	鏡	경	거울	金	11	19
畿	기	경기	田	10	15	咸	함	다	口	6	9						

백두대간으로 떠나는 여행 ○ 교과서 104, 105쪽

　　우리 민족은 북쪽은 대륙과 이어져 있고 나머지 삼면은 바다로 둘러싸인 한반도에서 생활해 왔다. 한반도는 백두산으로부터 뻗어 나간 산맥이 경상도 태백산까지 이어져 국토를 관통하고 있다. 이 단원에서는 우리나라의 지형적 특성을 확인하며 국토에 관한 관심과 애정을 느껴 보자.

新 한자 모아 보기

한자	음	뜻	부수	획수	총획
謂	위	이르다	言	9	16
脈	맥	줄기	肉(月)	6	10
鴨*	압	오리	鳥	5	16
幹	간	줄기	干	10	13
峽	협	골짜기	山	7	10
亘*	긍	뻗치다	二	4	6
派	파	갈래	水(氵)	6	9
嶺	령	고개	山	14	17

大韓國은 在亞細亞之東하니 北은 連大陸하고
대 한 국　　재　아 세 아 지 동　　북　　연 대 륙
대한국(국명)　있다　아세아(대륙명) 어조사 동녘　북녘　잇다 크다 뭍

東西南은 環以洋海라. 故로 謂半島國이라.
동 서 남　　환 이 양 해　　고　　위 반 도 국
동녘 서녘 남녘　두르다 써 큰 바다 바다　그러므로　말하다 반 섬 나라　　『몽학한문초계』

• 육대주의 하나
• 동반구의 북부를 차지하는데, 세계 육지의 약 3분의 1에 해당
• 유럽 주와 함께 유라시아 대륙을 이룸.
• 인구는 세계 인구의 2분의 1 이상을 차지함.
• 면적은 4439만 1162km²

삼면이 바다로 둘러싸이고 한 면은 육지에 이어진 땅. 대륙에서 바다 쪽으로 좁다랗게 돌출한 육지를 말함.

대한국은 아시아의 동쪽에 있으니 북쪽은 대륙에 이어져 있고 동서남 쪽은 바다로 둘리어 있다. 그러므로 반도국이라 말한다.

自白頭로 至咸興히 山脈中行하니 東枝는 行
자 백 두 　 지 함 흥 　 산 맥 중 행 　 동 지 　 행
~부터 백두(산 이름) 　 이르다 함흥(지명) 　 산 줄기 가운데 다니다 　 동녘 가지 　 다니다

於豆滿之南하고 西枝는 行於鴨綠之南이라. [중략]
어 두 만 지 남 　 서 지 　 행 어 압 록 지 남
어조사 두만(강 이름) 어조사 남녘 　 서녘 가지 　 다니다 어조사 압록(강 이름) 어조사 남녘

大幹則不斷峽橫하고 亘南下數千里로되 至
대 간 즉 부 단 협 횡 　 긍 남 하 수 천 리 　 지
크다 줄기 곧 아니다 끊다 골짜기 가로 　 뻗치다 남녘 아래 셈 일천 거리 단위 　 이르다

慶尙太白山하여 通爲一派嶺이라.
경 상 태 백 산 　 통 위 일 파 령
경상(지명) 태백산(산 이름) 　 통하다 되다 하나 갈래 고개

『택리지』

백두부터 함흥에 이르기까지 산맥이 가운데로 뻗어 가니 동쪽 가지는 두만강의 남쪽으로 뻗어 가고, 서쪽 가지는 압록강의 남쪽으로 뻗어 간다. 큰 줄기가 골짜기로 가로놓여진 것에 끊어지지 않고 뻗어 남쪽으로 내려간 것이 수천 리로되 경상도 태백산에 이르러서 이어져 한 갈래의 산맥이 된다.

✎ 스스로 확인

대한민국이 반도국인 이유는 무엇인가?

북쪽은 대륙에 이어져 있고 동서남 쪽은 바다로 둘러싸여 있으므로

대동여지전도(大東輿地全圖)

• 『몽학한문초계(蒙學漢文初階)』: 1907년 원영의(元泳義)가 찬집(纂集)하고, 유근(柳瑾)과 장지연
(張志淵)이 교열한 아동용 한문 교과서

• 『택리지(擇里志)』: 조선 영조 때의 실학자 이중환(李重煥)이 저술한 우리나라 지리서(地理書)

自: ~부터
자

於: ~에, ~으로
어

섬에 상대하여, 대륙과 연결되어 있는 땅을 이르는 말

부수가 같은 한자 – 阜(阝)부

陸(륙) 뭍 예 陸地육지
隔(격) 사이 뜨다 예 間隔간격: ① 공간적으로 벌어진 사이 ② 시간적으로 벌어진 사이
陵(릉) 언덕 예 武陵桃源무릉도원 — 도연명의 「도화원기」에 나오는 말로, '이상향', '별천지'를 비유적으로 이르는 말
防(방) 막다 예 防潮堤
방조제: 높이 밀려드는 조수의 피해를 막기 위하여 바닷가에 쌓은 둑

➕ 어휘 더하기

• 모양이 비슷한 한자
脈(맥) 줄기 예 脈絡맥락 — 사물 따위가 서로 이어져 있는 관계나 연관
派(파) 갈래 예 黨派당파
連(연) 잇다 예 連結연결: 사물과 사물 또는 현상과 현상이 서로 이어지거나 관계를 맺음.
蓮(련) 연꽃 예 紫木蓮자목련: 목련과의 낙엽 활엽 교목
輿(여) 주다 예 贈輿증여: 물품 따위를 선물로 줌.
輿(여) 땅 예 大東輿地圖
術(술) 재주 예 技術기술
述(술) 펴다 예 陳述진술

대동여지도: 조선 철종 12년(1861년)에 김정호가 제작한 우리나라의 대축척 지도

大韓國은 在亞細亞之東하니
대 한 국 재 아 세 아 지 동
대한국은 아시아의 동쪽에 있으니

北은 連大陸하고 東西南은 環以洋海라. 故로 謂半島國이라.
북 연 대륙 동서남 환 이 양 해 고 위 반도국
북쪽은 대륙에 이어져 있고 동서남 쪽은 바다로 둘리어 있다. 그러므로 반도국이라 말한다.

自白頭로 至咸興히 山脈中行하니
자 백 두 지 함 흥 산 맥 중 행
백두부터 함흥에 이르기까지 산맥이 가운데로 뻗어 가니

주의, 주장, 이해를 같이하는 사람들이 뭉쳐 이룬 단체나 모임

東枝는 行於豆滿之南하고 西枝는 行於鴨綠之南이라.
동 지 행 어 두 만 지 남 서 지 행 어 압 록 지 남
동쪽 가지는 두만강의 남쪽으로 뻗어 가고, 서쪽 가지는 압록강의 남쪽으로 뻗어 간다.

大幹則不斷峽橫하고 亘南下數千里로되
대 간 즉 부 단 협 횡 긍 남 하 수 천 리
큰 줄기가 골짜기로 가로놓여진 것에 끊어지지 않고 뻗어 남쪽으로 내려간 것이 수천 리로되

至慶尙 太白山하여 通爲一派嶺이라.
지 경 상 태 백 산 통 위 일 파 령
경상도 태백산에 이르러서 이어져 한 갈래의 산맥이 된다.

과학 이론을 실제로 적용하여 자연의 사물을 인간 생활에 유용하도록 가공하는 수단

일이나 상황에 대하여 자세하게 이야기함. 또는 그런 이야기

新 한자 모아 보기

한자	음	뜻	부수	획수	총획
阜*	부	언덕	阜	0	8
隔	격	사이 뜨다	阜(阝)	10	13
源	원	근원	水(氵)	10	13
潮	조	밀물	水(氵)	12	15
絡	락	잇다	糸	6	12
黨	당	무리	黑	8	20
蓮	련	연꽃	艸(艹)	11	15
紫	자	자줏빛	糸	5	11
贈	증	주다	貝	12	19
輿	여	수레, 땅	車	10	17
述	술	펴다	辵(辶)	5	9
陳	진	베풀다, 말하다	阜(阝)	8	11
確	확	굳다	石	10	15

[똑똑한 지식] 한문 산문의 서술 방식

한문의 서술 방식에는 서사적, 묘사적, 서정적, 의론적 서술 방식이 있다.

서사적	인물의 언행이나 사건의 경과를 서술하는 글
묘사적	산천의 경물이나 지리 또는 사회의 풍속이나 인정을 기술하는 글
서정적	사람이나 사물, 사건에 대해 느낀 개인의 감정을 표현하는 글
의론적	사물의 이치를 따지거나 자신의 사상을 천명함으로써 남을 설득시킬 목적으로 하는 글

본문에서는 한반도의 위치와 지형, 조선 세종 때 경계가 *確定*된 우리 국토에 대하여 '묘사적'으로 서술하고 있다.
확정: 일을 확실하게 정함.

함경북도
함경남도
북한
평양 평안남도
평안북도
황해도
서울 대한민국
인천 대전
울릉도·독도
대구
동해
울산
광주 부산
일본
남해
제주특별자치도
황해

국가: 일정한 영토와 거기에 사는 사람들로 구성되고, 주권(主權)에 의한 하나의 통치 조직을 가지고 있는 사회 집단

요소: 사물의 성립이나 효력 발생 따위에 꼭 필요한 성분. 또는 근본 조건

국민   주권

영토

國家의 3要素는 國民, 領土, 主權이다. **국민**은 국가를 구성하는 사람 또는 그 나라의 國籍을 가진 사람을 말한다. **영토**는 국제법에서, 국가의 통치권이 미치는 구역으로 흔히 토지로 이루어진 국가의 영역을 이르나 영해와 영공을 포함하는 때도 있다. **주권**은 국가의 의사를 최종적으로 결정하는 권력으로, 대내적으로는 최고의 절대적 힘을 가지고 대외적으로는 자주적 독립성을 가진다.

국적: 한 나라의 구성원이 되는 자격

산악   산봉

대한민국의 영토와 영해

산악: 높고 험준하게 솟은 산들
산봉: 산봉우리(산에서 뾰족하게 높이 솟은 부분)
북위: 적도로부터 북극에 이르기까지의 위도. 적도를 0도로 하여 북극의 90도에 이름.

韓半島는 험한 **山岳** 지형과 많은 **山峯**으로 이루어져서 남북으로 길게 뻗어 있는 반도와 3,200여 개의 섬으로 이루어져 있다. **極北**은 **北緯** 43°1′(함북 온성군 유포진 북단), **極南**은 북위 33°6′(제주 남제주군 마라도 남단), **極東**은 **東經** 131°52′(경북 울릉군 독도 동단), **極西**는 동경 124°11′(평북 용천군 마안면 서단)이다. 북쪽은 압록강과 두만강을 건너 중국의 만주와 러시아의 연해주에 접하고 있다.

한반도: 아시아 대륙의 동북쪽 끝에 있는 반도
극북: 북쪽의 맨 끝
극남: 남쪽의 맨 끝
극동: 동쪽의 맨 끝
극서: 서쪽의 맨 끝
동경: 지구 동반구의 경도. 본초 자오선을 0도로 하여 동쪽으로 180도까지의 경선

◀ 극동 지역인 독도

한문으로 여는 세상

국가의 3요소

◎ 교과서 107쪽

國民 국민
領土 영토
主權 주권

영공
영토
영해
12해리
200해리
배타적 경제 수역

| 지리 관련 용어 |

활동 **빈칸에 알맞은 음을 써 보자.**

① 지도에서의 거리와 지표에서의 실제 거리와의 비율을 縮尺(축척)이라고 한다.

② 강이 바다로 들어가는 어귀에, 강물이 운반하여 온 모래나 흙이 쌓여 이루어진 편평한 지형을 三角洲(삼각주)라고 한다.

③ 서로 다른 지리적 특성을 가진 두 지역 사이에서 중간적인 현상을 나타내는 지역을 漸移地帶(점이 지대)라고 한다.

④ 단단한 암석 사이에 있던 약한 암석이 침식되어 생긴 분지를 浸蝕盆地(침식 분지)라고 한다.

⑤ 대기가 지구 상에서 대규모로 일정한 순환과 혼합을 계속하는 현상을 大氣大循環(대기 대순환)이라고 한다.

⑥ 대륙 주위에 분포하는 극히 완만한 경사의 해저를 沿岸海底地域(연안 해저 지역)이라고 한다. = 대륙붕

⑦ 연안으로부터 200해리 수역 안에 들어가는 바다를 排他的經濟水域(배타적 경제 수역)이라고 한다.

자국 연안으로부터 200해리까지의 모든 자원에 대해 독점적 권리를 행사할 수 있는 유엔 국제 해양법상의 수역. 연안국이 자국 해안으로부터 200해리 안에 있는 해양 자원의 탐사, 개발 및 보존, 해양 환경의 보존과 과학적 조사 활동 등 모든 주권적 권리를 인정하는 유엔 국제 해양법상의 해역을 말함.

新 한자 모아 보기

한자	음	뜻	부수	획수	총획
籍	적	문서	竹(⺮)	14	20
岳	악	큰 산	山	5	8
峯	봉	봉우리	山	7	10
緯	위	가로	糸	9	15
縮	축	줄이다	糸	11	17
洲	주	물가	水(氵)	6	9
漸	점	점점	水(氵)	11	14
浸	침	잠기다	水(氵)	7	10
蝕	식	좀 먹다	虫	9	15
循	순	돌다	彳	9	12
沿	연	물 따라가다	水(氵)	5	8
岸	안	언덕	山	5	8
底	저	밑	广	5	8
排	배	밀치다	手(扌)	8	11
濟	제	건너다	水(氵)	14	17

14. 백두대간으로 떠나는 여행   169

[1~2] 다음 글을 읽고 물음에 답하시오.

> (가) 大韓國, 在亞細亞之東, 北, 連大陸, 東西南, 環以洋海. 故, 謂半島國.
>   대 한 국 재 아 세 아 지 동 북 연 대 륙 동 서 남 환 이 양 해 고 위 반 도 국
>
> (나) 自白頭, (㉠)咸興, 山脈中行, 東枝, 行於豆滿之南, 西枝, 行於鴨綠之南.
>   자 백 두   함 흥 산 맥 중 행 동 지 행 어 두 만 지 남 서 지 행 어 압 록 지 남

[풀이] (가) 대한국은 아시아의 동쪽에 있으니 북쪽은 대륙에 이어져 있고 동서남 쪽은 바다로 둘리어 있다. 그러므로 반도국이라 말한다.

(나) 백두부터 함흥에 이르기까지 산맥이 가운데로 뻗어 가니 동쪽 가지는 두만강의 남쪽으로 뻗어 가고, 서쪽 가지는 압록강의 남쪽으로 뻗어 간다.

1. (가)의 밑줄 친 부분을 바르게 풀이해 보자.

✎ 대한국은 아시아의 동쪽에 있다.

2. ㉠에 들어갈 알맞은 것은? ③

① 由   ② 之   ③ 至   ④ 止   ⑤ 只
유 말미암다 지 가다, 어조사, 그것 지 이르다   지 그치다   지 다만

앞의 自는 '~부터'의 의미이므로, 뒤의 빈칸에는 '(~에) 이르다'의 뜻을 지닌 한자가 들어가는 것이 적절하다. 自白頭, 至咸興은 '백두부터 함흥에 이르기까지'의 뜻을 지닌 구절이다.

창의형

3. 다음은 우리나라 백두대간에 있는 중심 산줄기이다. 여기에 있는 명산을 조사하여 자료집을 만들어 보자.

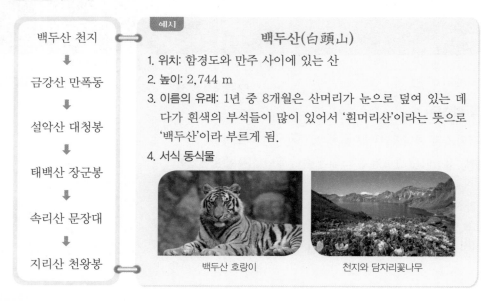

백두산 천지
↓
금강산 만폭동
↓
설악산 대청봉
↓
태백산 장군봉
↓
속리산 문장대
↓
지리산 천왕봉

예시

백두산(白頭山)

1. 위치: 함경도와 만주 사이에 있는 산
2. 높이: 2,744 m
3. 이름의 유래: 1년 중 8개월은 산머리가 눈으로 덮여 있는 데다가 흰색의 부석들이 많이 있어서 '흰머리산'이라는 뜻으로 '백두산'이라 부르게 됨.
4. 서식 동식물

백두산 호랑이   천지와 담자리꽃나무

[예시 답안] 지리산(智異山)
1. 위치: 전라북도, 전라남도, 경상남도에 걸쳐 있는 산
2. 높이: 1915 m
3. 이름의 유래: '어리석은 사람이 머물면 지혜로운 사람으로 달라진다.' 하여 지리산(智異山)이라 불렀고, 또 '멀리 백두대간이 흘러왔다.' 하여 두류산(頭流山)이라고도 하며, 옛 삼신산(三神山)의 하나인 방장산(方丈山)으로도 알려져 있다.
4. 서식 동식물: 천연기념물인 수달, 하늘다람쥐, 반달가슴곰, 희귀 식물인 큰방울새란, 특정 식물인 두메닥나무 등

도움말 소단원 학습이 끝나면 소단원 학습 목표에 해당하는 질문에 답하며 자신의 학업 성취도를 스스로 점검해 본다. 성취 목표에 도달하지 못한 경우에는 제시된 위치로 돌아가서 내용을 다시 읽고 공부하도록 한다.

소단원
자기 점검

배운 내용에 관해 자기 점검을 하면서 학업 성취도 도달 정도를 확인해 보자.   [별이 3개 이하인 경우] • 교과서 106쪽 '똑똑한 지식' 다시 읽기

• 한문 산문의 서술 방식을 이해할 수 있는가?	☆☆☆☆☆
• 국토와 관련된 학습 용어의 의미를 이해할 수 있는가?	☆☆☆☆☆
• 한반도의 지형적 특징을 알 수 있는가?	☆☆☆☆☆

[별이 3개 이하인 경우] • 교과서 107쪽 '지리 관련 용어' 다시 읽기

[별이 3개 이하인 경우] • 교과서 104~106쪽 다시 읽기

• 한자, 음, 뜻, 부수의 순서로 제시

1. 한자

州 ❶[] 고을 [巛(川)]	隔 (격) 사이 뜨다 [阜(阝)]	峯 (봉) 봉우리 [山]
畿 (기) 경기 [田]	源 (원) ❺[][] [水(氵)]	緯 (위) 가로 [糸]
❷[] (릉) 언덕 [阜(阝)]	潮 (조) 밀물 [水(氵)]	縮 (축) 줄이다 [糸]
咸 (함) 다 [口]	絡 (락) 잇다 [糸]	洲 (주) 물가 [水(氵)]
鏡 (경) ❸[][] [金]	黨 (당) 무리 [黑]	❾[] (점) 점점 [水(氵)]
謂 (위) 이르다 [言]	❻[] (련) 연꽃 [艸(艹)]	浸 (침) 잠기다 [水(氵)]
脈 (맥) 줄기 [肉(月)]	紫 (자) 자줏빛 ❼[]	蝕* ❿[] 좀 먹다 [虫]
鴨* (압) 오리 [鳥]	贈 (증) 주다 [貝]	循 (순) 돌다 [彳]
幹 (간) 줄기 [干]	輿 (여) 수레, 땅 [車]	沿 (연) 물 따라가다 [水(氵)]
峽* (협) 골짜기 [山]	述 (술) 펴다 [辵(辶)]	岸 (안) 언덕 [山]
亘* (긍) 뻗치다 [二]	陳 (진) 베풀다, 말하다 [阜(阝)]	底 (저) 밑 [⓫[]]
派 (파) 갈래 [水(氵)]	確 (확) ❽[] 굳다 [石]	排 (배) 밀치다 [手(扌)]
嶺 (령) 고개 [❹[]]	籍 (적) 문서 [竹]	濟 (제) ⓬[][][] [水(氵)]
阜* (부) 언덕 [阜]	岳 (악) 큰 산 [山]	

2. 본문

大韓國(대한국)은 在亞細亞之東(재아세아지동)하니
北(북)은 連❶[][](연대륙)하고 東西南(동서남)은 環以
洋海(환이양해)라.
故(고)로 謂半島國(위반도국)이라.

대한국은 아시아의 동쪽에 있으니 북쪽은 대륙에 이어져 있고
동서남 쪽은 바다로 둘리어 있다.
그러므로 반도국이라 말한다.

自白頭(자백두)로 ❷[]咸興(지함흥)히 山脈中行(산맥중행)하니
東枝(동지)는 行於豆滿之南(행어두만지남)하고
西枝(서지)는 行於鴨綠之南(행어압록지남)이라.

백두부터 함흥에 이르기까지 산맥이 가운데로 뻗어 가니
동쪽 가지는 두만강의 남쪽으로 뻗어 가고,
서쪽 가지는 압록강의 남쪽으로 뻗어 간다.

---

❸[][]則不斷峽橫(대간즉부단협횡)하고 亘南下數
千里(긍남하수천리)로되
至慶尙太白山(지경상태백산)하여 通爲一派嶺(통위
일파령)이라

큰 줄기가 골짜기로 가로놓여진 것에 끊어지지 않고 뻗어 남쪽
으로 내려간 것이 수천 리로되
경상도 ❹[][][]에 이르러서 이어져 한 갈래의 산맥이 된다.

3. 한문 산문의 서술 방식

- ❶ ☐☐☐(敍事的): 인물의 언행이나 사건의 경과를 서술하는 글
- 묘사적(描寫的): 산천의 경물이나 지리 또는 사회의 풍속이나 인정을 기술하는 글
- 서정적(抒情的): 사람이나 사물, 사건에 대해 느낀 개인의 ❷☐☐을 표현하는 글
- 의론적(議論的): 사물의 이치를 따지거나 자신의 사상을 천명함으로써 남을 설득시킬 목적으로 하는 글

4. 어휘 – 지리 관련 용어

- 縮尺(❶☐☐): 지도에서의 거리와 지표에서의 실제 거리와의 비율
- ❷☐☐☐(삼각주): 강이 바다로 들어가는 어귀에, 강물이 운반하여 온 모래나 흙이 쌓여 이루어진 편평한 지형
- 漸移地帶(점이 지대): 서로 다른 지리적 특성을 가진 두 지역 사이에서 중간적인 현상을 나타내는 지역
- ❸☐☐盆地(침식 분지): 단단한 암석 사이에 있던 약한 암석이 침식되어 생긴 분지

- 大氣大循環(대기 ❹☐☐☐): 대기가 지구 상에서 대규모로 일정한 순환과 혼합을 계속하는 현상
- 沿岸海底地域(연안 해저 지역): 대륙 주위에 분포하는 극히 완만한 경사의 해저 = 대륙붕
- 排他的經濟水域(배타적 경제 수역): 연안으로부터 ❺☐☐☐해리 수역 안에 들어가는 바다

쪽지 시험

01 다음 한자의 공통되는 뜻을 쓰시오.

陵　阜　岸

02 다음 한자의 공통되는 부수를 쓰시오.

峽　嶺

03 한자 어휘와 뜻을 바르게 연결하시오.

(1) 領土　•

(2) 主權　•

(3) 國民　•

　• ㉠ 그 나라의 국적(國籍)을 가진 사람

　• ㉡ 국가의 의사를 최종적으로 결정하는 권력

　• ㉢ 국가의 통치권이 미치는 구역

04 다음과 같은 뜻을 가진 단어를 〈보기〉에서 찾아 한자 어휘와 독음을 쓰시오.

(1) 단단한 암석 사이에 있던 약한 암석이 침식되어 생긴 분지

(2) 대기가 지구 상에서 대규모로 일정한 순환과 혼합을 계속하는 현상

보기

浸蝕盆地　　大氣大循環

05 다음과 같은 뜻을 가진 한자 어휘를 쓰시오.

(1) 대륙 주위에 분포하는 극히 완만한 경사의 해저: ☐☐☐☐ 지역

(2) 연안으로부터 200해리 수역 안에 들어가는 바다: ☐☐☐ 경제 수역

01 한자의 음이 바르지 <u>않은</u> 것은?

① 咸 (함)　　② 脈 (백)　　③ 幹 (간)

④ 派 (파)　　⑤ 嶺 (령)

02 한자의 뜻이 바르지 <u>않은</u> 것은?

① 源: 근원　　② 絡: 잇다　　③ 黨: 무리

④ 贈: 만나다　⑤ 岳: 큰 산

03 다음 조건을 모두 만족하는 한자로 알맞은 것은?

- 부수는 阜이다.
- 총획은 13획이다.
- '사이 뜨다'라는 뜻을 가진다.

① 隔　② 防　③ 陸　④ 興　⑤ 確

04 부수가 나머지와 <u>다른</u> 하나는?

① 濟　② 沿　③ 浸　④ 漸　⑤ 州

05 한자 어휘의 독음이 바르지 <u>않은</u> 것은?

① 間隔 (간격)　　　② 脈絡 (맥락)

③ 黨派 (당파)　　　④ 連結 (연결)

⑤ 贈與 (증유)

06 화살표 방향으로 한자 어휘를 채울 때, ㉠에 들어갈 한자로 알맞은 것은?

【가로 열쇠】
배에서 육지로 오름.

【세로 열쇠】
지역이 넓은 육지

① 州　② 陵　③ 陸　④ 興　⑤ 鏡

출제 유력

07 빈칸에 들어갈 한자 어휘로 알맞은 것은?

충청도는 忠州와 □□에서 따온 말이다.

① 黃州　　　② 尙州　　　③ 淸州

④ 羅州　　　⑤ 海州

출제 유력

08 다음 그림에서 ㉠에 해당하는 한자 어휘로 알맞은 것은?

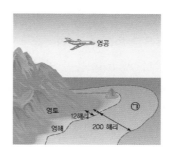

① 縮尺

② 三角洲

③ 漸移地帶

④ 沿岸海底地域

⑤ 排他的經濟水域

09 다음을 국어사전에서 찾을 때, 빈칸에 들어갈 알맞은 한자 어휘를 한자로 쓰시오.

□□□
【명사】아시아 대륙의 동북쪽 끝에 있는 반도

10 다음 설명에 해당하는 한자 어휘로 알맞은 것은?

높이 밀려드는 조수의 피해를 막기 위하여 바닷가에 쌓은 둑

① 技術　　　　② 紫木蓮

③ 防潮堤　　　④ 武陵桃源

⑤ 大東輿地圖

[11~15] 다음 글을 읽고 물음에 답하시오.

> 大韓國은 在㉠亞細亞之東하니 ㉡은 ㉮連大陸하고 東西南은 ㉯環㉰以洋海라. ㉢故로 ㉱謂半㉲島國이라.

출제 유력

11 윗글의 서술 방식을 쓰시오.

12 ㉠에 대한 설명으로 바르지 <u>않은</u> 것은?

① 독음은 '아세아'이다.
② 영어 'Asia'를 음만 빌려 쓴 것이다.
③ 亞는 순서로 '둘째'라는 뜻으로 쓰였다.
④ 細는 '가늘다'의 뜻과는 관련이 없이 사용되었다.
⑤ 육대주의 하나로, 세계 육지의 3분의 1에 해당한다.

13 ㉡에 들어갈 한자로 알맞은 것은?

① 東　② 西　③ 南　④ 北　⑤ 東西

14 ㉢의 뜻으로 알맞은 것은?

① ~이고　② ~하다　③ 그러나
④ 말하다　⑤ 그러므로

출제 유력

15 ㉮~㉲의 뜻이 바르지 <u>않은</u> 것은?

① ㉮: 잇다　② ㉯: 둘러싸다　③ ㉰: 때문에
④ ㉱: 말하다　⑤ ㉲: 섬

[16~20] 다음 글을 읽고 물음에 답하시오.

> ㉠自(㉡)로 至咸興히 山脈中行하니 東枝는 行於豆滿之南하고 西枝는 行於㉢鴨綠之南이라. 大幹則不斷峽橫하고 ㉣亘南下數千里로되 至慶尙太白山하여 通㉤一派嶺이라.

16 ㉠의 뜻으로 알맞은 것은?

① 자신　② 절로　③ 스스로
④ ~까지　⑤ ~부터

17 ㉡과 다음 글의 빈칸에 공통으로 들어갈 알맞은 한자 어휘를 한자로 쓰시오.

> **(　　　)산 호랑이가 사라질 위기에 처했다**
> 지난해 세계자연기금(WWF)에서 실시한 조사에 따르면, 야생에 사는 '(　　)산 호랑이(시베리아 호랑이)'는 440여 마리에 불과하다고 합니다. 〈중략〉 전문가들은 호랑이와 자연환경의 보존 상태를 고려한 공존 방법을 모색하지 않으면 10년 이내에 더 많은 호랑이가 사라질 것이라고 경고하고 있습니다. 〈후략〉
> 『○○일보』, 2017. 2. 27.

18 ㉢의 독음으로 알맞은 것은?

① 조수　② 조류　③ 압박
④ 압연　⑤ 압록

19 ㉣에 대한 설명으로 바르지 <u>않은</u> 것은?

① 亘의 음은 '긍'이다.
② 亘의 뜻은 '뻗치다'이다.
③ 南下의 음은 '남하'이다.
④ 數는 '자주'라는 의미이다.
⑤ 풀이 순서는 1-2-3-4-5-6이다.

20 다음 풀이를 참고할 때, ㉤에 들어갈 한자로 알맞은 것은?

> 이어져 한 갈래의 산맥이 된다.

① 於　② 以　③ 爲　④ 乃　⑤ 之

출제 유형

• 한자의 음이 바르지 <u>않은</u> 것은?
• 다음 조건을 모두 만족하는 한
  자로 알맞은 것은?
• 다음 내용과 관련 있는 한자 어
  휘로 알맞은 것은?

15
조선의 궁궐 탐방
○ 교과서 109쪽

| 생각을 여는 활동 |

● 경복궁은 조선 왕조 제일의 宮闕로, 경복궁의 배치도를 보면서 명칭을 〈보기〉에서 찾아 한자
└ 궁궐: 임금이 거처하는 집
로 써 보자.

❶ ㄱㅈㅈ 勤政殿 근정전
'정치를 부지런히 하는 곳'을 뜻함. 왕의
즉위식이나 문무백관의 조회, 외국 사신
을 공식적으로 賓次하는 등 국가의 중대
　　　　　　　　　　　빈 차
행사가 열렸던 곳
＊賓次: 손님을 초대하는 곳
　빈 차

❷ ㅅㅈㅈ 思政殿 사정전
'깊이 생각하여 정사를 돌보는 곳'을 뜻
함. 왕의 공식 집무실로, 宗廟社稷을 보
존하기 위해 신하들과 함께 └ 나라를 다스
리는 일을 논의했던 곳
　　　　　└ 종묘사직: 왕실과 나라를
　　　　　　 통틀어 이르는 말

❸ ㄱㄴㅈ 康寧殿 강녕전
'편안하고 건강한 곳'을 뜻함. 왕의 寢
殿으로 사용된 곳　　침전: 임금의 침방(寢房)┘
　　　　　　　　　이 있는 전각

❹ ㄱㅎㄹ 慶會樓 경회루
'경사스러운 잔치가 열리는 곳'을 뜻함.
외국 사신이 왔거나 나라에 경사가 있을
때 연회 장소로 사용된 곳. 왕이 직접 참
석하여 燕射를 시행하기도 하였음.
　　　　연사　 연사
＊燕射: 신하들을 위로하는 궁중의 잔치 때에 실시
하던 활쏘기 경기

보기

勤政殿	慶會樓	康寧殿	思政殿
근 정 전	경 회 루	강 녕 전	사 정 전

학습 계획 세우기　도움말 궁궐의 개념, 궁궐의 배치 구조 이해를 알아보는 활동을 통해 소단원 학습에 대한 자신의 배경지식을 활성화한다. 또 이를 바탕으로 소단원에서 어떤 내용을 공부할지 스스로 계획을 세워 본다.

● 위 활동을 바탕으로 스스로 학습 계획을 세워 보자.

나는 이 단원에서 ＿＿＿＿＿＿＿＿＿ 예 궁궐의 개념, 궁궐의 배치 구조 이해 ＿＿＿＿＿＿＿＿＿ 을/를 공부하겠다.

新 한자 모아 보기　자신이 알고 있는 한자에 ✓표시를 해 보자.

한자	음	뜻	부수	획수	총획	한자	음	뜻	부수	획수	총획	한자	음	뜻	부수	획수	총획
宮	궁	집	宀	7	10	樓	루	다락	木	11	15	廟	묘	사당	广	12	15
闕＊	궐	대궐	門	10	18	寧	녕	편안하다	宀	11	14	稷＊	직	곡식신	禾	10	15
殿	전	큰집, 궁궐	殳	9	13	賓	빈	손님	貝	7	14	燕	연	제비	火(灬)	12	16

○ 교과서 110, 111쪽

조선의 궁궐 탐방

성(城)은 적의 침입에 대비하여 흙이나 돌로 높이 쌓아 만든 담이나 그 담으로 둘러싸인 구역을 말한다. 수도인 한양을 보호하기 위해 쌓은 경성(京城)과 왕이 사는 궁궐을 보호하기 위해 쌓은 궁성(宮城)을 돌아보며 전통 건축물의 구조와 명칭을 알아보자.

新 한자 모아 보기

한자	음	뜻	부수	획수	총획
周	주	두루	口	5	8
肅	숙	엄숙하다	聿	7	13
彰	창	밝다	彡	11	14
熙	희	빛나다	火(灬)	9	13
昭	소	밝다	日	5	9

京城
경 성
서울 성
도읍의 성. 서울의 옛 이름

太祖五年에
태 조 오 년
태조(연대 명) 다섯 해

用石築之하고
용 석 축 지
쓰다 돌 쌓다 그것

世宗四年에
세 종 사 년
세종(연대 명) 넷 해

改修
개 수
고치다 고치다
① 닦다
② 고치다

하니 周九千九百七十五步요
① 두루 주 구 천 구 백 칠 십 오 보
② 둘레 둘레 아홉 일천 아홉 일백 일곱 열 다섯 거리 단위

高四十尺二寸이
고 사 십 척 이 촌
높이 넷 열 자 두 마디
① 높다
② 높이

1보 = 6尺(척)
※ 1尺(척) = 10寸(촌). 약 30cm

라. 立門八이니
입 문 팔
세우다 문 여덟

엄숙하고 맑다는 뜻. 지(智)를 나타냄.
※ 원래 肅智門(숙지문)이라 할 것이었으나 지혜는 드러내지 않는다는 생각에서 肅淸門(숙청문)이라 이름 지음. 후에 이름을 肅靖門(숙정문)으로 바꿈.

2 正北日肅淸[1]이요
정 북 왈 숙 청
바르다 북녘 말하다 숙청(문 이름)

6 西北日彰義요
서 북 왈 창 의
서녘 북녘 말하다 창의(문 이름)
의(義)를 드러낸다는 뜻

5 東北日惠化요
동 북 왈 혜 화
동녘 북녘 말하다 혜화(문 이름)
은혜롭게 된다는 뜻

4 正西日敦義며
정 서 왈 돈 의
바르다 서녘 말하다 돈의(문 이름)
의(義)가 도탑다는 뜻. 의(義)를 나타냄.

3 正東日興仁이요
정 동 왈 흥 인
바르다 동녘 말하다 흥인(문 이름)
어짊[仁]이 일어난다는 뜻. 인(仁)을 나타냄.

8 西南日昭德이라.
서 남 왈 소 덕
서녘 남녘 말하다 소덕(문 이름)
덕(德)을 밝힌다는 뜻

7 東南日光熙요
동 남 왈 광 희
동녘 남녘 말하다 광희(문 이름)
(빛이) 빛난다는 뜻

1 正南日崇禮요
정 남 왈 숭 례
바르다 남녘 말하다 숭례(문 이름)
예(禮)를 숭상한다는 뜻. 예(禮)를 나타냄.

태조 5년에 돌을 이용하여 그것을 쌓고 세종 4년에 고쳐 수리하였으니 둘레는 9,975보요 높이는 40척 2촌이다. 성문을 세운 것이 여덟 곳이니 정남 쪽은 숭례(문)라 말하고, 정북 쪽은 숙청(문)이라 말하고, 정동 쪽은 흥인(문)이라 말하고, 정서 쪽은 돈의(문)라 말하며 동북 쪽은 혜화(문)라 말하고, 서북 쪽은 창의(문)라 말하고, 동남 쪽은 광희(문)라 말하고, 서남 쪽은 소덕(문)이라 말한다.

1) 숙청문(肅淸門): 숙정문(肅靖門)으로 불리고 있음.

宮城 임금이 거처하는 곳
궁 성
궁궐 성

在京城之中하니 周一千八百十三步요 高二十
재 경성지 중 주 일 천 팔 백 십 삼 보 고 이 십
있다 서울 성 어조사가운데 둘레 하나 일천 여덟 일백 열 셋 거리 단위 높이 두 열

一尺一寸이라. 立門四이니
일 척 일 촌 입 문 사
하나 자 하나 마디 세우다 문 넷

스스로 확인
'예를 숭상한다'는 뜻을 지닌 문은 무엇인가?
崇禮(門)
숭 례 문

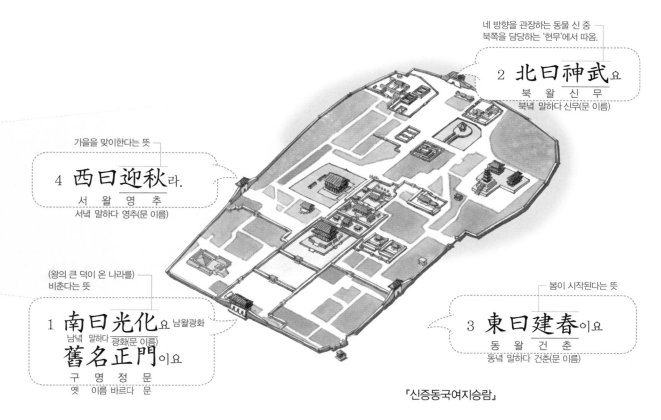

네 방향을 관장하는 동물 신 중 북쪽을 담당하는 '현무'에서 따옴.
2 北曰神武요
북 왈 신 무
북녘 말하다 신무(문 이름)

가을을 맞이한다는 뜻
4 西曰迎秋라.
서 왈 영 추
서녘 말하다 영추(문 이름)

봄이 시작된다는 뜻
3 東曰建春이요
동 왈 건 춘
동녘 말하다 건춘(문 이름)

(왕의 큰 덕이 온 나라를) 비춘다는 뜻
1 南曰光化요 남왈광화
남녘 말하다 광화(문 이름)
舊名正門이요
구 명 정 문
옛 이름 바르다 문

『신증동국여지승람』

경성의 가운데에 있으니 둘레는 1,813보요 높이는 21척 1촌이다. 성문을 세운 것이 네 곳이니 남쪽은 광화(문)라 말하니 옛 이름은 정문이요, 북쪽은 신무(문)라 말하고, 동쪽은 건춘(문)이라 말하고, 서쪽을 영추(문)라 말한다.

• 『신증동국여지승람(新增東國輿地勝覽)』: 조선 중종 25년(1530년) 이행(李荇) 등이 『동국여지승람』을 증보하고 개정한 인문 지리서

본문

○ 교과서 112쪽

修: ① 닦다 예 修道 수도: 도를 닦음.
수   ② 고치다 예 修理 수리

— 고장 나거나 허름한 데를 손보아 고침.

周: ① 두루 예 周旋
주
② 둘레 예 周圍 주위: 어떤 곳의 바깥 둘레

주선: 일이 잘되도록 여러 가지 방법으로 힘씀.

高: ① 높다 예 高層 고층: 여러 층으로 된 것의
고   ② 높이 예 殘高 잔고: 나머지 금액   높은 층

1步 = 6尺
 보   척

1尺 = 10寸 (약 30 cm)
 척   촌

부수가 같은 한자 – 禾화

— 가을철에 털갈이하여 새로 돋아난 짐승의 가는 털

秋(추) 가을 예 秋毫추호

穫(확) 거두다 예 收穫수확
익은 농작물을 거두어들임.
또는 거두어들인 농작물

稻(도) 벼 예 稻作 도작: 벼농사

稀(희) 드물다 예 古稀고희: 고래(古來)로 드문 나이란 뜻으로, 일흔 살을 이르는 말

+ 어휘 더하기

• 뜻이 비슷한 한자로 이루어진 어휘
崇尙숭상 閑暇한가 崩壞붕괴
높여 소중히 여김. 겨를이 생겨 여유가 있음.
무너지고 깨어짐.

新 한자 모아 보기

한자	음	뜻	부수	획수	총획
旋	선	돌다	方	7	11
圍	위	에워싸다	囗	9	12
層	층	층	尸	12	15
殘	잔	남다	歹	8	12
禾	화	벼	禾	0	5
毫	호	터럭	毛	7	11
穫	확	거두다	禾	14	19
稻	도	벼	禾	10	15
稀	희	드물다	禾	7	12
暇	가	틈, 한가하다	日	9	13
崩	붕	무너지다	山	8	11
壞	괴	무너지다	土	16	19
閣	각	집	門	6	14

京城 도읍의 성. 서울의 옛 이름
경 성

太祖五年에 用石築之하고 世宗四年에 改修하니
태 조 오 년   용 석 축 지   세 종 사 년   개 수
태조 5년에 돌을 이용하여 그것을 쌓고 세종 4년에 고쳐 수리하였으니

周九千九百七十五步요 高四十尺二寸이라.
주 구 천 구 백 칠 십 오 보   고 사 십 척 이 촌
둘레는 9,975보요 높이는 40척 2촌이다.

立門八이니 正南曰崇禮요 正北曰肅清이요 正東曰興仁이요
입 문 팔   정 남 왈 숭 례   정 북 왈 숙 청   정 동 왈 흥 인

正西曰敦義며
정 서 왈 돈 의
성문을 세운 것이 여덟 곳이니 정남 쪽은 숭례(문)라 말하고, 정북 쪽은 숙청(문)이라 말하고, 정동 쪽은 흥인(문)이라 말하고, 정서 쪽은 돈의(문)라 말하며

東北曰惠化요 西北曰彰義요 東南曰光熙요 西南曰昭德이라.
동 북 왈 혜 화   서 북 왈 창 의   동 남 왈 광 희   서 남 왈 소 덕
동북 쪽은 혜화(문)라 말하고, 서북 쪽은 창의(문)라 말하고, 동남 쪽은 광희(문)라 말하고, 서남 쪽은 소덕(문)이라 말한다.

宮城 임금이 거처하는 곳
궁 성

在京城之中하니 周一千八百十三步요 高二十一尺一寸이라.
재 경 성 지 중   주 일 천 팔 백 십 삼 보   고 이 십 일 척 일 촌
경성의 가운데에 있으니 둘레는 1,813보요 높이는 21척 1촌이다.

立門四이니 南曰光化요 舊名正門이요 北曰神武요
입 문 사   남 왈 광 화   구 명 정 문   북 왈 신 무

東曰建春이요 西曰迎秋라.
동 왈 건 춘   서 왈 영 추
성문을 세운 것이 네 곳이니 남쪽은 광화(문)라 말하니 옛 이름은 정문이요, 북쪽은 신무(문)라 말하고, 동쪽은 건춘(문)이라 말하고, 서쪽을 영추(문)라 말한다.

• 殿(전): 가장 격식이 높고 규모가 큰 여러 건물들 중 으뜸인 건물임. 왕, 왕비 또는 상왕대비, 왕 대비 등 궐 안의 웃어른이 사용하는 건물에 붙음. 예 근정전
• 堂(당): 殿(전)에 비해 규모는 비슷하나 격은 한 단계 낮은 건물임. 殿(전)이 공식적 성격을 띤다면, 堂(당)은 좀더 사적인 건물에 쓰이며 殿(전)에 딸린 부속 건물이나 부속 공간의 중심 건물을 부르는 말임. 예 양화당

이해 더하기 조선의 5대 궁궐

• 閣(각): 대체로 殿(전)과 堂(당)의 부속 건물이나 혹은 그것을 보위하는 건물임. 예 규장각

경복궁(景福宮), 창덕궁(昌德宮), 창경궁(昌慶宮), 경희궁(慶熙宮), 덕수궁(德壽宮)을 조선의 5대 궁궐이라 한다. 왕과 왕실의 공식적인 집무 및 생활 공간을 정궁(正宮)이라 하는데, 경복궁이 정궁으로 사용되다가 임진왜란으로 소실된 후에는 창덕궁과 경희궁이 정궁으로 사용되기도 하였다.

• 軒(헌): 왕실의 주요 인물보다는 왕실 가족이나 궁궐에서 활동하는 사람들이 주로 사용하는 건물에 붙여지는데, 공무적 기능을 가진 경우가 많음. 예 영춘헌

정궁 외에 왕이 임시로 기거하면서 집무를 보는 보조 궁궐을 이궁(離宮)이라 하는데, 창경궁은 원래는 쓰임새가 많지 않았으나, 임진왜란 후 이궁으로써 활용 빈도가 높아졌다. 덕수궁은 애초에 월산대군의 사가(私家)이던 것을 선조가 임시 거처로 사용하면서 궁이 되었다. 궁궐에 속한 건물로는 殿, 堂, 閣, 軒, 樓, 亭 등이 있다.

• 樓(루): 원두막처럼 마루를 지면으로부터 높이 띄워 습기를 피하고 통풍이 원활하도록 만든 건물로 휴식과 유희를 주목적으로 하는 건물임. 예 경회루
• 亭(정): 흔히 정자이며, 휴식이나 연회 공간으로 활용됨. 樓(루)와 사용 목적은 비슷하나, 亭(정)은 규모가 작고 개인적인 데 비해, 樓(루)는 건물이 크고 공공성을 가지며 사적인 행사보다는 공적인 행사를 위한 시설임. 예 향원정

경복궁

경복(景福)은 '왕과 그 자손, 온 백성들이 태평성대의 큰 복을 누리기를 祈願한다는 뜻'이다. 북으로 북악산에 기대어 자리 잡았고 정문인 광화문 앞으로는 넓은 육조 거리(지금의 세종로)가 펼쳐져 있다.

광화문 – 흥례문 – 근정문 – 근정전 – 사정전 – 강녕전 – 교태전을 잇는 중심 부분은 궁궐의 핵심 공간이며, 기하학적 질서에 따라 대칭적으로 건축되었다. 그러나 중심부를 제외한 건축물들은 비대칭적으로 배치되어 변화와 통일의 아름다움을 함께 갖추었다.

기원: 바라는 일이 이루어지기를 빎.

문화재청 경복궁, 경복궁의 역사, 2016

자금성

중국 베이징의 중심에 있는, 명과 청 왕조의 궁궐이다. 자금성은 궁궐로는 세계 최대의 규모이며 현재는 고궁 박물관으로 사용되고 있다.

오사카성

일본 3대 명성 중의 하나로, 전쟁에 대비한 要塞로서의 특징이 나타난다. 현재는 대부분이 燒失되어 1950년대에 재건된 일부 성채만 남아 있다.

소실: 사라져 없어짐. 또는 그렇게 잃어버림.

요새: 군사적으로 중요한 곳에 튼튼하게 만들어 놓은 방어 시설. 또는 그런 시설을 한 곳

| 건축 관련 용어 |

활동 한자 어휘를 찾아 가로 또는 세로 방향으로 묶어 보자.

봉분: 흙을 둥글게 쌓아 올려서 무덤을 만듦. 또는 그 무덤

① 물이 샘. 또는 새어 나오는 물: 누 수

② 임금이 나들이 때에 머물던 별궁: 행 궁

③ 왕릉의 封墳 앞에 놓는 직사각형의 돌: 혼 유 석

④ 양옥의 어떤 방을 중심으로 하여 둘러댄 마루: 회 랑

⑤ 내성(內城)과 외성(外城)을 통틀어 이르는 말: 성 곽

⑥ 층계, 다리, 마루 따위의 가장자리에 일정한 높이로 막아 세우는 구조물: 난 간

⑦ 지상을 주행하고 있는 항공기에 유도로의 위치를 알리기 위하여 설치하는 등: 유 도 등

② 行 행	⑤ 城 성	郭 곽	① 漏 누
宮 궁	④ 回 회	廊 랑	水 수
③ 魂 혼	遊 유	石 석	⑥ 欄 난
⑦ 誘 유	導 도	燈 등	干 간

新 한자 모아 보기

한자	음	뜻	부수	획수	총획
祈	기	빌다	示	4	9
塞	새	변방	土	10	13
	색	막다			
燒	소	사르다	火	12	16
封	봉	봉하다	寸	6	9
墳	분	무덤	土	12	15
郭	곽	둘레	邑(阝)	8	11
漏	루	새다	水(氵)	11	14
廊	랑	사랑채, 행랑	广	10	13
魂	혼	넋	鬼	4	14
欄	란	난간	木	17	21
誘	유	꾀다	言	7	14
導	도	인도하다	寸	13	16

실력을 키우는
평가
○ 교과서 114쪽

1. ㉠과 ㉡의 의미를 바르게 적어 보자.

도움말

주 周: ① 두루 ② 둘레
고 高: ① 높다 ② 높이

> ㉠ 周九千九百七十五步, ㉡ 高四十尺二寸.
> 주 구 천 구 백 칠 십 오 보 　고 사 십 척 이 촌

✎ ㉠ 둘레 ㉡ 높이

　　제시된 문장은 '둘레는 9,975보요 높이는 40척 2촌이다.'로 풀이된다.

2. 서울의 궁성(宮城)인 경복궁의 4성문(四城門)을 한자로 써 보자.

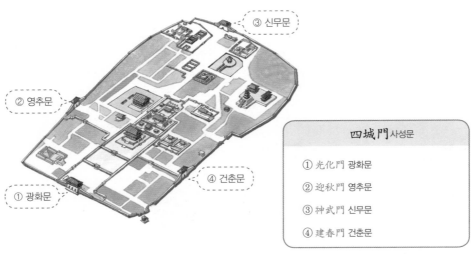

③ 신무문
② 영추문
④ 건춘문
① 광화문

　四城門 사성문

　① 光化門 광화문
　② 迎秋門 영추문
　③ 神武門 신무문
　④ 建春門 건춘문

창의형

3. 한양 성곽을 1일 일정으로 도보 답사할 계획을 세워 보자. 단 유적지 이름 중 4개 이상은 한자로 쓰고 의미를 써 보자.

[예시 답안]

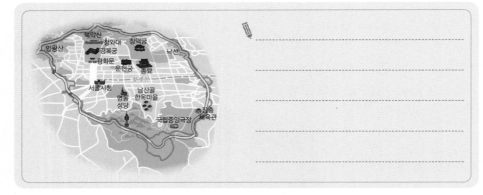

북악산
인왕산　청와대　창덕궁
　　경복궁
　광화문　남산
　　운현궁　종묘
서울시청
　남산골
명동　한옥마을
성당
　　　장충
국립중앙극장　체육관

肅靖門(숙정문) [옛 이름 肅淸門
(숙청문: 엄숙하고 맑은 문)]
↓ 약 1시간 5분 소요
惠化門(혜화문: 은혜롭게 되는 문)
↓ 약 1시간 10분 소요
興仁門(흥인문: 어짊이 일어나는 문)
↓ 약 20분 소요
光熙門(광희문: 빛나는 문)
↓ 약 2시간 50분 소요
崇禮門(숭례문: 예를 숭상하는 문)
↓ 약 2시간 55분 소요
彰義門(창의문: 의로움을 드러내는 문)

※ 敦義門(돈의문)과 昭德門(소덕문)은
각각 1915, 1914년에 헐었다.

도움말 소단원 학습이 끝나면 소단원 학습 목표에 해당하는 질문에 답하며 자신의 학업 성취도를 스스로 점검해 본다.
성취 목표에 도달하지 못한 경우에는 제시된 위치로 돌아가서 내용을 다시 읽고 공부하도록 한다.

소단원 자기 점검	배운 내용에 관해 자기 점검을 하면서 학업 성취도 도달 정도를 확인해 보자.	[별이 3개 이하인 경우] • 교과서 110~112쪽 다시 읽기
	• 경성과 궁성을 묘사한 글을 이해할 수 있는가?	☆☆☆☆☆
	• 도성의 8성문, 경복궁 4성문의 명칭을 알 수 있는가?	☆☆☆☆☆
	• 한자 문화권에 속하는 한·중·일 3국의 대표적인 궁궐을 알 수 있는가?	☆☆☆☆☆

[별이 3개 이하인 경우] • 교과서 113쪽 '한·중·일의 궁궐' 다시 읽기

• 한자, 음, 뜻, 부수의 순서로 제시

1. 한자

宮 (궁) 집 [宀]	旋 (선) 돌다 [方]	❾ ☐ (새) 변방, (색) 막다 [土]
闕* (궐) 대궐 [門]	圍 (위) 에워싸다 [口]	燒 (소) 사르다 [火]
殿 (전) 큰집, 궁궐 [殳]	層 (층) 층 [尸]	封 (봉) ❿☐ 봉하다 [寸]
樓 ❶☐ 다락 [木]	殘 (잔) ❺☐☐ [歹]	墳 (분) 무덤 [土]
❷☐ (녕) 편안하다 [宀]	禾 (화) 벼 [禾]	⓫☐ (곽) 둘레 [邑(阝)]
賓 (빈) ❸☐☐ [貝]	毫 (호) ❻☐ 터럭 [毛]	漏 (루) 새다 [水(氵)]
廟 (묘) 사당 [广]	穫 (확) 거두다 [禾]	廊 (랑) 사랑채, 행랑 [广]
稷* (직) 곡식신 [禾]	稻 (도) 벼 [禾]	魂 (혼) 넋 [鬼]
燕 (연) 제비 [火(灬)]	稀 (희) 드물다 ❼☐ [ ]	欄 (란) 난간 ⓬☐ [ ]
周 (주) 두루 ❹☐ [ ]	暇 (가) 틈, 한가하다 [日]	誘 (유) 꾀다 [言]
肅 (숙) 엄숙하다 [聿]	崩 (붕) 무너지다 [山]	導 (도) 인도하다 [寸]
彰* (창) 밝다 [彡]	壞 (괴) 무너지다 [土]	
熙* (희) 빛나다 [火(灬)]	閣 (각) 집 [門]	
昭 (소) 밝다 [日]	❽☐ (기) 빌다 [示]	

2. 본문

京城(❶☐☐): 立門❷☐(입문팔)이니

正南曰崇禮(정남왈숭례)요 正北曰肅淸(정북왈숙청)

이요 正東曰興仁(정동왈흥인)이요 正西曰敦義(정서

왈돈의)며 東北曰惠化(동북왈혜화)요 西北曰彰義(서

북왈창의)요 東南曰光熙(동남왈광희)요 西南曰昭德

(서남왈소덕)이라.

도읍의 성(서울의 옛 이름): 성문을 세운 것이 여덟 곳이니

정남 쪽은 ❸☐☐(문)라 말하고, 정북 쪽은 숙청(문)이라 말하고,

정동 쪽은 흥인(문)이라 말하고, 정서 쪽은 돈의(문)라 말하며

동북 쪽은 혜화(문)라 말하고, 서북 쪽은 창의(문)라 말하고,

동남 쪽은 ❹☐☐(문)라 말하고, 서남 쪽은 소덕(문)이라 말한다.

宮城(❺☐☐): 在京城之中(재경성지중)하니

周一千八百十三步(주일천팔백십삼보)요

高二十一尺一寸(고이십일척일촌)이라.

立門四(입문사)이니 南曰光化(남왈광화)요

❻☐名正門(구명정문)이요 北曰神武(북왈신무)요

東曰建春(동왈건춘)이요 西曰迎秋(서왈영추)라.

임금이 거처하는 곳: 경성의 가운데에 있으니

둘레는 1,813보요 ❼☐☐는 21척 1촌이다.

성문을 세운 것이 네 곳이니 남쪽은 광화(문)라 말하니 옛 이름

은 ❽☐☐이요.

북쪽은 신무(문)라 말하고, 동쪽은 건춘(문)이라 말하고,

서쪽을 영추(문)라 말한다.

3. **어휘** – 건축 관련 용어

- 漏水(❶[ ][ ]): 물이 샘. 또는 새어 나오는 물
- ❷[ ][ ](행궁): 임금이 나들이 때에 머물던 별궁
- 魂遊石(혼유석): 왕릉의 봉분(封墳) 앞에 놓는 직사각형의 돌
- 回廊(❸[ ][ ]): 양옥의 어떤 방을 중심으로 하여 둘러댄 마루

- 城郭(성곽): 내성(內城)과 외성(外城)을 통틀어 이르는 말
- 欄干(❹[ ][ ]): 층계, 다리, 마루 따위의 가장자리에 일정한 높이로 막아 세우는 구조물
- 誘導燈(유도등): 지상을 주행하고 있는 항공기에 유도로의 위치를 알리기 위하여 설치하는 ❺[ ]

쪽지 시험

01 다음 한자의 공통되는 뜻을 쓰시오.

禾　稻

02 다음 한자 어휘에서 밑줄 친 한자의 음과 뜻을 쓰시오.

古<u>稀</u>

(1) 음:

(2) 뜻:

03 다음과 같은 뜻을 가진 단어를 〈보기〉에서 찾아 한자 어휘와 독음을 쓰시오.

(1) 임금이 나들이 때에 머물던 별궁

(2) 왕릉의 봉분(封墳) 앞에 놓는 직사각형의 돌

(3) 층계, 다리, 마루 따위의 가장자리에 일정한 높이로 막아 세우는 구조물

보기

欄干　　行宮　　魂遊石

04 다음과 같은 뜻을 가진 한자 어휘를 쓰시오.

(1) 겨를이 생겨 여유가 있음: [ ][ ][ ]

(2) 물이 샘. 또는 새어 나오는 물: [ ][ ]

(3) 양옥의 어떤 방을 중심으로 하여 둘러댄 마루: [ ][ ]

(4) 지상을 주행하고 있는 항공기에 유도로의 위치를 알리기 위하여 설치하는 등: [ ][ ][ ]

05 한자 어휘와 뜻을 바르게 연결하시오.

(1) 樓 ・

(2) 堂 ・

(3) 閣 ・

・㉠ 원두막처럼 마루를 지면으로부터 높이 띄워 습기를 피하고 통풍이 원활하도록 만든 건물

・㉡ 殿(전)에 비해 규모는 비슷하나 격은 한 단계 낮은 건물임.

・㉢ 대체로 殿(전)과 堂(당)의 부속 건물이나 혹은 그것을 보위하는 건물임.

01 다음을 만족하는, ㉠에 들어갈 한자로 알맞은 것은?

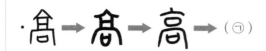

· 음은 '고'이다.

① 光 ② 高 ③ 谷 ④ 昌 ⑤ 合

02 한자의 음이 바르지 않은 것은?

① 周 (주) ② 肅 (숙) ③ 宮 (궁)
④ 熙 (희) ⑤ 昭 (조)

03 다음 조건을 모두 만족하는 한자로 알맞은 것은?

· 부수는 火이다.
· 총획은 16획이다.
· '제비'라는 뜻을 가진다.

① 樓 ② 燕 ③ 寧 ④ 賓 ⑤ 燒

04 두 자를 합하여 하나의 한자를 만들 때, ㉠과 ㉡의 음으로 알맞은 것은?

· 門 + 各 = (㉠)   · 云 + 鬼 = (㉡)

	㉠	㉡		㉠	㉡
①	문	귀	②	문	혼
③	각	귀	④	각	혼
⑤	각	괴			

05 다음 사진과 관련 있는 한자로 알맞은 것은?

① 城 ② 家 ③ 宮 ④ 堂 ⑤ 魂

06 밑줄 친 한자의 뜻으로 알맞은 것은?

祈願

① 둘레 ② 막다 ③ 빌다
④ 새다 ⑤ 봉하다

07 다음 한자의 공통되는 부수로 알맞은 것은?

稀　穫　稻

① 人 ② 火 ③ 臼 ④ 禾 ⑤ 艸

08 한자 어휘의 독음이 바르지 않은 것은?

① 景福 (경복)　　② 祈願 (기원)
③ 要塞 (요새)　　④ 燒失 (소실)
⑤ 欄干 (목간)

09 다음 내용과 관련 있는 한자 어휘로 알맞은 것은?

· 연회 장소로 사용된 곳이다.
· '경사스러운 잔치가 열리는 곳'이라는 의미이다.
· 왕이 직접 참석하여 연사를 시행하기도 하였다.

① 敦義門 ② 思政殿 ③ 惠化門
④ 勤政殿 ⑤ 慶會樓

10 빈칸에 들어갈 알맞은 한자 어휘를 한자로 쓰시오.

□□은 '왕과 그 자손, 온 백성들이 태평성대의 큰 복을 누리기를 기원한다는 뜻'이다. 북으로 북악산에 기대어 자리 잡았고 정문인 광화문 앞으로는 넓은 육조 거리(지금의 세종로)가 펼쳐져 있다.

11 한자 어휘의 뜻이 적절하지 <u>않은</u> 것은?

① 回廊: 연못이 있는 집
② 漏水: 물이 샘. 또는 새어 나오는 물
③ 城郭: 내성과 외성을 통틀어 이르는 말
④ 行宮: 임금이 나들이 때에 머물던 별궁
⑤ 魂遊石: 왕릉의 봉분(封墳) 앞에 놓는 직사 각형의 돌

[12~16] 다음 글을 읽고 물음에 답하시오.

> 太祖五年에 ㉠用石築之하고 世宗四年에 改㉡修 하니 ㉢九千九百七十五步요 ㉣高四十尺二寸 이라.

12 윗글에 쓰인 한자를 자전에서 자음색인으로 찾을 때, 첫 번째로 오는 것은?

① 太　② 五　③ 石　④ 世　⑤ 改

13 ㉠의 풀이를 쓰시오.

14 ㉡의 뜻으로 알맞은 것은?

① 닦다　② 다스리다　③ 단련하다
④ 수리하다　⑤ 수양하다

15 ㉢에 들어갈 한자로 알맞은 것은?

① 長　② 周　③ 高　④ 步　⑤ 寸

16 ㉣의 풀이로 알맞은 것은?

① 높이는 40촌 2척이다.
② 높이는 40척 2촌이다.
③ 둘레는 40척 2촌이다.
④ 둘레는 40촌 2척이다.
⑤ 넓이는 40척 2촌이다.

[17~20] 다음 글을 읽고 물음에 답하시오.

> (가) 立門八이니 正南曰崇禮요 正北曰肅清이요 正東曰興仁이요 正西曰敦義며 東北曰惠化 요 西北曰彰義요 東南曰光熙요 西南曰昭德 이라.
> (나) ㉠在京城之中하니 ㉡周一千八百十三步요 高二十一尺一寸이라. 立門四이니 南曰光化 요 舊名正門이요 北曰神武요 東曰建春이요 西曰迎秋라.

17 (가)의 밑줄 친 한자 어휘의 독음이 바르지 <u>않은</u> 것은?

① 崇禮 (숭례)　② 肅清 (숙청)
③ 興仁 (흥인)　④ 敦義 (숙의)
⑤ 彰義 (창의)

18 ㉠에서 마지막으로 풀이되는 한자로 알맞은 것은?

① 在　② 京　③ 城　④ 之　⑤ 中

19 ㉡에 대한 설명으로 바르지 <u>않은</u> 것은?

① 周는 '둘레'를 의미한다.
② 步는 '걸음'의 뜻으로 쓰였다.
③ 高는 殘高에서 '高'와 뜻이 같다.
④ 尺은 길이의 단위로, 약 30 cm이다.
⑤ 寸은 길이의 단위로, 尺의 10분의 1이다.

20 (나)에서 '봄이 시작된다는 뜻'을 의미하는 한자 어휘를 찾아 한자로 쓰시오.

16
소중한 우리 역사, 발해

○ 교과서 115쪽

출제 유형
- 한자의 음이 바르지 않은 것은?
- 빈칸에 공통으로 들어갈 한자로 알맞은 것은?
- 화살표 방향으로 한자 어휘를 채울 때, ㉠에 들어갈 한자로 알맞은 것은?

| 생각을 여는 활동 |

● 다음 글을 읽고 질문에 대한 답을 찾아 써 보자.

대조영: 발해의 시조(?~719년).
시호는 고왕(高王).

고구려: 우리나라 고대의 삼국 가운데 동명왕
주몽이 기원전 37년에 세운 나라

발해는 **大祚榮**이 **高句麗** 유민들을 모아 만주 동모산(東牟山) 일대에 세운 나라이다. 전성기의 발해는 대동강 이북의 한반도 북부 지역, 중국의 랴오닝[遼寧]성, 지린[吉林]성, 헤이룽장[黑龍江]성과 러시아의 연해주 일대까지 영토를 **擴張**하였다. 중국에서 '바다 동쪽의 **隆盛**한 나라라는 의미로 **海東盛國**이라고 **稱頌**할 정도로 수준 높은 문화를 이루었으며, 선진 문물을 적극적으로 받아들여 각종 제도를 정비하였다. 발해는 넓은 영토를 효과적으로 다스리기 위하여 5경을 두었고, 여러 차례 수도를 옮겼다. 발해의 미술이나 무덤 양식을 보면 고구려의 것을 그대로 이어받았다.

국립중앙박물관, 2016

확장: 범위, 규모, 세력 따위를 늘려서 넓힘.
융성: 기운차게 일어나거나 대단히 번성함.
칭송: 칭찬하여 일컬음. 또는 그런 말
해동성국: 전성기 때의 발해를 중국에서 이르던 말

● 발해의 5경 지도

질문

(1) 발해를 건국한 사람은? _____ 大祚榮 대조영

(2) 중국이 전성기를 맞이한 발해를 높이 평가하여 부른 이름은? _____ 海東盛國 해동성국

(3) 발해 문화의 초석이 된 나라는? _____ 高句麗 고구려

학습 계획 세우기

도움말 발해의 명칭과 위치, 역사적 의의를 알아보는 활동을 통해 소단원 학습에 대한 자신의 배경지식을 활성화한다. 또 이를 바탕으로 소단원에서 어떤 내용을 공부할지 스스로 계획을 세워 본다.

● 위 활동을 바탕으로 스스로 학습 계획을 세워 보자.

나는 이 단원에서 _____ 예 발해의 명칭과 위치, 역사적 의의 _____ 을/를 공부하겠다.

한자 모아 보기 자신이 알고 있는 한자에 ✓표시를 해 보자.

한자	음	뜻	부수	획수	총획	한자	음	뜻	부수	획수	총획	한자	음	뜻	부수	획수	총획
祚*	조	복	示	5	10	擴	확	넓히다	手(扌)	15	18	稱	칭	일컫다	禾	9	14
麗	려	곱다	鹿	8	19	隆	륭	높다	阜(阝)	9	12	頌	송	칭송하다, 기리다	頁	4	13

출제 유형

- 윗글에 대한 설명으로 바르지 않은 것은?
- 윗글에 대한 이해로 바르지 않은 것은?
- 윗글의 내용을 참고하여, 빈칸에 들어갈 알맞은 말을 쓰시오.

소중한 우리 역사, 발해 ◑ 교과서 116, 117쪽

유득공은 고려가 발해의 역사를 편수하지 않은 것은 잘못이라고 지적하고, 남쪽의 통일 신라와 북쪽의 발해를 묶어 남북국으로 일컫는다. 이를 통해 그가 발해 역시 우리 역사의 일부라 여기고 발해의 정통성을 회복하기를 바랐음을 알 수 있다. 이 단원에서는 발해의 정통성을 회복하자는 유득공의 주장을 알아보자.

新 한자 모아 보기

한자	음	뜻	부수	획수	총획
渤*	발	바다이름	水(氵)	9	12
振	진	떨치다, 정리하다	手(扌)	7	10
宜	의	마땅하다	宀	5	8

유득공[1748(영조 24)~1807(순조 7)]. 조선 후기의 실학자. 1774년(영조 50) 사마시에 합격해 생원이 되고, 시문에 뛰어난 재질이 인정되어 1779년(정조 3) 규장각검서(奎章閣檢書)로 들어가 활약이 컸다. 그 뒤 제천·포천·양근 등의 군수를 거쳐 말년에는 풍천부사를 지냈다.

저서로는 『경도잡지(京都雜志)』, 『영재집(泠齋集)』, 『고운당필기(古芸堂筆記)』, 『앙엽기(盎葉記)』, 『사군지(四郡志)』, 『발해고(渤海考)』, 『이십일도회고시(二十一都懷古詩)』 등이 있다.

특히 『경도잡지』는 조선 시대 시민 생활과 풍속을 연구하는 데 귀중한 서적이며, 『발해고』는 유득공의 학문의 깊이와 사상을 규명하는 데 있어서 중요한 저서이다. 규장각검서로 있으면서 궁중에 비장된 우리나라를 비롯한 중국·일본의 사료까지도 읽을 기회가 많아, 이러한 바탕에서 나온 대표작이라 할 수 있다.

편수하다. 편찬하다 ┐

高麗不修渤海史하니 **知高麗之不振也**라.
고 려 불 수 발 해 사 　 지 고 려 지 부 진 야
고려(국명) 아니다 편수하다 발해(국명) 역사 　 알다 고려(국명) 어조사 아니다 정리하다 어조사

(거두어) 정리하다
거두어들이다 ┐

昔者에 **高氏居于北**하여 **曰高句麗**라 하고 **扶餘**
석 자 　 고 씨 거 우 북 　 왈 고 구 려 　 부 여
옛 어조사 　 높다 성씨 살다 어조사 북녘 　 말하다 고구려(국명) 　 부여

~에 돕다 남다

氏居于西南하여 **曰百濟**라 하고 **朴昔金氏居于**
씨 거 우 서 남 　 왈 백 제 　 박 석 김 씨 거 우
성씨 살다 어조사 서녘 남녘 　 말하다 백제(국명) 　 성씨 옛 성씨 성씨 살다 어조사

東南하여 **曰新羅**라 하니 **是謂三國**이라.
동 남 　 왈 신 라 　 시 위 삼 국
동녘 남녘 　 말하다 신라(국명) 　 이것 말하다 셋 나라

① 이것
② 옳다

고려가 발해의 역사를 편수하지 않았으니 고려가 정리하지 않았음을 알겠다. 옛날에 고씨가 북쪽에 자리하여 고구려라 말하고 부여씨가 서남 쪽에 자리하여 백제라 말하고 박·석·김씨가 동남에 자리하여 신라라 말하였으니, 이것을 삼국이라 말한다.

宜其有三國史어늘 而高麗修之하니 是矣라.
의 기 유 삼 국 사　　　이 고 려 수 지　　시 의
마땅하다 그 있다 셋 나라 역사　　말 잇다 고려(국명) 편수하다 그것　　옳다 어조사

扶餘氏亡하고 高氏亡하여 金氏有其南하고 大氏
부 여 씨 망　　고 씨 망　　김 씨 유 기 남　　대 씨
돕다 남다 성씨 망하다　　높다 성씨 망하다　　성씨 성씨 있다 그 남녘　　크다 성씨

有其北하여 曰渤海라 하니 是謂南北國이라. 宜其
유 기 북　　왈 발 해　　시 위 남 북 국　　의 기
있다 그 북녘　　말하다 발해(국명)　　이 말하다 남북국(국명)　　마땅하다 그

有南北國史어늘 而高麗不修之하니 非矣라.
유 남 북 국 사　　이 고 려 불 수 지　　비 의
있다 남북국(국명) 역사　　말 잇다 고려(국명) 아니다 편수하다 그것　　그르다 어조사

『영재집』

> **스스로 확인**
>
> 글쓴이는 어느 나라의 역사를 편찬하자고 주장하는가?
> 발해

마땅히 그들이 삼국의 역사를 있게 해야 하거늘 고려가 그것을 편수하였으니 옳다. 부여씨가 망하고 고씨가 망하여 김씨가 그 남쪽을 소유하였고 대씨가 그 북쪽을 소유하여 발해라 말하였으니 이것을 남북국이라 말한다. 마땅히 그들이 남북국의 역사를 있게 해야 하거늘 고려가 그것을 편수하지 않았으니 잘못이다.

고려가 삼국의 역사를 편수하였으니 옳다.
발해의 역사도 편수했어야 했거늘….

• 『冷齋集(영재집)』: 조선 영조~순조 때의 유득공(柳得恭)의 시문집

修: 편수하다, 편찬하다
수

振: (거두어) 정리하다, 거두어들
진 이다

부수가 같은 한자 - 金금

金(금) 쇠 예 金塊 금괴: 금덩이

鈍(둔) 둔하다 예 鈍感 둔감: 무딘 감정이나 감각

鑄(주) 주조하다 예 鑄貨 주화: 쇠붙이를 녹여 화
폐를 만듦. 또는 그 화폐

鍊(련) 단련하다 예 訓鍊 훈련: 기본자세나 동
작 따위를 되풀이하
여 익힘.

➕ 어휘 더하기 삼십 일 동안 아홉 끼니밖에
먹지 못한다는 뜻으로, 몹시

• 모양이 비슷한 한자 가난함을 이르는 말

句(구) 글귀 예 句節 구절: 한 토막의 말이나 글

旬(순) 열흘 예 三旬九食 삼순구식

弊(폐) 해지다 예 疲弊 피폐: 지치고 쇠약하여짐.

蔽(폐) 덮다 예 障蔽 장폐: 덮거나 막아서 보
이지 않게 가림. 또는 그
렇게 하는 데 쓰는 물건

頃(경) 잠깐 예 頃刻 경각: 눈 깜빡할 사이. 또
는 아주 짧은 시간

項(항) 항목 예 條項 조항: 법률이나 규정 따위의 조목이나 항목

摘(적) 따다 예 摘芽 적아: 초목의 곁순을
잘라 내는 일

滴(적) 물방울 예 水滴穿石 수적천석
물방울이 바위를 뚫는다는 뜻으로, 작은 노력이라도 끈
기 있게 계속하면 큰 일을 이룰 수 있음을 이르는 말

新 한자 모아 보기

한자	음	뜻	부수	획수	총획
塊	괴	덩어리	土	10	13
鈍	둔	둔하다	金	4	12
鑄	주	주조하다	金	14	22
鍊	련	쇠 불리다, 단련하다	金	9	17
旬	순	열흘	日	2	6
弊	폐	해지다	廾	12	15
疲	피	피곤하다	疒	5	10
蔽	폐	덮다	艸(艹)	12	16
障	장	막다	阜(阝)	11	14
頃	경	잠깐	頁	2	11
項	항	항목	頁	3	12
條	조	가지	木	7	11
摘	적	따다	手(扌)	11	14
芽	아	싹	艸(艹)	4	8
滴	적	물방울	水(氵)	11	14
據	거	근거	手(扌)	13	16

高麗不修渤海史하니 知高麗之不振也라.
고 려 불 수 발 해 사   지 고 려 지 부 진 야
고려가 발해의 역사를 편수하지 않았으니 고려가 정리하지 않았음을 알겠다.

昔者에 高氏居于北하여 曰高句麗라 하고
석 자   고 씨 거 우 북   왈 고 구 려
옛날에 고씨가 북쪽에 자리하여 고구려라 말하고

📌 昔者: 이전, 예전
석자

扶餘氏居于西南하여 曰百濟라 하고
부 여 씨 거 우 서 남   왈 백 제
부여씨가 서남 쪽에 자리하여 백제라 말하고

朴昔金氏居于東南하여 曰新羅라 하니 是謂三國이라.
박 석 김 씨 거 우 동 남   왈 신 라   시 위 삼 국
박·석·김씨가 동남 쪽에 자리하여 신라라 말하였으니, 이것을 삼국이라 말한다.

宜其有三國史어늘 而高麗修之하니 是矣라.
의 기 유 삼 국 사   이 고 려 수 지   시 의
마땅히 그들이 삼국의 역사를 있게 해야 하거늘 고려가 그것을 편수하였으니 옳다.

扶餘氏亡하고 高氏亡하여 金氏有其南하고
부 여 씨 망   고 씨 망   김 씨 유 기 남
부여씨가 망하고 고씨가 망하여 김씨가 그 남쪽을 소유하였고

📌 有: 있다, 소유하다
유

大氏有其北하여 曰渤海라 하니 是謂南北國이라.
대 씨 유 기 북   왈 발 해   시 위 남 북 국
대씨가 그 북쪽을 소유하여 발해라 말하였으니 이것을 남북국이라 말한다.

宜其有南北國史어늘 而高麗不修之하니 非矣니라.
의 기 유 남 북 국 사   이 고 려 불 수 지   비 의
마땅히 그들이 남북국의 역사를 있게 해야 하거늘 고려가 그것을 편수하지 않았으니 잘못이다.

📌 非: 아니다, 그르다
비

똑똑한 지식 문장의 구조와 절

주술목 구조	高麗 不修 渤海史: 고려가 발해의 역사를 편수하지 않았다.
	주어 서술어 목적어
술목 확장 구조	知 高麗之 不振也: 고려가 정리하지 않았음을 알겠다.
	서술어 목적어절[주어(高麗之) + 서술어(不振)]

이해 더하기 유득공의 공적

발해 영토가 거란과 여진에게 넘어가고, 고려 또한 발해사를 서술하지 않아 이 땅을 되찾으려 하여도 **根據**가 없다는 이유를 들어 유득공은 발해 역사를 기록으로 남겨야 함을 **確固**하게 주장하였다. 이처럼 사물의 이치를 따지거나 작자의 사상을 천명하는 글은 주로 '의론적 서술 방식'을 사용한다.
└ 근거: 어떤 일이나 의논, 의견에 그 근본이 됨. 또는 그런 까닭
└ 확고: 태도나 상황 따위가 튼튼하고 굳음.

걸 사비우(乞四比羽)는 고구려에 복속된 말갈족의 추장으로, 고구려 멸망 후 대조영의 아버지 걸걸중상과 함께 당나라 영주로 강제 이주되어 抑留 생활을 했다. 이후 696년 거란의 叛亂으로 혼란을 틈타, 고구려 유민들을 이끌고 고구려 옛 땅으로 이동했다. 그러자 당나라는 이해고를 보내 고구려와 말갈인 집단을 공격하였고 걸사비우는 戰鬪 중에 사망했다.

└ 반란: 정부나 지도자 따위에 반대하여 내란을 일으킴.
└ 억류: 억지로 머무르게 함.
└ 전투: 두 편의 군대가 조직적으로 무장하여 싸움.

그 후 대조영은 고구려 유민과 속말말갈족을 이끌어 698년 천문령 전투에서 당나라 추격군을 擊破하고, 동모산에서 발해를 건국하였는데, 고구려 민족과 異民族이 함께 만든 나라가 바로 발해이다. 이 발해는 훗날 해동성국이라는 칭호를 얻을 정도로 강성한 나라가 되었는데, 이는 고구려 유민들이 血統主義만 고집한 것이 아니라, 말갈족을 吸收해서 하나로 힘을 모았기 때문에 가능하였다.

└ 격파: 어떠한 세력이나 함선, 비행기 따위를 공격하여 무찌름.
└ 이민족: 언어·풍습 따위가 다른 민족
└ 흡수: 외부에 있는 사람이나 사물 따위를 내부로 모아들임.
└ 혈통주의: 출생 시의 부모의 국적에 따라서 국적을 결정하는 원칙

오늘날의 다문화

우리나라도 외국인 근로자, 국제결혼, 외국인 가정의 자녀에 이르기까지 국내 滯留 외국인의 구성이 多樣해지고 그 수도 증가하였다. 多文化 현상은 우리나라를 다양하고 풍요롭게 만드는 동시에, 문화적 차이로 인한 갈등이나 偏見, 차별 등의 문제를 발생시킬 가능성도 있다. 이를 해결하기 위해 우리 사회의 새로운 구성원들에 대한 따뜻한 시선과 連帶意識이 요구된다.

└ 체류
└ 다양
└ 다문화
└ 편견
└ 연대
└ 의식: 사회적·역사적으로 형성되는 사물이나 일에 대한 개인적·집단적 감정이나 견해나 사상

• 체류: 객지에 가서 머물러 있음.
• 다양: 여러 가지 모양이나 양식
• 다문화: 한 사회 안에 여러 민족이나 여러 국가의 문화가 혼재하는 것을 이르는 말
• 편견: 공정하지 못하고 한쪽으로 치우친 생각
• 연대: 여럿이 함께 무슨 일을 하거나 함께 책임을 짐.

| 역사 관련 용어 |

활동 빈칸에 들어갈 한자를 〈보기〉를 찾아 써 보자.

보기

抄	攝	憲	獵	鎖	漂	隸
초	섭	헌	렵	쇄	표	례

① 攝政(섭정): 군주가 직접 통치할 수 없을 때에 군주를 대신하여 나라를 다스림.

② 三別抄(삼별초): 고려 시대에 둔 좌별초, 우별초, 신의군의 세 군대

③ 鎖國(쇄국): 다른 나라와의 통상과 교역을 금지함.

④ 立憲主義(입헌주의): 국가 구성원의 합의로 제정된 헌법에 따라 국가를 운영하려는 정치사상

⑤ 漁獵時代(어렵 시대): 농경 생산이 발달하지 못하여 고기잡이와 사냥을 생활 수단으로 하던 원시 시대

⑥ 奴隸解放宣言(노예 해방 선언): 1863년에 미국의 노예 해방에 관하여 링컨 대통령이 발표한 선언

⑦ 하멜漂流記(표류기): 네덜란드의 하멜이 제주도에 표류하여 체포된 경위와 억류 생활을 자세히 기록한 책

한국에 관한 글을 서양인 최초로 소개한 『하멜표류기』를 지은 네덜란드인. 1653년 1월 배를 타고 네덜란드를 출발하여 타이완을 거쳐 일본으로 가다가 난파하여 제주도에 착륙하였다가 여주좌수영에 배치되어 잡역에 종사하였다. 그 후 13년 만에 탈출하여 고향으로 돌아가 『하멜표류기』를 저술하였다.

新 한자 모아 보기

한자	음	뜻	부수	획수	총획
抑	억	누르다	手(扌)	4	7
叛	반	배반하다	又	7	9
鬪	투	싸우다	鬥	10	20
吸	흡	마시다	口	4	7
滯	체	막히다, 머무르다	水(氵)	11	14
樣	양	모양	木	11	15
偏	편	치우치다	人(亻)	9	11
抄	초	뽑다	手(扌)	4	7
攝	섭	다스리다	手(扌)	18	21
憲	헌	법	心	12	16
獵	렵	사냥	犬(犭)	15	18
鎖	쇄	쇠사슬	金	10	18
漂	표	떠다니다	水(氵)	11	14
隸	례	종	隶	9	17
宣	선	베풀다	宀	6	9

[1~2] 다음 글을 읽고 물음에 답하시오.

高麗不㉠修渤海史, ⓐ知高麗之不振也. ㉡昔者, 高氏居㉢于北, 日高句麗, 扶
고 려불 수 발해사   지고려지부진야   석자 고씨거 우북 왈고구려 부
餘氏居于西南, 日百濟, 朴昔金氏居于東南, 日新羅, ㉣是謂三國. 宜其有三國
여 씨거 우서남 왈백제 박석김씨거우동남 왈신라   시위삼국   의기유삼국
史, 而高麗修之, ㉤是矣.
사 이고려수지   시 의

[풀이] 고려가 발해의 역사를 편수하지 않았으니 고려가 정리하지 않았음을 알겠다. 옛날에 고씨가 북쪽에 자리하여 고구려라 말하고 부여씨가 서남 쪽에 자리하여 백제라 말하고 박·석·김 씨가 동남 쪽에 자리하여 신라라 말하였으니, 이것을 삼국이라 말한다. 마땅히 그들이 삼국의 역사를 있게 해야 하거늘 고려가 그것을 편수하였으니 옳다.

1. ㉠~㉤ 중 풀이가 바르게 연결된 것은? ②

① ㉠: 수양하다 → 편수하다 (×)   ② ㉡: 옛날에   ③ ㉢: 방패 → ~에 (×)
④ ㉣: 옳다 → 이것 (×)   ⑤ ㉤: 이것 → 옳다 (×)

2. ⓐ를 바르게 풀이해 보자.

✏ 고려가 정리하지 않았음을 알겠다.

───

[창의형]

3. 다양한 매체를 활용하여 발해의 대표적인 유물의 특성을 찾아, 발해를 소개하는 소책자를 만들어 보자.

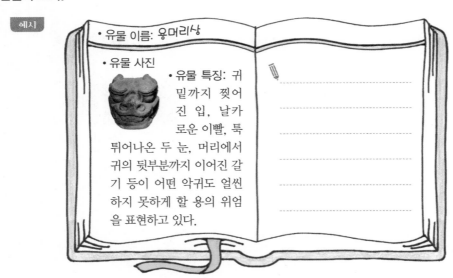

[예시]

• 유물 이름: 용머리상
• 유물 사진
• 유물 특징: 귀 밑까지 찢어진 입, 날카로운 이빨, 툭 튀어나온 두 눈, 머리에서 귀의 뒷부분까지 이어진 갈기 등이 어떤 악귀도 얼씬하지 못하게 할 용의 위엄을 표현하고 있다.

[도움말] 소단원 학습이 끝나면 소단원 학습 목표에 해당하는 질문에 답하며 자신의 학업 성취도를 스스로 점검해 본다. 성취 목표에 도달하지 못한 경우에는 제시된 위치로 돌아가서 내용을 다시 읽고 공부하도록 한다.

소단원 자기 점검	배운 내용에 관해 자기 점검을 하면서 학업 성취도 도달 정도를 확인해 보자.	
		[별이 3개 이하인 경우] • 교과서 118쪽 '이해 더하기' 다시 읽기
	• 한문 문장의 의론적 서술 방식을 이해할 수 있는가?	☆☆☆☆☆
	• 절이 포함된 문장의 구조를 분석하고 풀이할 수 있는가?	☆☆☆☆☆
	• 우리 역사에서 발해가 갖는 역사적 의의를 이해할 수 있는가?	☆☆☆☆☆
		[별이 3개 이하인 경우] • 교과서 118쪽 '똑똑한 지식' 다시 읽기
		[별이 3개 이하인 경우] • 교과서 116~118쪽 다시 읽기

1. 한자

• 한자, 음, 뜻, 부수의 순서로 제시

祚* (　)❶ 복 [示]	旬 (순) 열흘 [日]	鬪 (투) 싸우다 [鬥]
麗 (려) 곱다 [鹿]	弊 (폐) 해지다 [廾]	吸 (흡) 마시다 [口]
(　)❷ (확) 넓히다 [手(扌)]	疲 (피) 피곤하다 [(　)❺]	滯 (체) 막히다, 머무르다 [水(氵)]
隆 (륭) 높다 [阜(阝)]	蔽 (폐) 덮다 [艸(艹)]	樣 (양) 모양 [木]
稱 (칭) (　)❸ [禾]	障 (장) 막다 [阜(阝)]	(　)❾ (편) 치우치다 [人(亻)]
頌 (송) 칭송하다, 기리다 [頁]	頃 (경) 잠깐 [頁]	抄 (초) 뽑다 [手(扌)]
渤* (발) 바다이름 [水(氵)]	項 (항) 항목 [頁]	攝 (　)❿ 다스리다 [手(扌)]
振 (진) 떨치다, 정리하다 [手(扌)]	(　)❻ (조) 가지 [木]	憲 (헌) 법 [(　)⓫]
宜 (의) 마땅하다 [(　)❹]	摘 (적) (　)❼ [手(扌)]	獵 (렵) 사냥 [犬(犭)]
塊 (괴) 덩어리 [土]	芽 (아) 싹 [艸(艹)]	鎖 (쇄) 쇠사슬 [金]
鈍 (둔) 둔하다 [金]	滴 (적) 물방울 [水(氵)]	漂 (표) 떠다니다 [水(氵)]
鑄 (주) 주조하다 [金]	據 (　)❽ 근거 [手(扌)]	隸 (례) 종 [隶]
鍊 (련) 쇠 불리다, 단련하다 [金]	抑 (억) 누르다 [手(扌)]	宣 (선) (　)⓬ [宀]
	叛 (반) 배반하다 [又]	

2. 본문

❶(　　)不修渤海史(고려불수발해사)하니 知高麗之不振也(지고려지부진야)라.	고려가 ❷(　　)의 역사를 편수하지 않았으니 고려가 정리하지 않았음을 알겠다.
扶餘氏亡(부여씨망)하고 高氏亡(고씨망)하여 金氏有其南(김씨유기남)하고 大氏有其北(대씨유기북)하여 曰 ❸(　　)(왈발해)라 하니 是謂南北國(시위남북국)이라. 宜其有南北國史(의기유남북국사)어늘 而高麗不❹(　)之(이고려불수지)하니 非矣(비의)니라.	부여씨가 망하고 고씨가 망하여 김씨가 그 남쪽을 소유하였고 대씨가 그 북쪽을 소유하여 발해라 말하였으니 이것을 ❺(　　)(　)이라 말한다. 마땅히 그들이 남북국의 역사를 있게 해야 하거늘 ❻(　　)가 그것을 편수하지 않았으니 잘못이다.

3. 문장의 구조와 절

• ❶(　　　) 구조: 高麗(주어) + 不修(서술어) + 渤海史(목적어)[고려가 발해의 역사를 편수하지 않았다.]

• 술목 확장 구조: 知(서술어) + 高麗之 + 不振也(❷(　　　)[주어 + 서술어]) [고려가 정리하지 않았음을 알겠다.]

4. 어휘 – 역사 관련 용어

- ❶ ☐☐(섭정): 군주가 직접 통치할 수 없을 때에 군주를 대신하여 나라를 다스림.
- 三別抄(❷☐☐☐): 고려 시대에 둔 좌별초, 우별초, 신의군의 세 군대
- 鎖國(쇄국): 다른 나라와의 통상과 교역을 금지함.
- 立憲主義(입헌주의): 국가 구성원의 합의로 제정된 ❸☐☐에 따라 국가를 운영하려는 정치사상
- 漁獵❹☐☐(어렵 시대): 농경 생산이 발달하지 못하여 고기잡이와 사냥을 생활 수단으로 하던 원시 시대
- 奴隷解放宣言(노예 해방 선언): 1863년에 미국의 노예 해방에 관하여 링컨 대통령이 발표한 선언
- 하멜 漂流記(❺☐☐☐): 네덜란드의 하멜이 제주도에 표류하여 체포된 경위와 억류 생활을 자세히 기록한 책

쪽지 시험

01 다음 한자의 공통되는 음을 쓰시오.

> 祚　　條

02 다음 한자의 공통되는 부수를 쓰시오.

> 抄　　振

03 다음과 같은 뜻을 가진 단어를 〈보기〉에서 찾아 한자 어휘와 독음을 쓰시오.

(1) 고려 시대에 둔 좌별초, 우별초, 신의군의 세 군대

(2) 군주가 직접 통치할 수 없을 때에 군주를 대신하여 나라를 다스림.

(3) 국가 구성원의 합의로 제정된 헌법에 따라 국가를 운영하려는 정치사상

> 보기
>
> 攝政　三別抄　立憲主義

04 다음과 같은 뜻을 가진 한자 어휘를 한자로 쓰시오.

(1) 농경 생산이 발달하지 못하여 고기잡이와 사냥을 생활 수단으로 하던 원시 시대:
☐☐時代

(2) 네덜란드의 하멜이 제주도에 표류하여 체포된 경위와 억류 생활을 자세히 기록한 책:
하멜 ☐☐☐

(3) 1863년에 미국의 노예 해방에 관하여 링컨 대통령이 발표한 선언: 奴隷☐☐☐☐

05 한자 어휘와 뜻을 바르게 연결하시오.

(1) 稱頌 •

(2) 渤海 •

(3) 隆盛 •

• ㉠ 기운차게 일어나거나 대단히 번성함.

• ㉡ 칭찬하여 일컬음. 또는 그런 말.

• ㉢ 대조영이 고구려 유민과 말갈족을 거느리고 동모산에 도읍하여 세운 나라

01 한자의 음이 바르지 <u>않은</u> 것은?

① 渤 (발)　② 振 (진)　③ 宜 (선)
④ 塊 (괴)　⑤ 鈍 (둔)

02 한자의 뜻이 바르지 <u>않은</u> 것은?

① 頃: 잠깐　② 摘: 따다　③ 句: 글귀
④ 項: 항목　⑤ 滴: 물방울

03 자전에서 한자를 찾을 때, ㉠에 들어갈 한자를 쓰시오.

음	초
부수	手
총획	7획

【 ㉠ 】

자원 '조금 손에 가지다', '손으로 뜨다'의 뜻을 나타냄.

출제 유력
04 부수가 나머지와 <u>다른</u> 하나는?

① 鈍　② 鑄　③ 鍊　④ 稱　⑤ 鎭

05 빈칸에 공통으로 들어갈 한자로 알맞은 것은?

☐+卬 ⇒ (억) 누르다　☐+廣 ⇒ (확) 넓히다

① 糸　② 水　③ 手　④ 犬　⑤ 邑

06 ㉠과 ㉡의 뜻으로 알맞은 것은?

立㉠憲主義　　漁㉡獵時代

	㉠	㉡		㉠	㉡
①	법	사냥	②	법	세우다
③	뜻	시대	④	뜻	사냥
⑤	뜻	세우다			

07 빈칸에 들어갈 한자 어휘로 알맞은 것은?

　홍선대원군은 조선에 본격적으로 접촉을 가해 오던 서양 세력을 몰아내고 서양과의 교류를 철저하게 봉쇄한 ☐☐정책을 펼쳤다.

① 擴張　② 稱頌　③ 隆盛
④ 叛亂　⑤ 鎖國

08 밑줄 친 부분을 한자로 바꾸어 쓰시오.

　문화적 차이로 인한 갈등이나 <u>편견</u>을 깨고 함께 사는 사회를 만듭시다!

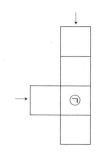

09 화살표 방향으로 성어를 채울 때, ㉠에 들어갈 한자로 알맞은 것은?

【가로 열쇠】
기운차게 일어나거나 대단히 번성함.

【세로 열쇠】
높은 수준의 문화를 이룬 발해를 지칭하는 말

① 流　② 盛　③ 陸　④ 興　⑤ 邦

출제 유력
10 한자 어휘의 뜻이 적절하지 <u>않은</u> 것은?

① 抑留: 억지로 잡아둠.
② 滯留: 딴 곳에 가 머물러 있음.
③ 戰鬪: 두 편의 군대가 무장하여 싸움.
④ 攝政: 다른 나라와의 통상과 교역을 금지함.
⑤ 叛亂: 사회나 국가의 질서를 어지럽히는 대규모의 집단적 행동

[11~15] 다음 글을 읽고 물음에 답하시오.

> ㉠高麗不修渤海史하니 知高麗之不振也라. ㉡昔者에 高氏居于北하여 曰高句麗라 하고 扶餘氏居于西南하여 曰百濟라 하고 朴昔金氏居㉢于東南하여 曰新羅라 하니 是謂㉣三國이라.

11 윗글에 쓰인 한자의 뜻이 바르지 <u>않은</u> 것은?

① 修: 편하다   ② 史: 역사
③ 知: 알다   ④ 振: 정리하다
⑤ 謂: 말하다

`출제 유력`
12 ㉠에 대한 설명으로 바르지 <u>않은</u> 것은?

① 高麗는 '주어'이다.
② 不修는 '보어'이다.
③ 渤海史는 '목적어'이다.
④ '고려불수발해사'라고 읽는다.
⑤ '고려가 발해의 역사를 편수하지 않았다'로 풀이한다.

13 ㉡의 풀이로 알맞은 것은?

① 밤중에   ② 아쉽게   ③ 옛날에
④ 오늘날   ⑤ 석씨라는 사람

14 ㉢과 바꾸어 쓸 수 있는 한자로 알맞은 것은?

① 由   ② 以   ③ 於
④ 有   ⑤ 故

15 ㉣에 해당하는 한자 어휘의 연결이 바른 것은?

① 渤海, 新羅, 扶餘
② 渤海, 高句麗, 新羅
③ 渤海, 百濟, 高句麗
④ 高句麗, 新羅, 扶餘
⑤ 高句麗, 百濟, 新羅

[16~21] 다음 글을 읽고 물음에 답하시오.

> ㉠宜其有三國史어늘 而高麗修之하니 ㉡是矣라. 扶餘氏亡하고 高氏亡하여 ㉢金氏有其南하고 大氏有其北하여 曰渤海라 하니 是謂(㉣)이라. 宜其有南北國史어늘 而高麗不修之하니 非矣니라.

16 윗글에서 '그르다'의 뜻을 가진 한자를 찾아 쓰시오.

17 ㉠의 뜻으로 알맞은 것은?

① 대저   ② 무릇   ③ 그러나
④ 마땅히   ⑤ 충분히

18 ㉡과 같은 뜻을 가진 한자로 알맞은 것은?

① 可   ② 之   ③ 不   ④ 非   ⑤ 而

19 ㉢을 풀이 순서대로 바르게 나열한 것은?

① 金 → 氏 → 有 → 南 → 其
② 金 → 氏 → 其 → 南 → 有
③ 氏 → 金 → 有 → 其 → 南
④ 有 → 金 → 氏 → 其 → 南
⑤ 有 → 其 → 金 → 氏 → 南

`서술형`
20 ㉣에 들어갈 알맞은 한자 어휘를 한자로 쓰시오.

`출제 유력`
21 윗글의 내용을 참고하여 빈칸에 들어갈 알맞은 말을 쓰시오.

> 사물의 이치를 따지거나 작자의 사상을 천명하는 글은 주로 □□□ 서술 방식을 사용한다.

이야기가 있는 한자 성어

상식 up 실력 up

우리나라에서 유래한 고사성어

고사성어는 중국에서 유래하였지만 우리나라의 역사나 문헌에서 유래한 것도 많다. 우리 조상들의 삶과 경험이 담겨 있는 고사성어를 알아보자.

고려

見金如石(견금여석)

황금 보기를 돌같이 하라.
최영 장군의 아버지가 자식에게 재물을 탐내지 말기를 당부한 말

高麗公事三日(고려공사삼일)

고려의 정책, 법령은 사흘 만에 바뀜.
고려 말기에 한 번 시작된 일이 오래 繼續되지 못함을 비유적으로 이르는 말
└ 계속: 끊이지 않고 이어 나감.

조선

杜門不出(두문불출)

한번 들어가면 다시 나오지 않음.
태조 이성계가 역성혁명을 일으킨 뒤 고려의 유신 72명이 새 왕조를 거부하고 두문동에 들어가 나오지를 않았다는 데서 유래된 말

咸興差使(함흥차사)

심부름을 간 사람이 소식이 없음.
이성계가 왕위에서 물러나 함흥에 있을 때, 태종(太宗)이 보낸 사신을 잡아 가두어 돌려보내지 않거나 죽여 소식이 없었다는 데서 유래된 말

三馬太守(삼마태수)

세 마리 말만으로 오는 태수
재물을 貪하지 않는 淸白吏를 가리킴.
송흠이 매번 지방에 수령으로 赴任할 때에 타고 오는 말이 세 필밖에 안 되었다는 데서 유래된 말

┌ 탐: 어떤 것을 가지거나 차지하고 싶어 지나치게 욕심을 냄.
└ 청백리: 재물에 대한 욕심이 없이 곧고 깨끗한 관리
└ 부임: 임명이나 발령을 받아 근무할 곳으로 감.

泥田鬪狗(이전투구)

진흙탕에서 싸우는 개
강인한 성격의 함경도 사람의 特徵을 평가한 4자평(四字評)에서 유래됨. 자기의 이익을 위하여 卑劣하게 다투는 모습
┌ 특징: 다른 것에 비하여 특별히 눈에 뜨이는 점
└ 비열: 사람의 하는 짓이나 성품이 천하고 졸렬함.

三日天下(삼일천하)

짧은 기간 정권을 잡았다가 물러나게 됨.
개화당이 갑신정변으로 3일 동안 정권을 잡은 일. 어떤 지위에 選拔, 기용되었다가 며칠 못 가서 떨어지는 일
└ 선발: 많은 가운데서 골라 뽑음.

新 한자 모아 보기

한자	음	뜻	부수	획수	총획
繼	계	잇다	糸	14	20
差	차	다르다, 사신 보내다	工	7	10
貪	탐	탐내다	貝	4	11
赴	부	나아가다	走	2	9
泥	니	진흙	水(氵)	5	8
徵	징	부르다	彳	12	15
卑	비	낮다	十	6	8
拔	발	뽑다	手(扌)	5	8

1단계 정리하기

1. 한자의 쓰임

자백두, 지함흥, 산맥중행 • **自白頭, 至咸興, 山脈中行.**: 백두부터 함흥에 이르기까지 산맥이 가운데로 뻗어 간다.
~부터 ~까지

주구천구백칠십오보, 고사십척이촌 • **周九千九百七十五步, 高四十尺二寸.**: 둘레는 9,975보요 높이는 40척 2촌이다.
둘레 높이

시위삼국 • **是謂三國.**: 이것을 삼국이라 말한다.
이것을 ~이라고 이르다.

2. 한문 산문의 서술 방식

글의 종류와 목적에 따라 서사적, 묘사적, 의론적, 서정적 서술 방식을 사용한다. 이 단원에서는 묘사적, 의론적 서술 방식을 사용하는 글들이 제시되었다.

묘사적 서술 방식	의론적 서술 방식
산천의 경물이나 지리 또는 사회의 풍속이나 인정(人情)을 기술하는 글에 사용함. ⑩ 국토의 지형에 대한 설명, 경성과 궁성의 구조와 명칭에 대한 설명	사물의 이치를 따지거나 자신의 사상을 천명함으로써 남을 설득시킬 것을 목적으로 하는 글에 사용함. ⑩ 마땅히 그들이 남북국의 역사를 있게 해야 하거늘 고려가 그것을 편수하지 않았으니 잘못이다.

3. 문장의 구조와 절

주술목 구조	**高麗不修渤海史.** 고 려 불 수 발 해 사	주어(高麗) + 서술어(不修) + 목적어(渤海史) → 고려가 + 편수하지 않았다 + 발해의 역사를
술목 확장 구조	**知高麗之不振也.** 지 고 려 지 부 진 야	서술어(知) + 목적절[주어(高麗之) + 서술어(不振)] → 알겠다 + 고려가 정리하지 않았음을

2단계 점검하기

1. 어휘와 그 뜻을 바르게 연결해 보자.

(1) 三別抄 (삼별초) • • ㉮ 임금이 나들이 때에 머물던 별궁
(2) 縮尺 (축척) • • ㉯ 지도에서의 거리와 지표에서의 실제 거리와의 비율
(3) 行宮 (행궁) • • ㉰ 고려 시대에 둔 좌별초, 우별초, 신의군의 세 군대

2. 빈칸에 알맞은 한자를 써 보자.

(1) **自白頭, 至咸興, 山脈中行.**: 백두부터 함흥에 이르기까지 산맥이 가운데로 뻗어 간다.
자 백 두 지 함 흥 산 맥 중 행

(2) **周九千九百七十五步, 高四十尺二寸.**: 둘레는 9,975보요 높이는 40척 2촌이다.
주 구 천 구 백 칠 십 오 보 고 사 십 척 이 촌

(3) **在京城之中.**: 경성의 가운데에 있다.
재 경 성 지 중

(4) **知高麗之不振也.**: 고려가 정리하지 않았음을 알겠다.
지 고 려 지 부 진 야

[1~5] 다음 글을 읽고 물음에 답하시오.

(가) 大韓國, 在亞細亞之東, 北, 連大陸, 東西南, 環以(㉠). 故, 謂半島國.
대한국 재아세아지동 북 연대륙 동서남 환이 고 위반도국

(나) 太祖五年, ㉡用石築之, 世宗四年, 改修, 周九千九百七十五步, 高
태조오년 용석축지 세종사년 개수 주구천구백칠십오보 고
四十尺二寸.
사십척이촌

(다) 在京城之中, ㉢周一千八百十三步, ㉣高二十一尺一寸.
재경성지중 주일천팔백십삼보 고이십일척일촌

(라) 扶餘氏亡, 高氏亡, 金氏有其南, ㉤大氏有其北, 曰渤海, 是謂南北國.
부여씨망 고씨망 김씨유기남 대씨유기북 왈발해 시위남북국
宜其有南北國史, 而高麗不修之, 非矣.
의기유남북국사 이고려불수지 비의

1. 의미상 ㉠에 들어갈 어휘로 알맞은 것은? ②

① 山水 산수 ② 洋海 양해 ③ 道路 도로 ④ 下川 하천 ⑤ 山川 산천

(가)의 풀이는 '대한국은 아시아의 동쪽에 있으니 북쪽은 대륙에 이어져 있고 동서남 쪽은 (바다)로 둘리어 있다. 그러므로 반도국이라 말한다.'이다. 우리나라는 북쪽을 제외한 나머지 삼면이 바다로 둘러싸인 반도국이다.

2. ㉡의 풀이 순서로 적절한 것은? ③

① 用 → 石 → 築 → 之 ② 用 → 築 → 石 → 之 ③ 石 → 用 → 之 → 築

④ 石 → 用 → 築 → 之 ⑤ 築 → 用 → 石 → 之

㉡의 풀이: 돌[石]을 이용하여[用] 그것[之]을 쌓다[築].

도움말
3. 周: 두루, 둘레
수
高: 높다, 높이
고

3. ㉢과 ㉣의 풀이로 알맞은 것은? ④

㉢	㉣		㉢	㉣		㉢	㉣
① 두루 – 높다			② 돌다 – 높다			③ 돌다 – 높이	
④ 둘레 – 높이			⑤ 주변 – 높이				

(다)의 풀이: 경성의 가운데에 있으니 둘레는 1,813보요 높이는 21척 1촌이다.

4. 남북국 시대는 남쪽의 통일 신라, 북쪽의 발해가 있던 시기이다.

4. ㉤의 국가에 해당하는 것으로 옳은 것은? ④

① 夫餘 부여 ② 百濟 백제 ③ 新羅 신라 ④ 渤海 발해 ⑤ 高句麗 고구려

㉤의 풀이는 '대씨가 그 북쪽을 소유하다.'인데, 이 나라는 뒤에 바로 나오는 '발해'를 의미한다.

📝 **서술형**

5. 유득공은 발해의 역사를 기록에 남겨야 한다고 주장하고 있다.

5. (라)에서 유득공이 주장하는, 고려의 잘못은 무엇인지 구체적으로 써 보자.

고려가 남북국의 역사를 편수하지 않은 것

(라)의 두 번째 문장의 풀이(마땅히 그들이 남북국의 역사를 있게 해야 하거늘 고려가 그것을 편수하지 않았으니 잘못이다.)를 통해 알 수 있다.

마무리 자기 평가

이 단원에서 배운 내용을 스스로 평가해 보자.

점검 항목	잘함	보통	노력 필요	찾아보기 ↻
• 한문 산문의 다양한 서술 방식을 이해할 수 있다.				106, 122쪽
• 문장의 구조를 구별할 수 있다.				118, 122쪽
• 역사와 지리에 관한 글을 읽고 전통문화를 바르게 이해할 수 있다.				104, 110, 116쪽

도움말 대단원 학습이 끝나면 대단원 학습 목표에 해당하는 질문에 답하며 자신의 학업 성취도를 스스로 점검해 본다. 성취 목표에 도달하지 못한 경우에는 제시된 위치로 돌아가서 내용을 다시 읽고 공부하도록 한다.

14. 백두대간으로 떠나는 여행

01 한자 어휘의 음이 바르지 <u>않은</u> 것은?

① 縮尺(축척)
② 三角洲(삼각주)
③ 漸移地帶(침수 지구)
④ 浸蝕盆地(침식 분지)
⑤ 排他的經濟水域(배타적 경제 수역)

[02~05] 다음 글을 읽고 물음에 답하시오.

大韓國은 在亞細亞之東하니 北은 連大陸하고 東西南은 環以洋海라. 故로 謂半島國이라. 自白頭로 至咸興히 山脈中行하니 ㉠東枝는 行於豆満之南하고 ㉡西枝는 行㉢於鴨綠之南이라.

02 ㉠에서 가장 마지막으로 풀이되는 한자는?

① 枝
② 行
③ 於
④ 満
⑤ 南

03 ㉡과 단어의 짜임이 같은 것은?

① 恩師
② 好學
③ 海洋
④ 贈與
⑤ 難解

04 ㉢의 뜻으로 알맞은 것은?

① ~을
② ~보다
③ ~으로
④ ~에게
⑤ ~때문에

05 윗글에서 한자의 음을 빌려 표기한 한자 어휘를 찾아 쓰시오.

15. 조선의 궁궐 탐방

06 음이 같은 한자만을 〈보기〉에서 고른 것은?

보기
ㄱ. 和   ㄴ. 稀   ㄷ. 穫   ㄹ. 禾

① ㄱ, ㄴ
② ㄱ, ㄷ
③ ㄱ, ㄹ
④ ㄴ, ㄷ
⑤ ㄴ, ㄹ

07 밑줄 친 한자 어휘와 단어의 짜임이 같은 것은?

立門八이니 正南曰<u>崇禮</u>요

① 日出
② 耕田
③ 黃土
④ 赤松
⑤ 草木

[08~09] 다음 글을 읽고 물음에 답하시오.

在㉠京城之中하니 周一千八百十三(㉮)요 高二十一尺一寸이라. 立門四이니 南曰㉡光化요 舊名正門이요 北曰㉢神武요 東曰㉣建春이요 西曰㉤迎秋라.

08 ㉠~㉤의 음이 바르지 <u>않은</u> 것은?

① ㉠: 경성
② ㉡: 광화
③ ㉢: 신무
④ ㉣: 양춘
⑤ ㉤: 영추

09 ㉮에 들어갈 한자로 알맞은 것은?

① 丈
② 寸
③ 步
④ 尺
⑤ 斤

10 다음 설명에 해당하는 한자 어휘로 알맞은 것은?

내성(內城)성과 외성(外城)을 통틀어 이르는 말

① 漏水
② 行宮
③ 城郭
④ 回廊
⑤ 欄干

16. 소중한 우리 역사, 발해

[11~15] 다음 글을 읽고 물음에 답하시오.

> 高麗不修渤海史하니 知高麗之不振也라. 昔者에 高氏居㉠北하여 曰高句麗라 하고 扶餘氏居㉡西南하여 曰百濟라 하고 朴昔金氏居㉢東南하여 曰新羅라 하니 ㉣是謂三國이라. 宜其有三國史어늘 而高麗修之하니 ㉤是矣라. 扶餘氏亡하고 高氏亡하여 金氏有其南하고 大氏有其北하여 曰渤海라 하니 是謂南北國이라. 宜其有南北國史어늘 而高麗不修之하니 ㉥非矣라.

11 ㉠~㉢에 공통으로 들어갈 한자는?

① 干　② 千　③ 天　④ 于　⑤ 失

12 ㉣과 ㉤에서 是의 쓰임에 유의하여 뜻을 각각 쓰시오.

13 ㉥의 뜻으로 알맞은 것은?

① 아니다　② 등지다　③ 비난하다
④ 잘못이다　⑤ 비상하다

14 윗글의 내용을 참고하여 우리 역사를 시대순으로 정리할 때, 빈칸에 들어갈 내용을 쓰시오.

> 삼국 시대 → ⬚⬚⬚ 시대 → 고려 시대 → 조선 시대

출제 유력
15 윗글에 대한 이해로 바르지 <u>않은</u> 것은?

① 고려가 渤海史를 편찬하였다.
② 고려가 三國史를 편찬하였다.
③ 대 씨가 북쪽에 渤海를 세웠다.
④ 북쪽의 고 씨는 高句麗를 세웠다.
⑤ 新羅는 박·석·김 씨에 의해 만들어졌다.

대단원 복합 문제

[16~21] 다음 글을 읽고 물음에 답하시오.

> (가) 大韓國은 在亞細亞之東하니 ㉠北은 連大陸하고 東西南은 環以洋海라. ⓐ故로 謂⬚⬚國이라.
>
> (나) 太祖五年에 用石築之하고 世宗四年에 ⓑ改修하니 ⓒ周九千九百七十五步요 高四十尺二寸이라.
>
> (다) 宜其有三國史어늘 而高麗ⓓ修之하니 是矣라. 扶餘氏亡하고 高氏亡하여 金氏有其南하고 大氏有其北하여 曰渤海라 하니 是謂南北國이라. ㉢宜其有南北國史어늘 而高麗不修㉡之하니 非矣라.

서술형
16 ㉠의 풀이를 쓰시오.

17 (가)의 빈칸에 들어갈 한자 어휘로 알맞은 것은?

① 西南　② 大陸　③ 洋海
④ 半島　⑤ 都市

18 ㉡이 가리키는 것으로 알맞은 것은?

① 三國史　② 高麗史　③ 新羅史
④ 渤海史　⑤ 南北國史

19 (나)의 서술 방식을 쓰시오.

20 (다)의 내용으로 보아 남북국으로 알맞은 것은?

① 고려, 발해　② 신라, 발해
③ 백제, 발해　④ 통일신라, 발해
⑤ 고구려, 발해

출제 유력
21 ⓐ~ⓔ 풀이가 바르지 <u>않은</u> 것은?

① ⓐ: 그러므로　② ⓑ: 고쳐 수리하다
③ ⓒ: 둘레　④ ⓓ: 편수하다
⑤ ⓔ: 베풀다

V. 성현이 남긴 이치와 도리

유가를 비롯한 춘추 전국 시대의 제자백가 사상은 선인들의 깊이 있는 깨달음을 담고 있어, 한자 문화권에 속한 사람들의 삶과 가치관에 많은 영향을 끼쳤다. 또 공자와 맹자, 노자, 묵자, 한비자 등 걸출한 사상가들이 남긴 다양하고도 심오한 가르침은 과거에만 국한된 것이 아니라 복잡한 현대를 살아가는 오늘날의 우리에게도 큰 가르침을 준다. 이 단원에서는 유가 경전을 비롯한 여러 제자백가의 글에 담긴 사상을 배워 우리의 삶을 성찰하고 발전시키는 계기로 삼아 보자.

| 이 단원에서 배울 내용 |

· 글을 바르게 풀이하고 내용과 주제를 설명한다.
· 한자로 이루어진 일상용어를 맥락에 맞게 활용한다.
· 한자로 이루어진 다른 교과 학습 용어를 맥락에 맞게 활용한다.
· 한문 기록에 담긴 선인들의 지혜, 사상 등을 이해하고, 현재적 의미에서 가치가 있는 것을 내면화하여 건전한 가치관과 바람직한 인성을 함양한다.
· 한자 문화권의 문화에 대한 기초 지식을 통해 상호 이해와 교류를 증진시키려는 태도를 형성한다.

소단원 미리 보기

소단원	소단원 소개	소단원 학습 요소
17	『논어』의 내용과 주제를 파악하고, 여기에 담긴 공자의 사상을 이해해 보는 단원이다.	· 『논어』의 내용과 주제 · 공자의 사상에 대한 이해 · 『논어』를 통한 한자 문화권의 상호 이해
18	『맹자』의 내용과 주제를 파악하고, 여기에 담긴 맹자의 민본 사상을 현대적으로 적용해 보는 단원이다.	· 『맹자』의 내용과 주제 · 민본 사상의 현대적 적용 · 『맹자』를 통한 한자 문화권의 상호 이해와 교류
19	『노자』, 『묵자』, 『한비자』에 각각 담긴 사상의 특징을 파악하고, 다양한 제자백가 사상의 현재적 의미와 가치를 발견해 보는 단원이다.	· 제자백가 사상의 특징 · 철학 관련 학습 용어 · 제자백가 사상의 현재적 의미와 가치 발견

| 생각을 여는 활동 |

● '군자와 소인'을 대조하여 말한 내용을 살펴보고, 서로 짝이 되는 구절을 연결해 보자.

질서: 혼란 없이 순조롭게 이루어지게 하는 사물의 순서나 차례

『논어』는 유가의 대표적 경전으로, 공자와 그 제자들의 문답을 중심으로 다양한 내용을 다루고 있다. 인(仁)을 중심으로 *秩序*를 *維持*하고 조화로운 사회를 이루고자 한 공자의 사상은 수양의 단계를 군자(君子)와 소인(小人)으로 구분하여 설명한 대목이 많다. 군자의 특징에 대해 알아보자.

유지: 어떤 상태나 상황을 그대로 보존하거나 변함 없이 계속하여 지탱함.

행실이 점잖고 어질며 덕과 학식이 높은 사람

도량이 좁고 간사한 사람

[君子]
군 자

① 곤궁한 가운데에서도 자신의 지조를 굳게 지킨다.

② 의리에 밝게 행동한다.

③ 화합하지만 무작정 똑같이 따라 하지 않는다.

④ 두루 원만히 지내면서 편을 가르지 않는다.

[小人]
소 인

㉮ 편을 가르면서 두루 원만히 지내지 않는다.

㉯ 곤궁해지면 자신의 분수에 넘치는 행동을 한다.

㉰ 사리사욕에 밝게 행동한다.

㉱ 무작정 똑같이 따라 하지만 화합하지는 않는다.

소인의 특성은 이렇겠군요!

도움말 『논어』의 내용과 주제, 공자의 사상을 알아보는 활동을 통해 소단원 학습에 대한 자신의 배경지식을 활성화한다. 또 이를 바탕으로 소단원에서 어떤 내용을 공부할지 스스로 계획을 세워 본다.

학습 계획 세우기

● 위 활동을 바탕으로 스스로 학습 계획을 세워 보자.

나는 이 단원에서 _____ 예 『논어』의 내용과 주제, 공자의 사상 _____ 을/를 공부하겠다.

新 한자 모아 보기 자신이 알고 있는 한자에 ✓ 표시를 해 보자.

한자	음	뜻	부수	획수	총획
秩	질	차례	禾	5	10
維	유	벼리, 매다	糸	8	14

공자가 추구하는 인간상 ● 교과서 126, 127쪽

공자는 중국 춘추 전국 시대의 사상가이자 학자로, 여러 나라를 두루 돌아다니면서 인(仁)의 정치와 윤리를 이상으로 하는 도덕주의를 설파하여 덕치를 강조하였다. 이 단원에서는 공자가 주장하는 인(仁)이 무엇이고, 인(仁)을 바탕으로 하는 군자의 덕(德)이 무엇인지 공자의 가르침을 통해 알아보자.

新 한자 모아 보기

한자	음	뜻	부수	획수	총획
敏	민	민첩하다	攵(攴)	7	11
愼	신	삼가다	心(忄)	10	13
寬	관	너그럽다	宀	12	15
罔	망	없다	网	3	8
殆	태	위태롭다	歹	5	9
聰	총	귀 밝다	耳	11	17
恭	공	공손하다	心(忄)	6	10
忿	분	성내다	心	4	8

~하지 말라 = 勿(물)　　　　　　　　　　　　　　　~에, ~에는

子[1] 曰: "君子食無求飽하며 居無求安하며 敏於
자　왈　　　　　군　자　식　무　구　포　　　거　무　구　안　　민　어
공자(인명) 말하다　군자 사람 먹다 말다 구하다 배부르다　거하다 말다 구하다 편안하다　민첩하다 어조사

事而愼於言이요 就有道而正焉이면 可謂
사　이　신　어　언　　취　유　도　이　정　언　　가　위
일 말 잇다 삼가다 어조사 말　나아가다 있다 도 말 잇다 바르다 어조사　할 수 있다 말하다
　　　　　　　　　　　~에, ~에는　　　　　　　　바로잡다

好學也已니라."
호　학　야　이
좋아하다 배우다 어조사 어조사
　　　　　~이다(종결을 나타내는 어조사)

有道之人(유도지인: 도가 있는 사람)의 줄임말

공자께서 말씀하셨다. "군자는 먹음에 배부름을 구하지 말며, 거처함에 편안함을 구하지 말며, 일에 민첩하게 하고 말에 신중히 할 것이요, 도가 있는 사람에게 나아가 바로잡는다면 '배우기를 좋아한다.'고 말할 수 있다."

子曰: "居上不寬하며 爲禮不敬하며 臨喪不哀면
자　왈　　　　　거　상　불　관　　위　례　불　경　　임　상　불　애
공자(인명)말하다　살다 위 아니다 너그럽다　하다 예도 아니다 공경하다　임하다 잃다 아니다 슬퍼하다

吾何以觀之哉리오?"
오　하　이　관　지　재
나　어찌 써 보다 그　어조사
　　　　　　　　　'그'를 가리키는 인칭 대명사

※ 何以~哉(하이~재)
: 무엇으로써 ~하겠는가?, 어떻게 ~하겠는가?
→ '~할 것이 없다'는 뜻

공자께서 말씀하셨다. "윗자리에 있으면서 너그럽지 않으며, 예를 행하면서 공경스럽지 않으며, 초상에 임하여 슬퍼하지 않는다면 내가 무엇으로써 그(사람됨)를 보리오?"

1) 자(子): 자(子)는 '존경하는 선생님'을 뜻하는 글자임. 주로 성씨(姓氏) 뒤에 붙여 썼는데, 일반적으로 성씨 없이 '자왈(子曰)'이라고 한 경우의 자(子)는 공자(孔子, B.C. 551~479)를 가리킴.

학습 요소

없다 ☞ 이치에 어둡게 되어 마음에 아무 소득이 없음.

子曰: "學而不思則罔하고 思而不學則殆니라."
자 왈　　　　학 이 불 사 즉 망　　　　사 이 불 학 즉 태
공자(인명)말하다　배우다 말 잇다 아니다 생각 곧 없다　생각 말 잇다 아니다 배우다 곧 위태롭다

공자께서 말씀하셨다. "배우기만 하고 생각하지 않으면 (마음에 아무 소득이) 없게 되고, 생각하기만 하고 배우지 않으면 위태로워진다."

孔子曰: "君子有九思하니 視思明하며
공 자 왈　　　　　군 자 유 구 사　　　　시 사 명
공자(인명) 말하다　군자 사람 있다 아홉 생각　보다 생각 밝다

聽思聰하며 色思溫하며 貌思恭하며
청 사 총　　　색 사 온　　　모 사 공
듣다 생각 귀 밝다　빛 생각 따뜻하다　모양 생각 공손하다

言思忠하며 事思敬하며 疑思問하며
언 사 충　　　사 사 경　　　의 사 문
말 생각 충성　일 생각 공경　의심하다 생각 묻다

忿思難하며 見得思義니라."
분 사 난　　　견 득 사 의
성내다 생각 어렵다　보다 얻다 생각 옳다

『논어』

공자께서 말씀하셨다. "군자는 아홉 가지 생각할 것이 있으니, 보는 것은 분명하게 볼 것을 생각하며, 듣는 것은 명확하게 들을 것을 생각하며, 낯빛은 온화하게 할 것을 생각하며, 용모(몸가짐)는 공손히 할 것을 생각하며, 말은 충실하게 할 것을 생각하며, 일할 때에는 공경히 할 것을 생각하며, 의심스러울 때는 물어볼 것을 생각하며, 화가 날 때는 곤란해질 것을 생각하며, 이득이 될 것을 보면 의로운가를 생각할 것이니라."

🖉 스스로 확인

공자는 군자가 되기 위해 생각해야 할 것을 몇 가지 제시하였는가?
9가지

• 『논어(論語)』: 공자(孔子)의 언행과 그 제자들 사이에 문답한 여러 내용을 담고 있는 유가(儒家)의 대표적인 경전(經典)

無: ~하지 말라 = 勿
무　　　　　　　물

正: 바로잡다
정

也已: ~이다
야이

罔: 없다 ☞ 이치에 어둡게 되어
망　　마음에 아무 소득이 없음.

다른 사람의 말이나 행동, 형편 따위
를 잘 알아서 긍정하고 이해함.

부수가 같은 한자 - 彳 척

得(득) 얻다 예 納得 납득
徐(서) 천천히 예 徐行: 사람이나 차가
　　　　　　　　천천히 감.
徹(철) 통하다 예 透徹 투철: 속속들이 뚜렷하고 철저함.
徑(경) 지름길 예 直徑 직경: 지름

이렇게 하든지 저렇게 하든지. 또
는 이렇게 되든지 저렇게 되든지

➕ 어휘 더하기

• 모양이 비슷한 한자
於(어) 어조사 예 於此彼 어차피
旗(기) 깃발 예 國旗 국기
倍(배) 곱 예 倍加: 갑절 또는 몇 배로 늘
　　　　　　　어남. 또는 그렇게 늘림.
培(배) 북돋우다 예 培養 배양
放(방) 놓다 예 放恣 방자
妨(방) 방해하다 예 妨害 방해
記(기) 기록하다 예 記錄 기록
紀(기) 해 예 世紀 세기

어려워하거나 조심스러워하는
태도가 없이 무례하고 건방짐.

新 한자 모아 보기

한자	음	뜻	부수	획수	총획
彳	척	조금 걷다	彳	0	3
納	납	들이다	糸	4	10
徐	서	천천히	彳	7	10
徹	철	통하다	彳	12	15
透	투	통하다	辵(辶)	7	11
徑	경	지름길	彳	7	10
旗	기	깃발	方	10	14
倍	배	곱	人(亻)	8	10
培	배	북돋우다	土	8	11
恣	자	방자하다	心	6	10
妨	방	방해하다	女	4	7
紀	기	벼리, 해	糸	3	9
踐	천	밟다	足	8	15

子曰: "君子食無求飽하며 居無求安하며 敏於事而愼於言이요
자왈　군자식무구포　거무구안　민어사이신어언
공자께서 말씀하셨다. "군자는 먹음에 배부름을 구하지 말며, 거처함에 편안함을 구하지
말며, 일에 민첩하게 하고 말에 신중히 할 것이요,

就有道而正焉이면 可謂好學也已니라."
취유도이정언　가위호학야이
도가 있는 사람에게 나아가 바로잡는다면 '배우기를 좋아한다.'고 말할 수 있다."

子曰: "居上不寬하며 爲禮不敬하며 臨喪不哀면 吾何以觀之哉리오?"
자왈　거상불관　위례불경　임상불애　오하이관지재
공자께서 말씀하셨다. "윗자리에 있으면서 너그럽지 않으며, 예를 행하면서 공경스럽지
않으며, 초상에 임하여 슬퍼하지 않는다면 내가 무엇으로써 그(사람됨)를 보리오?"

子曰: "學而不思則罔하고 思而不學則殆니라."
자왈　학이불사즉망　사이불학즉태
공자께서 말씀하셨다. "배우기만 하고 생각하지 않으면 (마음에 아무 소득이) 없게 되고,
생각하기만 하고 배우지 않으면 위태로워진다."

일정 형식을 통하여 한 나라의 역사, 국민성, 이상 따위를 상징하도록 정한 기(旗)

孔子曰: "君子有九思하니 視思明하며 聽思聰하며
공자왈　군자유구사　시사명　청사총
공자께서 말씀하셨다. "군자는 아홉 가지 생각할 것이 있으니, 보는 것은 분명하게 볼 것
을 생각하며, 듣는 것은 명확하게 들을 것을 생각하며,

① 식물을 북돋아 기름. ② 인격, 역량, 사상 따위가 발전하도록 가르치고 키움.

色思溫하며 貌思恭하며 言思忠하며 事思敬하며
색사온　모사공　언사충　사사경
낯빛은 온화하게 할 것을 생각하며, 용모(몸가짐)는 공손히 할 것을 생각하며, 말은 충실
하게 할 것을 생각하며, 일할 때에는 공경히 할 것을 생각하며,

남의 일을 간섭하고 막아 해를 끼침.

疑思問하며 忿思難하며 見得思義니라."
의사문　분사난　견득사의
의심스러울 때는 물어볼 것을 생각하며, 화가 날 때는 곤란해질 것을 생각하며, 이득이 될
것을 보면 의로운가를 생각할 것이니라."

주로 후일에 남길 목적으로 어떤 사실을 적음. 또는 그런 글

① 백 년을 단위로 하는 기간 ② 백 년 동안을 세는 단위 ③ 일정한 역사적 시대나 연대

• 인륜: 군신·부자·형제·부부 따위 상하 존비의 인간관계나 질서
• 예: 사람이 마땅히 지켜야 할 도리
• 악: 음악
• 교화: 가르치고 이끌어서 좋은 방향으로 나아가게 함.

이해 더하기 　공자의 인(仁) 사상

　　孔子의 '仁' 사상은 사람과 사람 사이의 맺어진 관계, 즉 '人倫 간의 사랑'을 의미한
다. 공자는 '仁'을 실현하는 과정에서 禮와 樂을 통하여 教化하고 질서를 바로잡아 調
和를 이루고자 하였다. '仁' 사상이 추구하는 목표는 인륜의 시작인 부모 형제에 대한 효
제(孝悌)로부터 출발하여, 實踐하고 修養하면서 학식과 덕행을 겸비하여 완성된 인격
을 갖춘 '군자(君子)'가 되는 것이다.

수양: 몸과 마음을 갈고닦아 품성이나 지식, 도덕
따위를 높은 경지로 끌어올림.

실천: 생각한 바를 실제로 행함.

※ 仁(인)은 人(인)과 二(이)가 합쳐진 글자로, 두 사람이 함께 어울려 살면서 어질게 대하는 태도를 나타내는 한자임.

공자는 수많은 제자의 질문에 개개인의 눈높이에 맞추어 답해 주었다. 다음은 '효(孝)란 무엇입니까?'라는 제자의 질문에 대한 공자의 답변이다.

'효(孝)란 무엇입니까'

공자의 답

맹의자에게

"예를 어김이 없게 해라."
이것은 맹의자가 부모님을 섬기고 葬禮를 치르고 제사를 지냄에 있어서 자주 예에 벗어나는 행동을 했기 때문이다.

ㄴ 장례: 장사를 지내는 일. 또는 그런 예식

맹무백에게

"부모님께서는 오직 그 자식이 병이 들어 아플까를 근심하신다."
맹무백은 健康이 좋지 않아 부모님께 염려를 끼쳤을 것으로 생각하여 한 말이다.
ㄴ 건강: 정신적으로나 육체적으로 아무 탈이 없고 튼튼함. 또는 그런 상태

자유에게

"지금의 효라는 것은 부모를 잘 봉양하는 것만을 말하는데, 개나 말도 길러 주는데 부모님을 봉양하면서 공경하지 않는다면 禽獸를 기르는 것과 무엇이 다르겠느냐?"
자유는 부모님을 물질적으로 供養하는 것에 비하여 恭敬하는 마음이 다소 부족하였기에 지적한 것이다.
금수: 날짐승과 길짐승이라는 뜻으로, 모든 짐승을 이르는 말
공경: 공손히 받들어 모심.
공양: 웃어른을 모시어 음식 이바지를 함.

자하에게

"낯빛을 온화하게 해라."
자하는 부모님을 봉양하면서 표정을 근엄하고 무뚝뚝하게 하여 온화하고 다정다감한 면이 부족하였기에 지적한 것이다.

공자는 제자들의 질문에 획일적인 답이 아닌, 인성과 개성을 把握하여 단점을 보완하고 장점은 稱讚해 주며 疏通하는 교육을 시행하였다.
파악   칭찬   소통

• 파악: 어떤 대상의 내용이나 본질을 확실하게 이해하여 앎.
• 칭찬: 좋은 점이나 착하고 훌륭한 일을 높이 평가함. 또는 그런 말
• 소통: 막히지 아니하고 잘 통함.

『논어』

※ 九容(구용)은 『禮記(예기)』 「玉藻(옥조)」에 나오는 말로, 예의 바른 행동의 기준이 되는 아홉 가지 용모를 제시한 것임.
① 足容重(족용중): 걸을 때에는 가볍게 행동하지 않는 것) ② 手容恭(수용공): 손을 공손하게 모으고 쓸데없이 움직이지 않는 것)

| 인성 관련 용어 |

활동 빈칸에 알맞은 한자 어휘를 〈보기〉에서 골라 써 보자.

보기
龜鑑	傾聽	敬畏心	中庸	餘裕	昏定晨省	九容
귀 감	경 청	경 외 심	중 용	여 유	혼 정 신 성	구 용

① 傾聽 (경청): 귀를 기울여 들음.

② 龜鑑 (귀감): 거울로 삼아 본받을 만한 모범

③ 敬畏心 (경외심): 공경하면서 두려워하는 마음

④ 餘裕 (여유): 느긋하고 차분하게 생각하거나 행동하는 마음의 상태

⑤ 九容 (구용): 군자가 몸가짐을 단정히 함에 있어 취해야 할 아홉 가지 姿勢

⑥ 中庸 (중용): 지나치거나 모자라지 아니하고 한쪽으로 치우치지도 아니한, 떳떳하며 변함이 없는 상태나 정도

ㄴ 자세: 몸을 움직이거나 가누는 모양

⑦ 昏定晨省 (혼정신성): 밤에는 부모의 잠자리를 보아 드리고 이른 아침에는 부모의 밤새 안부를 묻는다는 뜻으로, 효행의 기본을 이르는 말

③ 目容端(목용단: 시선을 바르게 하고 흘겨보거나 훔쳐보지 않는 것) ④ 口容止(구용지: 말을 하거나 음식을 먹을 때가 아니면 입을 움직이지 않는 것) ⑤ 聲容靜(성용정: 목소리는 조용하고 침착하게 하며, 트림 따위의 잡소리를 내지 않는 것) ⑥ 頭容直(두용직: 머리를 바르게 하고 돌리거나 한쪽으로 치우치지 않는 것) ⑦ 氣容肅(기용숙: 호흡을 고르게 하고 소리 내지 않는 것) ⑧ 立容德(입용덕: 바르게 서서 엄연히 덕 있는 기상이 있어야 함.) ⑨ 色容莊(색용장: 얼굴빛을 단정히 하여 태만함이 없어야 함.)

新 한자 모아 보기

한자	음	뜻	부수	획수	총획
葬	장	장사 지내다	艸(艹)	9	13
禽	금	새	内	8	13
獸	수	짐승	犬	15	19
供	공	이바지 하다	人(亻)	6	8
把	파	잡다	手(扌)	4	7
握*	악	쥐다	手(扌)	9	12
讚	찬	기리다	言	19	26
疏	소	소통하다	疋	7	12
鑑	감	거울	金	14	22
傾	경	기울다	人(亻)	11	13
畏	외	두려워하다	田	4	9
庸	용	떳떳하다	广	8	11
裕	유	넉넉하다	衣(衤)	7	12
昏	혼	어둡다	日	4	8
晨	신	새벽	日	7	11
姿	자	모양	女	6	9

평가 ○ 교과서 130쪽

1. 풀이를 읽고, ㉠~㉢에 들어갈 한자를 〈보기〉에서 찾아 써 보자. ㉠寬 ㉡敬 ㉢哀

도움말

경 • 敬: 공경하게 하다
공경하다

관 • 寬: 너그럽다

애 • 哀: 슬프다

> 풀이: 공자께서 말씀하셨다. "윗자리에 있으면서 너그럽지 않으며, 예를 행하면서 공경스럽지 않으며, 초상에 임하여 슬퍼하지 않는다면 내가 무엇으로써 그(사람됨)를 보리오?"
>
> 子曰: "居上不(㉠   ), 爲禮不(㉡   ), 臨喪不(㉢   ), 吾何以觀之哉?"
> 자 왈   거 상 불   위 례 불   임 상 불   오 하 이 관 지 재

> **보기**
>
> 敬   寬   哀
> 경   관   애

2. 다음 문장에서 강조하는 것은 무엇인지 써 보자.

> 學而不思則罔, 思而不學則殆.
> 학 이 불 사 즉 망   사 이 불 학 즉 태

[풀이] 배우기만 하고 생각하지 않으면 (마음에 아무 소득이) 없게 되고, 생각하기만 하고 배우지 않으면 위태로워진다.

➡ 생각과 배움의 조화

창의형

3. 오늘의 문구를 바탕으로 성찰 일지를 작성해 보자.

> **예시**
>
> | | | |
> |---|---|---|
> | **날짜:** 20○○년 ○○월 ○○일 | **오늘의 문구** | 言思忠. 언 사 충 |
> | | **해석** | 말은 충실하게 할 것을 생각한다. |
> | | **자기반성** | ㉲ 남에게 말을 할 때 거짓으로 꾸며대거나 무성의하게 대답한 적이 없는지 반성함. |

[예시 답안]

	성찰 일지
날짜: ○○월 ○○일	• 오늘의 문구: 疑思問 또는 見得思義 의 사 문 견 득 사 의 • 해석: 의심스러울 때는 물어볼 것을 생각하라. • 자기반성: 어제 수학 시간에 선생님께서는 마지막 문제를 설명해 주신 후 우리들에게 "모두들 알겠습니까?" 하고 확인하셨다. 다른 친구들은 모두 "네"라고 대답했지만, 사실 나는 이해가 가지 않는 부분이 있었는데도 나만 모르는 것 같아서 쑥스러워서 질문을 하지 않았다. 집에 와서 혼자 고민하며 그 문제를 풀어 보려고 했지만, 잘 풀리지 않아서 답답했다. 다음부터는 모르거나 의심스러운 부분이 있으면 꼭 그때그때 질문하여 이해하고 넘어가야겠다.

도움말 소단원 학습이 끝나면 소단원 학습 목표에 해당하는 질문에 답하며 자신의 학업 성취도를 스스로 점검해 본다.
성취 목표에 도달하지 못한 경우에는 제시된 위치로 돌아가서 내용을 다시 읽고 공부하도록 한다.

소단원 자기 점검 배운 내용에 관해 자기 점검을 하면서 학업 성취도 도달 정도를 확인해 보자.

• 『논어』의 내용과 중심 사상을 이해할 수 있는가?	☆☆☆☆☆
• 『논어』가 한자 문화권에 미친 영향을 이해할 수 있는가?	☆☆☆☆☆

[별이 3개 이하인 경우] • 교과서 126~128쪽 다시 읽기

• 한자, 음, 뜻, 부수의 순서로 제시

1. 한자

秩 (⬛❶) 차례 [禾]

維 (유) 벼리, 매다 [糸]

敏 (민) ⬛⬛⬛⬛❷ [攴(攵)]

愼 (신) 삼가다 [心(忄)]

寬 (관) 너그럽다 [宀]

罔 (망) 없다 [网]

殆 (태) 위태롭다 [歹]

聰 (총) 귀 밝다 [⬛❸]

⬛❹ (공) 공손하다 [心(忄)]

忿* (분) 성내다 [心]

彳* (척) 조금 걷다 [彳]

納 (납) 들이다 [糸]

徐 (서) 천천히 [彳]

徹 (철) 통하다 [⬛❺]

透 (투) 통하다 [辵(辶)]

徑 (경) 지름길 [彳]

旗 (기) 깃발 [方]

⬛❻ (배) 곱 [人(亻)]

培 (배) 북돋우다 [土]

恣 (자) 방자하다 [心]

妨 (⬛❼) 방해하다 [女]

紀 (기) 벼리, 해 [糸]

踐 (천) 밟다 [⬛❽]

葬 (장) 장사 지내다 [艸(艹)]

禽 (금) 새 [内]

獸 (⬛❾) 짐승 [犬]

供 (공) 이바지하다 [人(亻)]

把 (파) 잡다 [手(扌)]

握* (악) 쥐다 [手(扌)]

讚 (⬛❿) 기리다 [言]

疏 (소) 소통하다 [疋]

鑑 (감) ⬛⬛⓫ [金]

傾 (경) 기울다 [人(亻)]

畏 (외) 두려워하다 [田]

庸 (용) 떳떳하다 [广]

裕 (유) 넉넉하다 [衣(衤)]

昏 (혼) 어둡다 [日]

⬛⓬ (신) 새벽 [日]

姿 (자) 모양 [女]

2. 본문

子曰(자왈): "君子食無⬛⬛❶(군자식무구포)하며 居無求安(거무구안)하며 敏於事而愼於言(민어사이신어언)이요 就有道而正焉(취유도이정언)이면 可謂好學也已(가위호학야이)니라."	공자께서 말씀하셨다. "군자는 먹음에 배부름을 구하지 말며, 거처함에 편안함을 구하지 말며, 일에 민첩하게 하고 말에 신중히 할 것이요, ⬛❷가 있는 사람에게 나아가 바로잡는다면 '배우기를 좋아한다.'고 말할 수 있다."
子曰(자왈): "居上⬛⬛❸(거상불관)하며 爲禮不敬(위례불경)하며 臨喪不哀(임상불애)면 吾何以觀之哉(오하이관지재)리오?"	공자께서 말씀하셨다. "윗자리에 있으면서 너그럽지 않으며, 예를 행하면서 ⬛⬛❹스럽지 않으며, 초상에 임하여 슬퍼하지 않는다면 내가 무엇으로써 그(사람됨)를 보리오?"
子曰(자왈): "學而不思則⬛❺(학이불사즉망)하고 思而不學則殆(사이불학즉태)니라."	공자께서 말씀하셨다. "배우기만 하고 생각하지 않으면 (마음에 아무 소득이) 없게 되고, 생각하기만 하고 배우지 않으면 ⬛⬛❻로워진다."

3. **어휘** – 인성 관련 용어

- 傾聽(❶☐☐): 귀를 기울여 들음.
- 龜鑑(귀감): 거울로 삼아 본받을 만한 모범
- ❷☐☐☐(경외심): 공경하면서 두려워하는 마음
- 餘裕(여유): 느긋하고 차분하게 생각하거나 행동하는 마음의 상태
- ❸☐☐(구용): 군자가 몸가짐을 단정히 함에 있어 취해야 할 아홉 가지 **姿勢**(자세)

- 中庸(❹☐☐): 지나치거나 모자라지 아니하고 한쪽으로 치우치지도 아니한, 떳떳하며 변함이 없는 상태나 정도
- 昏定晨省(혼정신성): 밤에는 부모의 잠자리를 보아 드리고 이른 아침에는 부모의 밤새 ❺☐☐를 묻는다는 뜻으로, 효행의 기본을 이르는 말

쪽지 시험

01 다음 한자의 공통되는 뜻을 쓰시오.

> 透　　徹

02 다음 단어와 반대되는 뜻을 가진 한자 어휘를 쓰시오.

> 君子

03 다음 한자 어휘에서 밑줄 친 한자의 음과 뜻을 쓰시오.

> 國<u>旗</u>

(1) 음:

(2) 뜻:

04 한자 어휘와 독음을 연결하시오.

(1) 納得　　•　　•　㉠ 방해

(2) 直徑　　•　　•　㉡ 납득

(3) 妨害　　•　　•　㉢ 직경

(4) 徐行　　•　　•　㉣ 서행

05 다음과 같은 뜻을 가진 한자 어휘를 한자로 쓰시오.

(1) 공경하면서 두려워하는 마음: ☐☐☐

(2) 느긋하고 차분하게 생각하거나 행동하는 마음의 상태: ☐☐

(3) 지나치거나 모자라지 아니하고 한쪽으로 치우치지도 아니한, 떳떳하며 변함이 없는 상태나 정도: ☐☐

(4) 밤에는 부모의 잠자리를 보아 드리고 이른 아침에는 부모의 밤새 안부를 묻는다는 뜻으로, 효행의 기본을 이르는 말: ☐☐☐☐

01 한자의 뜻이 바르지 <u>않은</u> 것은?

① 納: 들이다　　② 恣: 방자하다
③ 徑: 지름길　　④ 裕: 적당하다
⑤ 讚: 기리다

02 한자의 음과 뜻이 바른 것은?

① 輪 (륜) 논하다　　② 供 (공) 함께하다
③ 疏 (류) 흐르다　　④ 妨 (자) 방해하다
⑤ 晨 (신) 새벽

03 다음 조건을 모두 만족하는 한자로 알맞은 것은?

> • 총획은 11획이다.
> • '얻다'라는 뜻을 가진다.

① 徑　② 得　③ 徐　④ 握　⑤ 培

04 다음과 같은 뜻을 가진 한자로 알맞은 것은?

> ~라고 말한다

① 畏　② 康　③ 拱　④ 謂　⑤ 可

05 다음 밑줄 친 부분에 해당하는 한자로 알맞은 것은?

> 윗사람에게 공경하는 마음을 가지고 <u>공손한</u> 말과 행동을 하여야 한다.

① 愼　② 恣　③ 姿　④ 禮　⑤ 恭

06 한자 어휘의 독음이 바른 것은?

① 把握(파악)　　② 敎化(교실)
③ 維持(유대)　　④ 調和(주화)
⑤ 疏通(유통)

07 다음 어휘를 한자로 쓰시오.

> 봉양

08 뜻이 비슷한 한자로 이루어진 것은?

① 國旗　② 透徹　③ 葬禮
④ 徐行　⑤ 好學

출제 유력
09 한자 어휘의 활용이 적절하지 <u>않은</u> 것은?

① 이번 행사는 秩徐있게 잘 진행되었다.
② 물질적인 봉양보다 恭敬하는 마음이 앞서야 한다.
③ 그는 운동과 사색을 통하여 심신을 修養하였다.
④ 최근 들어 人倫을 저버리는 사건들이 심심지 않게 들린다.
⑤ 그녀는 나눔과 사랑을 實踐하여 주위 사람들의 칭찬을 받았다.

출제 유력
10 빈칸에 들어갈 알맞은 인물을 한자로 쓰시오.

> ─ 보기 ─
> 『논어』는 유가의 대표적 경전으로, ☐☐ 와 그 제자들의 문답을 중심으로 다양한 내용을 다루고 있다.

출제 유력

11 다음 문장에 대한 설명으로 알맞지 <u>않은</u> 것은?

> 敏於事而慎於言이요

① 敏의 음은 '민'이다.
② 於는 '~하고'라는 뜻이다.
③ 事는 '일'이라는 의미이다.
④ 慎은 '신중하다'는 의미이다.
⑤ 言의 음은 '언', 뜻은 '말'이다.

[12~13] 다음 문장을 읽고 물음에 답하시오.

> ㉠就有道而正焉이면 可謂好學㉡也已니라.

12 ㉠과 ㉡의 풀이로 알맞은 것은?

	㉠	㉡		㉠	㉡
①	나아가다	~이다	②	섬기다	~이다
③	이루다	~이다	④	~이다	섬기다
⑤	~이다	나아가다			

13 위 문장에서 다음과 같은 뜻을 가진 한자 어휘를 찾아 한자로 쓰시오.

> 배우기를 좋아한다.

[14~16] 다음 문장을 읽고 물음에 답하시오.

> 子曰: "居上不㉠寬하며 爲禮不敬하며 ㉡臨喪不哀면 ㉢吾何以觀之哉리오?"

14 ㉠의 뜻으로 알맞은 것은?

① 보다　　② 아니다　　③ 오르다
④ 윗자리　　⑤ 너그럽다

15 ㉡을 풀이 순서대로 바르게 나열한 것은?

① 臨 → 喪 → 不 → 哀
② 不 → 哀 → 臨 → 喪
③ 喪 → 臨 → 不 → 哀
④ 喪 → 臨 → 哀 → 不
⑤ 臨 → 哀 → 喪 → 不

16 ㉢에 쓰인 한자의 음이 <u>아닌</u> 것은?

① 오　② 하　③ 그　④ 관　⑤ 재

[17~18] 다음 문장을 읽고 물음에 답하시오.

> 子曰: "㉠學而不思則罔하고 ㉡思而不學則殆니라."

17 ㉠에 쓰인 한자의 뜻이 <u>아닌</u> 것은?

① 없다　　　② 배우다　　③ 아니다
④ 천천히　　⑤ 생각하다

서술형
18 ㉡의 풀이를 쓰시오.

출제 유력
19 제시된 문장에서 〈보기〉와 관련 있는 글로 알맞은 것은?

보기
> 귀로 들을 때는 한쪽 이야기만 듣지 말고 전체 이야기를 귀담아 들으려는 생각을 해야 한다.

> 孔子曰: "君子有九思하니 ①視思明하며 ②聽思聰하며 色思溫하며 ③貌思恭하며 言思忠하며 事思敬하며 ④疑思問하며 忿思難하며 ⑤見得思義니라."

• 한자의 뜻이 바르지 않은 것은?
• 빈칸에 들어갈 알맞은 한자 어휘를 한자로 쓰시오.
• 다음 글에 나타난 맹자의 핵심 사상으로 알맞은 것은?

출제 유형

18
맹자가 바라는 세상

◐ 교과서 131쪽

| 생각을 여는 활동 |

● 맹자가 주장하는 '왕도 정치'의 내용을 요약한 것이다. 빈칸에 알맞은 음을 써 보자.

맹자는 인재를 등용하고자 하는 제후들을 찾아다니며 유세(遊說)를 하였다. 다음은 맹자가 전국 시대의 양혜왕(梁惠王)을 만나 이야기를 나누는 장면이다.

기원전 400~334년. 중국 전국 시대 위나라(魏)의 제3대 군주. 혜성왕(惠成王)으로 불리기도 함. 맹자(孟子)에서는 양혜왕(梁惠王)으로 기록되었고, 장자(莊子)에는 문혜군(文惠君)으로 기록되어 있음.

양혜왕

> 어떻게 하면 우리나라를 이롭게 할 수 있을지 말해 보시오!

> 군사력을 강하게 하여 이웃 나라들을 服從시켜야 합니다.
> └ 복종: 남의 명령이나 의사를 그대로 따라서 좋음.

신하 1

> 그렇게 하려면 많은 費用이 필요하므로 세금을 많이 걷어야 합니다.
> └ 비용: 어떤 일을 하는 데 드는 돈

신하 2

고대 중국의 하나라·은나라·주나라에서 실시한 토지 제도. 주나라에서는 사방 1리(里)의 농지를 '井' 자 모양으로 100무(畝)씩 9등분 한 다음, 그 중앙의 한 구역을 공전(公田)이라고 하고, 둘레의 여덟 구역을 사전(私田)이라고 하여 여덟 농가에게 맡기고 여덟 집에서 공동으로 공전을 부치어 그 수확을 나라에 바치게 하였음.

맹자

> 그렇게 해서는 안 됩니다. 부디 다음과 같이 해 보십시오.
> 전념: 오직 한 가지 일에만 마음을 씀.
> 첫째, 우선 백성들에게 토지를 골고루 나누어 주는 井田法(❶ 정 전 법)을 실시하여 租稅負擔(❷ 조 세 부 담)을 줄여 농사짓는 일에 專念할 수 있도록 해 주어야 합니다.
> └ 조세(국가 또는 지방 공공 단체가 필요한 경비로 사용하기 위하여 국민이나 주민으로부터 강제로 거두어들이는 금전)를 내야 하는 의무나 책임을 짐.
> 둘째, 농지와 집 주변에 뽕나무를 심고 家畜을 기르게 하여 노인들이 비단옷을 입고 고기를 먹을 수 있는 政策(❸ 정 책)을 펴야 합니다.
> └ 가축: 집에서 기르는 짐승. 소, 말, 돼지, 닭, 개 따위를 통틀어 이름.
> └ 정치적 목적을 실현하기 위한 방책
> 셋째, 젊은이들이 부모님을 모시고 아이들을 보살필 수 있도록 基礎 생활을 가능하게 해 준 다음, 학교를 세워 인륜과 道德(❹ 도 덕)을 가르친다면 복지 사회가 될 것입니다.
> └ 기초: 사물이나 일 따위의 기본이 되는 토대

└ 사회의 구성원들이 양심, 사회적 여론, 관습 따위에 비추어 스스로 마땅히 지켜야 할 행동 준칙이나 규범의 총체

학습 계획 세우기

도움말 맹자의 사상을 알아보는 활동을 통해 소단원 학습에 대한 자신의 배경지식을 활성화한다. 또 이를 바탕으로 소단원에서 어떤 내용을 공부할지 스스로 계획을 세워 본다.

● 위 활동을 바탕으로 스스로 학습 계획을 세워 보자.

나는 이 단원에서 _____ 예 맹자의 사상 _____ 을/를 공부하겠다.

한자 모아 보기　자신이 알고 있는 한자에 ✓ 표시를 해 보자.

新 한자	음	뜻	부수	획수	총획	한자	음	뜻	부수	획수	총획	한자	음	뜻	부수	획수	총획
租	조	세금	禾	5	10	擔	담	메다	手(扌)	13	16	礎	초	주춧돌	石	13	18
負	부	지다	貝	2	9	畜	축	짐승, 쌓다	田	5	10						

• 윗글에서 맹자가 주장하는 귀중한 것부터 차례대로 나열한 것은?
• 윗글과 다음 내용을 참고하여, 맹자의 정치 사상을 한자로 쓰시오.
• 다음 내용과 관련 있는 글과 이를 주장했던 인물의 연결이 바른 것은?

출제 유형

맹자가 바라는 세상

○ 교과서 132, 133쪽

맹자는 공자의 인(仁)을 이어받아 의(義)와 호연지기(浩然之氣)〔─ 하늘과 땅 사이에 가득 찬 넓고 큰 원기〕, 성선설(性善說) 등을 더욱 구체화하고 왕도 정치와 민본 사상을 주장하였다. 이 단원을 통해 맹자의 사상을 알아보고, 오늘날의 우리 삶에 적용해 볼 수 있을지 생각해 보자.

新 한자 모아 보기

한자	음	뜻	부수	획수	총획
孟	맹	맏, 성씨	子	5	8
丘	구	언덕	一	4	5
侯	후	제후	人(亻)	7	9
違	위	어기다	辵(辶)	9	13
罟*	고	그물	网(罒)	5	10
洿*	오	웅덩이	水(氵)	6	9
池	지	연못	水(氵)	3	6
鼈	별	자라	黽	12	24
斧*	부	도끼	斤	4	8
斤	근	도끼, 근	斤	0	4
憾	감	한하다	心(忄)	13	16

孟子曰: "民爲貴하고 社稷次之하고 君爲輕하니라.
맹 자 왈   민 위 귀   사 직 차 지   군 위 경
맹자(인명) 말하다   백성 하다 귀하다〔─ 국가 또는 조정〕   모이다 곡신신 버금 그〔─ 앞의 民을 가리킴.〕   임금 하다 가볍다〔─ 가볍다 ☞ 경미하다〕

是故로 得乎丘民而爲天子요 得乎天子
시 고   득 호 구 민 이 위 천 자   득 호 천 자
이 까닭   얻다 어조사 언덕 백성 말 잇다〔─ 시골 백성〕 되다 하늘 사람   얻다 어조사 하늘 사람

爲諸侯요 得乎諸侯爲大夫니라." 〔─ 목적어 心이 생략됨.〕
(而) 위 제 후 득 호 제 후 위 대 부
되다 모두 제후   얻다 어조사 모두 제후 되다 크다 지아비

〔─ 목적어 心이 생략됨.〕

〔─ ~면, 조건을 나타내는 어조사 = 則(즉)〕

맹자께서 말씀하셨다. "백성이 귀중하고, 사직이 이보다 다음이고, 군주는 경미하니라. 이 때문에 구민에게 (마음을) 얻으면 천자가 되고, 천자에게 (마음을) 얻으면 제후가 되고, 제후에게 (마음을) 얻으면 대부가 되느니라."

※ 고대 중국의 봉건 제도에서는 가장 위에 天子(천자)가 있고, 그 아래에 諸侯(제후)가 있고, 제후 아래에는 여러 大夫(대부)가 있었음.

孟子曰： [중략] "不違農時면 穀不可勝食也며
맹 자 왈
맹자(인명) 말하다
① (수) 셈　불 위 농 시　　곡 불 가 승 식 야
② (삭) 자주　아니다 어기다 농사 때　곡식 아니다할수있다 다 먹다 어조사
③ (촉) 촘촘하다

~할 수 없다 ／ 다, 모두

數罟를 不入洿池면 魚鼈을 不可勝食
촉 고　　불 입 오 지　　어 별　　불 가 승 식
촘촘하다 그물　아니다 들다 웅덩이 연못　물고기 자라　아니다할수있다 다 먹다

也며 斧斤을 以時入山林이면 材木을 不
야　　부 근　　이 시 입 산 림　　재 목　　불
어조사　도끼 도끼　써 때 들다 산 수풀　재목 나무　아니다

可勝用也니 穀與魚鼈을 不可勝食하며
가 승 용 야　　곡 여 어 별　　불 가 승 식
할수있다 다 쓰다 어조사　곡식 ~와/과 물고기 자라　아니다할수있다 다 먹다

材木을 不可勝用이면 是는 使民養生喪
재 목　　불 가 승 용　　시　사 민 양 생 상
재목 나무　아니다할수있다 다 쓰다　이　하여금 백성 봉양하다 살다 잃다

~에게 ~하게 하다

死에 無憾也니 養生喪死에 無憾이 王
사　　무 감 야　　양 생 상 사　　무 감　　왕
죽다　없다 한하다 어조사　봉양하다 살다 잃다 죽다　없다 한하다　왕

道之始也니이다."
도 지 시 야
도리 어조사 시작 어조사
── ① 임금으로서 마땅히 행해야 하는 도리
　　② 임금이 어진 덕으로 백성들을 다스리는 방법

『맹자』

스스로 확인

맹자가 가장 귀하게 여기는 대상은 무엇인가?

百姓 또는 백성, 民, 丘民
　　　　　　　　민 구민

맹자께서 말씀하셨다. "농사짓는 시기를 어기지 않게 한다면 곡식을 다 먹을 수 없을 것이며, 촘촘한 그물을 웅덩이나 연못에 들이지 않게 한다면 물고기와 자라를 다 먹을 수 없을 것이며 도끼와 자귀를 알맞은 때에 산림에 들이게 한다면 재목을 다 쓸 수 없을 것이니 곡식과 물고기와 자라를 다 먹을 수 없으며 재목을 다 쓸 수 없다면 이는 백성들에게 산 사람을 봉양하고 돌아가신 분을 초상 치름에 서운함이 없게 하는 것이니 산 사람을 봉양하고 돌아가신 분을 초상 치름에 서운함이 없게 하는 것이 왕도의 시작입니다."

※ 孟子(맹자)가 주장한 王道政治(왕도 정치)는 '옛 성왕들이 어진 덕으로 세상을 다스린 훌륭한 정치'를 뜻하는 말로 패권을 잡기 위해 무력을 앞세우는 霸道政治(패도 정치)와 상대되는 뜻으로 쓰임.

• **『맹자(孟子)』**: 유가(儒家)에 속하는 사상가 맹자의 언행을 기록하고 인의(仁義)의 덕목을 강조한 책으로, 사서(四書)의 하나

社稷: 국가 또는 조정을 뜻함.
사직

輕: 가볍다 ☞ 경미하다는 뜻
경
└ 輕微: 가볍고 아주 적어서 대수롭지 아니함.

丘民: 시골 백성
구민

勝: 다, 모두
승

數: ① (수) 셈 예 數値 수치: 계산하여 얻은 값
② (삭) 자주 예 頻數 빈삭: 도수(度數)가 매우 잦음.
③ (촉) 촘촘하다 예 數罟 촉고
눈을 상당히 잘게 떠서 촘촘하게 만든 그물

王道: ① 임금으로서 마땅히
왕도　행해야 하는 도리
② 임금이 어진 덕으로 백
성들을 다스리는 방법

존귀하고 벼슬이나 명성, 덕망 따
위가 높음. 또는 그런 사람

부수가 같은 한자 - 貝 패

貴(귀) 귀하다 예 貴顯 귀현
貸(대) 빌리다 예 賃貸
임대: 돈을 받고 자기의 물건을 남에게 빌려줌.
販(판) 팔다 예 販促 판촉
여러 가지 방법을 써서 수요를 불러일으키고 자극하여 판매가 늘도록 유도하는 일
贊(찬) 돕다 예 贊助 찬조
어떤 일의 뜻에 찬동하여 도와줌.

➕ 어휘 더하기

• 종결을 나타내는 어조사
也, 兮, 乎, 哉, 耶, 矣

新 한자 모아 보기

한자	음	뜻	부수	획수	총획
値	치	값	人(亻)	8	10
頻	빈	자주	頁	7	16
顯	현	나타나다	頁	14	23
貸	대	빌리다	貝	5	12
賃	임	품삯	貝	6	13
販	판	팔다	貝	4	11
促	촉	재촉하다	人(亻)	7	9
贊	찬	돕다	貝	12	19
兮	혜	어조사	八	2	4
耶	야	어조사	耳	3	9

孟子曰: "民爲貴하고 社稷次之하고 君爲輕하니라.
맹자왈　민위귀　　사직차지　　군위경
맹자께서 말씀하셨다. "백성이 귀중하고, 사직이 이보다 다음이고, 군주는 경미하니라.

是故로 得乎丘民而爲天子요 得乎天子爲諸侯요
시고　　득호구민이위천자　　득호천자위제후

乎: ~에게
호

得乎諸侯爲大夫니라."
득호제후위대부
이 때문에 구민에게 (마음을) 얻으면 천자가 되고, 천자에게 (마음을) 얻으면 제후가 되고, 제후에게 (마음을) 얻으면 대부가 되느니라."

孟子曰: "不違農時면 穀不可勝食也며 數罟를 不入洿池면
맹자왈　　불위농시　　곡불가승식야　　촉고　　불입오지

魚鼈을 不可勝食也며
어별　　불가승식야
맹자께서 말씀하셨다. "농사짓는 시기를 어기지 않게 한다면 곡식을 다 먹을 수 없을 것이며, 촘촘한 그물을 웅덩이나 연못에 들이지 않게 한다면 물고기와 자라를 다 먹을 수 없을 것이며

斧斤을 以時入山林이면 材木을 不可勝用也니
부근　　이시입산림　　재목　　불가승용야
도끼와 자귀를 알맞은 때에 산림에 들이게 한다면 재목을 다 쓸 수 없을 것이니

穀與魚鼈을 不可勝食하며 材木을 不可勝用이면
곡여어별　　불가승식　　재목　　불가승용
곡식과 물고기와 자라를 다 먹을 수 없으며 재목을 다 쓸 수 없다면

是는 使民養生喪死에 無憾也니 養生喪死에 無憾이
시　　사민양생상사　　무감야　　양생상사　　무감

王道之始也니이다."
왕도지시야
이는 백성들에게 산 사람을 봉양하고 돌아가신 분을 초상 치름에 서운함이 없게 하는 것이니 산 사람을 봉양하고 돌아가신 분을 초상 치름에 서운함이 없게 하는 것이 왕도의 시작입니다."

• 也(야) 예 不可勝用也(불가승용야).: 다 사용할 수 없다.
• 兮(혜) 예 滄浪之水淸兮(창랑지수청혜).: 창랑의 물이 맑다. • 乎(호) 예 許之乎(허지호)?: 이것을 허락하겠습니까?
• 哉(재) 예 君子哉(군자재)!: 군자로구나! • 耶(야) 예 天道是耶非耶(천도시야비야)?: 하늘의 도는 옳은 것일까, 그른 것일까?
• 矣(의) 예 聊試之矣(요시지의).: 대강 이를 시험해 보았다.

민심: 백성의 마음
천심: ① 눈에 보이는 하늘의 한가운데 ② 하늘의 뜻

[이해 더하기] 맹자(孟子)의 민본주의와 혁명 사상
천명: 하늘의 명령
맹자(孟子)는 民心은 곧 天心이니 민심이 바로 天命이라 생각했다. 민심을 잃어 천명이 떠나 버린 군주는 더는 군주가 아니라 외톨이 平民에 不過하다는 것이다. 만일 훌륭한 덕(德)을 가진 인물이 나타나 민심을 얻게 된다면 민심을 잃은 군주를 벌하여 천명을 바꿀 수 있다는 것이다. 여기에서 맹자의 민본주의(民本主義)와 혁명 사상(革命思想)을 엿볼 수 있다.

• 평민: 특권 계급이 아닌 일반 시민.
• 불과: 그 수준을 넘지 못한 상태임.
• 민본주의: 국민의 이익과 행복의 증진을 근본이념으로 하는 정치 사상

맹자의 성선설과 순자의 성악설

❍ 교과서 135쪽

맹자는 인간의 본성은 착하다는 性善說을 주장하였다. 인간은 仁, 義, 禮, 智의 端緒에 해당하는 측은지심(惻隱之心), 수오지심(羞惡之心), 사양지심(辭讓之心), 시비지심(是非之心)을 선천적으로 갖추고 있다는 것이다. 만약 어떤 사람이 한 아기가 아무것도 모르고 우물 쪽으로 막 기어들어 가려는 것을 목격한다면 그 다급한 瞬間에는 다른 생각할 겨를이 전혀 없이 본능적으로 깜짝 놀라 그 아이를 구하게 된다. 이것은 누구나 불쌍한 사람을 보면 仁에서 우러나는 측은지심이 자연스럽게 발동하기 때문이라고 하였다.

- 불쌍히 여기는 마음을 이름. 인의예지(仁義禮智) 가운데 인(仁)에서 우러나옴.
- 인의예지: 유학에서, 사람이 마땅히 갖추어야 할 네 가지 성품. 곧 어질고, 의롭고, 예의 바르고, 지혜로움을 이름.
- 성선설: 사람의 본성은 선천적으로 착하나 나쁜 환경이나 물욕(物慾)으로 악하게 된다는 학설
- 단서: 어떤 문제를 해결하는 방향으로 이끌어 가는 일의 첫 부분
- 겸손히 남에게 사양하는 마음을 이름. 인의예지(仁義禮智) 가운데 예(禮)에서 우러나옴.
- 옳지 못함을 부끄러워하고 착하지 못함을 미워하는 마음을 이름. 인의예지(仁義禮智) 가운데 의(義)에서 우러나옴.
- 옳고 그름을 가릴 줄 아는 마음을 이름. 인의예지(仁義禮智) 가운데 지(智)에서 우러나옴.
- 순간: 아주 짧은 동안
- 인: ① 남을 사랑하고 어질게 행동하는 일 ② 공자가 주장한 유교의 도덕 또는 정치 이념

인간의 본성은 원래 선한 것인데, 이 선한 본성에 악이 생기는 것은 인간이 외물(外物)에 유혹되기 때문이라고 설명하며, 학문과 수양을 통하여 예로 돌아가 선한 본성을 회복하여야 함을 강조함.

순자는 사람의 본성이 악하다는 性惡說을 주장하였다. 예를 들면 사람들은 이익을 좋아하고, 남을 시기하며, 귀에 아름다운 소리나 눈에 보기 좋은 色彩를 좋아하기에 서로 爭奪하려는 악한 성품을 지니고 있다는 것이다.

- 성악설: 인간의 본성은 이기적이고 악하므로 선(善) 행위는 후천적 습득에 의해서만 가능하다고 보는 학설
- 쟁탈: 서로 다투어 빼앗음.
- 색채: ① 빛깔 ② 사물을 표현하거나 그것을 대하는 태도 따위에서 드러나는 일정한 경향이나 성질

사람의 본성은 악하고, 선(善)은 인위적인 것이라고 여김. 사람의 이기적인 욕망을 후천적인 교육과 수양을 통해 교정하고, 예(禮)를 따라 선을 추구해야 한다고 주장함.

> 맹자와 순자는 모두 선을 목표로 한 교육과 학문을 통한 수양이 필요하다고 주장하였다. 맹자는 선천적으로 타고난 선의 본성(이성적, 본능)을 잘 보존해야 한다고 여겼지만, 순자는 타고난 악의 본성(본능적, 욕망)을 고쳐야 한다고 여긴 것이다.

| 윤리(도덕) 관련 용어 |

활동 ▶ 빈칸에 알맞은 음을 써 보자.

① 浩然之氣(호연지기): 하늘과 땅 사이에 가득 찬 넓고 큰 원기

② 懷疑學派(회의학파): 회의론의 입장을 취하는 학파. 또는 그런 사상가

③ 衛正斥邪(위정척사): 구한말에, 주자학을 지키고 가톨릭을 물리치기 위하여 내세운 주장

④ 普遍論爭(보편논쟁): 보편이 실제로 존재하는가 아니면 사유로만 존재하는가에 관한 중세 스콜라 철학의 논쟁

⑤ 禁慾主義(금욕주의): 정신적·육체적 욕망이나 욕구 및 세속적 명예나 이익을 탐하는 모든 욕심을 억제하여 종교나 도덕에서 이상을 성취하려는 사상

⑥ 教宗과 禪宗(교종과 선종): 불교의 종파로 '교종'은 교리를 중시하는 종파, '선종'은 참선으로 자신의 본성을 구명하여 깨달음을 중시하는 종파

新 한자 모아 보기

한자	음	뜻	부수	획수	총획
緒	서	실마리	糸	9	15
瞬	순	눈 깜짝이다	目	12	17
彩	채	채색	彡	8	11
奪	탈	빼앗다	大	11	14
浩	호	넓다	水(氵)	7	10
懷	회	품다	心(忄)	16	19
衛	위	지키다	行	10	16
斥	척	물리치다	斤	1	5
邪	사	간사하다	邑(阝)	4	7
普	보	넓다	日	8	12
遍	편	두루	辵(辶)	9	13
慾	욕	욕심	心(忄)	11	15
禪	선	참선	示	12	17

1. 문장의 (　　) 안에 들어갈 알맞은 한자를 써 보자.

도움말

　백성이 귀중하고, 사직이 이보다 다음이고, 군주는 경미하다.

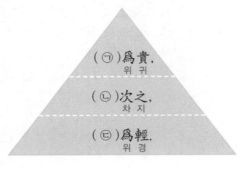

(　㉠　)爲貴,
　　　　위 귀

(　㉡　)次之,
　　　　차 지

(　㉢　)爲輕.
　　　　위 경

✎ ㉠ 民 ㉡ 社稷 ㉢ 君
　　　민　　사직　　군

2. 내용상 서로 관계되는 것끼리 연결해 보자.

도움말

• 농사짓는 시기를 어기지 않게 함.
　→ 곡식이 많아져서 곡식을 다 먹을 수 없음.
• 촘촘한 그물을 웅덩이나 연못에 들이지 않게 함.
　→ 물고기나 자라가 많아져서 물고기나 자라를 다 먹을 수 없음.
• 도끼와 자귀를 알맞은 때에 산림에 들이게 함.
　→ 재목이 많아져서 재목을 다 쓸 수 없음.

(1) 不違農時.
　　불 위 농 시

(2) 數罟, 不入洿池.
　　촉 고　불 입 오 지

(3) 斧斤, 以時入山林.
　　부 근　이 시 입 산 림

㉮ 材木, 不可勝用也.
　　재 목　불 가 승 용 야

㉯ 魚鼈, 不可勝食也.
　　어 별　불 가 승 식 야

㉰ 穀不可勝食也.
　　곡 불 가 승 식 야

[창의형]

3. 맹자의 왕도 정치의 예를 살펴본 후에, 현대 사회에 적용할 수 있는 사례를 찾아 발표해 보자.

> **맹자의 왕도 정치**
>
> [예] 백성들이 산 사람을 봉양하고 돌아가신 분을 초상 치름에 서운함이 없게 하는 것이 맹자가 말한 왕도 정치의 한 가지 방법이다.

> **현대 사회에 적용한 사례**
>
> [예시] 현재 우리나라는 일정 나이 이상의 노인들 중, 기준에 해당하는 이들에게 매월 일정 금액을 지급하는 기초연금 제도가 시행되고 있다.
> 　나는 재정을 더 확보하여 수급 대상의 범위를 넓힌다면 맹자의 왕도 정치를 실천할 수 있는 방법이라 생각한다.

[도움말] 소단원 학습이 끝나면 소단원 학습 목표에 해당하는 질문에 답하며 자신의 학업 성취도를 스스로 점검해 본다. 성취 목표에 도달하지 못한 경우에는 제시된 위치로 돌아가서 내용을 다시 읽고 공부하도록 한다.

소단원 자기 점검 | 배운 내용에 관해 자기 점검을 하면서 학업 성취도 도달 정도를 확인해 보자.

• 『맹자』를 읽고 글의 내용과 주제를 파악할 수 있는가?	☆☆☆☆☆
• 맹자의 민본 사상이 현대에 미친 영향을 이해하였는가?	☆☆☆☆☆
• 한자 문화권을 이해하는 기초로 『맹자』를 알 수 있는가?	☆☆☆☆☆

[별이 3개 이하인 경우] • 교과서 132~134쪽 다시 읽기

• 한자, 음, 뜻, 부수의 순서로 제시

1. 한자

租 (조) 세금 [禾]
負 [　] 지다 [貝]
擔 (담) 메다 [手(扌)]
畜 (축) 짐승, 쌓다 [田]
礎 (초) 주춧돌 [石]
孟 (맹) 맏, 성씨 [子]
丘 (구) ❷[　][　] [一]
侯 (후) 제후 [人(亻)]
違 (위) 어기다 [辵(辶)]
罟* (고) 그물 [网(罒)]
洿* [　] 웅덩이 [水(氵)] ❸
池 (지) 연못 [水(氵)]
鼈* (별) 자라 [黽]
斧* (부) 도끼 [❹　]

斤 (근) 도끼, 근 [斤]
憾* (감) 한하다 [心(忄)]
値 (치) 값 [人(亻)]
頻 (빈) ❺[　][　] [頁]
顯 (현) 나타나다 [頁]
貸 (대) 빌리다 [貝]
賃 [　] 품삯 [貝] ❻
販 (판) 팔다 [貝]
促 (촉) 재촉하다 [人(亻)]
贊 (찬) 돕다 [貝] ❼
[　] (혜) 어조사 [八]
耶 (야) 어조사 [耳]
❽[　] (서) 실마리 [糸]
瞬 (순) 눈 깜짝이다 [目]

彩 [❾　] 채색 [彡]
奪 (탈) 빼앗다 [大]
浩 (호) ❿[　][　] [水(氵)]
懷 (회) 품다 [心(忄)]
衛 (위) 지키다 [行]
斥 (척) 물리치다 [斤]
邪 (사) 간사하다 [邑(阝)]
普 (보) 넓다 [⓫　]
遍 (편) 두루 [辵(辶)]
慾 (욕) 욕심 [心]
⓬[　] (선) 참선 [示]

2. 본문

"是故(시고)로 得乎❶[　][　]而爲天子(득호구민이위천자)요 得乎天子爲諸侯(득호천자위제후)요 得乎諸侯爲大夫(득호제후위대부)니라."

"이 때문에 구민에게 (마음을) 얻으면 천자가 되고, 천자에게 (마음을) 얻으면 제후가 되고, ❷[　][　]에게 (마음을) 얻으면 대부가 되느니라."

孟子曰(맹자왈): "❸[　][　]農時(불위농시)면 穀不可勝食也(곡불가승식야)며 數罟(촉고)를 不入洿池(불입오지)면 魚鼈(어별)을 不可勝食也(불가승식야)며 斧斤(부근)을 以時入山林(이시입산림)이면 ❹[　][　](재목)을 不可勝用也(불가승용야)니 穀與魚鼈(곡여어별)을 不可勝食(불가승식)하며 材木(재목)을 不可勝用(불가승용)이면 是(시)는 使民養生喪死(사민양생상사)에 無憾也(무감야)니 養生喪死(양생상사)에 無憾(무감)이 王道之始也(왕도지시야)니이다."

맹자께서 말씀하셨다. "농사짓는 시기를 어기지 않게 한다면 곡식을 다 먹을 수 없을 것이며, 촘촘한 ❺[　][　]을 웅덩이나 연못에 들이지 않게 한다면 물고기와 자라를 다 먹을 수 없을 것이며 도끼와 자귀를 알맞은 때에 산림에 들게 한다면 재목을 다 쓸 수 없을 것이니 곡식과 물고기와 ❻[　][　]를 다 먹을 수 없으며 재목을 다 쓸 수 없다면 이는 백성들에게 산 사람을 봉양하고 돌아가신 분을 초상 치름에 서운함이 없게 하는 것이니 산 사람을 봉양하고 돌아가신 분을 초상 치름에 서운함이 없게 하는 것이 왕도의 시작입니다."

3. 어휘 – 윤리(도덕) 관련 용어

- 浩然之氣(❶ ☐☐☐☐): 하늘과 땅 사이에 가득 찬 넓고 큰 원기
- ❷☐☐學派(회의학파): 회의론의 입장을 취하는 학파. 또는 그런 사상가
- 衛正斥邪(❸ ☐☐☐☐): 구한말에, 주자학을 지키고 가톨릭을 물리치기 위하여 내세운 주장
- 普遍❹☐☐(보편 논쟁): 보편이 실제로 존재하는가 아니면 사유로만 존재하는가에 관한 중세 스콜라 철학의 논쟁

- 禁慾主義(금욕주의): 정신적·육체적 욕망이나 욕구 및 세속적 명예나 이익을 탐하는 모든 욕심을 억제하여 종교나 도덕에서 이상을 성취하려는 사상
- ❺☐☐과 禪宗(교종과 선종): 불교의 종파로 '교종'은 교리를 중시하는 종파. '선종'은 참선으로 자신의 본성을 구명하여 깨달음을 중시하는 종파

쪽지 시험

01 다음 한자의 공통되는 뜻을 쓰시오.

> 斧　　斤

02 다음 한자의 공통되는 부수를 쓰시오.

> 汚　　池

03 한자 어휘와 독음을 연결하시오.

(1) 數值　　•　　• ㉠ 촉고

(2) 頻數　　•　　• ㉡ 수치

(3) 數罟　　•　　• ㉢ 빈삭

04 다음과 같은 뜻을 가진 단어를 〈보기〉에서 찾아 한자 어휘와 독음을 쓰시오.

(1) 어떤 일을 하는 데 드는 돈

(2) 사물이나 일 따위의 기본이 되는 토대

(3) 남의 명령이나 의사를 그대로 따라서 좇음.

> **보기**
> 服從　　費用　　基礎

05 다음과 같은 뜻을 가진 한자 어휘를 한자로 쓰시오.

(1) 하늘과 땅 사이에 가득 찬 넓고 큰 원기:

☐☐☐☐

(2) 보편이 실제로 존재하는가 아니면 사유로만 존재하는가에 관한 중세 스콜라 철학의 논쟁:

☐☐☐☐

(3) 정신적·육체적 욕망이나 욕구 및 세속적 명예나 이익을 탐하는 모든 욕심을 억제하여 종교나 도덕에서 이상을 성취하려는 사상:

☐☐☐☐

01 한자의 음이 바른 것은?

① 浩 (고)　② 侯 (구)　③ 値 (직)
④ 懷 (회)　⑤ 禪 (단)

출제 유력

02 빈칸에 공통으로 들어갈 알맞은 한자를 쓰시오.

□値　頻□　□畓

03 한자의 뜻이 바르지 <u>않은</u> 것은?

① 租: 세금　② 礎: 주춧돌　③ 池: 땅
④ 輕: 가볍다　⑤ 緖: 실마리

04 다음 한자와 같은 뜻을 가진 것은?

浩

① 邪　② 奪　③ 彩　④ 衛　⑤ 普

05 종결을 나타내는 어조사가 <u>아닌</u> 것은?

① 也　② 則　③ 矣　④ 耶　⑤ 哉

06 한자 어휘의 독음이 바른 것은?

① 賃貸 (임대)　② 販促 (판매)
③ 社稷 (사원)　④ 學派 (학맥)
⑤ 論爭 (논설)

07 수식 관계로 이루어진 한자 어휘로 알맞은 것은?

① 租稅　② 家畜　③ 贊助
④ 賃貸　⑤ 禁慾

08 뜻이 상대되는 한자로 이루어진 어휘로 알맞은 것은?

① 貴顯　② 魚鼈　③ 基礎
④ 道德　⑤ 勝負

09 한자 어휘의 활용이 적절하지 <u>않은</u> 것은?

① 그는 이 일에 있어서 懷疑적인 반응을 보였다.
② 그들은 소모적인 論爭으로 시간만 허비하였다.
③ 불교의 종파로 校宗은 교리를 중시하는 종파이다.
④ 普遍性을 잃은 논리로는 상대방을 설득하기 어렵다.
⑤ 구한말에 주자학을 지키고 가톨릭을 배척하는 衛正斥邪운동이 일어났다.

출제 유력

10 다음 글에 나타난 맹자의 핵심 사상으로 알맞은 것은?

孟子는 民心은 곧 天心이니 민심이 바로 天命이라고 생각했다. 민심을 잃어 천명이 떠나 버린 군주는 더는 군주가 아니라 외톨이 平民에 不過하다는 것이다.

① 民本主義　② 平等主義　③ 法治主義
④ 博愛主義　⑤ 自然主義

11 빈칸에 들어갈 알맞은 한자 어휘를 한자로 쓰시오.

> 맹자는 인간의 본성은 착하다는 □□□을 주장하였고, 순자는 사람의 본성이 악하다는 性惡說을 주장하였다.

[12~15] 다음 글을 읽고 물음에 답하시오.

> 孟子曰: "民爲貴하고 ㉠社稷次之하고 君爲輕하니라. 是故로 ㉡得(㉢)乎丘民而爲天子요 得(㉢)乎天子爲諸侯요 得(㉢)乎諸侯爲大夫니라."

12 ㉠의 독음이 바른 것은?

① 사직차지 ② 신직차지 ③ 신전조지
④ 신전차지 ⑤ 사직조지

13 ㉡에 쓰인 한자의 뜻이 바르지 <u>않은</u> 것은?

① 得: 얻다 ② 丘: 언덕 ③ 而: ~면
④ 爲: 위하다 ⑤ 民: 백성

14 ㉢의 빈칸에 공통으로 생략된 한자로 알맞은 것은?

① 財 ② 錢 ③ 心 ④ 刑 ⑤ 家

15 윗글에 대한 설명으로 바르지 <u>않은</u> 것은?

① 貴는 '귀'라고 읽는다.
② 乎는 '~이다'는 의미이다.
③ 輕은 '경미하다'는 뜻이다.
④ 丘民은 '시골 백성'을 가리킨다.
⑤ 是故는 '이 때문에'라고 풀이한다.

[16~20] 다음 글을 읽고 물음에 답하시오.

> 孟子曰: "不違農時면 ㉠穀不可勝食也며 數罟를 不入洿池면 魚鼈을 不可勝食也며 斧斤을 以時入山林이면 材木을 不可勝用也니 穀ㄴ與魚鼈을 不可勝食하며 材木을 不可勝用이면 是는 使民養生喪死에 無憾也니 ㉢養生喪死에 無憾이 王道之始也니이다."

16 윗글에 쓰인 한자 어휘의 독음이 바르지 <u>않은</u> 것은?

① 農時 (농시) ② 數罟 (촉고)
③ 諸侯 (제후) ④ 材木 (재목)
⑤ 魚鼈 (어물)

17 ㉠의 풀이를 쓰시오.

18 ㉡의 뜻으로 알맞은 것은?

① 주다 ② ~에게 ③ ~와(과)
④ 더불다 ⑤ 참여하다

19 ㉢의 풀이 순서로 알맞은 것은?

① 2-1-4-3 ② 2-1-3-4
③ 3-4-2-1 ④ 3-4-1-2
⑤ 4-3-2-1

20 윗글과 다음 내용을 참고하여, 맹자의 정치 사상을 한자 어휘로 쓰시오.

> 말로 패권을 잡기 위해 무력을 앞세우는 **霸道政治**(패도정치)와 상대되는 뜻으로 쓰임.

19

제자백가의 주장

○ 교과서 137쪽

제자백가는 중국 춘추 전국 시대(B.C. 5세기~B.C. 3세기)에 활약한 학자와 학파의 총칭임. 당시에는 실력과 실리를 위주로 인재를 등용하였고, 사상가들은 당시의 정치적·사회적 변동을 배경으로 하여 어떻게 하면 질서를 회복할 수 있는가를 각자의 소신에 따라 적극적으로 발언하였기 때문에 다양한 사상이 발전하게 되었음.

| 생각을 여는 활동 |

● 춘추 전국 시대의 여러 학파를 '제자백가(諸子百家)'라 한다. 다음은 제자백가의 대표적인 인물과 주장을 나타낸 것으로, 빈칸에 들어갈 내용을 〈보기〉에서 찾아 써 보자.

도가: 중국 선진(先秦) 시대 제자백가의 하나. 노자와 장자의 허무, 염담(恬淡), 무위(無爲)의 설을 받든 학파로, 만물의 근원으로서의 자연을 숭배하였음. 유가와 더불어 양대 학파를 이룸.

● 道家

- 대표적인 인물: 老子, 莊子
  노자　장자

　도: 마땅히 지켜야 할 도리

- 주장: 천지 만물의 근본 원리를 道라고 여겼으며, 인간이 그 道를 조작하거나 간섭하는 것을 부정하는 ❶ 無爲 自然을 도덕의 표준으로 삼음.
  └ 무위자연: 사람의 힘을 더하지 않은 그대로의 자연. 또는 그런 이상적인 경지

유가: 공자의 학설과 학풍 따위를 신봉하고 연구하는 학자나 학파

● 儒家

- 대표적인 인물: 孔子, 孟子
  공자　맹자

- 주장: ❷ 仁 을 바탕으로 훌륭한 덕을 갖춘 君子가 되어 세상을 다스리며 교화하는 것을 목표로 함.
  └ 군자: 행실이 점잖고 어질며 덕과 학식이 높은 사람

인: ① 남을 사랑하고 어질게 행동하는 일 ② 공자가 주장한 유교의 도덕 또는 정치 이념

법가: 중국 전국 시대의 제자백가 가운데에 관자(管子), 상앙(商鞅), 신불해(申不害), 한비자 등의 학자. 또는 그들이 주장한 학파. 도덕보다도 법을 중하게 여겨 형벌을 엄하게 하는 것이 나라를 다스리는 기본이라고 주장하였음.

● 法家

- 대표적인 인물: 韓非子
  한 비 자

　형벌: 범죄에 대한 법률의 효과로서 국가 따위가 범죄자에게 제재를 가함. 또는 그 제재

- 주장: 사회 질서를 유지하기 위해서는 엄격한 法과 ❸ 刑罰 이 필요하다고 주장했고, 이를 바탕으로 한 富國強兵의 실현을 정치의 목표로 삼음.
  └ 부국강병: 나라를 부유하게 만들고 군대를 강하게 함. 또는 그 나라나 군대

법: 국가의 강제력을 수반하는 사회 규범

묵가: 중국 춘추 전국 시대 때 노나라의 묵자(墨子)의 사상을 받들고 실천하던 제자백가의 한 파. 절대적인 천명에 따라 겸애(兼愛)와 흥리(興利)에 노력하여 근검할 것을 주장하고, 음악·전쟁에 반대하였으며 영혼과 귀신의 실재를 역설하여 종교적인 색채를 띠기도 하였음.

● 墨家

- 대표적인 인물: 墨子
  묵 자

- 주장: 세상이 혼란스러운 것은 사람들이 서로 사랑하지 않기 때문이라고 생각하여, 서로 사랑해야 한다는 ❹ 兼愛 說을 주장함.
  └ 겸애설: 하느님이 모든 사람을 똑같이 사랑하듯이 사람들도 서로 사랑하고 이롭게 하여야 한다는 사상

보기

仁	刑罰	兼愛	無爲
인	형벌	겸애	무위

학습 계획 세우기　도움말 제자백가의 사상을 알아보는 활동을 통해 소단원 학습에 대한 자신의 배경지식을 활성화한다. 또 이를 바탕으로 소단원에서 어떤 내용을 공부할지 스스로 계획을 세워 본다.

● 위 활동을 바탕으로 스스로 학습 계획을 세워 보자.

나는 이 단원에서 ＿＿＿＿＿＿＿＿＿ 예 제자백가의 사상 ＿＿＿＿＿＿＿＿＿ 을/를 공부하겠다.

한자 모아 보기　자신이 알고 있는 한자에 ✓ 표시를 해 보자.

한자	음	뜻	부수	획수	총획	한자	음	뜻	부수	획수	총획
莊	장	씩씩하다, 성씨	艸(艹)	7	11	罰	벌	벌하다	网(罒)	9	14
儒	유	선비	人(亻)	14	16	兼	겸	겸하다	八	8	10

제자백가의 주장

● 교과서 138, 139쪽

제자백가(諸子百家)는 중국 춘추 전국 시대에 활약한 여러 학파와 학자들을 통칭하는 말이다. 그들의 사상과 주장들이 세상에 울려 퍼진 것을 백가쟁명(百家爭鳴)이라는 말로 표현한다. 이 단원에서는 그 당시 활동했던 사상가들의 사상과 특징을 알아보자.

新 한자 모아 보기

한자	음	뜻	부수	획수	총획
攻	공	치다	攴(攵)	3	7
矯	교	바로잡다	矢	12	17
詰	힐	묻다, 꾸짖다	言	6	13
繆	무	얽다	糸	11	17
絀	출	물리치다	糸	5	11
羨	선	사특하다, 부러워하다	羊	7	13
齊	제	가지런하다	齊	0	14
屬	속	무리	尸	18	21
屬	촉	잇다, 경계하다	尸	18	21
淫	음	음란하다, 지나치다	水(氵)	8	11
詐	사	속이다	言	5	12
僞	위	거짓	人(亻)	12	14

上善若水라. 水善利萬物而不爭하며 處衆人之
상 선 약 수   수 선 리 만 물 이 부 쟁   처 중 인 지

① 덕목의 이름
② 착하다
③ 좋다
④ 잘, 잘하다

~와/과 같다 · 잘(부사) · 머무르다, 처하다(동사)

위 덕목의이름 같다 물 / 물 잘 이롭다 일만 물건 말 잇다 아니다 다투다 / 머무르다 무리 사람 어조사

所惡라. 故로 幾於道니라.
소 오   고   기 어 도

곳 미워하다 / 그러므로 / 거의 어조사 도리 · 거의 ~에 가깝다

① (악) 악하다
② (오) 미워하다

『노자』

최상의 선은 물과 같다. 물은 만물을 잘 이롭게 하나 다투지 아니하며 뭇 사람들이 싫어하는 곳에 머무른다. 그러므로 거의 도에 가까우니라.

若使天下로 兼相愛하면 國與國不相攻하고 家與
약 사 천 하   겸 상 애   국 여 국 불 상 공   가 여

~와/과(접속사)

만약 하여금 하늘 아래 / 겸하다 서로 사랑 / 나라 ~와/과 나라 아니다 서로 치다 / 가문 ~와/과

家不相亂하며 盜賊無有하고 君臣父子皆能孝慈
가 불 상 란   도 적 무 유   군 신 부 자 개 능 효 자

가문 아니다 서로 어지럽다 / 도둑 도둑 없다 있다 / 임금 신하 아버지 아들 모두 ~할수있다 효도 사랑

리니 若此則天下治리라.
약 차 즉 천 하 치

같다 이 곧 하늘 아래 다스리다

└ 이와 같이 한다면

『묵자』

만약 천하 사람들에게 아울러 서로 사랑하게 한다면 나라와 나라가 서로 공격하지 않고 가문과 가문이 서로 어지럽히지 않으며 도적이 있지 아니하고 군신과 부자가 모두 효도하고 사랑할 수 있을 것이니 이와 같이 한다면 천하가 다스려질 것이다.

矯上之失하고 詰下之邪하며 治亂決繆하고 絀羨

齊非하여 一民之軌엔 莫如法이요 屬官威民하여

退淫殆하며 止詐僞엔 莫如刑이라.

『한비자』

스스로 확인

이 글에서 묵자, 한비자가 강조하는 것은 각각 무엇인가?

묵자 - 兼相愛 , 한비자 - 法, 刑
　　　 겸상애　　　　　 법 형

윗사람의 잘못을 바로잡고 아랫사람의 사악함을 나무라며, 혼란함을 다스려 얽힌 것을 해결하고 사특한 자를 물리치고 잘못을 저지르는 자를 가지런히 다스려서 백성들이 지켜야 할 규범을 통일시키는 것에는 법만 한 것이 없고 관리들을 경계시키고 백성에게 위엄을 보여 지나치고 위태로운 것을 물리치며, 속임수와 거짓을 그치게 하는 것에는 형벌만 한 것이 없다.

- 『노자(老子)』: 중국 춘추 전국 시대에 노자가 지었다고 전해지는 도가서(道家書)
- 『묵자(墨子)』: 중국 춘추 전국 시대에 겸애설(兼愛說)과 비공(非攻)을 주장한 묵적(墨翟)과 제자들의 저서
- 『한비자(韓非子)』: 중국 춘추 전국 시대 말에 법가 사상(法家思想)을 주장한 한비자의 저서

스스로 다지는
본문
○ 교과서 140쪽

최고의 선은 물과 같다는 뜻으로, 노자의 사상에서, 물을 이 세상에서 으뜸가는 선의 표본으로 여기어 이르던 말

善: ① 덕목의 이름 예 上善若水 상선약수
선 ② 착하다 예 改過遷善 개과천선
　지난날의 잘못이나 허물을 고쳐 올바르고 착하게 됨.
③ 좋다 예 親善 친선: 서로 간에 친밀하여 사이가 좋음.
④ 잘, 잘하다 예 善戰 선전: 있는 힘을 다하여 잘 싸움.

惡: ① (악) 악하다 예 惡影響 악영향: 나쁜 영향
② (오) 미워하다 예 憎惡 증오
　아주 사무치게 미워함. 또는 그런 마음

幾於: 거의 ~에 가깝다
기 어

民之軌: 백성들이 따라야 하는 규범
민 지 궤

屬: 경계시키다
촉

① 수레가 지나간 바큇자국이 난 길
② 일이 발전하는 본격적인 방향과 단계

부수가 같은 한자 – 車 차

軌(궤) 바큇자국 예 軌道 궤도
軟(연) 연하다 예 硬軟 경연
　① 단단함과 부드러움 ② 굳음과 무름
軍(군) 군사 예 軍隊 군대
　일정한 규율과 질서를 가지고 조직된 군인의 집단
輪(륜) 바퀴 예 四輪 사륜: 네 개의 바퀴

新 한자 모아 보기

한자	음	뜻	부수	획수	총획
遷	천	옮기다	辵(辶)	11	16
影	영	그림자	彡	12	15
響	향	울리다	音	13	22
憎	증	미워하다	心(忄)	12	15
軟	연	연하다	車	4	11
硬	경	굳다	石	7	12
隊	대	무리	阜(阝)	9	12
輪	륜	바퀴	車	8	15
躍	약	뛰다	足	14	21

1 2 4 3　　1 4 5 2 3 6 8 7　　6 1 2 3 5 4
上善若水라. **水善利萬物而不爭**하며 **處衆人之所惡**라.
상 선 약 수　　수 선 리 만 물 이 부 쟁　　처 중 인 지 소 오

1　4 3 2
故로 **幾於道**니라.
고　기 어 도

최상의 선은 물과 같다. 물은 만물을 잘 이롭게 하나 다투지 아니하며 뭇 사람들이 싫어하는 곳에 머무른다. 그러므로 거의 도에 가까우니라.

1 4 2 3　　5 6 7　　1 2 3 6 4 5　　1 2 3 6 4 5
若使天下로 **兼相愛**하면 **國與國不相攻**하고 **家與家不相亂**하며
약 사 천 하　겸 상 애　　국 여 국 불 상 공　　가 여 가 불 상 란

만약 천하 사람들에게 아울러 서로 사랑하게 한다면 나라와 나라가 서로 공격하지 않고 가문과 가문이 서로 어지럽히지 않으며

1 2 4 3　　1 2 3 4 5 8 6 7　　2 1 3 4 5 6
盜賊無有하고 **君臣父子皆能孝慈**리니 **若此則天下治**리라.
도 적 무 유　　군 신 부 자 개 능 효 자　　약 차 즉 천 하 치

도적이 있지 아니하고 군신과 부자가 모두 효도하고 사랑할 수 있을 것이니 이와 같이 한다면 천하가 다스려질 것이다.

4 1 2 3　　4 1 2 3　　2 1 4 3　　2 1 4 3
矯上之失하고 **詰下之邪**하며 **治亂決繆**하고 **絀羨齊非**하여
교 상 지 실　　힐 하 지 사　　치 란 결 무　　출 선 제 비

4 1 2 3　　3 2 1
一民之軌엔 **莫如法**이요
일 민 지 궤　　막 여 법

윗사람의 잘못을 바로잡고 아랫사람의 사악함을 나무라며, 혼란함을 다스려 얽힌 것을 해결하고 사특한 자를 물리치고 잘못을 저지르는 자를 가지런히 다스려서 백성들이 지켜야 할 규범을 통일시키는 것에는 법만 한 것이 없고

2 1 4 3　　3 1 2　　3 1 2　　3 2 1
屬官威民하여 **退淫殆**하며 **止詐僞**엔 **莫如刑**이라.
촉 관 위 민　　퇴 음 태　　지 사 위　　막 여 형

관리들을 경계시키고 백성에게 위엄을 보여 지나치고 위태로운 것을 물리치며, 속임수와 거짓을 그치게 하는 것에는 형벌만 한 것이 없다.

— 봉건제: 천자가 여러 제후에게 토지를 나누어 주어, 제후가 각자의 영유 지역에 대하여 전권(全權)을 가지는 국가 조직

[이해 더하기] **제자백가(諸子百家)**

— 춘추 전국 시대: 중국의 춘추 시대와 그다음의 전국 시대를 아울러 이르는 말

제자백가는, 封建制를 운영하며 번영을 누리던 주(周) 왕조의 지배력이 약해지고 차츰 봉건 질서가 흔들리던 중국의 春秋戰國時代에 活躍한 학파와 그 사상가들을 말한다. 제자백가들은 당시 정치, 경제, 사회, 문화적으로 격변하는 상황 속에서 어떻게 하면 사회 질서를 안정되게 회복할 수 있는가에 관해 각자 소신에 따라 적극적으로 발언하였다. 이로써 유능한 인재들의 등장을 촉진해 다양한 사상을 발전시켰다.

— 활약: ① 기운차게 뛰어다님. ② 활발히 활동함.

핵심: 사물의 가장 중심이 되는 부분

도: 마땅히 지켜야 할 도리

덕: 공정하고 남을 넓게 이해하고 받아들이는 마음이나 행동

노자의 核心 사상은 道와 德이다. 인간이 춘추 전국의 혼란 속에서 문명의 이로움을 활용하여 인간과 자연을 支配하고 毁損하면서 전쟁과 침략에 몰두해 있을 때 노자는 5천 자로 이루어진 『도덕경(道德經)』을 세상에 남겼다. 그 내용을 단 두 자로 요약한다면 '道와 德'이고 또 거기에 두 자를 더한다면 '무위자연(無爲自然)'이다.

훼손: 헐거나 깨뜨려 못 쓰게 만듦.

지배: 어떤 사람이나 집단, 조직, 사물 등을 자기의 의사대로 복종하게 하여 다스림.

사람의 힘을 더하지 않은 그대로의 자연. 또는 그런 이상적인 경지

'道'는 '이치'를 '德'은 '그 도에 맞게 順應하는 최선의 행동'을 뜻한다고 볼 수 있다. '道'란 말로는 표현할 수 없는 것, 즉 알 수 없는 것이라 하였다. 그것은 바로 원래부터 존재하며 均衡과 調和를 이루고 있는 '자연'이고, 인간이 어떤 의도에 의해서 조작한 것이 전혀 없는 '무위'에 해당한다.

자연이란 그 스스로 그렇게 된 것이며 누가 인위적으로 만든 것이 아니기에 사람이 지배하고 정복하고 操作할 수 없다. 모든 만물이 그 속에 包含되어 適應해야 할 본래 그 자체이다. 노자가 살아 있다면 아마 이렇게 말할 것이다.

- 順應(순응): 환경이나 변화에 적응하여 익숙하여 지거나 체계, 명령 따위에 적응하여 따름.
- 均衡(균형): 어느 한쪽으로 기울거나 치우치지 아니하고 고른 상태.
- 調和(조화): 서로 잘 어울림.
- 操作(조작): 기계 따위를 일정한 방식에 따라 다루어 움직임.
- 包含(포함): 어떤 사물이나 현상 가운데 함께 들어 있거나 함께 넣음.
- 適應(적응): 일정한 조건이나 환경 따위에 맞추어 응하거나 알맞게 됨.

정복: 남의 나라나 이민족 따위를 정벌하여 복종시킴.

" 인간은 자연을 征服할 수 없다. 정복하려는 생각을 버려라.
자연은 거대하고 위대하여 인간의 지식으로는 헤아릴 수가 없다.
자연의 변화와 秩序에 순응하며 그 도를 즐겨라.
인간들이 개발하여 獲得한 문명의 이로움은 다시 부메랑이 되어서
다른 결과로 너희들을 威脅하게 될 것이다.
어리석은 자들이여! 작은 지식을 이용하여 제 무덤을 스스로 파지 말아라. "

질서: 혼란 없이 순조롭게 이루어지게 하는 사물의 순서나 차례.

획득: 얻어 내거나 얻어 가짐.

위협: 힘으로 으르고 협박함.

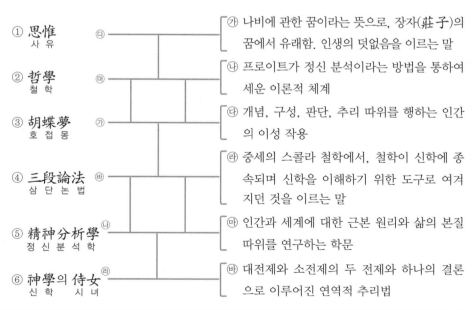

| 철학 관련 용어 |

[활동] '철학' 관련 한자 어휘의 뜻을 사다리 타기 놀이를 통해 알아보자.

① 思惟 (사유) — ㉰
② 哲學 (철학) — ㉱
③ 胡蝶夢 (호접몽) — ㉮
④ 三段論法 (삼단논법) — ㉲
⑤ 精神分析學 (정신분석학) — ㉯
⑥ 神學의 侍女 (신학의 시녀) — ㉴

㉮ 나비에 관한 꿈이라는 뜻으로, 장자(莊子)의 꿈에서 유래함. 인생의 덧없음을 이르는 말

㉯ 프로이트가 정신 분석이라는 방법을 통하여 세운 이론적 체계

㉰ 개념, 구성, 판단, 추리 따위를 행하는 인간의 이성 작용

㉱ 중세의 스콜라 철학에서, 철학이 신학에 종속되며 신학을 이해하기 위한 도구로 여겨지던 것을 이르는 말

㉲ 인간과 세계에 대한 근본 원리와 삶의 본질 따위를 연구하는 학문

㉴ 대전제와 소전제의 두 전제와 하나의 결론으로 이루어진 연역적 추리법

新 **한자 모아 보기**

한자	음	뜻	부수	획수	총획
核	핵	씨	木	6	10
毁	훼	헐다	殳	9	13
損	손	덜다	手(扌)	10	13
衡	형	저울대	行	10	16
操	조	잡다	手(扌)	13	16
征	정	치다	彳	5	8
脅	협	위협하다	肉(月)	6	10
惟	유	생각하다	心(忄)	8	11
哲	철	밝다	口	7	10
胡	호	오랑캐	肉(月)	5	9
蝶	접	나비	虫	9	15
夢	몽	꿈	夕	11	14
段	단	층계	殳	5	9
析	석	쪼개다	木	4	8
侍	시	모시다	人(亻)	6	8

[1~2] 다음 글을 읽고 물음에 답하시오.

> 上善若水. 水善⊙利萬物而不爭.
> 상 선 약 수   수 선   리 만 물 이 부 쟁

[풀이] 최상의 선은 물과 같다. 물은 만물을 잘 이롭게 하나 다투지 아니한다.

1. 利의 쓰임이 ⊙과 다른 것은? ⑤

① 利害 이해   ② 利率 이율   ③ 便利 편리   ④ 利益 이익   ⑤ 銳利 예리

위의 문장과 ①~④에서는 利가 '이롭다'는 뜻으로 쓰였으나, ⑤에서는 '날카롭다'는 뜻으로 쓰였다.

① 이해: 이익과 손해를 아울러 이르는 말
② 이율: 원금에 대한 이자의 비율
③ 편리: 편하고 이로우며 이용하기 쉬움.
④ 이익: 물질적으로나 정신적으로 보탬이 되는 것
⑤ 예리: ① 끝이 뾰족하거나 날이 선 상태에 있음. ② 관찰이나 판단이 정확하고 날카로움.

2. 밑줄 친 '善'에 유의하여 문장을 풀이해 보자.
       선

🖊 최상의 선은 물과 같다. 물은 만물을 잘 이롭게 하나 다투지 아니한다.

~~善은 앞에서는 덕목의 이름으로, 뒤에서는 '잘'의 뜻으로 쓰였다.~~

3. 제자백가 중에 다음과 같은 주장을 한 학파를 한자로 써 보자.

> 屬官咸民. 退淫殆. 止詐僞. 莫如刑.
> 촉 관 위 민   퇴 음 태   지 사 위   막 여 형

[풀이] 관리들을 경계시키고 백성에게 위엄을 보여 지나치고 위태로운 것을 물리치며, 속임수와 거짓을 그치게 하는 것에는 형벌만 한 것이 없다.

🖊 法家 법가

창의형 법을 중하게 여겨 형벌을 엄하게 하는 것이 나라를 다스리는 기본이라고 주장한 학파는 법가(法家)이다.

4. 옛 사상가 중 한 사람을 선택하여, 〈보기〉의 논제에 대해 그 사상가의 입장에서 토론해 보자.

도움말

• 묵자의 사상: 서로 겸애하며 살자.

• 한비자의 사상: 법과 형벌이 필요하다.

보기

'政'은 '바로잡다'는 의미를 담은 글자이다. 복잡한 사회의 분쟁과 무질서 등을 바로
 정
잡기 위해 정치를 어떻게 해야 하는가?

예시

노자의 입장에서: 노자의 무위는 아무것도 하지 않는 것이 아니고, 자연에 따를 뿐 인위적인 억지와 노력을 가하지 않는 것이다. 세상은 법률이 복잡할수록 범죄가 늘어나고, 통치술이 발달할수록 세상이 혼란해진다. 그러므로 백성의 자연스러운 삶을 간섭하는 모든 인위를 없애면 나라가 평안해질 것이다. 이는 마치 자연이 모든 생명체에 필요한 모든 것을 주고도 스스로 드러내거나 보답을 강요하지 않는 것과 같다. 따라서 올바른 정치란 백성들이 스스로 할 수 있는 여건을 조성해 주는 것이지 백성들을 법률로 얽어매는 것이 아니다.

🖊

도움말 소단원 학습이 끝나면 소단원 학습 목표에 해당하는 질문에 답하며 자신의 학업 성취도를 스스로 점검해 본다.
성취 목표에 도달하지 못한 경우에는 제시된 위치로 돌아가서 내용을 다시 읽고 공부하도록 한다.

소단원 자기 점검	배운 내용에 관해 자기 점검을 하면서 학업 성취도 도달 정도를 확인해 보자.	
	• 제자백가의 글을 읽고 그들의 사상을 이해할 수 있는가?	☆☆☆☆☆
	• 제자백가의 사상을 이해하고, 이에 담긴 현재적 의미와 가치를 발견할 수 있는가?	☆☆☆☆☆

[별이 3개 이하인 경우] • 교과서 138~140쪽 다시 읽기

• 한자, 음, 뜻, 부수의 순서로 제시

1. 한자

莊 (장) 씩씩하다, 성씨 [艸(艹)]	詐 (사) 속이다 [言]	衡 (형) 저울대 [行]
[ ]❶ (유) 선비 [人(亻)]	僞 (위) ❺[ ][ ] [人(亻)]	操 ❾[ ] 잡다 [手(扌)]
罰 (벌) 벌하다 [网(罒)]	遷 (천) 옮기다 [辵(辶)]	征 (정) 치다 [彳]
兼 (겸) 겸하다 [❷[ ]]	影 ❻[ ] 그림자 [彡]	脅 (협) 위협하다 [肉(月)]
攻 (공) 치다 [攴(攵)]	響 (향) 울리다 [音]	惟 (유) 생각하다 [心(忄)]
矯 (교) 바로잡다 [矢]	憎 (증) 미워하다 [心(忄)]	哲 (철) ❿[ ][ ] [口]
詰* (힐) 묻다, 꾸짖다 [言]	軟 (연) 연하다 [車]	⓫[ ] (호) 오랑캐 [肉(月)]
繆* (무) ❸[ ][ ] [糸]	硬 (경) 굳다 [❼[ ]]	蝶 (접) 나비 [虫]
絀* (출) 물리치다 [糸]	隊 (대) 무리 [阜(阝)]	夢 (몽) 꿈 [夕]
羨* (선) 사특하다, 부러워하다 [羊]	輪 (륜) 바퀴 [車]	段 (단) 층계 [殳]
齊 ❹[ ] 가지런하다 [齊]	躍 (약) 뛰다 [足]	析 (석) 쪼개다 [⓬[ ]]
屬 (속) 무리,	❽[ ] (핵) 씨 [木]	侍 (시) 모시다 [人(亻)]
(촉) 잇다, 경계하다 [尸]	毀 (훼) 헐다 [殳]	
淫 (음) 음란하다, 지나치다 [水(氵)]	損 (손) 덜다 [手(扌)]	

2. 본문

上❶[ ]若水(상선약수)라. 水善利萬物而不爭(수선리만물이부쟁)하며 處衆人之所惡(처중인지소오)라.	❷[ ][ ]의 선은 물과 같다. 물은 만물을 잘 이롭게 하나 다투지 아니하며 뭇 사람들이 싫어하는 곳에 머무른다.
若使天下(약사천하)로 兼相❸[ ](겸상애)하면 國與國不相攻(국여국불상공)하고 家與家不相亂(가여가불상란)하며 盜賊無有(도적무유)하고 君臣父子皆能孝慈(군신부자개능효자)리니 若此則天下治(약차즉천하치)리라.	❹[ ][ ] 천하 사람들에게 아울러 서로 사랑하게 한다면 나라와 나라가 서로 공격하지 않고 가문과 가문이 서로 어지럽히지 않으며 도적이 있지 아니하고 군신과 부자가 모두 효도하고 사랑할 수 있을 것이니 이와 같이 한다면 천하가 다스려질 것이다.
矯上之失(교상지실)하고 詰下之邪(힐하지사)하며 治亂決繆(치란결무)하고 絀羨齊非(출선제비)하여 一民之軌(일민지궤)엔 ❺[ ][ ]法(막여법)이요 屬官威民(촉관위민)하여 退淫殆(퇴음태)하며 止詐僞(지사위)엔 莫如刑(막여형)이라.	윗사람의 잘못을 바로잡고 아랫사람의 사악함을 나무라며, 혼란함을 다스려 얽힌 것을 해결하고 사특한 자를 물리치고 잘못을 저지르는 자를 가지런히 다스려서 백성들이 지켜야 할 규범을 통일시키는 것에는 법만 한 것이 없고 관리들을 ❻[ ][ ]시키고 백성에게 위엄을 보여 지나치고 위태로운 것을 물리치며, 속임수와 거짓을 그치게 하는 것에는 형벌만 한 것이 없다.

3. **어휘** – 철학 관련 용어

- ❶ ☐☐(사유): 개념, 구성, 판단, 추리 따위를 행하는 인간의 이성 작용

- 哲學(❷☐☐): 인간과 세계에 대한 근본 원리와 삶의 본질 따위를 연구하는 학문

- 胡蝶夢(호접몽): ❸☐☐에 관한 꿈이라는 뜻으로, 장자(莊子)의 꿈에서 유래함. 인생의 덧없음을 이르는 말

- ❹☐☐論法(삼단논법): 대전제와 소전제의 두 전제와 하나의 결론으로 이루어진 연역적 추리법

- 精神分析學(정신분석학): 프로이트가 정신 분석이라는 방법을 통하여 세운 이론적 체계

- 神學(❺☐☐)의 侍女(시녀): 중세의 스콜라 철학에서, 철학이 신학에 종속되며 신학을 이해하기 위한 도구로 여겨지던 것을 이르는 말

쪽지 시험

01 다음 한자의 공통되는 음을 쓰시오.

> 儒　　惟

02 다음 한자의 공통되는 부수를 쓰시오.

> 脅　　胡

03 인물과 관련 있는 학파를 연결하시오.

(1) 노자, 장자　　・　　・㉠ 道家

(2) 공자, 맹자　　・　　・㉡ 墨家

(3) 한비자　　・　　・㉢ 儒家

(4) 묵자　　・　　・㉣ 法家

04 다음과 같은 뜻을 가진 단어를 〈보기〉에서 찾아 한자 어휘와 독음을 쓰시오.

(1) 있는 힘을 다하여 잘 싸움.

(2) 서로 간에 친밀하여 사이가 좋음

(3) 지난날의 잘못이나 허물을 고쳐 올바르고 착하게 됨.

> **보기**
>
> 親善　　改過遷善　　善戰

05 다음과 같은 뜻을 가진 한자 어휘를 쓰시오.

(1) 개념, 구성, 판단, 추리 따위를 행하는 인간의 이성 작용: ☐☐

(2) 인간과 세계에 대한 근본 원리와 삶의 본질 따위를 연구하는 학문: ☐☐

(3) 대전제와 소전제의 두 전제와 하나의 결론으로 이루어진 연역적 추리법: ☐☐☐☐

01 ㄱ~ㄷ의 빈칸에 들어갈 알맞은 내용을 쓰시오.

모양	음	뜻
㉠	(겸)	겸하다
儒	(유)	㉡
罰	㉢	벌하다

02 다음과 같은 뜻을 가진 한자로 알맞은 것은?

> 바로잡다

① 矯   ② 詐   ③ 淫   ④ 要   ⑤ 威

03 다음 한자의 공통되는 부수로 알맞은 것은?

> 軟   軍   輪

① 冖   ② 欠   ③ 車   ④ 人   ⑤ 冂

04 빈칸에 공통으로 들어갈 한자로 알맞은 것은?

> • 사업이 정상 ☐道에 올랐다.
> • 인공위성이 ☐道에 접어들었다.

① 輝   ② 遷   ③ 隊   ④ 軌   ⑤ 揮

05 뜻이 비슷한 한자로 이루어진 어휘가 <u>아닌</u> 것은?

① 盜賊   ② 獲得   ③ 毀損
④ 秩序   ⑤ 萬物

06 밑줄 친 부분을 한자로 바꾸어 쓸 때, 알맞은 것은?

> 인간의 이기심으로
> 자연이 <u>훼손</u>되고 있습니다.

① 順應   ② 活躍   ③ 憎惡
④ 毀損   ⑤ 遷都

07 다음 한자 어휘에 대한 설명으로 알맞은 것은?

> 善戰

① '친선'이라고 읽는다.
② 善은 '좋다'라는 뜻이다.
③ 戰은 '군사'라는 뜻이다.
④ 단어의 짜임은 병렬 관계이다.
⑤ '있는 힘을 다하여 잘 싸움.'이라고 풀이한다.

출제 유력

08 한자 어휘의 활용이 적절하지 <u>않은</u> 것은?

① 이 에어컨은 리모컨으로 操作된다.
② 수업에 참여하지 못하는 思惟를 물었다.
③ 환경 오염으로 인해 자연이 威脅받고 있다.
④ 수요와 공급이 均衡적으로 이루어져야 한다.
⑤ 나는 모든 일에 열심히 해야 한다는 哲學을 가지고 있다.

출제 유력

09 빈칸에 들어갈 알맞은 한자 어휘를 한자로 쓰시오.

> ☐☐☐☐는 중국 춘추 전국 시대에 활약한 여러 학파와 학자들을 통칭하는 말이다.

[10~12] 다음 글을 읽고 물음에 답하시오.

> ㉠上善若水라. 水㉡善利萬物而不爭하며 處衆人
> 之所惡라. 故로 幾於道니라.

10 ㉠을 풀이 순서대로 바르게 나열한 것은?

① 上 → 善 → 水 → 若
② 上 → 善 → 若 → 水
③ 善 → 上 → 若 → 水
④ 善 → 上 → 水 → 若
⑤ 若 → 上 → 善 → 水

11 ㉡의 풀이로 알맞은 것은?

① 선이 이롭다.　　② 선을 잘하다.
③ 이익이 많다.　　④ 잘 이롭게 하다.
⑤ 선을 추구하다.

출제 유력
12 윗글에 대한 이해로 바르지 않은 것은?

① 최상의 선과 관련된 글이다.
② 물의 장점을 이야기하고 있다.
③ 물은 다투지 않는다는 내용이다.
④ 선이 도에 가깝다는 이야기이다.
⑤ 물은 사람들이 좋아하는 곳에 머무른다.

[13~15] 다음 글을 읽고 물음에 답하시오.

> ㉠若使天下로 兼相愛하면 國☐國不相攻하고 家
> ☐家不相亂하며 盜賊無有하고 君臣父子皆能孝
> 慈니 ㉡若此則天下治리라.

13 윗글의 빈칸에 공통으로 들어갈 알맞은 한자는?

① 之　② 與　③ 而　④ 則　⑤ 爲

14 ㉠에 쓰인 한자의 음이 아닌 것은?

① 약　② 천　③ 국　④ 겸　⑤ 애

출제 유력
15 ㉡의 풀이가 바른 것은?

① 나라와 나라가 서로 공격하지 않는다.
② 가문과 가문이 서로 어지럽히지 않는다.
③ 군신과 부자가 모두 효도하고 사랑한다.
④ 만약 천하 사람들이 서로 사랑하게 한다.
⑤ 이와 같이 한다면 천하가 다스려질 것이다.

[16~18] 다음 글을 읽고 물음에 답하시오.

> 矯上之失하고 詰下之邪하며 治亂決繆하고 紬羨
> 齊非하여 一民之軌엔 莫如法이요 屬官威民하여
> 退淫殆하며 止詐僞엔 ㉠莫如刑이라.

16 윗글에 쓰인 한자의 음과 뜻이 아닌 것은?

① 矯(교) 바로잡다　② 齊(제) 가지런하다
③ 詐(사) 속이다　　④ 威(위) 위태롭다
⑤ 僞(위) 거짓

17 윗글에 쓰인 한자 어휘 중 술목 관계가 아닌 것은?

① 治亂　　② 決繆　　③ 齊非
④ 屬官　　⑤ 詐僞

서술형
18 ㉠의 풀이를 쓰시오.

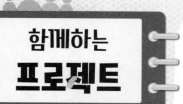

○ 교과서 143쪽

함께하는 프로젝트

" 우리 고장의 옛 교육 기관
- 홍보 자료 만들기 "

우리 조상들은 향교나 서원 등에서 교육을 받으며 유교의 정신과 문화를 이어 나갔다.
향교는 고려와 조선 시대에 걸쳐 지방에서 유학 교육을 담당하기 위하여 설립한 관학 교육 기관이고,
서원은 조선 중기 이후 인재를 키우기 위해 전국 곳곳에 세운 사설 기관이다.
우리 고장에 있는 옛 교육 기관을 답사해 보고 홍보 자료를 만들어 발표해 보자.

| 활동 목표 |

옛 교육 기관을 통해 전통문화 이해하기

| 준비물 |

도화지, 사진 자료, 각종 필기도구, 풀, 가위 등

| 예시 |

포스터 만들기

| 활동 방법 |

1. 모둠 구성하기
2. 우리 고장의 옛 교육 기관 조사하기
3. 답사하기
4. 홍보 자료 만들기
5. 홍보 자료 발표하기

도움말 홍보 자료는 포스터 외에도 다양하게 만들 수 있다.
예 책자 만들기, 손수제작물 만들기 등

우리나라 최초의 서원인 소수서원(紹修書院)에서 유교의 향기를 느껴 보세요!

- **위치:** 경상북도 영주시 순흥면 소백로2740
- **연혁**
  - 1542년: 풍기 군수 주세붕이 숙수사 터에 안향 선생
    사묘 건립
  - 1543년: 백운동 서원 건립
  - 1550년: 명종 임금으로부터 '소수서원' 사액
  - 1962년: 사적 제55호 지정
- **지정 문화재**
  - 사적: 소수서원 (제55호)
  - 보물: 숙수사지 당간 지주(제59호),
    문성공묘(제1402호)

스스로 평가하기	개인 평가표			모둠 평가표	
	잘된 부분		수행 과정	교육 기관에 관한 조사가 정확하게 이루어졌는가?	☆☆☆☆☆
				교육 기관에 관한 답사 계획이 잘 세워졌는가?	☆☆☆☆☆
	아쉬운 부분		결과물	모둠원의 역할 분담이 공평하게 이루어졌는가?	☆☆☆☆☆
				창의적이고 완성도 있게 결과물을 제시하였는가?	☆☆☆☆☆

스스로 완성하는
마무리
○ 교과서 144, 145쪽

1단계 정리하기

1. 한자와 어휘

군자식무구포.
거무구안.

• 君子食無求飽, 居無求安.: 군자는 먹음에 배부름을 구하지 말며, 거처함에 편안함을 구하지 말라.
　　　　└ ~ 하지 말라 ┘　편안하다

촉고, 불입오지, 어별, 불가승식야.

• 數罟, 不入洿池, 魚鼈, 不可勝食也.: 촘촘한 그물을 웅덩이나 연못에 들이지 않게
　촘촘하다　　　　　　　　　다, 모두
한다면 물고기와 자라를 다 먹을 수 없을 것이다.

상선약수. 수선리만물이부쟁.

• 上善若水. 水善利萬物而不爭.: 최상의 선은 물과 같다. 물은 만물을 잘 이롭게
　　　　덕목의 이름　　　잘
하나 다투지 아니한다.

2. 문장의 풀이

• 學而不思則罔, 思而不學則殆.: 배우기만 하고 생각하지 않으면 (마음에 아무 소득
　학 이 불 사 즉 망　사 이 불 학 즉 태
이) 없게 되고, 생각하기만 하고 배우지 않으면 위태로워진다.

• 若使天下, 兼相愛, 國與國不相攻, 家與家不相亂: 만약 천하 사람들에게 아울
　약 사 천 하　겸 상 애　국 여 국 불 상 공　가 여 가 불 상 란
러 서로 사랑하게 한다면 나라와 나라가 서로 공격하지 않고 가문과 가문이 서로 어지럽
히지 않는다.

• 屬官威民, 退淫殆, 止詐僞, 莫如刑.: 관리들을 경계시키고 백성에게 위엄을 보여
　촉 관 위 민　퇴 음 태　지 사 위　막 여 형
지나치고 위태로운 것을 물리치며, 속임수와 거짓을 그치게 하는 것에는 형벌만 한 것이
없다.

2단계 점검하기

1. 어휘와 그 뜻을 바르게 연결해 보자.

(1) 傾聽　　●　　　　　　　● ㉮ 귀를 기울여 들음.
　　경 청
(2) 浩然之氣　●　　　　　● ㉯ 하늘과 땅 사이에 가득 찬 넓고 큰 원기
　　호 연 지 기
(3) 胡蝶夢　●　　　　　　● ㉰ 나비에 관한 꿈이라는 뜻으로, 장자의 꿈에서 유래하였음.
　　호 접 몽　　　　　　　　　인생의 덧없음을 이르는 말

2. 빈칸에 알맞은 한자를 써 보자.

(1) 就有道而正焉, 可謂 好學 也已.: 도가 있는 사람에게 나아가 바로잡는다면 '배우기
　　취 유 도 이 정 언　가 위 호 학 야 이
를 좋아한다.'고 말할 수 있다.

(2) 民爲貴, 社稷次之, 君爲 輕.: 백성이 귀중하고, 사직이 이보다 다음이고, 군주는 경
　　민 위 귀　사 직 차 지　군 위 경
미하다.

(3) 上 善 若水. 水 善 利萬物而不爭, 處衆人之所惡.: 최상의 선은 물과 같다. 물은
　　상 선 약 수　수 선 리 만 물 이 부 쟁　처 중 인 지 소 오
만물을 잘 이롭게 하나 다투지 아니하며 뭇 사람들이 싫어하는 곳에 머무른다.

[1~4] 다음 글을 읽고 물음에 답하시오.

(가) 君子食㉠無求飽, 居無求安, 敏於事而愼於言, 就有道而正焉, 可謂好
군자식 무구포 거무구안 민어사이신어언 취유도이정언 가위호
學㉡也已.
학 야 이

(나) 君子有九思, 視思明, 聽思聰, 色思溫, 貌思恭, 言思忠, 事思敬, 疑思問,
군자유구사 시사명 청사총 색사온 모사공 언사충 사사경 의사문
忿思難, 見得思義.
분사난 견득사의

(다) 不違農時, 穀不可勝食也, ㉢數罟, 不入洿池, 魚鼈, 不可㉣勝食也, 斧斤
불위농시 곡불가승 식야 촉고 불입오지 어별 불가 승식야 부근
以時入山林, 材木, 不可勝用也.
이시입산림 재목 불가승식야

(라) 矯上之失, 詰下之邪, 治亂決繆, ㉤絀羨齊非, 一民之軌, 莫如(㉮), 屬官
교상지실 힐하지사 치란결무 출선제비 일민지궤 막여 촉관
威民, 退淫殆, 止詐僞, 莫如(㉯).
위민 퇴음태 지사위 막여

---

1. ㉠~㉤에 대한 설명으로 옳지 **않은** 것은? ⑤

① ㉠: '勿'과 같은 뜻이다.　　② ㉡: '야이'라고 읽는다.

③ ㉢: '촘촘한 그물'이라는 뜻이다.　④ ㉣: '다'라는 뜻이다.

⑤ ㉤: '사특'이라고 읽는다.

㉤은 '출선'이라고 읽는다.

2. (나)의 밑줄 친 부분의 풀이로 알맞은 것은? ①

① 화가 날 때는 곤란해질 것을 생각한다.　② 낯빛은 온화하게 할 것을 생각한다.

③ 듣는 것은 명확하게 들을 것을 생각한다.④ 보는 것은 분명하게 볼 것을 생각한다.

⑤ 의심스러울 때는 물어볼 것을 생각한다.

②는 色思溫, ③은 聽思聰, ④는 視思明, ⑤는 疑思問의 풀이이다.

3. (라)의 ㉮, ㉯에 들어갈 한자를 순서대로 바르게 제시한 것은? ①

① 法, 刑　② 兼, 愛　③ 善, 德　④ 義, 理　⑤ 禮, 智
　법 형　　겸 애　　선 덕　　의 리　　예 지

(라)의 첫 번째 문장의 풀이는 다음과 같다. '윗사람의 잘못을 바로잡고 아랫사람의 사악함을 나무라며, 혼란함을 다스려 얽힌 것을 해결하고 사특한 자를 물리치고 잘못을 저지르는 자를 가지런히 다스려서 백성들이 지켜야 할 규범을 통일시키는 것에는 법만 한 것이 없고 관리들을 경계시키고 백성에게 위엄을 보여 지나치고 위태로운 것을 물리치며, 속임수와 거짓을 그치게 하는 것에는 형벌만 한것이 없다.'

📝 **서술형**

4. (라)에서 한비자가 말하고자 하는 내용을 설명해 보자.

사회 질서를 유지하기 위해서는 법과 형벌이 필요하다고 말하고 있다.

**마무리
자기 평가**

이 단원에서 배운 내용을 스스로 평가해 보자.

점검 항목	잘함	보통	노력 필요	찾아보기 ↻
• 공자, 맹자, 그 외 제자백가의 사상을 이해할 수 있다.				126, 132,
• 경전의 문장을 이해하고 바르게 활용할 수 있다.				138쪽
• 한문 경전에 담긴 선인들의 교훈을 배울 수 있다.				

도움말 대단원 학습이 끝나면 대단원 학습 목표에 해당하는 질문에 답하며 자신의 학업 성취도를 스스로 점검해 본다.
성취 목표에 도달하지 못한 경우에는 제시된 위치로 돌아가서 내용을 다시 읽고 공부하도록 한다.

17. 공자가 추구하는 인간상

출제 유력

01 빈칸에 공통으로 들어갈 알맞은 한자 어휘를 한자로 쓰시오.

- ☐☐은(는) 의리에 밝게 행동한다.
- ☐☐은(는) 곤궁한 가운데에서도 자신의 지조를 굳게 지킨다.

02 한자 어휘의 독음이 바르지 <u>않은</u> 것은?

① 傾聽 (경청) ② 餘裕 (여유)
③ 敬畏 (경외) ④ 中庸 (중용)
⑤ 龜鑑 (구감)

03 다음 글에서 '애'의 음을 가진 한자는?

子曰: "居上不①寬하며 ②爲禮不敬하며 ③臨喪不④哀면 吾何以⑤觀之哉리오?"

04 빈칸에 공통으로 들어갈 알맞은 한자를 쓰시오.

學而不思☐罔하고 思而不學☐殆니라.

05 다음 글에서 '공경하다'의 뜻을 가진 한자로 알맞은 것은?

孔子曰: "君子有九思하니 視思明하며 聽思①聰하며 色思②溫하며 ③貌思恭하며 言思忠하며 事思④敬하며 疑思問하며 ⑤忿思難하며 見得思義니라."

18. 맹자가 바라는 세상

06 다음과 같은 뜻을 가진 한자로 알맞은 것은?

다, 모두

① 頻 ② 勝 ③ 耶 ④ 彩 ⑤ 奪

07 빈칸에 들어갈 알맞은 한자 어휘로 알맞은 것은?

그녀는 그 일에 대하여 믿을 수 없다고 여기며 ☐☐적인 반응을 보였다.

① 確信 ② 懷疑 ③ 積極
④ 熱狂 ⑤ 普遍

[08~10] 다음 글을 읽고 물음에 답하시오.

孟子曰: "民爲貴하고 社稷次之하고 君爲輕하니라. 是故로 得乎丘民而爲天子요 得乎天子㉠爲諸侯요 得乎諸侯爲大夫니라."

08 윗글에 쓰인 한자를 자전에서 자음색인으로 찾을 때, 첫 번째로 오는 것은?

① 孟 ② 得 ③ 乎 ④ 輕 ⑤ 貴

09 윗글에서 찾아볼 수 <u>없는</u> 한자 어휘의 독음은?

① 백성 ② 제후 ③ 천자
④ 대부 ⑤ 사직

출제 유력

10 윗글에서 맹자가 주장하는 귀중한 것부터 차례대로 나열한 것은?

① 社稷 → 民 → 君 ② 社稷 → 君 → 民
③ 君 → 民 → 社稷 ④ 民 → 社稷 → 君
⑤ 君 → 社稷 → 民

19. 제자백가의 주장

11 자전에서 한자를 찾을 때, ㉠에 들어갈 알맞은 한자를 쓰시오.

	음	약
【 ㉠ 】	부수	足
	총획	21획

자원 '꿩처럼 높이 뛰어오르다'의 뜻

출제 유력

12 다음 내용을 주장한 사상가로 알맞은 것은?

> 사회 질서를 유지하기 위해서는 엄격한 법과 형벌이 필요하다.

① 老子   ② 孔子   ③ 孟子
④ 墨子   ⑤ 韓非子

13 한자 어휘의 활용이 적절하지 않은 것은?

① 인간은 자연을 情服할 수 없다.
② 자연의 질서와 변화에 順應하라.
③ 인간은 자연과 調和를 이루며 살아가야 한다.
④ 인간들이 개발하여 獲得한 문명의 이로움이 좋은 것만은 아니다.
⑤ 자연을 훼손하면 결국 그것이 우리의 삶을 威脅하게 될 것이다.

[14~15] 다음 글을 읽고 물음에 답하시오.

> ㉠矯上之失하고 ㉡詰下之邪하며 ㉢治亂決繆하고 ㉣絀羨齊非하여 ㉤一民之軌엔 □□法이요, 屬官威民하여 退淫殆하며 止詐偽엔 □□刑이라.

14 ㉠～㉤ 중, '윗사람의 잘못을 바로잡는다'로 풀이되는 것은?

① ㉠   ② ㉡   ③ ㉢   ④ ㉣   ⑤ ㉤

15 빈칸에 공통으로 들어갈 알맞은 한자를 쓰시오.

> 대단원 복합 문제

고난도

16 단어의 짜임이 나머지와 다른 하나는?

① 徐行   ② 記錄   ③ 妨害
④ 贊助   ⑤ 憎惡

[17~20] 다음 글을 읽고 물음에 답하시오.

> (가) 孔子曰: "君子有九思하니 視思明하며 ㉠聽思聰하며 色思溫하며 ㉡貌思恭하며 言思忠하며 事思敬하며 疑思問하며 忿思難하며 ㉢見得思義니라."
>
> (나) ㉣穀與魚鼈을 不可勝食하며 材木을 不可勝用이면 是는 ⓐ民養生喪死에 無憾也니 養生喪死에 無憾이 王道之始也니이다.
>
> (다) 若使天下로 ㉤兼相愛하면 國與國不相攻하고 家與家不相亂하며 盜賊無有하고 君臣父子皆能孝慈리니 ⓑ若此則天下治리라.

17 ㉠～㉤의 독음이 바르지 않은 것은?

① ㉠: 청사총   ② ㉡: 묘사공
③ ㉢: 견득사의   ④ ㉣: 곡여어별
⑤ ㉤: 겸상애

18 ⓐ에 들어갈 한자로 알맞은 것은?

① 於   ② 此   ③ 使   ④ 而   ⑤ 也

서술형

19 ⓑ의 풀이를 쓰시오.

출제 유력

20 (가)～(다) 중, 다음 내용과 관련 있는 글과 이를 주장했던 인물의 연결이 바른 것은?

> 사람의 본성은 착하고, 환경에 의해 나쁜 행동을 하였더라도 교육을 통해 착해질 수 있습니다.

① (가)-공자   ② (가)-묵자   ③ (나)-묵자
④ (나)-맹자   ⑤ (다)-묵자

VI. 재미와 가르침을 주는 명문

명문은 뛰어나게 잘 지은 글로, 삶에 대한 교훈과 흥미를 끌 만한 요소가 내재되어 있어 오랫동안 많은 사람에게 관심을 받아 왔다. 이러한 명문은 오늘날에도 현재의 시대 상황에 맞게 다시 해석되어 우리에게 가르침을 주고 있다. 이 단원에서는 깨우침을 주고, 안목을 높여 주는 글을 읽고 선인들의 지혜와 사상을 이해해 보자.

| 이 단원에서 배울 내용 |

- 문장 안에서의 쓰임에 따라 품사가 바뀌는 '품사의 활용'을 구별한다.
- 문장에서 생략되거나 도치된 성분을 찾고, 이를 문장 풀이에 활용한다.
- 글을 바르게 풀이하고 내용과 주제를 설명한다.
- 한문 산문의 다양한 서술 방식을 통해 글의 내용을 이해하고 감상한다.
- 한자로 이루어진 다른 교과 학습 용어를 맥락에 맞게 활용한다.
- 한문 기록에 담긴 선인들의 지혜, 사상 등을 이해하고, 현재적 의미에서 가치가 있는 것을 내면화하여 건전한 가치관과 바람직한 인성을 함양한다.
- 한문 기록에 담긴 우리의 전통문화를 바르게 이해하고, 미래 지향적인 새로운 문화 창조의 원동력으로 삼으려는 태도를 형성한다.
- 한자 문화권의 문화에 대한 기초적 지식을 통해 상호 이해와 교류를 증진시키려는 태도를 형성한다.

소단원 미리 보기

소단원	소단원 소개	소단원 학습 요소
20	신라 시대의 설화인 「연오랑세오녀」를 통하여 우리 문화가 일본 문화에 끼친 영향을 생각해 보는 단원이다.	• 품사의 활용 • 설화의 서술 방식(서사) • 설화 속에 나타난 상호 이해와 교류
21	나관중이 쓴 중국의 역사 소설 『삼국지통속연의』를 감상하고, 이 소설이 한자 문화권에 끼친 영향에 대해 생각해 보는 단원이다.	• 문장 성분의 생략 • 소설의 서술 방식(서사) • 『삼국지』를 통한 한자 문화권의 상호 이해
22	실학자 박지원이 쓴 소설 「호질」을 읽고, 양반 계층의 위선에 대한 호랑이의 꾸짖음에 담긴 작자의 의도를 생각해 보는 단원이다.	• 글의 내용과 주제 • 출판 관련 일상용어 • 선인들의 지혜와 사상에 대한 이해와 공감
23	신라의 문장가 최치원이 당나라 말기에 난을 일으킨 황소에게 항복을 권유하기 위해 쓴 격문을 읽고, 글의 내용과 주제를 파악해 보는 단원이다.	• 글의 내용과 주제 • 한문 산문의 서술 방식(의론) • 전통문화의 계승과 발전
24	명마를 고르는 안목을 언급한 한유의 잡설을 통하여 인재와 그를 알아보는 사람과의 관계를 생각해 보는 단원이다.	• 글의 내용과 주제 • 한문 산문의 서술 방식(의론) • 현재적 의미와 가치 발견

출제 유형

- 빈칸에 공통으로 들어갈 한자 어휘로 알맞은 것은?
- 윗글의 등장인물의 관계로 적절한 것은?
- 윗글의 내용을 참고하여 빈칸에 들어갈 알맞은 말을 쓰시오.

20

빛을 되찾은 해와 달

○ 교과서 147쪽

| 생각을 여는 활동 |

● 만화를 보고, 아래의 빈칸을 채워 보자.

① 동해 바닷가에 延烏郎과 細烏女 부부가 살았다.
연오랑
세오녀

② 어느 날 연오랑이 해조를 따고 있었는데, 바위가 연오랑을 태우고 일본으로 갔다.

③ 일본 사람들이 연오랑을 보고 왕으로 삼았다.
"이는 범상한 사람이 아니다."

④ 바닷가에서 남편을 찾고 있던 세오녀도 바위가 태우고 일본으로 갔다. 마침내 부부가 만나게 되었고 그녀를 貴妃로 삼았다.
└ 귀비: 고려 시대에, 비빈에게 내리던 정일품 내명부의 품계 가운데 하나

⑤ 신라에서는 해와 달이 빛을 잃었다. 일관이 해와 달의 정기가 일본에 가서 怪變이 생겼다고 말하였다.
└ 괴변: 예상하지 못한 괴상한 재난이나 사고

⑥ 왕이 사자를 일본에 보내 두 사람을 만나니 세오녀가 짠 비단으로 하늘에 祭祀 지내면 될 것이라 하였다. 이렇게 하니 해와 달의 정기가 전과 같게 되었다.
└ 제사: 신령이나 죽은 사람의 넋에게 음식을 바치어 정성을 나타냄. 또는 그런 의식

| 중심인물 | ❶ 연 오 랑 과 세 오 녀 (王과 貴妃가 됨.) 왕 귀비 ❷ 까 마 귀 [,烏]의 상징성 오 부부의 이름 속 ,烏는 고대에 태양을 상징하는 길조로 여김. | 의의 | 해와 달을 상징하는 연오랑과 세오녀를 통해 태양과 달의 생성에 관한 내용을 전하는 신화로, 우리나라에서 문헌으로 전하는 유일한 일월(日月) 신화임. |

도움말 「연오랑세오녀」 설화의 중심 사건, 전체 줄거리, 인물과 소재의 특징, 의의를 알아보는 활동을 통해 소단원 학습에 대한 자신의 배경지식을 활성화한다. 또 이를 바탕으로 소단원에서 어떤 내용을 공부할지 스스로 계획을 세워 본다.

학습 계획 세우기

● 위 활동을 바탕으로 스스로 학습 계획을 세워 보자.

나는 이 단원에서 예 「연오랑세오녀」 설화의 중심 사건, 전체 줄거리, 인물과 소재의 특징, 의의 을/를 공부하겠다.

한자 모아 보기 자신이 알고 있는 한자에 ✓표시를 해 보자.

新

한자	음	뜻	부수	획수	총획	한자	음	뜻	부수	획수	총획
妃	비	왕비	女	3	6	祀	사	제사	示	3	8
怪	괴	괴이하다	心(忄)	5	8						

빛을 되찾은 해와 달
○ 교과서 148, 149쪽

신라 때 설화인 「연오랑세오녀」는 우리나라 유일의 일월(日月) 신화로, 부부가 일본으로 가 왕과 왕비가 된 것에서 고대 우리 민족이 일본으로 건너가 지배 계급을 형성하였다는 점을 알 수 있다. 이 글을 통해 당시 우리 민족과 일본과의 관계를 살펴보고, 우리의 문화가 일본 문화에 끼친 영향을 생각해 보자.

新 한자 모아 보기

한자	음	뜻	부수	획수	총획
尋	심	찾다	寸	9	12
鞋	혜	신	革	6	15
訝	아	의심하다	言	4	11
斯	사	이	斤	8	12
遣	견	보내다	走(辶)	10	14
朕	짐	나	月	6	10
織	직	짜다	糸	12	18
綃	초	생사, 비단	糸	7	13
仍	잉	인하다, 이에	人(亻)	2	4

國人이 見之曰: "此非常人也라." 하고 乃立爲王하다.
국 인　견 지 왈　　차 비 상 인 야　　　　　내 립 위 왕
나라 사람　보다 그 말하다　이 아니다 보통 사람 어조사　이에 세우다 삼다 왕

┌ 일본 사람들　┌ 그 ⇒ 연오　　┌ 주어 細烏가 생략됨.　　　　┌ ~로 삼다

細烏가 怪夫不來하여 歸尋之라가 見夫脫鞋하고 亦
세 오　　괴 부 불 래　　　귀 심 지　　　　견 부 탈 혜　　　역
세오(인명)　괴이하다 남편 아니다 오다　돌아가다 찾다 그　보다 남편 벗다 신　또
　괴이하게 여기다(동사)　　　　　　　└ 그 ⇒ 연오　└ ~와/과 같이

上其巖하니 巖亦負歸如前이라. 其國人驚訝하여
상 기 암　　　암 역 부 귀 여 전　　　　기 국 인 경 아
오르다 그 바위　바위 또 지다 돌아가다 같다 앞　그 나라 사람 놀라다 의심하다
└ ~에게

奏獻於王하니 夫婦相會하여 立爲貴妃하다.
주 헌 어 왕　　　부 부 상 회　　　입 위 귀 비
아뢰다 바치다 어조사 왕　남편 아내 서로 모이다　세우다 삼다 귀하다 왕비
└ 오르다, 올라가다(동사)　│①(짐을) 지다　│ └ ~로 삼다
　　　　　　　　　　　　②(승부에) 지다

나라 사람들이 그를 보고 말하였다. "이는 보통 사람이 아니다." 하고 이에 옹립하여 왕으로 삼았다. 세오는 남편이 돌아오지 않음을 괴이하게 여겨 돌아가서 그를 찾다가 남편이 벗어 놓은 신을 보고 또한 그 바위에 올라가니, 바위가 또한 전처럼 싣고 갔다. 그 나라 사람들이 놀라고 의아해서 왕에게 아뢰고 바치니, 부부가 서로 만나게 되어 (그녀를) 세워서 귀비로 삼았다.

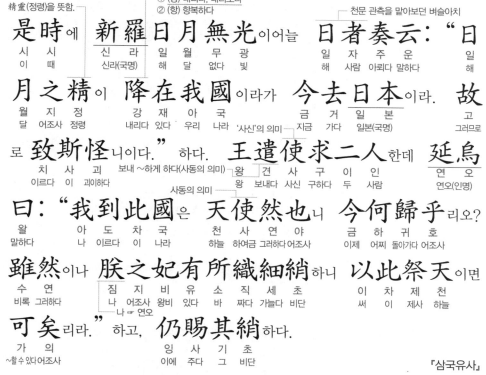

精靈(정령)을 뜻함.
① (강) 내리다, 내려오다
② (항) 항복하다
천문 관측을 맡아보던 벼슬아치

是時에 新羅 日月無光이어늘 日者奏云: "日
시 시 / 신 라 / 일 월 무 광 / 일 자 주 운 / 일
이 때 / 신라(국명) / 해 달 없다 빛 / 해 사람 아뢰다 말하다 / 해

月之精이 降在我國이라가 今去日本이라. 故
월 지 정 / 강 재 아 국 / 금 거 일 본 / 고
달 어조사 정령 / 내리다 있다 우리 나라 / 지금 가다 일본(국명) / 그러므로
'사신'의 의미

로 致斯怪니이다." 하다. 王遣使求二人한데 延烏
치 사 괴 / 견 사 구 이 인 / 연 오
이르다 이 괴이하다 / 보내 ~하게 하다(사동의 의미) / 왕 보내다 사신 구하다 두 사람 / 연오(인명)
사동의 의미

曰: "我到此國은 天使然也니 今何歸乎리오?
왈 / 아 도 차 국 / 천 사 연 야 / 금 하 귀 호
말하다 / 나 이르다 이 나라 / 하늘 하여금 그러하다 어조사 / 이제 어찌 돌아가다 어조사

雖然이나 朕之妃有所織細綃하니 以此祭天이면
수 연 / 짐 지 비 유 소 직 세 초 / 이 차 제 천
비록 그러하다 / 나 어조사 왕비 있다 바 짜다 가늘다 비단 / 써 이 제사 하늘
나☞연오

可矣리라." 하고, 仍賜其綃하다.
가 의 / 잉 사 기 초
~할 수 있다 어조사 / 이에 주다 그 비단

『삼국유사』

이때 신라에서는 해와 달이 빛을 잃었거늘, 일관이 아뢰어 말하였다. "해와 달의 정령이 내려와서 우리나라에 있다가 지금 일본으로 가 버렸습니다. 그러므로 이런 괴변이 일어났습니다." 하였다. 왕이 사신을 보내어 두 사람을 찾게 했는데, 연오가 말하였다. "내가 이 나라에 도착하게 된 것은 하늘이 그렇게 하게 한 것이니, 이제 어찌 돌아가겠는가? 비록 그러나 나의 왕비가 짠 (바의) 고운 비단이 있으니, 이것으로써 하늘에 제사를 지내면 괜찮아질 것이오." 하고 이에 그 비단을 주었다.

[뒷부분의 내용]
使人來奏(사인래주), 依其言而祭之(의기언이제지), 然後(연후), 日月如舊(일월여구), 藏其綃於御庫(장기초어어고), 爲國寶(위국보), 名其庫爲貴妃庫(명기고위귀비고), 祭天所(제천소), 名迎日縣(명영일현).

사신이 와서 아뢰니, "그 말을 좇아 그것으로 제사를 지내자 해와 달이 예전과 같아졌다. 그 비단을 궁중의 창고에 간직하여 국보로 삼고, 그 창고를 '귀비고'라 이름하였으며, 하늘에 제사 지낸 곳을 '영일현'이라 이름하였다."

✏ 스스로 확인

연오랑과 세오녀가 일본으로 갔을 때 신라에서 일어난 괴변은 무엇인가?

신라에서 해와 달이 빛을 잃음.

• **『삼국유사(三國遺事)』**: 고려 충렬왕 때의 승려 일연(一然)이 편찬한 사서(史書)

① 괴이하다(형용사) 예 怪變(괴변): 예상하지 못한 괴상한 재난이나 사고
② 괴이하게 여기다(동사) 예 怪夫不來(괴부불래): 남편이 돌아오지 않음을 괴이하게 여기다.

① 위(명사) 예 公腹上(공복상): 공의 배 위
② 오르다(동사) 예 上其巖(상기암): 그 바위에 오르다.

· 품사의 활용

괴·怪: 괴이하게 여기다
(형용사 → 동사)

상
· 上: 오르다
(명사 → 동사)

① 짐을 짐. 또는 그 짐 ② 일을 맡김.

負: ① (짐을) 지다 예 負荷 부하
부 ② (승부에) 지다 예 勝負 승부: 이김과 짐

日者: 천문 관측을 맡아보던
일자 벼슬아치

짜서 이루거나 얽어서 만듦.

부수가 같은 한자 – 糸사

織(직) 베 짜다 예 組織 조직
絹(견) 비단 예 絹綿
├─ 견면: 비단과 무명을
│   아울러 이르는 말
細(세) 가늘다 예 娘細胞 낭세포: 세포 분열로
繫(계) 매다 예 連繫 연계
├─ 생긴 두 개의 세포
① 잇따라 맴. ② 어떤 일이나
사람과 관련하여 관계를 맺음.
또는 그 관계

➕ 어휘 더하기

· 뜻이 비슷한 한자로 이루
어진 어휘
├─ 무엇에 관계되는
│   바로 그것
괴상하고
이상함.
怪異 亨通 該當 審査
괴 이 형 통 해 당 심 사
모든 일이 뜻과 자세하게 조사하여 등급이
같이 잘되어 감. 나 당락 따위를 결정함.

新 한자 모아 보기

한자	음	뜻	부수	획수	총획
荷	하	메다, 연꽃	艹(艸)	7	11
糸*	사	실	糸	0	6
組	조	짜다	糸	5	11
絹	견	비단	糸	7	13
綿	면	솜	糸	8	14
娘	낭	여자	女	7	10
胞	포	태, 세포	肉(月)	5	9
繫	계	매다	糸	13	19
亨	형	형통하다	亠	5	7
該	해	갖추다, 해당하다	言	6	13
審	심	살피다	宀	12	15
渡	도	건너다	水(氵)	9	12
級	급	등급	糸	4	10
靈	령	신령	雨	16	24
蒙	몽	어둡다	艹(艸)	10	14
昧*	매	어둡다	日	5	9

1 4 3 5　 1 4 2 3 5　　　　 1 2 4 3
國人이 見之曰: "此非常人也라." 하고 乃立爲王하다.
국 인　 견 지 왈　　차 비 상 인 야　　　　 내 립 위 왕
나라 사람들이 그를 보고 말하였다. "이는 보통 사람이 아니다." 하고 이에 옹립하여 왕으로 삼았다.

1　　 5 2 4 3　 6 8 7　　 12 9 10 11　　 1 4 2 3
細烏가 怪夫不來하여 歸尋之라가 見夫脫鞋하고 亦上其巖하니
세 오　 괴 부 불 래　　 귀 심 지　　 견 부 탈 혜　　 역 상 기 암
5 6 9 10 8 7
巖亦負歸如前이라.
암 역 부 귀 여 전
세오는 남편이 돌아오지 않음을 괴이하게 여겨 돌아가서 그를 찾다가 남편이 벗어 놓은 신을 보고 또한 그 바위에 올라가니, 바위가 또한 전처럼 싣고 갔다.

1 2 3 4 5　　 8 9 7 6　　 1 2 3 4　　 5 8 6 7
其國人驚訝하여 奏獻於王하니 夫婦相會하여 立爲貴妃하다.
기 국 인 경 아　　 주 헌 어 왕　　 부 부 상 회　　 입 위 귀 비
그 나라 사람들이 놀라고 의아해서 왕에게 아뢰고 바치니, 부부가 서로 만나게 되어 (그녀를) 세워서 귀비로 삼았다.

1 2　 3 4 5 7 6　　 8 9 10 11　　 1 2 3 4
是時에 新羅日月無光이어늘 日者奏云: "日月之精이
시 시　 신 라 일 월 무 광　　 일 자 주 운　　 일 월 지 정
5 8 6 7　　 9 10　　 1　 4 2 3
降在我國이라가 今去日本이라. 故로 致斯怪니이다." 하다.
강 재 아 국　　 금 거 일 본　　 고　 치 사 괴
이때 신라에서는 해와 달이 빛을 잃었거늘, 일관이 아뢰어 말하였다. "해와 달의 정령이 내려와서 우리나라에 있다가 지금 일본으로 가 버렸습니다. 그러므로 이런 괴변이 일어났습니다." 하였다.

1 3 2 6 4 5　　　 7 8　 1 4 2 3　 5 7 6 8　 9 10 11 12
王遣使求二人한데 延烏曰: "我到此國은 天使然也니 今何歸乎리오?
왕 견 사 구 이 인　　　 연 오 왈　 아 도 차 국　 천 사 연 야　 금 하 귀 호
왕이 사신을 보내어 두 사람을 찾게 했는데, 연오가 말하였다. "내가 이 나라에 도착하게 된 것은 하늘이 그렇게 하게 한 것이니, 이제 어찌 돌아가겠는가?

1 2　　　 3 4 5 10 7 6 8 9　　 2 1 4 3　　 5 6
雖然이나 朕之妃有所織細綃하니 以此祭天이면 可矣리라." 하고,
수 연　　　 짐 지 비 유 소 직 세 초　　 이 차 제 천　　 가 의
1 4 2 3
仍賜其綃하다.
잉 사 기 초
비록 그러나 나의 왕비가 짠 (바의) 고운 비단이 있으니, 이것으로써 하늘에 제사를 지내면 괜찮아질 것이오." 하고 이에 그 비단을 주었다.

├─ 신화: 우주의 기원, 신이나 영웅의 사적(事績), 민족의 태고 때의 역사나 설화 따위가 주된 내용임.
├─ 전설: 어떤 공동체의 내력이나 자연물의 유래, 이상한 체험 따위를 소재로 함. 증거가 되는 지명, 자연물 등이 있음.
└─ 민담: 인간이 중심이 되며, 증거물이 없는 흥미 위주의 이야기

[똑똑한 지식] 서술 방식 – 서사

서사(敍事)는 인물의 언행이나 사건의 경과를 서술하는 방식이다. 일정한 시간 내에서 일어나는 사건의 전개나 인물의 행동 변화에 초점을 두고 어떤 특정 사실이나 경험을 전달한다.

[설화(說話)의 특징]
① 일정한 구조를 가진 꾸며 낸 이야기임.
② 창작자를 알 수 없으며, 민중 사이에서 구전(口傳)됨.
③ 크게 신화(神話), 전설(傳說), 민담(民譚)으로 나뉨.

[이해 더하기]
├─ 설화: 각 민족 사이에 전승되어 오는 신화, 전설, 민담 따위를 통틀어 이르는 말

「연오랑세오녀」는 신라 때의 說話로, 두 사람의 渡日로 신라의 해와 달이 빛을 잃었다가
├─ 도일: 일본으로 건너감.
세오녀가 짠 비단으로 하늘에 제사 지내자 광명을 되찾았다는 내용을 중심으로 한다. 여기서 고대 우리 민족이 일본에 건너가 支配階級을 형성했다는 것과, 연오랑과 세오녀가 해와 달의 精靈이었다는 것, 그리고 우리 민족이 蒙昧했던 일본인들을 밝게 깨우쳐 주었다는 사실을 暗示하고 있음을 알 수 있다.
정령 ─┘
└─ 몽매: 어리석고 사리에 어두움.
└─ 암시: ① 넌지시 알림. 또는 그 내용
② 뜻하는 바를 간접적으로 나타내는 표현법
└─ 지배 계급: 정치적·경제적·사회적으로 지배적인 세력을 가진 계급

「연오랑세오녀」를 통해서 고대인들이 일본과 왕래가 있었고, 부부가 일본의 왕과 왕비가 되었다는 점에서 일본에 대한 당시 사람들의 우월 의식을 알 수 있다.

삼국 시대 때는 일본에 많은 문화를 전파하였는데, 고구려는 주로 高僧을 통해 문화를 전하였다. 영양왕 때 혜자는 일본에 건너가 쇼토쿠 태자의 스승이 되었고, 호류사 금당의 壁畫로 유명한 담징은 유교와 그림을 가르쳤고 종이와 먹의 제조 방법도 전하였다.

고승: ① 덕이 높은 승려 ② 계위(階位)가 높은 승려
벽화: 건물이나 동굴, 무덤 따위의 벽에 그린 그림

백제는 근초고왕 때 아직기와 왕인이 일본에 가서 한문을 가르치는 것을 시작으로 유학뿐 아니라 陶器·織造·圖畫 등의 기술을 전하였다. 그리고 성왕 때 불교, 무왕 때 曆法과 천문학을 일본에 전하였다.

직조 / 도화

신라는 군사적 대립이 많아 교류가 활발하지는 못하였지만, 조선술, 축제술 등을 일본에 전하였다.

도기 / 역법

• 도기: 붉은 진흙으로 만들어 볕에 말리거나 약간 구운 다음, 오짓물을 입혀 다시 구운 그릇
• 직조: 기계나 베틀 따위로 피륙을 짜는 일
• 도화: ① 도안과 그림을 아울러 이르는 말 ② 그림을 그리는 일. 또는 그려 놓은 그림
• 역법: 천체의 주기적 현상을 기준으로 하여 세시(歲時)를 정하는 방법

아시안 하이웨이는 2005년 아시아 태평양 경제사회위원회(UNESCAP) 주관의 정부 간 협정으로 아시아 지역 국제 高速 도로망으로 구축됐으며, 현재 남북한 포함 30개국이 가입한 가운데 8개 주요 노선, 141,714 km에 이른다. 아시안 하이웨이는 아시아 각국의 공동 번영을 촉진하고 주변국과의 문화 교류를 증가시키는 基盤이 될 것이다.

고속: 매우 빠른 속도

『○○일보』, 2015. 3. 25.

기반: 기초가 되는 바탕. 또는 사물의 토대

아시안 하이웨이

한국도로공사, 2015

| 무역 관련 용어 |

활동 한자 어휘를 찾아 가로 또는 세로 방향으로 묶어 보자.

① 갚거나 돌려줌.: 상 환

② 창고에서 물품을 꺼냄.: 출 고

③ 다른 나라로부터 상품이나 기술 따위를 국내로 사들임.: 수 입

④ 기업이 지닌 자본 가운데 자기 자본에 대한 타인 자본의 백분비: 부 채 비 율

⑤ 두 가지 이상의 다른 운송 수단에 의하여 화물이 목적지까지 운반되는 운송 형태: 복 합 운 송

⑥ 해외에서 전염병이나 해충이 들어오는 것을 막기 위하여 공항과 항구에서 하는 일들을 통틀어 이르는 말: 검 역

1. ㉠과 ㉡의 풀이로 알맞은 것은? ⑤

細烏, ㉠怪夫不來, 歸尋之, 見夫脫鞋, 亦㉡上其巖.
세 오   괴 부 불 래   귀 심 지   견 부 탈 혜   역   상 기 암

	㉠	㉡			㉠	㉡
①	의심	위		②	의심	아래
③	괴이하다	위		④	괴이하다	아래
⑤	괴이하게 여기다	올라가다				

도움말

품사의 활용

· 怪 괴
┌ 형용사: 괴이하다
└ 동사: 괴이하게 여기다

· 上 상
┌ 명사: 위
└ 동사: 오르다

[풀이] 세오는 남편이 돌아오지 않음을 괴이하게 여겨 돌아가서 그를 찾다가 남편이 벗어 놓은 신을 보고 또한 그 바위에 올라갔다.

2. ㉮~㉺를 사건이 일어난 순서에 맞게 배열해 보자.

㉮ 연오랑이 해조를 캐는데 바위가 연오랑을 태우고 일본으로 갔다.

㉯ 동해 바닷가에 연오랑과 세오녀 부부가 살았다.

㉰ 일본 왕이 된 연오랑과 세오녀가 만나게 되었고, 세오녀를 귀비로 삼았다.

㉱ 신라에서는 해와 달이 빛을 잃게 되었다.

㉲ 세오녀가 짠 비단으로 하늘에 제사 지내니 해와 달의 정기가 전과 같아졌다.

· 사건의 발생 순서: (㉯) → (㉮) → (㉰) → (㉱) → (㉲)

[예시 답안] ① 삼국 시대의 문화 교류: 왕인(?~?)은 백제 근초고왕 때의 학자로, 397년에 일본의 오진[應神] 천황의 초청으로 『천자문』과 『논어』 10권을 가지고 일본에 건너가 일본에 한학을 알리는 한편, 태자의 사부가 되었다. 현재 일본에는 왕인의 무덤, 왕인을 모시는 신사, 왕인이 일본 왕을 만나는 장면을 그린 그림 등이 남아 있다.

창의형

3. 본문을 통해 고대인들의 문화 교류를 알 수 있다. 〈보기〉에서 한 가지를 선택하여 우리나라와 중국, 또는 일본과의 문화 교류를 조사한 후 발표해 보자.

도움말

한국, 중국, 일본 한자 문화권의 교류는 인물을 중심으로 조사해 볼 수도 있다.

> 보기
>
> ① 삼국 시대의 문화 교류   ② 조선 통신사
>
> ③ 조선 사신들의 연행길   ④ 현대의 문화 교류

도움말 소단원 학습이 끝나면 소단원 학습 목표에 해당하는 질문에 답하며 자신의 학업 성취도를 스스로 점검해 본다. 성취 목표에 도달하지 못한 경우에는 제시된 위치로 돌아가서 내용을 다시 읽고 공부하도록 한다.

소단원 자기 점검	배운 내용에 관해 자기 점검을 하면서 학업 성취도 도달 정도를 확인해 보자.	[별이 3개 이하인 경우] · 교과서 150쪽 왼쪽 날개단의 '품사의 활용' 다시 읽기
	· 품사를 구별하여 문장을 풀이할 수 있는가?	☆☆☆☆☆
	· 설화에 사용된 서술 방식을 파악할 수 있는가?	☆☆☆☆☆
	· 설화 속에 나타난 한자 문화권의 상호 이해와 문화 교류를 말할 수 있는가?	☆☆☆☆☆

[별이 3개 이하인 경우] · 교과서 150쪽 '똑똑한 지식' 다시 읽기
[별이 3개 이하인 경우] · 교과서 148~150쪽 다시 읽기

소단원 스스로 정리

• 한자, 음, 뜻, 부수의 순서로 제시

1. 한자

妃	(❶)	왕비 [女]	組	(조)	짜다 [糸]	僧	(승)	중 [人(亻)]
怪	(괴)	괴이하다 [心(忄)]	絹	(견)	비단 [糸]	壁	(벽) ❶	[土]
祀	(사)	제사 [示]	綿	(❻)	솜 [糸]	陶	(도)	질그릇 [阜(阝)]
尋	(심)	찾다 [寸]	娘	(낭)	여자 [女]	曆	(력)	책력 [日]
鞋*	(혜)	신 [革]	胞	(포)	태, 세포 [肉(月)]	償	(상)	갚다 [人(亻)]
訝*	(아)	의심하다 [言]	繫	(계)	매다 [糸]	還	(환)	돌아오다 [辵(辶)]
斯	(사)	이 [斤]	亨	(형)	형통하다 [❼]	複	(복)	겹치다 [衣(衤)]
遣	(견) ❷	[辵(辶)]	該	(해)	갖추다, 해당하다 [言]	輸	(수)	보내다 [車]
朕*	(❸)	나 [月]	審	(심)	살피다 [宀]	債	(채)	빚 [人(亻)]
織	(직) ❹	[糸]	渡	(도) ❽	[水(氵)]	檢	(검)	검사하다 [木]
綃*	(초)	생사, 비단 [❺]	級	(급)	등급 [糸]	疫	(역)	전염병 [疒]
仍*	(잉)	인하다, 이에 [人(亻)]	靈	(령)	신령 [雨]	❶	(고)	곳집 [广]
荷	(하)	메다, 연꽃 [艸(艹)]		(몽) ❾	어둡다 [艸(艹)]			
糸*	(사)	실 [糸]	昧*	(❿)	어둡다 [日]			

2. 본문

是時(시시)에 新羅❶□□無光(신라일월무광)이어늘	이때 신라에서는 해와 달이 빛을 잃었거늘,
日者奏云(일자주운): "日月之精(일월지정)이	일관이 아뢰어 말하였다. "해와 달의 정령이 내려와서
❷□在我國(강재아국)이라가 今去日本(금거일본)이라.	우리나라에 있다가 지금 일본으로 가 버렸습니다.
故(고)로 致斯怪(치사괴)니이다."하다.	그러므로 이런 괴변이 일어났습니다." 하였다.
王遣使求二人(왕견사구이인)한데	왕이 ❹□□을 보내어 두 사람을 찾게 했는데,
延烏曰: "❸□到此國(아도차국)은	연오가 말하였다. "내가 이 나라에 도착하게 된 것은
天使然也(천사연야)니 今何歸乎(금하귀호)리오?	하늘이 그렇게 하게 한 것이니, 이제 어찌 돌아가겠는가?
雖然(수연)이나 朕之妃有所織細綃(짐지비유소직세초)하니 以此祭天(이차제천)이면 可矣(가의)리라." 하고. ❺仍□其綃(잉사기초)하다.	비록 그러나 나의 ❻□□가 짠 (바의) 고운 비단이 있으니, 이것으로써 하늘에 제사를 지내면 괜찮아질 것이오." 하고 이에 그 비단을 주었다.

3. 서술 방식

❶□□: 인물의 언행이나 사건의 경과를 서술하는 방식임. 일정한 시간 내에서 일어나는 사건의 전개나 인물의 행동 변화에 초점을 두고 어떤 특정 사실이나 경험을 전달함.

4. 어휘 – 무역 관련 용어

- 償還(❶□□): 갚거나 돌려줌.
- ❷□□(출고): 창고에서 물품을 꺼냄.
- 輸入(수입): 다른 나라로부터 상품이나 기술 따위를 국내로 사들임.
- ❸□□比率(부채 비율): 기업이 지닌 자본 가운데 자기 자본에 대한 타인 자본의 백분비

- 複合運送(복합 운송): 두 가지 이상의 다른 ❹□□ 수단에 의하여 화물이 목적지까지 운반되는 운송 형태
- 檢疫(❺□□): 해외에서 전염병이나 해충이 들어오는 것을 막기 위하여 공항과 항구에서 하는 일들을 통틀어 이르는 말

쪽지 시험

01 다음 한자의 공통되는 음을 쓰시오.

> 渡   陶

02 다음 한자 어휘에서 밑줄 친 한자의 음과 뜻을 쓰시오.

> 運送

(1) 음:

(2) 뜻:

03 다음 설명과 관련 있는 서술 방식을 쓰시오.

> 인물의 언행이나 사건의 경과를 서술하는 방식

04 다음과 같은 뜻을 가진 단어를 〈보기〉에서 찾아 한자 어휘와 독음을 쓰시오.

(1) 갚거나 돌려줌.

(2) 창고에서 물품을 꺼냄.

(3) 다른 나라로부터 상품이나 기술 따위를 국내로 사들임.

> 보기
>
> 償還   出庫   輸入

05 다음과 같은 뜻을 가진 한자 어휘를 한자로 쓰시오.

(1) 모든 일이 뜻과 같이 잘되어 감.: □□

(2) 자세하게 조사하여 등급이나 당락 따위를 결정함.: □□

(3) 해외에서 전염병이나 해충이 들어오는 것을 막기 위하여 공항과 항구에서 하는 일들을 통틀어 이르는 말: □□

01 한자의 음이 바른 것은?

① 見 (패)　　② 非 (북)　　③ 烏 (오)
④ 脫 (설)　　⑤ 會 (증)

02 다음 한자의 뜻으로 알맞은 것은?

> 尋

① 오다　　② 보다　　③ 찾다
④ 벗다　　⑤ 지다

03 밑줄 친 부분을 한자로 바꾸어 쓸 때, 알맞은 것은?

> 우리는 학급 구성원을 조직하였다.

① 級　② 細　③ 絹　④ 織　⑤ 綿

04 다음 한자와 뜻이 같은 것은?

> 此

① 斯　② 常　③ 亦　④ 如　⑤ 然

05 음이 같은 한자끼리 바르게 짝지은 것은?

① 國 – 見　　② 使 – 賜
③ 奏 – 云　　④ 降 – 在
⑤ 遣 – 到

출제 유력

06 뜻이 비슷한 한자로 이루어진 어휘가 <u>아닌</u> 것은?

① 亨通　　② 該當　　③ 審査
④ 貴妃　　⑤ 怪異

07 한자 어휘의 독음이 바르지 <u>않은</u> 것은?

① 壁畫 (벽화)　　② 陶器 (도기)
③ 織造 (조직)　　④ 圖畫 (도화)
⑤ 曆法 (역법)

[08~09] 다음 글을 읽고 물음에 답하시오.

> 「연오랑세오녀」는 신라 때의 □□로, 두 사람의 渡日로 신라의 해와 달이 빛을 잃었다가 세오녀가 짠 비단으로 하늘에 제사 지내자 광명을 되찾았다는 내용이다. 이 □□을/를 통해 우리 민족이 ㉠몽매했던 일본인들을 밝게 깨우쳐 주었음을 알 수 있다.

출제 유력

08 빈칸에 공통으로 들어갈 한자 어휘로 알맞은 것은?

① 詩話　　② 傳說　　③ 說話
④ 小說　　⑤ 歷史

09 ㉠을 한자로 쓰고, 그 뜻을 쓰시오.

[10~16] 다음 글을 읽고 물음에 답하시오.

> 國人이 見㉠之㉡曰: "㉮此非常人也라."하고 乃立爲㉯王하다. ㉰細烏가 怪㉱夫不來하여 歸尋㉲之라가 見夫脫鞋하고 亦㉢上其巖하니 ㉣巖亦負歸如前이라. ㉤其國人驚訝하여 奏獻於王하니 夫婦相會하여 立爲貴妃하다.

10 윗글에서 '~에게'로 풀이되는 한자로 알맞은 것은?

① 非　② 爲　③ 脫　④ 上　⑤ 於

11 ㉠이 가리키는 바와 <u>다른</u> 하나는?

① ㉮: 此 　② ㉯: 王 　③ ㉰: 細烏
④ ㉱: 夫 　⑤ ㉲: 之

12 ㉡과 같은 뜻을 가진 한자로 알맞은 것은?

① 此 　② 乃 　③ 怪 　④ 如 　⑤ 奏

출제 유력

13 ㉢의 품사로 알맞은 것은?

① 명사 　② 동사 　③ 수사
④ 형용사 　⑤ 대명사

서술형

14 ㉣의 풀이를 쓰시오.

15 ㉤이 가리키는 것으로 알맞은 것은?

① 일본 　② 신라 　③ 백제
④ 중국 　⑤ 고구려

16 윗글에 쓰인 문장 중, 부정사가 포함된 것은?

① 乃立爲王 　② 怪夫不來
③ 見夫脫鞋 　④ 亦上其巖
⑤ 夫婦相會

[17~21] 다음 글을 읽고 물음에 답하시오.

> 是時에 新羅日月㉠<u>無光</u>이어늘 ㉡<u>日者</u>奏云 "日月之精이 降在我國이라가 今去日本이라. ㉢<u>故</u>로 致㉣<u>斯怪</u>니이다." 하다. 王遣使求二人한데 延烏曰: "我到此國은 天使然也니 今何歸乎리오? 雖然이나 朕之妃有所織細綃하니 以此祭天이면 可矣리라."하고, 仍賜其綃하다.

17 ㉠의 짜임으로 알맞은 것은?

① 술목 관계 　② 주술 관계 　③ 수식 관계
④ 술보 관계 　⑤ 병렬 관계

18 ㉡과 관련 있는 직업으로 알맞은 것은?

① 대통령 　② 건축가 　③ 성악가
④ 천문학자 　⑤ 수학박사

19 ㉢의 의미로 알맞은 것은?

① 그러나 　② 옛날에 　③ 즉
④ 일부러 　⑤ 그러므로

서술형

20 ㉣이 의미하는 내용이 무엇인지 쓰시오.

출제 유력

21 윗글에 대한 이해로 바르지 <u>않은</u> 것은?

① 일월이 일본으로 갔다.
② 연오랑은 돌아오지 않았다.
③ 연오랑은 비단을 내 주었다.
④ 신라의 일월이 빛을 잃었다.
⑤ 연오랑의 왕비는 제사를 지냈다.

21
도원에서 맺은 결의

● 교과서 153쪽

| 생각을 여는 활동 |

● 다음을 참고로 하여 빈칸에 알맞은 한자 성어를 〈보기〉에서 찾아 써 보자.

『삼국지(三國志)』는 290년경에 저술된 책으로, 후한이 멸망한 뒤 위(魏), 촉(蜀), 오(吳) 세 나라가 다투던 세상을 그렸다. 이 책에는 '유비, 관우, 장비, 제갈공명과 조조, 손권, 주유' 등 많은 영웅이 등장한다. 이들의 이야기는 복잡하게 얽힌 사건과 생동감 넘치는 흥미진진한 일화와 관련되어 많은 성어의 유래가 되었다.

닭의 갈비라는 뜻으로, 별로 쓸모는 없으나 버리기는 아까운 것을 이르는 말임.

(❶ 鷄肋 계륵)

인재를 맞이하기 위하여 참을성 있게 노력함을 이르는 말. 유비가 은거하고 있던 제갈공명을 세 번이나 찾아갔다는 데서 유래함.

(❷ 三顧草廬 삼고초려)

유비, 관우, 장비가 도원에서 의형제를 맺은 데서 유래함.

(❸ 桃園結義 도원결의)

눈을 비비고 상대편을 본다는 뜻으로, 학식이나 재주가 이전보다 크게 나아짐을 이르는 말임.

(❹ 刮目相對 괄목상대)

보기

三顧草廬	鷄肋	刮目相對	桃園結義
삼 고 초 려	계 륵	괄 목 상 대	도 원 결 의

학습 계획 세우기 도움말 『삼국지』의 줄거리, 주요 인물, 관련 한자 성어를 알아보는 활동을 통해 소단원 학습에 대한 자신의 배경지식을 활성화한다. 또 이를 바탕으로 소단원에서 어떤 내용을 공부할지 스스로 계획을 세워 본다.

● 위 활동을 바탕으로 스스로 학습 계획을 세워 보자.

나는 이 단원에서 _____ 예 『삼국지』의 줄거리, 주요 인물, 관련 한자 성어 _____ 을/를 공부하겠다.

新 한자 모아 보기 자신이 알고 있는 한자에 ✓ 표시를 해 보자.

한자	음	뜻	부수	획수	총획	한자	음	뜻	부수	획수	총획
顧	고	돌아보다	頁	12	21	肋*	륵	갈빗대	肉(月)	2	6
廬*	려	오두막집	广	16	19	刮*	괄	긁다, 비비다	刀(刂)	6	8

도원에서 맺은 결의 ◐ 교과서 154, 155쪽

나관중의 역사 소설 『삼국지통속연의』의 앞부분으로, 유비, 관우, 장비 세 사람이 복숭아 동산에서 형제결의를 맺어 목숨을 걸고 의리를 지킬 것을 맹세하고 형제의 서열을 정하는 장면이다. 시공(時空)을 아우르는 소설의 주제가 이 시대를 살아가는 우리에게 어떤 의미를 줄 수 있을지 생각해 보자.

新 한자 모아 보기

한자	음	뜻	부수	획수	총획
焚*	분	불사르다	火	8	12
劉*	유	성씨	刀(刂)	13	15
羽	우	깃	羽	0	6
黎*	려	검다	黍	3	15
庶*	서	여러	广	8	11
后*	후	임금	口	3	6
戮*	륙	죽이다	戈	11	15
畢	필	마치다	田	6	11
玄	현	검다	玄	0	5
某	모	아무	木	5	9

꽃이 흐드러지게 핀 복숭아 동산에서 만난 유비, 관우, 장비는 형제가 되어 쓰러져 가는 한나라를 위해 힘을 모으기로 하였다.

① (설) 말씀
② (세) 달래다
③ (열) 기쁘다 = 悅(열)

三人이 焚香再拜而說誓曰: "念컨대 劉備[1]·關
삼 인 분 향 재 배 이 열 서 왈 염 유 비 관
셋 사람 불사르다 향기 두 절 말 잇다 기쁘다 맹세하다 말하다 생각 유비(인명) 관우(인명)

羽[2]·張飛[3]는 雖然異姓이나 結爲兄弟하니 同心協
우 장 비 수 연 이 성 결 위 형 제 동 심 협
장비(인명) 비록 분명히 다르다 성씨 맺다 되다 형 아우 백성 같다 마음 화합하다

力하여 救困扶危하며 上報國家하고 下安黎庶라.
력 구 곤 부 위 상 보 국 가 하 안 려 서
힘 구하다 괴롭다 돕다 위태롭다 위 갚다 나라 집 아래 편안하다 검다 여러   [ ]: 대우법 사용

[대우법(對偶法)]
동질 또는 이질적인 두 어구가 의미상(意味上) 또는 형태상(形態上)으로 서로 대립, 상응하는 것을 말함.
예 ·上 報 國 家(상보국가): 위로 국가에 보답하다.
    ↑ ↑ ↑
   下 安 黎 庶(하안려서): 아래로 백성을 편안케 하다.

세 사람이 향을 피워 두 번 절하고 기뻐하며 맹세하여 말하였다. "생각건대, 유비, 관우, 장비는 비록 분명히 성을 달리하나 형제가 되기를 결의하였으니 마음을 같이하고 힘을 합하여 곤궁한 사람을 구제하고 위태로운 사람을 도와주며, 위로는 국가에 보답하고 아래로는 백성을 편안케 하리라.

1) 유비(劉備): 중국 삼국 시대 촉한(蜀漢) 때의 제1대 황제
2) 관우(關羽): 중국 삼국 시대 촉(蜀)나라의 무장
3) 장비(張飛): 중국 삼국 시대 촉(蜀)나라의 무장

주어 三人이 생략됨.

不求同年同月同日生이나 只願同年同月同
불 구 동 년 동 월 동 일 생 / 지 원 동 년 동 월 동
아니다 구하다 같다 해 같다 달 같다 날 태어나다 / 다만 원하다 같다 해 같다 달 같다

[ ]: 대우법 사용

日死하노니, 皇天后土는 以鑑此心하사 背義忘
일 사 / 황 천 후 토 / 이 감 차 심 / 배 의 망
날 죽다 / 하늘의 신 임금 하늘 임금 흙 땅의 신 / 다만 살피다 이 마음 / 등지다 의리 잊다

恩하면 天人共戮하소서." 誓畢에 共拜玄德爲
은 / 천 인 공 륙 / 서 필 / 공 배 현 덕 위
은혜 / 하늘 사람 함께 죽이다 / 맹세하다 마치다 / 함께 절 현덕(인명) 삼다

마치다 ≒ 竟(경), 罷(파)
목적어 三人이 생략됨.

兄하고 關某 次之하고 張飛爲弟러라.
형 / 관 모 / 차 지 / 장 비 위 제
형 / 관모(관우) / 다음 그 / 장비(인명) 되다 아우

그(대명사) ☞ 유비

『삼국지통속연의』

같은 해, 같은 달, 같은 날에 태어남을 구하지는 못했으나, 다만 같은 해, 같은 달, 같은 날에 죽기를 원하노니, 황천후토께서는 다만 이 마음을 살피시어 (세 사람이) 의리를 배반하고 은덕을 잊으면 하늘과 사람이 (세 사람을) 함께 죽이소서." 맹세가 끝남에 현덕에 함께 절하여 형으로 삼고 관우가 그다음이 되고 장비는 아우가 되었더라.

4) 현덕(玄德): 유비의 자(字)
5) 관모(關某): 관우를 가리킴.

스스로 확인

본문의 내용에서 유래한 고사성어는 무엇인가?

도원결의(桃園結義)

• 『삼국지통속연의(三國志通俗演義)』: 중국 원나라 말기에서 명나라 초기의 소설가 나관중(羅貫中)이 쓴 장편 역사 소설

본문
○ 교과서 156쪽

黎庶: 백성
여 서

皇天后土: 하늘의 신과 땅의 신
황 천 후 토

以: ~로써, 다만
이

• 주어, 목적어 생략

┌ 背義忘恩 앞에 주어(三人)와
│ 天人共殺 뒤에 목적어(三人)
└ 가 생략됨. (세 사람이) 의리를 배반하고
    은덕을 잊으면 하늘과 사람이
    (세 사람을) 함께 죽이소서.

畢: 마치다 ≒ 竟, 罷
필   경 파

之: 그(대명사) ☞ 유비
지

⊕ 어휘 더하기

곤란한 일을 당하여 어찌할 바를 모름.
• 모양이 비슷한 한자
┌ 困(곤) 괴롭다 예 困惑 곤혹
감옥. 죄인을 ┌ 囚(수) 가두다 예 囚獄 수옥
가두어 두는 곳 │
  ┌ 跳(도) 뛰다 예 跳躍 도약
  │ 踏(답) 밟다 예 踏査 답사
  │   답사: 현장에 가서 직접
  │   보고 조사함.
  │ 麻(마) 삼 예 績麻 적마: 삼에서 실을 뽑음.
  └ 磨(마) 갈다 예 硏磨 연마

① 몸을 위로 솟구치는 일 ② 더 높은 단계로 발전하는 것을 비유적으로 이르는 말

① 주로 돌이나 쇠붙이, 보석, 유리 따위의 고체를 갈고 닦아서 표면을 반질반질하게 함. ② 학문이나 기술 따위를 힘써 배우고 닦음.

• 뜻이 상대되는 한자로 이
  루어진 어휘
하늘과 땅 天地 천지   淸濁 청탁: 맑음과 흐림
         美醜 미추   旦暮 단모: 아침과 저녁
         아름다움과 미움

三人이 焚香再拜而說誓曰: "念컨대 劉備·關羽·張飛는
삼 인   분 향 재 배 이 열 서 왈 염   유 비 관 우 장 비
(1 2 4 3 5 6 7 8 9 10 1   2   3   4)

雖然異姓이나 結爲兄弟하니
수 연 이 성   결 위 형 제
(1 2 3 4   8 7 5 6)

然: 분명히
연

세 사람이 향을 피워 두 번 절하고 기뻐하며 맹세하여 말하였다. "생각건대, 유비, 관우, 장비는 비록 분명히 성을 달리하나 형제가 되기를 결의하였으니

同心協力하여 救困扶危하며 上報國家하고 下安黎庶라.
동 심 협 력   구 곤 부 위   상 보 국 가   하 안 려 서
(2 1 4 3   6 5 8 7   1 4 2 3   5 8 6 7)

마음을 같이하고 힘을 합하여 곤궁한 사람을 구제하고 위태로운 사람을 도와주며, 위로는 국가에 보답하고 아래로는 백성을 편안케 하리라.

不求同年同月同日生이나 只願同年同月同日死하노니,
불 구 동 년 동 월 동 일 생   지 원 동 년 동 월 동 일 사
(9 8 1 2 3 4 5 6 7   1 9 2 3 4 5 6 7 8)

같은 해, 같은 달, 같은 날에 태어남을 구하지는 못했으나, 다만 같은 해, 같은 달, 같은 날에 죽기를 원하노니,

皇天后土는 以鑑此心하사 背義忘恩하면 天人共殺하소서."
황 천 후 토   이 감 차 심   배 의 망 은   천 인 공 륙
(1 2 3 4   8 7 6 5 2 1 4 3 5 6 7 8)

황천후토께서는 다만 이 마음을 살피시어 (세 사람이) 의리를 배반하고 은덕을 잊으면 하늘과 사람이 (세 사람을) 함께 죽이소서."

誓畢에 共拜玄德爲兄하고 關某次之하고 張飛爲弟러라.
서 필   공 배 현 덕 위 형   관 모 차 지   장 비 위 제
(1 2   4 3 5 6 7 6 1   3 2 4 5   6 4 5)

맹세가 끝남에 현덕에 함께 절하여 형으로 삼고 관우가 그다음이 되고 장비는 아우가 되었더라.

[문장 성분의 생략]

한문은 문장 안에서 중복을 피하거나 표현을 간단하게 하기 위하여 문장 성분을 생략할 수 있다. 문장 성분의 생략은 앞뒤 문장을 살펴보아 알 수 있는 내용일 경우에 가능하다.

예 • 躬自厚(責)而薄責於人(궁자후이박책어인), 則遠怨矣(즉원원의).
   → 몸소 자신을 (꾸짖기를) 하고, 남을 꾸짖기를 적게 한다면 원망이 멀어질 것이다.
   • 人皆有兄弟(인개유형제), 我獨亡(兄弟)(아독망).
   → 사람들은 모두 형제가 있는데 나만이 (형제가) 없구나.

[新 한자 모아 보기]

한자	음	뜻	부수	획수	총획
竟	경	마침내	立	6	11
罷	파	마치다	网(罒)	10	15
惑	혹	미혹하다	心	8	12
囚	수	가두다	口	2	5
獄	옥	옥	犬(犭)	11	14
跳	도	뛰다	足	6	13
踏	답	밟다	足	8	15
麻	마	삼	麻	0	11
績	적	길쌈하다	糸	11	17
磨	마	갈다	石	11	16
濁	탁	흐리다	水(氵)	13	16
醜	추	추하다	酉	10	17
旦	단	아침	日	1	5

[이해 더하기] 『삼국지』와 『삼국지통속연의』

『삼국지(三國志)』는 중국 진나라 때, 진수가 지은 위, 촉, 오의 정사이다. 『삼국지통속연의(三國志通俗演義)』는 후한 말에 유비, 관우, 장비가 도원에서 의를 맺어, 위, 촉, 오 삼국의 정립에서 진의 무제가 천하를 통일할 때까지의 사건을 『삼국지』를 바탕으로 각색한 것이다. '연의'라는 말은 '역사 이야기'라는 뜻으로, 등장인물이 300명을 넘는 이 장편 소설은 난세에서 삶의 방편뿐만 아니라 處世術의 참고가 될 수 있다.

이 소설은 『삼국지』의 역사를 根幹으로 하지만 여기에 허구의 이야기와 架空의 인물들이 더해져 흥미 있는 이야기가 되었다.

▲ 『삼국지』

처세술: 사람들과 사귀며 세상을 살아가는 방법이나 수단

근간: 사물의 바탕이나 중심이 되는 중요한 것

가공: 이유나 근거가 없이 꾸며 냄. 또는 사실이 아니고 거짓이나 상상으로 꾸며 냄.

조조

유비

간웅: 간사한 꾀가 많은 영웅

첫째, '권위형 지도자'인 조조는 난세의 _姦雄_으로 불리기도 하지만, 능력주의 인사 경영 능력, 과감한 결단력과 추진력, 분명한 목표를 제시하여 사람들을 고무시키는 재능을 지닌 지도자로, 사람들에게 상황을 극복할 수 있는 자신감을 심어 주는 인물이다.

둘째, '서번트형 지도자'인 유비는 정치 감각은 부족하나 후덕한 인품과 포용력을 지녀 먼저 섬기고자 하는 마음을 지닌 지도자로, 다른 사람들의 요구가 충족되고 있는지 확인하는 인물이다.

셋째, '인간주의형 지도자'인 손권은 인재를 적재적소에 배치하여 그 능력을 최대한 발휘하게 하였다. 부하와 인간적으로 사귀어 협조하게 하는 지도자로, 적절한 격려와 포상을 통해 보상을 해 주는 인물이다.

넷째, '비전형 지도자'인 제갈공명은 천부적인 선견지명, 인간미와 청빈을 지닌 인물로, 큰 목표를 인식하고 바로 눈앞의 필요 너머를 본다. 그는 뛰어난 지적 능력과 통찰력으로 미래를 읽어 내고 개혁을 주도하는 인물이다.

「○○○○○신문」, 2011. 9. 19.

조조처럼 결단하고
유비처럼 포용하고
손권처럼 배치하라

○ 교과서 157쪽

손권

제갈공명

| 궁중 관련 용어 |

활동 '궁중' 관련 한자 어휘의 뜻을 사다리 타기 놀이를 통해 알아보자.

① 掛念(괘념) ㉠

② 寡人(과인) ㉤

③ 卿爵(경작) ㉥

④ 乞骸骨(걸해골) ㉦

⑤ 崩御(붕어) ㉣

⑥ 巡幸(순행) ㉧

⑦ 翁主(옹주) ㉢

㉮ 벼슬과 작위

㉯ 임금이 세상을 떠남.

㉰ 마음에 두고 걱정하거나 잊지 않음.

㉱ 조선 시대에 후궁에게서 난 딸을 이르던 말

㉲ 덕이 적은 사람이라는 뜻으로, 임금이 자기를 낮추어 이르던 1인칭 대명사

㉳ 임금이 나라 안을 두루 보살피며 돌아다님.

㉴ 심신은 임금께 바친 것이지만 해골만은 돌려 달라는 뜻으로, 늙은 재상이 벼슬을 내놓고 은퇴하기를 임금에게 주청하던 일

新 한자 모아 보기

한자	음	뜻	부수	획수	총획
姦	간	간사하다	女	6	9
掛	괘	걸다	手(扌)	8	11
寡	과	적다	宀	11	14
卿	경	벼슬	卩	10	12
爵	작	벼슬	爪(爫)	14	18
乞	걸	빌다	乙	2	3
骸	해	뼈	骨	6	16
御	어	거느리다	彳	8	11
巡	순	돌다	巛	4	7
翁	옹	늙은이	羽	4	10

1. 문장의 (　　)에 생략된 내용을 써 보자.

> 三人, 焚香再拜而說誓曰: "[중략] (　㉠　) 背義忘恩, 天人共戮 (　㉡　)."
> 삼 인　분 향 재 배 이 열 서 왈　　　　　　　　배 의 망 은　천 인 공 륙

㉠ 주어 생략: (　三人 / 삼인　)　　㉡ 목적어 생략: (　三人 / 삼인　)

[풀이] 세 사람이 향을 피워 두 번 절하고 기뻐하며 맹세하여 말하였다. "(세 사람이) 의리를 배반하고 은덕을 잊으면 하늘과 사람이 (세 사람을) 함께 죽이소서."

2. ㉮~㉰를 사건이 일어난 순서대로 배열해 보자.

㉮	㉯	㉰

관우와 장비가 유비에게 절을 함.	유비, 관우, 장비가 향을 사르고 절을 하며 형제가 되기를 결의함.	복숭아 동산에서 유비, 관우, 장비가 만남.

• 사건의 순서 : (　㉰　) → (　㉯　) → (　㉮　)

`창의형`

3. 『삼국지』 유비와 관우의 자(字)는 각각 '현덕(玄德), 운장(雲長)'이다. 옛사람들은 이름보다 자(字)나 호(號)를 많이 불렀다. 다음 글을 참고하여 자신의 호를 지어 보고, 그 의미를 말해 보자.

> **호(號)를 짓는 방법**
> '호(號)'는 누구나 편리하게 부를 수 있는 이름으로 보통 자신이 짓거나 남이 지어 주기도 한다. 호 짓는 방법은 다음과 같다.
> ① 미래에 대한 기대나 소망을 담아 짓는다.
> ② 나의 성격이나 특징, 취미, 특기를 담아 짓는다.
> ③ 자기가 사는 곳이나 의미 있는 장소의 지명을 따서 짓는다.

호	한자	의미
[예시 답안] 소용	笑容	사람들이 나에게 항상 웃는 얼굴이 보기 좋다며 칭찬을 자주 해 준다. 앞으로도 남에게 좋은 인상을 심어 주는 밝은 표정으로 살아가고 싶다.

도움말

`예시` 조선 시대 학자인 이이(李珥)는 본가가 있던 경기도 파주의 지명인 '율곡(栗谷)'을 호로 삼았다. 그의 어머니는 주나라 문왕의 어머니인 '태임(太任)'을 본받겠다는 의미로 호를 '사임당(師任堂)'이라고 하였다.

※ **자(字)**
본이름 외에 부르는 이름. 예전에, 이름을 소중히 여겨 함부로 부르지 않던 관습이 있어서 흔히 관례(冠禮) 뒤에 본이름 대신으로 불렀다. 주로 부모나 어른, 스승이 지어 주었다.
예 『삼국지통속연의』에 나오는 유비, 관우, 장비의 자(字)는 각각 현덕(玄德), 운장(雲長), 익덕(翼德)이다.

`도움말` 소단원 학습이 끝나면 소단원 학습 목표에 해당하는 질문에 답하며 자신의 학업 성취도를 스스로 점검해 본다.
성취 목표에 도달하지 못한 경우에는 제시된 위치로 돌아가서 내용을 다시 읽고 공부하도록 한다.

소단원 자기 점검　배운 내용에 관해 자기 점검을 하면서 학업 성취도 도달 정도를 확인해 보자.

[별이 3개 이하인 경우] • 교과서 154~156쪽 다시 읽기

• 본문에 사용된 서술 방식을 파악할 수 있는가?　☆☆☆☆☆
• 문장에서 생략된 성분을 찾아내어 풀이에 활용할 수 있는가?　☆☆☆☆☆
• 『삼국지』를 통해 한자 문화권의 문화를 이해할 수 있는가?　☆☆☆☆☆

[별이 3개 이하인 경우] • 교과서 156쪽 왼쪽 날개단의 '주어, 목적어 생략' 다시 읽기

소단원 스스로 정리

• 한자, 음, 뜻, 부수의 순서로 제시

1. 한자

顧 [　]❶ 돌아보다 [頁]
盧* (려) 오두막집 [广]
肋* (륵) 갈빗대 [肉(月)]
刮* (괄) 긁다, [　　　]❷
　　　 [刀(刂)]
焚* (분) 불사르다 [火]
劉 (유) 성씨 [刀(刂)]
羽 [　]❸ 깃 [羽]
黎* (려) 검다 [黍]
庶 (서) 여러 [广]
后* (후) 임금 [　]❹
戮* (륙) 죽이다 [戈]
畢 (필) 마치다 [田]
玄 (현) 검다 [玄]

某 (모) 아무 [木]
竟 [　]❺ 마침내 [立]
罷 (파) 마치다 [网(罒)]
惑 (혹) 미혹하다 [　]❻
囚 (수) 가두다 [囗]
獄 (옥) 옥 [犬(犭)]
跳 (도) [　][　]❼ [足]
踏 (답) 밟다 [足]
麻 (마) 삼 [麻]
績 (적) 길쌈하다 [糸]
磨 (마) 갈다 [石]
[　]❽ (탁) 흐리다 [水(氵)]
醜 (추) 추하다 [酉]
旦 (단) 아침 [日]

姦 [　]❾ 간사하다 [女]
掛 (괘) 걸다 [手(扌)]
寡 (과) 적다 [宀]
卿 (경) 벼슬 [　]❿
爵 (작) 벼슬 [爪(爫)]
[　]⓫ (걸) 빌다 [乙]
骸* (해) 뼈 [骨]
御 (어) 거느리다 [彳]
巡 (순) 돌다 [巛]
翁 (옹) [　　　]⓬ [羽]

2. 본문

三人(삼인)이 焚[　]❶再拜而說誓曰(분향재배이열서
왈): "念(염)컨대 劉備(유비)·關羽(관우)·張飛(장비)는
雖然[　][　]❷(수연이성)이나 結爲兄弟(결위형제)하니
同心協力(동심협력)하여 救困扶危(구곤부위)하며
上報國家(상보국가)하고 下安黎庶(하안려서)라.

세 사람이 향을 피워 두 번 절하고 기뻐하며 맹세하여 말하였다.

"생각건대, 유비, 관우, 장비는 비록 성을 달리하나

형제가 되기를 결의하였으니

마음을 같이하고 힘을 합하여 곤궁한 사람을 구제하고

위태로운 사람을 도와주며, 위로는 국가에 [　][　]❸하고

아래로는 백성을 편안케 하리라.

不求[　][　]❹同月同日生(불구동년동월동일생)이나
只願同年同月同日死(지원동년동월동일사)하노니,
皇天后土(황천후토)는 以鑑此心(이감차심)하사
背義忘恩(배의망은)하면 天人共戮(천인공륙)하소서."

같은 해, 같은 달, 같은 날에 태어남을 구하지는 못했으나,

다만 같은 해, 같은 달, 같은 날에 죽기를 원하노니,

황천후토께서는 다만 이 [　][　]❺을 살피시어

(세 사람이) 의리를 배반하고 은덕을 잊으면

하늘과 사람이 (세 사람을) 함께 죽이소서."

[　]❻畢(서필)에 共拜玄德爲兄(공배현덕위형)하고
關某次之(관모차지)하고 張飛爲弟(장비위제)러라.

맹세가 끝남에 현덕에 함께 절하여 형으로 삼고

관우가 그다음이 되고 장비는 아우가 되었더라.

3. 어휘 – 궁중 관련 용어

- 掛念(❶[ ][ ]): 마음에 두고 걱정하거나 잊지 않음.
- 寡人(과인): 덕이 적은 사람이라는 뜻으로, ❷[ ][ ]이 자기를 낮추어 이르던 1인칭 대명사
- 卿爵(경작): 벼슬과 작위
- 乞骸骨(❸[ ][ ][ ]): 심신은 임금께 바친 것이지만 해골만은 돌려달라는 뜻으로, 늙은 재상이 벼슬을 내놓고 은퇴하기를 임금에게 주청하던 일

- 崩御(붕어): 임금이 세상을 떠남.
- ❹[ ][ ](순행): 임금이 나라 안을 두루 보살피며 돌아다님.
- 翁主(❺[ ][ ]): 조선 시대에 후궁에게서 난 딸을 이르던 말

쪽지 시험

01 다음 한자의 공통되는 뜻을 쓰시오.

> 卿　爵

02 다음 한자 어휘에서 밑줄 친 한자의 음과 뜻을 쓰시오.

> 掛念

(1) 음:

(2) 뜻:

03 한자 어휘와 독음을 바르게 연결하시오.

(1) 根幹　　　・　　　・㉠ 처세

(2) 架空　　　・　　　・㉡ 근간

(3) 處世　　　・　　　・㉢ 간웅

(4) 姦雄　　　・　　　・㉣ 가공

04 다음과 같은 뜻을 가진 단어를 〈보기〉에서 찾아 한자 어휘와 독음을 쓰시오.

(1) 임금이 세상을 떠남.

(2) 임금이 자기를 낮추어 이르던 1인칭 대명사

(3) 임금이 나라 안을 두루 보살피며 돌아다님.

> ── 보기 ──
> 崩御　　巡幸　　寡人

05 다음과 같은 뜻을 가진 한자 어휘를 한자로 쓰시오.

(1) 벼슬과 작위: [ ][ ]

(2) 맑음과 흐림: [ ][ ]

(3) 현장에 가서 직접 보고 조사함.: [ ][ ]

(4) 조선 시대에 후궁에게서 난 딸을 이르던 말: [ ][ ]

(5) 늙은 재상이 벼슬을 내놓고 은퇴하기를 임금에게 주청하던 일: [ ][ ][ ]

01 한자의 음이 바르지 <u>않은</u> 것은?

① 羽 (깃)　　② 庶 (서)　　③ 畢 (필)

④ 玄 (현)　　⑤ 某 (모)

02 다음 한자의 뜻으로 알맞은 것은?

> 后

① 성씨　　② 검다　　③ 누구

④ 임금　　⑤ 마치다

03 밑줄 친 부분을 한자로 바꾸어 쓸 때, 알맞은 것은?

> 유비, 관우, 장비는 형제가 되기로 <u>결</u>의하였다.

① 結　② 香　③ 說　④ 協　⑤ 危

04 밑줄 친 부분에 해당하는 한자로 알맞은 것은?

> 기나긴 여정이 이제 <u>끝났다</u>. 다시 고국으로 돌아가려니 기분이 묘하다. 마음이 떨린다. 고향 집은 그대로 있으려나? 내 동무들도 여전하려나?

① 求　② 背　③ 忘　④ 畢　⑤ 拜

05 한자의 부수가 바르지 <u>않은</u> 것은?

① 顧 [戶]　　② 某 [木]　　③ 罷 [网(罒)]

④ 卿 [卩]　　⑤ 翁 [羽]

06 뜻이 비슷한 한자의 연결이 바른 것은?

① 羽 − 某　　② 顧 − 刮

③ 黎 − 玄　　④ 背 − 恩

⑤ 誓 − 拜

07 한자 어휘의 독음이 바르지 <u>않은</u> 것은?

① 寡人 (과인)　　② 卿爵 (경작)

③ 骸骨 (해골)　　④ 崩御 (붕어)

⑤ 巡幸 (쇄신)

08 뜻이 상대되는 한자로 이루어진 어휘가 <u>아닌</u> 것은?

① 淸濁　　② 國家　　③ 美醜

④ 旦暮　　⑤ 天地

09 다음 한자 어휘의 뜻으로 알맞은 것은?

> 掛念

① 벼슬과 작위

② 임금이 세상을 떠남

③ 마음에 두고 잊지 않음.

④ 임금이 자신을 낮추어 부르는 말

⑤ 임금이 나라 안을 두루 살피고 돌아다님.

출제 유력
10 다음과 관련 있는 고사성어로 알맞은 것은?

> 유비가 은거하고 있던 제갈공명을 세 번이나 찾아갔다는 데서 유래한 말로 인재를 맞이하기 위하여 참을성 있게 노력한다는 의미이다.

① 鷄肋　　　　② 三顧草廬

③ 桃園結義　　④ 刮目相對

⑤ 水魚之交

[11~16] 다음 글을 읽고 물음에 답하시오.

> ㉠三人이 ㉡焚香再拜而說誓曰: "念컨대 劉備·關羽·張飛는 雖然異姓이나 ㉢結爲兄弟하니 同心協力하여 救困扶危하며 ㉣上報國家하고 ㉤下安黎庶라.

11 윗글에 쓰인 한자 중, 뜻이 상대되는 한자의 연결이 바른 것은?

① 雖 – 異   ② 結 – 兄
③ 同 – 協   ④ 救 – 扶
⑤ 上 – 下

12 ㉠이 다짐한 내용이 <u>아닌</u> 것은?

① 異   ② 結   ③ 協   ④ 救   ⑤ 報

13 ㉡에서 접속사 역할을 하는 한자로 알맞은 것은?

① 焚   ② 再   ③ 而   ④ 誓   ⑤ 曰

14 ㉢을 풀이 순서대로 바르게 나열한 것은?

① 結 → 爲 → 兄 → 弟
② 結 → 兄 → 弟 → 爲
③ 爲 → 兄 → 弟 → 結
④ 兄 → 弟 → 結 → 爲
⑤ 兄 → 弟 → 爲 → 結

15 ㉣과 ㉤의 서술어로 알맞은 것은?

	㉣	㉤		㉣	㉤
①	上	下	②	上	安
③	報	下	④	報	安
⑤	國	下			

16 ㉤에 쓰인 黎庶의 의미로 알맞은 것은?

① 군주   ② 백성   ③ 가족
④ 조상   ⑤ 아기

[17~22] 다음 글을 읽고 물음에 답하시오.

> ㉠不求同年同月同日生이나 只願同年同月同日 ㉡死하노니, ㉢皇天后土는 以鑑此心하사 ㉣背義忘恩하면 天人共戮하소서." 誓畢에 共拜玄德爲兄하고 關某次㉤之하고 張飛爲弟러라.

17 윗글과 관련 있는 고사성어로 알맞은 것은?

① 鷄肋   ② 三顧草廬   ③ 桃園結義
④ 刮目相對   ⑤ 水魚之交

18 ㉠의 不와(과) 발음이 같은 것은?

① 不知   ② 不息   ③ 不道
④ 不德   ⑤ 不當

19 ㉡과 뜻이 같은 한자로 알맞은 것은?

① 皇   ② 后   ③ 鑑   ④ 共   ⑤ 戮

20 ㉢의 의미로 알맞은 것은?

① 임금   ② 장군   ③ 신령
④ 친구   ⑤ 후손

21 ㉣에 생략된 문장 성분을 쓰고, 그 내용을 한자로 쓰시오.

22 ㉤에 대한 설명으로 적절한 것은?

① 문장을 끝내는 종결사이다.
② '가다'로 풀이되는 동사이다.
③ 현덕을 의미하는 대명사이다.
④ '~이'로 풀이되는 주격 조사이다.
⑤ '~의'로 풀이되는 관형격 조사이다.

22
호랑이의 꾸짖음

○ 교과서 159쪽

| 생각을 여는 활동 |

● 만화를 보고 등장인물에 해당하는 내용을 연결해 보자.

① 범이 귀신들과 저녁거리를 의논하고 있었다. 결국 맛 좋은 선비 고기를 먹기로 하고 마을로 내려온다.

② 도학자 북곽 선생은 열녀 표창까지 받은 이웃의 동리자라는 청상과부와 밀회한다.

③ 성이 각기 다른 동리자의 다섯 아들이 몽둥이를 휘두르며 뛰어드니, 북곽 선생은 황급히 도망치다 똥구멍에 빠진다.

④ 똥구멍에서 겨우 기어 나오자 범 한 마리가 입을 크게 벌리고 있다. 북곽 선생이 머리를 땅에 대고 목숨을 비니 범은 그의 위선을 꾸짖는다.

⑤ 날이 새어 북곽 선생을 발견한 농부가 연유를 물으니, 그는 범이 가 버린 줄을 알고 다시 농부에게 위선적인 선비의 모습을 보인다.

> 봉건 사회: 중세 시대에, 봉건적 생산 양식을 바탕으로 한 사회. 영주와 농노를 기본 계급으로 하며, 노예제 사회와 자본주의 사회의 중간 단계에 위치함.

ㄱ 범 •

ㄴ 동리자 •

ㄷ 북곽 선생 •

• ㉮ 학식 있고 고매한 학자로 알려졌지만, *僞善*적, 이중적 인물

• ㉯ *封建社會*의 위선적인 유학자들에 *憤慨*하여 그들을 꾸짖음.

> 분개: 몹시 분하게 여김.

• ㉰ 열녀로 추앙받는 수절 과부이지만 아버지가 각각 다른 다섯 아들을 둔 *假飾*적인 인물

> 가식: 말이나 행동 따위를 거짓으로 꾸밈.

> 위선: 겉으로만 착한 체함. 또는 그런 짓이나 일

학습 계획 세우기

도움말 「호질」의 내용과 주제를 알아보는 활동을 통해 소단원 학습에 대한 자신의 배경지식을 활성화한다. 또 이를 바탕으로 소단원에서 어떤 내용을 공부할지 스스로 계획을 세워 본다.

● 위 활동을 바탕으로 스스로 학습 계획을 세워 보자.

나는 이 단원에서 _____ ㉠「호질」의 내용과 주제 _____ 을/를 공부하겠다.

한자 모아 보기 자신이 알고 있는 한자에 ✓ 표시를 해 보자.

한자	음	뜻	부수	획수	총획
憤	분	분하다	心(忄)	12	15
慨	개	슬퍼하다	心(忄)	11	14

호랑이의 꾸짖음 ◎ 교과서 160, 161쪽

인간과 사회의 심판자 역할을 담당하고 있는 호랑이를 등장시켜, '북곽 선생'으로 대변되는 양반 지배 계층의 위선적 속성을 폭로하고 풍자하고 있다. 이 글을 통해 오늘날 우리에게 호랑이의 꾸짖음은 무엇으로 다가오는지 생각해 보자.

新 한자 모아 보기

한자	음	뜻	부수	획수	총획
諛*	유	아첨하다	言	8	15
妄	망	망령되다	女	3	6
綱	강	벼리	糸	8	14
趾*	지	발	足	4	11
遜*	손	겸손하다, 따르다	辵(辶)	10	14

① (악) 악하다
② (오) 미워하다

대상을 비판하기 위해 사용한 동음이의어

너(2인칭 대명사) ≒ 子(자), 女(녀), 而(이), 君(군)

평소

儒者는 諛也라 하니 果然이라. 汝平居에 集天下之
유 자 유 야 과 연 여 평 거 집 천 하 지
선비 것 아첨하다 어조사 과연 그러하다 너 보통 살다 모이다 하늘 아래 어조사
~에게 그것을 = 之於(지어)

惡名하여 妄加諸我러니 今也에 急而面諛하니 將誰
악 명 망 가 저 아 금 야 급 이 면 유 장 수
악하다 평판 망령되다 더하다 어조사 나 지금 어조사 급하다 말다 얼굴 아첨하다 장차 누구

信之耶아? 「夫天下之理는 一也니 虎誠惡也면 人
신 지 야 부 천 하 지 리 일 야 호 성 악 야 인
믿다 그 어조사 (발어사) 무릇 하늘 아래 어조사 이치 하나 어조사 범 참으로 악하다 어조사 사람
정성(명사) → 참으로(부사)

誰~耶(수~야): 누가 ~하겠는가?

性亦惡也요 人性善하면 則虎之性亦善也라.」
성 역 악 야 인 성 선 즉 호 지 성 역 선 야
성품 또한 악하다 어조사 사람 성품 착하다 곧 범 어조사 성품 또한 착하다 어조사

「 」: 세상 만물의 본성은 같다는 의미임.

'선비 유' 자는 '아첨 유' 자와 통한다고 하더니 과연 그렇구나. 너는 평소에 천하의 악명을 모아다가 망령되게 나에게 그것을 덮어씌우더니 지금 다급해지자 면전에서 아첨을 떠니 장차 누가 그 말을 믿겠는가? 무릇 천하의 이치는 하나이니 호랑이가 참으로 악하다면 사람의 성품 또한 악하고 사람의 성품이 선하다면 호랑이의 성품 또한 선할 것이다.

[「호질(虎叱)」의 전체 줄거리]

[발단] 어느 고을에 학자로 존경받는 북곽 선생이라는 선비와 수절을 잘하는 부인이라 하나 성이 다른 다섯 아들을 둔 과부 동리자가 있었다.
[전개] 북곽 선생이 동리자의 방에 들어가 밀회를 즐기고 있는데, 과부의 아들들이 북곽 선생을 천 년 묵은 여우로 의심하여 방으로 쳐들어온다.
[위기] 북곽 선생은 도망치다가 똥구덩이에 빠진다.
[절정] 때마침 먹잇감을 찾아 마을에 내려온 범은 북곽 선생의 위선적인 모습과 인간들의 파렴치한 행동 등을 신랄하게 꾸짖고 사라진다.(교과서 본문 수록 부분)
[결말] 북곽 선생은 범에게 머리를 조아리며 비굴한 모습으로 목숨을 애걸하다가 새벽에 일하러 나온 농부와 만나게 된다. 북곽 선생은 범이 사라진 것을 알고 또다시 위선적인 모습으로 돌아와 자기변명을 한다.

[작자가 호랑이를 통해 현실을 풍자한 이유]

이 소설의 제목인 '호질(虎叱)'은 '호랑이의 꾸짖음'이란 뜻이다. 호랑이는 전통적으로 강자의 상징이며, 신령한 동물로 인식되었다. 작자는 이러한 호랑이의 입을 빌려 북곽 선생으로 대표되는 위선적이고 이중적인 인간의 부도덕한 악행을 폭로하고 비판하고 있다. 이처럼 호랑이를 통해 양반의 허위의식을 우회적으로 꾸짖은 이유는, 유교 사회에서는 당대 지배층에 대한 직접적인 비판이 용인될 수 없었기 때문이다.

너 ↔ 予(여): 나

汝千語萬言이 不離五常[1]하고 戒之勸之가 恒
여 천 어 만 언　불 리 오 상　계 지 권 지　항
너 일천 말 일만 말　아니다 떠나다 다섯 떳떳하다　경계하다 그것 권하다 그것　항상

在四綱[2]이라. 然이나 都邑之間에 無鼻無趾하고
재 사 강　연　도 읍 지 간　무 비 무 지
있다 넷 벼리　그러하다　도읍 고을 어조사 사이　없다 코 없다 발

형벌로 얼굴에
먹물로 문신을
새김.
≒ 刺字(자자)

文面而行者는 皆不遜五品之人也라.
문 면 이 행 자　개 불 손 오 품 지 인 야
문신하다 얼굴 말 잇다 다니다 사람　모두 아니다 따르다 다섯 물건 어조사 사람 어조사

그런데도 포승줄과 먹물, 도끼, 톱 같은 형구를 매일 쓰기에 바빠 겨를이 나지 않는데도 죄악을 중지시키지 못하는구나. 호랑이의 세계에서는 원래 그런 형벌이 없으니 이로 보면 호랑이의 본성이 인간의 본성보다 어질지 않느냐?

『연암집』

너희들의 천 마디 말, 만 마디 말이 오상에서 떠나지 않고, 그것을 경계하고 그것을 권면하는 것이 항상 사강에 있다. 그러나 도성의 안에 코 없는 자, 발꿈치 없는 자, 얼굴에 문신하고 다니는 자들이 모두 오륜을 따르지 않은 사람들이다.

1) 오상(五常): 인(仁), 의(義), 예(禮), 지(智), 신(信). = 五品 오품
2) 사강(四綱): 예(禮), 의(義), 염(廉), 치(恥)

✎ 스스로 확인

본문의 내용 중 '세상 만물의 본성은 같다.'는 뜻을 담고 있는 문장은 무엇인가?

夫天下之理, 一也, 虎誠惡也, 人性 亦惡也, 人性善, 則虎之性亦善也.

※ 박지원의 한문 소설

작품명	주제	출전
虎叱(호질)	도학자들의 위선 폭로·풍자	『열하일기』
許生傳(허생전)	양반들의 무능력 비판과 자아 각성 고취	
兩班傳(양반전)	양반 생활의 허식과 부패상 폭로	
廣文者傳(광문자전)	양반 사회의 부패상 간접적 풍자	
穢德先生傳(예덕선생전)	직업적 차별 타파 주장 및 천인의 성실성 부각	
閔翁傳(민옹전)	무위도식하는 유생 풍자 및 미신 타파 주장	
金神仙傳(김신선전)	신선 사상의 허무 맹랑성 폭로	『방경각외전』
虞裳傳(우상전)	나라의 인재 등용의 맹점 비판	
馬駔傳(마장전)	유생들의 위선적 교우 관계 풍자	
烈女咸陽朴氏傳(열녀 함양 박씨전)	개가(改嫁) 금지 반대	

• 『연암집(燕巖集)』: 조선 영조~순조 때의 문신·학자 박지원(朴趾源)의 시문집

스스로 다지는
본문
○ 교과서 162쪽

汝↔予
여   여
諸=之於: ~에게 그것을
저 지 어
夫: 무릇
부
文面: 형벌로 얼굴에 먹물로
문 면
문신을 새김. ≒ 刺字
자 자

➕ 어휘 더하기

• 뜻이 비슷한 한자로 이루어
  진 어휘

言語 언어	占卜 점복	倉庫 창고
厄禍 액화	貫通 관통	戲弄 희롱
帳簿 장부	訴訟 소송	光輝 광휘

머리털을 깎음. 또는 그 머리

• 신체를 나타내는 한자
  面(면) 얼굴 ⓔ 顔面 안면: 얼굴
  髮(발) 터럭 ⓔ 削髮 삭발
  脣(순) 입술 ⓔ 脣亡齒寒 순망치한
    요통: 허리와 엉덩이 부위
    가 아픈 증상
  腰(요) 허리 ⓔ 腰痛
  掌(장) 손바닥 ⓔ 拍掌大笑 박장대소: 손뼉을
    치며 크게 웃음.
  腦(뇌) 뇌 ⓔ 頭腦 두뇌: 뇌

新 한자 모아 보기

한자	음	뜻	부수	획수	총획
予	여	나	亅	3	4
刺	자/척	찌르다	刀(刂)	6	8
占	점	점치다	卜	3	5
卜	복	점	卜	0	2
倉	창	곳집	人	8	10
厄	액	재앙	厂	2	4
禍	화	재앙	示	9	14
貫	관	꿰다	貝	4	11
弄	롱	희롱하다	廾	4	7
帳	장	장막, 장부	巾	8	11
簿	부	장부	竹	13	19
訴	소	호소하다	言	5	12
訟	송	송사하다	言	4	11
輝	휘	빛나다	車	8	15
髮	발	터럭	髟	5	15
削	삭	깎다	刀(刂)	7	9
脣	순	입술	肉(月)	7	11
腰	요	허리	肉(月)	9	13
痛	통	아프다	疒	7	12
掌	장	손바닥	手	8	12
拍	박	치다	手(扌)	5	8
腦	뇌	뇌	肉(月)	9	13

• 언어: 생각, 느낌 따위를 나타내거나
  전달하는 데에 쓰는 음성, 문자 따위
  의 수단. 또는 그 음성이나 문자 따위
  의 사회 관습적인 체계
• 액화: 액으로 입는 재앙
• 점복: 점치는 일
• 관통: ① 꿰뚫어서 통함. ② 처음부터
  끝까지 일관함.
• 창고: 물건이나 자재를 저장하거나 보
  관하는 건물
• 희롱: 말이나 행동으로 실없이 놀림.

儒者는 諛也라 하니 果然이라.
유 자   유 야   과 연
'선비 유' 자는 '아첨 유' 자와 통한다고 하더니 과연 그렇구나.

汝 여	• 너(여)
	• 2인칭 대명사
	• 子, 女, 而, 君
	자 녀 어 군

↕

予 여	• 나(여)
	• 1인칭 대명사
	• 我, 吾, 余
	아 오 여

汝平居에 集天下之惡名하여 妄加諸我러니
여 평 거   집 천 하 지 악 명   망 가 저 아
너는 평소에 천하의 악명을 모아다가 망령되게 나에게 그것
을 덮어씌우더니

今也에 急而面諛하니 將誰信之耶아?
금 야   급 이 면 유   장 수 신 지 야
지금 다급해지자 면전에서 아첨을 떠니 장차 누가 그 말을 믿겠는가?

입술이 없으면 이가 시리다는 뜻으로, 서로 이해관계가 밀접한 사이에 어느
한쪽이 망하면 다른 한쪽도 그 영향을 받아 온전하기 어려움을 이르는 말

夫天下之理는 一也니 虎誠惡也면 人性亦惡也요
부 천 하 지 리   일 야   호 성 악 야   인 성 역 악 야
무릇 천하의 이치는 하나이니 호랑이가 참으로 악하다면 사람의 성품 또한 악하고

人性善하면 則虎之性亦善也라.
인 성 선   즉 호 지 성 역 선 야
사람의 성품이 선하다면 호랑이의 성품 또한 선할 것이다.

汝千語萬言이 不離五常하고 戒之勸之가 恒在四綱이라.
여 천 어 만 언   불 리 오 상   계 지 권 지   항 재 사 강
너희들의 천 마디 말, 만 마디 말이 오상에서 떠나지 않고, 그것을 경계하고 그것을 권면
하는 것이 항상 사강에 있다.

然이나 都邑之間에 無鼻無趾하고 文面而行者는 皆不遜五品之人也라.
연   도 읍 지 간   무 비 무 지   문 면 이 행 자   개 불 손 오 품 지 인 야
그러나 도성의 안에 코 없는 자, 발꿈치 없는 자, 얼굴에 문신하고 다니는 자들이 모두 오
륜을 따르지 않은 사람들이다.

• 장부: 물건의 출납이나 돈의 수지(收
  支) 계산을 적어 두는 책
• 소송: 재판에 의하여 원고와 피고 사
  이의 권리나 의무 따위의 법률관계를
  확정하여 줄 것을 법원에 요구함. 또
  는 그런 절차
• 광휘: ① 환하고 아름답게 눈이 부심.
  또는 그 빛 ② 눈부시게 훌륭함을 비
  유적으로 이르는 말

[이해 더하기] 호질(虎叱)

맹수: 주로 육식을 하는 사나운 짐승

동리자의 집에서 달아나던 북곽 선생이 猛獸인 범을 만나 질책을 듣게 된다. 범은 인
간의 부도덕함과 이기심, 서로 죽이는 잔인함 등을 범의 덕성과 비교하여 緊張한 북곽
선생을 비판한다. 즉 범의 질책은 작가 박지원의 풍자적 태도와 비판적 의식을 대변하고
있다. 이는 당시 유교 사회에서는 지배 계층인 양반에 대한 직접적인 비판이 용인되지 않
았기 때문이다.

긴장: 마음을 졸이고 정신을 바짝 차림.

박지원,
붓 한 자루로
세상을
바꾸려 하다

◐ 교과서 163쪽

▲ 박지원의 초상화

연암 박지원의 소설은 풍자적이고 사실주의적인 特徵을 보인다. 연암은 당대 평민층의 모습을 생생하게 捕捉하는 사실주의적 기법으로 뛰어난 소설적 성과를 이루었다.

┗ 특징: 다른 것에 비하여 특별히 눈에 뜨이는 점
┗ 포착: ① 꼭 붙잡음. ② 요점이나 요령을 얻음.

박지원은 「양반전」과 「호질」에서는 현실을 비판, 풍자하였고, 「광문자전」과 「예덕선생전」에서는 평범한 사람 혹은 사회에서 賤待받는 인물들을 소설의 주인공으로 삼아 새로운 인간형을 제시하였다. 「광문자전」과 「열녀함양박씨전」에서는 인간은 평등하다는 생각을 나타내었다.

┗ 천대: 업신여기어 천하게 대우하거나 푸대접함.

「호질」에서는 동음이의어(同音異義語)를 사용하여 대상을 비판하는 방식이 나타난다. 예를 들면 작품에 나오는 '虎'는 '胡', 즉 오랑캐인 청나라를 뜻하기도 한다.

┗ 소리는 같으나 뜻이 다른 단어
┗ 호 범 / 호 오랑캐

소설 속에서 범이 인간보다 오히려 덕을 지니고 있음을 강조하는 것은 당시 조선이 청나라를 오랑캐라고 무시하여 그들의 문물을 받아들이기를 거부하던 점을 비판한 것이라고 할 수 있다. 다시 말하면 청나라로 상징되는 범의 입을 통해, 실제로 백성들의 삶을 책임지지도 못하면서 겉으로만 인의(仁義)를 부르짖으며 발달된 청나라의 문물 수용을 거부하는 당대 支配層의 무능과 위선을 꾸짖고 있다.

┗ 지배층: 지배 계급에 속하는 계층

▼ 「열하일기」

▼ 「연암집」

| 출판 관련 용어 |

활동 빈칸에 알맞은 음을 쓰고, 풀이를 바르게 연결해 보자.

① 拙稿([졸][고]) •
② 出版([출][판]) •
③ 印刷([인][쇄]) •
④ 校訂([교][정]) •
⑤ 著作權 ([저][작][권]) •
⑥ 月刊雜誌 ([월][간] [잡][지]) •

• ㉮ 서적이나 회화 따위를 인쇄하여 세상에 내놓음.
• ㉯ 자기나 자기와 관련된 사람의 원고를 겸손하게 이르는 말
• ㉰ 남의 문장 또는 출판물의 잘못된 글자나 글귀 따위를 바르게 고침.
• ㉱ 일정한 이름을 가지고 호를 거듭하며 한 달에 한 번씩 간행하는 출판물
• ㉲ 잉크를 사용하여 판면(版面)에 그려져 있는 글이나 그림 따위를 종이, 천 따위에 박아 냄.
• ㉳ 문학, 예술, 학술에 속하는 창작물에 대하여 저작자나 그 권리 승계인이 행사하는 배타적·독점적 권리

新 한자 모아 보기

한자	음	뜻	부수	획수	총획
捉	착	잡다	手(扌)	7	10
拙	졸	옹졸하다	手(扌)	5	8
稿	고	원고	禾	10	15
版	판	판목	片	4	8
刷	쇄	인쇄하다	刀(刂)	6	8
訂	정	바로잡다	言	2	9
刊	간	새기다	刀(刂)	3	5
雜	잡	섞이다	隹	10	18
誌	지	기록하다	言	7	14

[1~2] 다음 글을 읽고 물음에 답하시오.

> ㉠汝平居, 集天下之惡名, 妄加諸我, 今也, 急而面諛, 將誰信之耶?
> 여 평 거 집 천 하 지 악 명 망 가 저 아 금 야 급 이 면 유 장 수 신 지 야

[풀이] 너는 평소에 천하의 악명을 모아다가 망령되게 나에게 그것을 덮어씌우더니 지금 다급해지자 면전에서 아첨을 떠니 장차 누가 그 말을 믿겠는가?

1. ㉠과 뜻이 같은 것은? ③

① 吾 오 나　② 我 아 나　③ 君 군 그대　④ 彼 피 저　⑤ 他 타 다르다

2. 윗글에서 지적하는 '북곽 선생'의 태도를 나타내기에 알맞은 것은? ⑤

① 傍若無人 방약무인　② 一魚濁水 일어탁수　③ 附和雷同 부화뇌동
④ 氣高萬丈 기고만장　⑤ 表裏不同 표리부동

① 방약무인: 곁에 사람이 없는 것처럼 아무 거리낌 없이 함부로 말하고 행동하는 태도가 있음.
② 일어탁수: 한 마리의 물고기가 물을 흐린다는 뜻으로, 한 사람의 잘못으로 여러 사람이 피해를 입게 됨을 이르는 말
③ 부화뇌동: 줏대 없이 남의 의견에 따라 움직임.
④ 기고만장: 일이 뜻대로 잘될 때, 우쭐하여 뽐내는 기세가 대단함.
⑤ 표리부동: 겉으로 드러나는 언행과 속으로 가지는 생각이 다름.

3. 다음 문장을 읽고 작가가 의도하는 것은 무엇인지 써 보자.

> 然, 都邑之間, 無鼻無趾, 文面而行者, 皆不遜五品之人也.
> 연 도 읍 지 간 무 비 무 지 문 면 이 행 자 개 불 손 오 품 지 인 야

✏ 오륜을 지키지 못한 자들이 많은 현실을 나열하며 유학이 현실 상황의 개선에는 아무런 도움이 되지 못하고 있음을 드러내고자 한다.

도움말
현실을 나열하여 유학이 현실 상황 개선에 도움이 되지 못함을 말하고 있다.
[풀이] 그러나 도성의 안에 코 없는 자, 발꿈치 없는 자, 얼굴에 문신하고 다니는 자들이 모두 오륜을 따르지 않은 사람들이다.

[창의형]

4. 「호질」의 '호'를 청나라를 뜻하는 胡(호)로 해석할 경우, 작자가 글을 통해 비판하고자 하는 것은 무엇인지 〈보기〉를 참고하여 써 보자.

[보기]
북학파는 이용후생(利用厚生) 학파라고도 한다. 전통적인 주자 성리학의 화이관·명분론, 즉 한족(漢族)이 다스리는 중국(명나라)을 세계의 중심으로 보고 그 밖의 나라는 오랑캐로 여기어 천시하는 관점에서 벗어나 청나라의 선진 문명과 우수한 기술을 적극적으로 수용하여 조선 후기 사회 체제의 모순을 개혁하고자 했다.

도움말
동음이의어를 사용하여 대상을 비판하는 방식이 나타난다.
[예시 답안] 소설 속에서 범이 인간보다 오히려 더 덕을 지니고 있음을 강조하는 것은 당시 조선이 청나라를 오랑캐라고 무시하여 그들의 문물을 받아들이기를 거부하던 점을 비판한 것이라고 할 수 있다. 다시 말하면 청나라로 상징되는 범의 입을 통해, 실제로 백성들의 삶을 책임지지도 못하면서 겉으로만 인의를 부르짖으며 발달한 청나라의 문물 수용을 거부하는 당대 지배층의 무능과 위선을 꾸짖고 있다.

도움말 소단원 학습이 끝나면 소단원 학습 목표에 해당하는 질문에 답하며 자신의 학업 성취도를 스스로 점검해 본다. 성취 목표에 도달하지 못한 경우에는 제시된 위치로 돌아가서 내용을 다시 읽고 공부하도록 한다.

소단원 자기 점검

배운 내용에 관해 자기 점검을 하면서 학업 성취도 도달 정도를 확인해 보자.

[별이 3개 이하인 경우]•교과서 160~162쪽 다시 읽기

점검 항목	별점
•글의 내용과 주제를 이해할 수 있는가?	☆☆☆☆☆
•출판과 관련된 일상용어를 알 수 있는가?	☆☆☆☆☆
•한문 산문을 통해 선인들의 지혜와 사상을 이해할 수 있는가?	☆☆☆☆☆

[별이 3개 이하인 경우]•교과서 163쪽 '출판 관련 용어' 다시 읽기

소단원 스스로 정리

1. 한자

• 한자, 음, 뜻, 부수의 순서로 제시

憤 (분) ❶ [ ][ ][ ] [心(忄)]
慨 (개) 슬퍼하다 [心(忄)]
諛* (유) ❷ [ ] 아첨하다 [言]
妄 (망) 망령되다 [女]
綱 (강) 벼리 [糸]
趾* (지) 발 [足]
遜* (손) 겸손하다, 따르다 [辵(辶)]
予 (여) 나 [ㅣ]
刺 (자), (척) 찌르다 [刀(刂)]
❸ [ ] (점) 점치다 [卜]
卜 (복) 점 [卜]
倉 (창) 곳집 [人]
厄 (액) 재앙 ❹ [ ]

禍 (화) 재앙 ❺ [ ]
貫 (관) 꿰다 [貝]
弄 (롱) 희롱하다 [廾]
帳 (장) 장막, 장부 [巾]
簿 (부) 장부 [竹]
訴 (소) 호소하다 [言]
訟 (송) ❻ [ ] 송사하다 [言]
輝 (휘) 빛나다 [車]
髮 (발) 터럭 [髟]
❼ [ ] (삭) 깎다 [刀(刂)]
脣 (순) 입술 [肉(月)]
腰 (요) ❽ [ ][ ] [肉(月)]
痛 (통) 아프다 [疒]
掌 (장) 손바닥 [手]

❾ [ ] (박) 치다 [手(扌)]
腦 (뇌) 뇌 [肉(月)]
捉 (착) 잡다 [手(扌)]
拙 (졸) 옹졸하다 [手(扌)]
稿 (고) ❿ [ ][ ] [禾]
版 (판) 판목 [片]
刷 (쇄) 인쇄하다 [刀(刂)]
訂 (정) 바로잡다 [言]
刊 (간) 새기다 [刀(刂)]
雜 (잡) ⓫ [ ] 섞이다 [隹]
誌 (지) 기록하다 [⓬ [ ]]

2. 본문

❶[ ]者(유자)는 諛也(유야)라 하니 果然(과연)이라.	'선비 유' 자는 '아첨 유' 자와 통한다고 하더니 과연 그렇구나.
汝平居(여평거)에 集天下之惡名(집천하지악명)하여 妄加諸我(망가저아)러니 今也(금야)에 急而面諛(급이면유)하니 將誰信之耶(장수신지야)아?	너는 평소에 ❷[ ][ ]의 악명을 모아다가 망령되게 나에게 그것을 덮어씌우더니 지금 다급해지자 면전에서 아첨을 떠니 장차 누가 그 말을 믿겠는가?
夫天下之理(부천하지리)는 一也(일야)니 虎誠惡也(호성악야)면 人性亦惡也(인성역악야)요 ❸[ ][ ]善(인성선)하면 則虎之性亦善也(즉호지성역선야)라.	❹[ ][ ] 천하의 이치는 하나이니 호랑이가 참으로 악하다면 사람의 성품 또한 악하고 사람의 성품이 선하다면 호랑이의 성품 또한 선할 것이다.
汝千語萬言(여천어만언)이 不離五常(불리오상)하고 戒之勸之(계지권지)가 恒在四綱(항재사강)이라.	너희들의 천 마디 말, 만 마디 말이 ❺[ ][ ]에서 떠나지 않고, 그것을 경계하고 그것을 권면하는 것이 항상 사강에 있다.
❻[ ](연)이나 都邑之間(도읍지간)에 無鼻無趾(무비무지)하고 文面而行者(문면이행자)는 皆不遜五品之人也(개불손오품지인야)라.	그러나 ❼[ ][ ]의 안에 코 없는 자, 발꿈치 없는 자, 얼굴에 문신하고 다니는 자들이 모두 오륜을 따르지 않은 사람들이다.

3. 어휘 – 출판 관련 용어

- 拙稿(졸고): 자기나 자기와 관련된 사람의 ❶☐☐를 겸손하게 이르는 말
- 出版(❷☐☐): 서적이나 회화 따위를 인쇄하여 세상에 내놓음.
- 印刷(인쇄): 잉크를 사용하여 판면(版面)에 그려져 있는 글이나 그림 따위를 종이, 천 따위에 박아 냄.

- ❸☐☐(교정): 남의 문장 또는 출판물의 잘못된 글자나 글귀 따위를 바르게 고침.
- 著作權(❹☐☐☐): 문학, 예술, 학술에 속하는 창작물에 대하여 저작자나 그 권리 승계인이 행사하는 배타적·독점적 권리
- 月刊雜誌(월간 잡지): 일정한 이름을 가지고 호를 거듭하며 ❺☐☐에 한 번씩 간행하는 출판물

쪽지 시험

01 다음 한자의 공통되는 음을 쓰시오.

> 趾   誌

02 다음 한자의 공통되는 뜻을 쓰시오.

> 厄   禍

03 한자와 관련 있는 신체를 바르게 연결하시오.

(1) 面 •　　　　• ㉠ 입술

(2) 腰 •　　　　• ㉡ 얼굴

(3) 腦 •　　　　• ㉢ 허리

(4) 脣 •　　　　• ㉣ 뇌

(5) 掌 •　　　　• ㉤ 손바닥

04 다음 한자 어휘에서 밑줄 친 한자의 음과 뜻을 쓰시오.

> 月刊<u>雜</u>誌

(1) 음:

(2) 뜻:

05 다음과 같은 뜻을 가진 단어를 〈보기〉에서 찾아 한자 어휘와 독음을 쓰시오.

(1) 서적이나 회화 따위를 인쇄하여 세상에 내놓음.

(2) 물건이나 자재를 저장하거나 보관하는 건물

(3) 남의 문장 또는 출판물의 잘못된 글자나 글귀 따위를 바르게 고침.

(4) 문학, 예술, 학술에 속하는 창작물에 대하여 저작자나 그 권리 승계인이 행사하는 배타적·독점적 권리

> **보기**
>
> 著作權　出版　校訂　倉庫

01 다음과 같은 뜻을 가진 한자로 알맞은 것은?

> 망령되다

① 諛   ② 妄   ③ 綱   ④ 趾   ⑤ 遜

02 다음 한자의 음으로 알맞은 것은?

> 弄

① 유   ② 손   ③ 망   ④ 롱   ⑤ 지

03 부수가 나머지와 <u>다른</u> 하나는?

① 掌   ② 稿   ③ 拍   ④ 捉   ⑤ 抽

출제 유력
04 뜻이 비슷한 한자로 이루어진 어휘가 <u>아닌</u> 것은?

① 占卜   ② 言語   ③ 倉庫
④ 厄禍   ⑤ 貫訟

05 신체와 관련 있는 한자가 <u>아닌</u> 것은?

① 面   ② 骨   ③ 痛   ④ 掌   ⑤ 腦

06 한자 어휘의 독음이 바르지 <u>않은</u> 것은?

① 猛獸 (맹수)   ② 緊張 (긴장)
③ 特徵 (특징)   ④ 捕捉 (조사)
⑤ 賤待 (천대)

07 밑줄 친 부분을 한자로 바꾸어 쓸 때, 알맞은 것은?

> 유행은 돌고 돈다더니 다시 스포츠형 머리인 <u>삭발</u>이 유행하고 있다.

① 戲弄   ② 帳簿   ③ 頭腦
④ 削髮   ⑤ 顏面

출제 유력
08 다음 설명과 관련 있는 작품으로 알맞은 것은?

> • 박지원의 저서
> • 북곽 선생이 범을 만나 질책을 듣는 내용임.
> • 당시 지배계층에 대한 비판을 담음.

① 「호질」   ② 「양반전」
③ 「광문자전」   ④ 「예덕선생전」
⑤ 「열녀함양박씨전」

[09~10] 다음 어휘를 읽고 물음에 답하시오.

> ㉠ 拙稿   ㉡ 印刷   ㉢ 著作權   ㉣ 月刊雜誌

서술형
09 ㉠의 의미를 쓰시오.

출제 유력
10 ㉮와 ㉯에 들어갈 알맞은 한자 어휘의 연결이 바른 것은?

> • 일정한 이름을 가지고 호를 거듭하며 한 달에 한 번씩 간행하는 출판물을 (㉮)라고 한다.
> • 잉크를 사용하여 판면에 그려져 있는 글을 종이에 박아 내는 것을 (㉯)라고 한다.

① ㉮-㉠, ㉯-㉡   ② ㉮-㉡, ㉯-㉢
③ ㉮-㉢, ㉯-㉣   ④ ㉮-㉢, ㉯-㉡
⑤ ㉮-㉣, ㉯-㉡

[11~16] 다음 글을 읽고 물음에 답하시오.

儒者는 諛也라 하니 果然이라. ㉠汝平居에 集天下之惡名하여 妄加諸我러니 今也에 急而㉡面諛하니 將誰信之耶아? 夫天下之理는 一(㉮)니 虎誠惡也면 人性亦惡(㉯)요 人性善하면 則虎之性亦善(㉰)라.

11 윗글에 쓰인 한자 중, 시간과 관련 있는 것은?

① 果 ② 居 ③ 集 ④ 面 ⑤ 將

12 윗글에서 ㉠이 가리키는 것은?

① 儒 ② 我 ③ 虎 ④ 面 ⑤ 誰

13 ㉠과 바꾸어 쓸 수 있는 한자로 알맞은 것은?

① 子 ② 我 ③ 吾 ④ 余 ⑤ 己

14 ㉡의 상황으로 알맞은 것은?

① 호랑이를 훈계하는 양반의 모습
② 다른 사람을 훈계하는 양반의 모습
③ 다른 사람에게 아첨하는 양반의 모습
④ 호랑이를 보고 달아나는 양반의 모습
⑤ 호랑이 앞에서 아첨하는 양반의 모습

15 ㉮~㉰에 공통으로 들어갈 한자로 알맞은 것은?

① 何 ② 於 ③ 也 ④ 乎 ⑤ 哉

출제 유력
16 윗글에 대한 이해로 바른 것은?

① 호랑이의 나쁜 점이 제시되어 있다.
② 당시의 지배 계층인 양반을 찬양하고 있다.
③ 호랑이는 인간 사회의 심판자 역할을 하고 있다.
④ 양반 계층과 평민 계층의 화합을 이야기하고 있다.
⑤ 형벌을 통해 법치를 강화해야 함을 강조하고 있다.

[17~22] 다음 글을 읽고 물음에 답하시오.

汝千語萬言이 不離㉠五常하고 戒之勸之가 恒在四綱이라. ㉡然이나 都邑之間에 ㉢無鼻無趾하고 文面而行者는 皆不㉣遜五品之人也라.

17 윗글에 쓰인 한자 중, 다음 밑줄 친 부분과 바꾸어쓸 수 있는 것은?

　현재의 모습은 과거의 내가 했던 모든 행동의 결과이다. 더 나은 내일을 기약하고 싶다면 지금 이 순간부터라도 헛되이 보내면 안 된다.

① 皆 ② 行 ③ 文 ④ 都 ⑤ 恒

18 ㉠에 해당되지 않는 것은?

① 仁 ② 義 ③ 禮 ④ 智 ⑤ 身

19 윗글에서 ㉡과 같은 기능을 하는 한자를 찾아 쓰시오.

20 ㉢의 의미로 알맞은 것은?

① 법을 만든 사람
② 법을 어겨 벌을 받은 사람
③ 국가의 체계를 바로잡은 사람
④ 국가 위기 상황을 이겨 낸 사람
⑤ 법을 수호하기 위해 노력한 사람

21 ㉣의 뜻으로 바른 것은?

① 손자 　② 어기다 　③ 따르다
④ 유람하다 　⑤ 겸손하다

출제 유력
22 윗글과 관련 있는 성어로 알맞은 것은?

① 言行一致 ② 表裏不同 ③ 一石二鳥
④ 脣亡齒寒 ⑤ 拍掌大笑

출제 유형

• 한자 어휘의 독음이 바르지 않은 것은?
• 밑줄 친 부분을 한자로 쓰시오.
• 밑줄 친 한자 어휘의 독음이 바르지 않은 것은?

23
황소를 타이르는 글

○ 교과서 165쪽

| 생각을 여는 활동 |

● 최치원의 인생길을 따라가면서 빈칸에 알맞은 음을 써 보자.

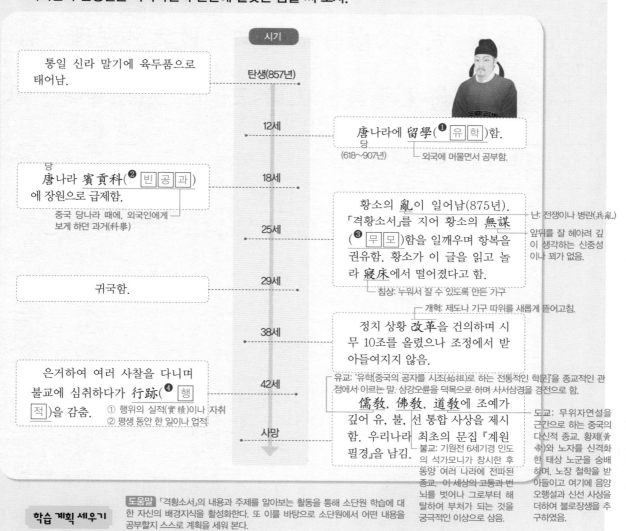

시기

통일 신라 말기에 육두품으로 태어남. ···· 탄생(857년)

12세
唐나라에 留學(❶ 유 학)함.
당
(618~907년) ── 외국에 머물면서 공부함.

당
唐나라 賓貢科(❷ 빈 공 과)에 장원으로 급제함. ···· 18세
── 중국 당나라 때에, 외국인에게 보게 하던 과거(科擧)

25세
황소의 亂이 일어남(875년). 「격황소서」를 지어 황소의 無謀(❸ 무 모)함을 일깨우며 항복을 권유함. 황소가 이 글을 읽고 놀라 寢床에서 떨어졌다고 함.
── 침상: 누워서 잘 수 있도록 만든 가구
└ 난: 전쟁이나 병란(兵亂)
앞뒤를 잘 헤아려 깊이 생각하는 신중성이나 꾀가 없음.

귀국함. ···· 29세

38세
정치 상황 改革을 건의하며 시무 10조를 올렸으나 조정에서 받아들여지지 않음.
┌ 개혁: 제도나 기구 따위를 새롭게 뜯어고침.

은거하여 여러 사찰을 다니며 불교에 심취하다가 行跡(❹ 행 적)을 감춤. ···· 42세
① 행위의 실적(實績)이나 자취
② 평생 동안 한 일이나 업적

┌ 유교: '유학[중국의 공자를 시조(始祖)로 하는 전통적인 학문]'을 종교적인 관점에서 이르는 말. 삼강오륜을 덕목으로 하며 사서삼경을 경전으로 함.
儒敎, 佛敎, 道敎에 조예가 깊어 유, 불, 선 통합 사상을 제시함. 우리나라 최초의 문집 『계원필경』을 남김.
└ 불교: 기원전 6세기경 인도의 석가모니가 창시한 후 동양 여러 나라에 전파된 종교. 이 세상의 고통과 번뇌를 벗어나 그로부터 해탈하여 부처가 되는 것을 궁극적인 이상으로 삼음.
┐ 도교: 무위자연설을 근간으로 하는 중국의 다신적 종교. 황제(黃帝)와 노자를 신격화한 태상 노군을 숭배하며, 노장 철학을 받아들이고 여기에 음양 오행설과 신선 사상을 더하여 불로장생을 추구하였음.

사망

도움말 「격황소서」의 내용과 주제를 알아보는 활동을 통해 소단원 학습에 대한 자신의 배경지식을 활성화한다. 또 이를 바탕으로 소단원에서 어떤 내용을 공부할지 스스로 계획을 세워 본다.

학습 계획 세우기

● 위 활동을 바탕으로 스스로 학습 계획을 세워 보자.

나는 이 단원에서 _____ 예 「격황소서」의 내용과 주제 _____ 을/를 공부하겠다.

한자 모아 보기 자신이 알고 있는 한자에 ✓표시를 해 보자.

한자	음	뜻	부수	획수	총획	한자	음	뜻	부수	획수	총획
唐	당	당나라, 당황하다	口	7	10	床	상	평상	广	4	7
謀	모	꾀	言	9	16	跡	적	자취	足	6	13

황소를 타이르는 글 ◑ 교과서 166, 167쪽

통일 신라 말기의 학자인 최치원이 당나라에서 벼슬을 하고 있을 때 지은 글이다. 당나라 조정에서는 황소의 난을 토벌하기 위해 고변(高騈)을 총사령관으로 파견하였는데, 그의 휘하에서 문관으로 있던 최치원은 반란군의 우두머리인 황소에게 항복을 권유하는 격문을 지었다. 적장의 간담을 서늘하게 한 명문을 감상해 보자.

新 한자 모아 보기

한자	음	뜻	부수	획수	총획
愚	우	어리석다	心	9	13
屈	굴	굽히다	尸	5	8
討	토	치다	言	3	10
諭	유	깨우치다	言	9	16
迷	미	미혹하다	辵(辶)	6	10
途	도	길	辵(辶)	7	11
爾	이	너	爻	10	14
倒	도	넘어지다	人(亻)	8	10
懸	현	달다	心	16	20

무릇(발어사)　　　　　　'~를 …라 말한다.'로 풀이함.　　　　변화를 다스리다 → 변화를 부리다

夫守正修常曰道요　臨危制變曰權이니　智者는
부 수 정 수 상 왈 도　　임 위 제 변 왈 권　　지 자
무릇 지키다 바르다 닦다 항상 말하다 도리　임하다 위태롭다 다스리다 변하다 말하다 권세　지혜롭다 사람

~(으)로써 함

成之於順時하고　愚者는　敗之於逆理라. [중략]　但以
성 지 어 순 시　　우 자　　패 지 어 역 리　　　　단 이
이루다 그 어조사 따르다 때　어리석다 사람　무너지다 그 어조사 거스르다 이치　　다만 써

以의 생략　　좋은, 훌륭한

好生惡殺은　上帝深仁이요　↓屈法申恩은　大朝令
호 생 오 살　　상 제 심 인　　굴 법 신 은　　대 조 영
좋아하다 살다 싫어하다 죽이다　위 황제 깊다 어질다　굽히다 법 펼치다 은혜　크다 조정 좋은

① (악) 악하다　　　　　　　　　　　　위대한 조정
② (오) 싫어하다, 미워하다 ≒ 嫌(혐)　　☞ 당나라 조정

典이라.
전
법

무릇 바른 것을 지켜 변함없는 덕을 닦는 것을 도라 하고, 위태함에 임하여 변화를 부리는 것을 권이라 하니 지혜로운 자는 시운을 따르는 것에서 그 일을 이루고 어리석은 자는 이치를 거스르는 것에서 그 일을 망친다. 다만 살려주기를 좋아하고 죽이기를 싫어하는 것으로써 함은 상제님의 깊은 인자함이요, 법을 굽혀 은혜를 펴는 것은 위대한 조정의 좋은 법도이다.

관청의 도적 ☞ 나라의 도적

~에 (달려) 있다

討官賊者는 不懷私忿하고 諭迷途者는 固在
토 관 적 자   불 회 사 분   유 미 도 자   고 재
치다 벼슬 도둑 사람 아니다 품다 사사롭다 분하다 깨우쳐주다미혹하다 길 사람 진실로 있다

直言이라. 飛吾折簡之詞[1]하여 解爾倒懸之急하
직 언   비 오 절 간 지 사   해 이 도 현 지 급
곧다 말   날다 나 꺾다 간략하다 어조사 글   풀다 너 넘어지다 매달다 어조사 급하다
너(대명사)   너(대명사)
☞ 황소   ☞ 황소

노니 汝其無成膠柱[2]하고 早學見機하여 善自爲
여 기 무 성 교 주   조 학 견 기   선 자 위
너 장차 없다 이루다 아교 기둥   일찍 배우다 보다 기미   잘 스스로 하다

① 덕목의 이름
② 착하다
③ 좋다
④ 잘, 잘하다

謀면 過而能改리라.
모   과 이 능 개
도모하다 허물 말 잇다 능하다 고치다

『계원필경집』

나라의 적을 토벌하는 자는 사사로운 분노를 품지 아니하고, 길 잃은 사람을 깨우쳐 주는 자는 진실로 말을 바로 해 줌에 달려 있다. 나의 짧은 편지글을 띄워 너의 거꾸로 매달린 듯한 위급함을 풀어 주려 하노니 너는 장차 미련한 고집을 부리지 말고 빨리 기미 살피는 것을 배워 자신을 위하여 도모하기를 잘한다면 잘못이 있더라도 고칠 수 있을 것이다.

1) 절간지사(折簡之詞): 잘린 반쪽 죽간에 쓴 글. 짧고 보잘것없는 글을 비유하여 겸손하게 표현한 말
2) 교주(膠柱): 교주고슬(膠柱鼓瑟)의 줄임말
아교풀로 비파나 거문고의 기러기발을 붙여 놓으면 음조를 바꿀 수 없다는 뜻으로, 고지식하여 조금도 융통성이 없음을 이르는 말

• 『계원필경집(桂苑筆耕集)』: 신라 말기의 학자 최치원(崔致遠)의 시문집

惡: 싫어하다 = 嫌
오   혐

大朝: 唐나라 조정을 뜻함.
대조   당

令: 좋은, 훌륭한
령

부수가 같은 한자 − 人(亻)인
갑자기 정신을 잃고 쓰러짐. 또는 그런 일
倒(도) 넘어지다 예 卒倒졸도
伸(신) 펴다 예 伸張 신장: 세력이나 권리 따위가 늘어남. 또는 늘어나게 함.
侮(모) 업신여기다 예 侮辱 모욕: 깔보고 욕되게 함.
俱(구) 함께 예 俱存 구존 : 부모가 모두 살아 계심.

정하여진 기준에서 말하는 전후, 좌우, 상하 따위의 차례 관계

➕ 어휘 더하기

• 모양이 비슷한 한자
順(순) 따르다 順序 순서
須(수) 모름지기 예 必須 필수: 꼭 있어야 하거나 하여야 함.
搖(요) 흔들다 예 動搖 동요 ① 물체 따위가 흔들리고 움직임. ② 생각이나 처지가 확고하지 못하고 흔들림.
遙(요) 멀다 예 遙遠 요원: 아득히 멂.
泳(영) 헤엄치다 예 水泳 수영: 스포츠나 놀이로서 물속을 헤엄치는 일
詠(영) 읊다 예 詠歎 영탄: 목소리를 길게 뽑아 깊은 정회(情懷)를 읊음.
糾(규) 얽히다 예 紛糾 분규
叫(규) 부르짖다 예 絕叫 절규
이해나 주장이 뒤얽혀서 말썽이 많고 시끄러움.   있는 힘을 다하여 절절하고 애타게 부르짖음.

新 한자 모아 보기

한자	음	뜻	부수	획수	총획
嫌	혐	싫어하다	女	10	13
伸	신	펴다	人(亻)	5	7
侮	모	업신여기다	人(亻)	7	9
辱	욕	욕되다	辰	3	10
俱	구	함께	人(亻)	8	10
搖	요	흔들다	手(扌)	10	13
遙	요	멀다	走(辶)	10	14
泳	영	헤엄치다	水(氵)	5	8
詠	영	읊다	言	5	12
歎	탄	탄식하다	欠	11	15
糾	규	얽히다	糸	2	8
紛	분	어지럽다	糸	4	10
叫	규	부르짖다	口	2	5
廷	정	조정	廴	4	7
鬼	귀	귀신	鬼	0	10

夫守正修常曰道요 臨危制變曰權이니
부 수 정 수 상 왈 도   임 위 제 변 왈 권
무릇 바른 것을 지켜 변함없는 덕을 닦는 것을 도라 하고, 위태함에 임하여 변화를 부리는 것을 권이라 하니

智者는 成之於順時하고 愚者는 敗之於逆理라.
지 자   성 지 어 순 시   우 자   패 지 어 역 리
지혜로운 자는 시운을 따르는 것에서 그 일을 이루고 어리석은 자는 이치를 거스르는 것에서 그 일을 망친다.

但以好生惡殺은 上帝深仁이요 屈法申恩은 大朝令典이라.
단 이 호 생 오 살   상 제 심 인   굴 법 신 은   대 조 영 전
다만 살려주기를 좋아하고 죽이기를 싫어하는 것으로써 함은 상제님의 깊은 인자함이요, 법을 굽혀 은혜를 펴는 것은 위대한 조정의 좋은 법도이다.

討官賊者는 不懷私忿하고 諭迷途者는 固在直言이라.
토 관 적 자   불 회 사 분   유 미 도 자   고 재 직 언
나라의 도적을 토벌하는 자는 사사로운 분노를 품지 아니하고, 길 잃은 사람을 깨우쳐 주는 자는 진실로 말을 바로 해 줌에 달려 있다.

飛吾折簡之詞하여 解爾倒懸之急하노니
비 오 절 간 지 사   해 이 도 현 지 급
나의 짧은 편지글을 띄워 너의 거꾸로 매달린 듯한 위급함을 풀어 주려 하노니

汝其無成膠柱하고 早學見機하여 善自爲謀면 過而能改리라.
여 기 무 성 교 주   조 학 견 기   선 자 위 모   과 이 능 개
너는 장차 미련한 고집을 부리지 말고 빨리 기미 살피는 것을 배워 자신을 위하여 도모하기를 잘한다면 잘못이 있더라도 고칠 수 있을 것이다.

이해 더하기

도: 마땅히 지켜야 할 도리
권: '권리'나 '자격'
무모: 앞뒤를 잘 헤아려 깊이 생각하는 신중성이나 꾀가 없음.

본문에서는 의론적 서술 방식을 써서 반란군의 우두머리 황소에게 항복을 권유하고 있다. 그 내용은 道와 權을 내세워 천하대세(天下大勢)의 운행 이치(運行理致)를 밝히고, 당나라 朝廷의 바르고 강성함을 황소 무리의 비뚤어지고 無謀함에 대비시켜 사태를 바르게 알고 항복하도록 권유한 것이다. 황소가 이 글을 보다가 '하늘 아래 사람들이 모두 드러내 놓고 너를 죽이려고 생각할 뿐 아니라, 땅속의 鬼神들도 이미 암암리에 죽이자고 의논했다'라 한 구절에 이르러 자기도 모르게 놀라 마루 밑으로 굴러떨어졌다고 한다. 이로 인해 최치원의 명성이 중국에 널리 알려졌다. 이 작품은 우리 문학사상 신라 전 기간을 통하여 가장 뛰어난 문장으로 評價되고 있다.

귀신: 사람이 죽은 뒤에 남는다는 넋
조정: 임금이 나라의 정치를 신하들과 의논하거나 집행하는 곳. 또는 그런 기구
평가: 사물의 가치나 수준 따위를 평함. 또는 그 가치나 수준

견 당유학생(遣唐留學生)은 당나라 국자감(國子監)에 파견하였던 유학생을 말한다. 신라는 삼국을 통일한 뒤 국가 조직과 통치 계층의 수요를 충당하기 위해서 682년(신문왕 2년)에 國學을 설치하였고, 842년(문성왕 4년)에는 讀書三品科를 부설하였으나, 5두품 이상의 자제에게만 입학의 자격이 주어졌으므로 6두품 이하의 지식 계층들은 자신들의 身分 향상을 위해서 海外 留學을 택하게 되었다.

유학생으로서 당나라의 과거에 급제한 최초의 人物은 김운경이며, 당나라가 망한 906년까지 신라인 58명이 급제하였다. 그 뒤 925년까지 20년 동안 22명이 급제하였고, 발해인도 10여 명이 있었다. 견당유학생 가운데 최치원과 김가기는 文章으로, 박인범은 詩로써, 김악은 禮로써, 최승우와 최언위는 文士로써 중국에 이름을 떨쳤다.

오늘날에는 이유는 다르지만 어린 나이에 유학을 가 이름을 떨친 우수한 인물이 많은데, 그 대표적인 인물로 동양인이라는 墻壁을 무너뜨린 강수진, 조수미를 들 수 있다. 강수진은 동양인으로는 최초이자 최연소로 슈투트가르트 발레단에 입단하여, 수석 무용수가 되었고, 한국 발레를 세계 무대로 끌어올린 先驅者로 불리게 된다.

조수미 역시 동양인 최초로 국제 콩쿠르 6개를 석권했고, 세계 5대 오페라 극장에서 주연으로 공연한 동양인 최초의 프리마 돈나로 이 기록은 아직도 깨지지 않고 있다. 1993년에는 동양인 최초로 이탈리아 황금 기러기 상을 수상했다.

국학: 신라 때에, 예부에 속한 교육 기관

독서삼품과: 신라 때에, 귀족의 자제에 한하여 상·중·하의 삼품으로 나누어 성적을 심사하고 결정하여 관리로 등용하던 제도

해외: 바다 밖의 다른 나라

유학: 외국에 머물면서 공부함.

신분: 개인의 사회적인 위치나 계급

예: 예법(禮法)

시: 자연이나 인생에 대하여 일어나는 감흥과 사상 따위를 함축적이고 운율적인 언어로 표현한 글

문사: 문학에 뛰어나고 시문을 잘 짓는 사람

문장: 한 나라의 문명을 이룬 예악(禮樂)과 제도 또는 그것을 적어 놓은 글

장벽: 둘 사이의 관계를 순조롭지 못하게 가로막는 장애물

선구자: 어떤 일이나 사상에서 다른 사람보다 앞선 사람

▲ 세계 속에 이름을 떨친 성악가 조수미

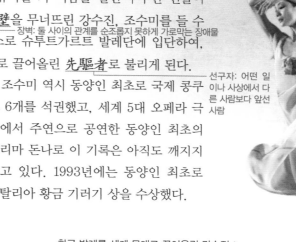

한국 발레를 세계 무대로 끌어올린 강수진 ▶

| 세계화 관련 용어 |

활동 ▶ 한자 어휘 카드의 빈칸에 알맞은 음을 써 보자.

遺跡
(❶ 유 적)

남아 있는 자취

傳播
(❷ 전 파)

전하여 널리 퍼뜨림.

相互依存
(❸ 상 호 의 존)

서로 기대어 존재함.

地球村
(❹ 지 구 촌)

지구 전체를 한 마을처럼 여겨 이르는 말

發祥地
(❺ 발 상 지)

역사적으로 큰 가치가 있는 어떤 일이나 사물이 처음 나타난 곳

多國籍企業
(❻ 다 국 적 기 업)

여러 나라에 계열 회사를 거느리고 세계적 규모로 생산·판매하는 대기업

新 한자 모아 보기

한자	음	뜻	부수	획수	총획
墻	장	담	土	13	16
驅	구	몰다	馬	11	21
播	파	뿌리다	手(扌)	12	15
互	호	서로	二	2	4
祥	상	상서롭다	示	6	11
企	기	꾀하다	人	4	6

실력을 키우는
평가 ○ 교과서 170쪽

1. 문장의 풀이를 읽고 ( ) 안에 한자를 넣어 보자. ㉠智. ㉡順. ㉢愚. ㉣逆
　　　　　　　　　　　　　　　　　　　　　　　　　지　순　우　역

> (㉠)者, 成之於(㉡)時,
> 　　자　 성지어　　　시
> ↕　　　　　　　↕
> (㉢)者, 敗之於(㉣)理.
> 　　자　 패지어　　　리

• 풀이: <u>지혜로운</u> 자는 시운을 <u>따르는</u> 것에서 그 일을 이루고
　　　　↕　　　　　　　　　↕
　　　<u>어리석은</u> 자는 이치를 <u>거스르는</u> 것에서 그 일을 망친다.

2. 다음은 본문을 설명한 글이다. 〈보기〉에서 ㉮와 ㉯에 해당하는 어휘를 찾아 써 보자.

> 875년 당나라에서 황소가 난을 일으켰다. 당시 고변의 종사관으로 임명된 최치원이 글을 보내 ㉮거꾸로 매달린 듯한 위급한 상황인 황소에게 ㉯고지식하여 조금도 융통성이 없음을 버리고 항복을 권유하고 있다.

　　　　　　　　　　　　　　　　　　　　　　　┌─ 잘못하여도 고칠 수 있음.
보기	倒懸之急	膠柱鼓瑟	過而能改
	도 현 지 급	교 주 고 슬	과 이 능 개

✎ ㉮ 倒懸之急 ㉯ 膠柱鼓瑟

[창의형]
3. 본문에 쓰인 '道(도)'와 '權(권)'의 뜻을 설명하고 그 예를 든 것이다. 우리가 생활하면서 생길 수 있는 예를 찾아보자.

道
도 ─ 뜻: 올바르게 지켜 늘 변함없이 행하여야 하는 원칙
　　　 예 다른 사람의 물건을 파손하면 안 된다.

權
권 ─ 뜻: 위태로운 상황을 당해 상황에 맞게 변화를 부리는 행동
　　　 예 응급 구조를 위해 구급 대원이 창문을 깨뜨렸다.

[도움말] 소단원 학습이 끝나면 소단원 학습 목표에 해당하는 질문에 답하며 자신의 학업 성취도를 스스로 점검해 본다. 성취 목표에 도달하지 못한 경우에는 제시된 위치로 돌아가서 내용을 다시 읽고 공부하도록 한다.

소단원 자기 점검	배운 내용에 관해 자기 점검을 하면서 학업 성취도 도달 정도를 확인해 보자.	[별이 3개 이하인 경우] • 교과서 166∼168쪽 다시 읽기
	• 글의 내용과 주제를 알고 감상할 수 있는가?	☆☆☆☆☆
	• 한문 산문의 의론적 서술 방식의 특징을 알 수 있는가?	☆☆☆☆☆
	• 작자의 사상을 이해하고, 이러한 사상을 오늘날의 생활에 활용할 수 있는가?	☆☆☆☆☆

1. 한자

• 한자, 음, 뜻, 부수의 순서로 제시

唐 (당) ❶□□□, 당황하다 [口]

謀 (모) 꾀 [言]

床 (상) 평상 [广]

跡 ❷□ 자취 [足]

愚 (우) 어리석다 [心]

屈 (굴) 굽히다 [尸]

討 (토) 치다 [言]

諭* (유) 깨우치다 [❸□]

迷 (미) 미혹하다 [辵(辶)]

途 (도) 길 [辵(辶)]

爾* (이) 너 [爻]

倒 (도) ❹□□□□ [人(亻)]

懸 (현) 달다 [心]

嫌 (혐) 싫어하다 [女]

伸 (신) 펴다 [人(亻)]

侮 (모) 업신여기다 [人(亻)]

辱 (욕) 욕되다 [辰]

❺□ (구) 함께 [人(亻)]

搖 ❻□ 흔들다 [手(扌)]

遙 (요) 멀다 [辵(辶)]

泳 (영) 헤엄치다 [水(氵)]

詠 (영) 읊다 [❼□]

歎 ❽□ 탄식하다 [欠]

糾 (규) 얽히다 [糸]

紛 (분) 어지럽다 [糸]

❾□ (규) 부르짖다 [口]

廷 (정) ❿□□ [廴]

鬼 (귀) 귀신 [鬼]

墻 (장) 담 [土]

驅 (구) 몰다 [馬]

播 ⓫□ 뿌리다 [手(扌)]

互 (호) 서로 [⓬□]

祥 (상) 상서롭다 [示]

企 (기) 꾀하다 [人]

2. 본문

夫❶□□修常曰道(부수정수상왈도)요
臨危制變曰權(임위제변왈권)이니
智者(지자)는 成之於順時(성지어순시)하고
愚者(우자)는 敗之於逆理(패지어역리)라.

무릇 바른 것을 지켜 변함없는 덕을 닦는 것을 도라 하고,
위태함에 임하여 변화를 부리는 것을 권이라 하니
❷□□로운 자는 시운을 따르는 것에서 그 일을 이루고
어리석은 자는 이치를 거스르는 것에서 그 일을 망친다.

但以好生❸□□(단이호생오살)은 上帝深仁(상제심인)이요 屈法申恩(굴법신은)은 大朝令典(대조영전)이라.

다만 살려주기를 좋아하고 죽이기를 싫어하는 것으로써 함은 상제님의 깊은 인자함이요, 법을 굽혀 은혜를 펴는 것은 위대한 조정의 좋은 법도이다.

飛吾折簡之詞(비오절간지사)하여
❹□爾倒懸之急(해이도현지급)하노니
汝其無成膠柱(여기무성교주)하고 早學見機(조학견기)하여 善自爲謀(선자위모)면 過而能❺□(과이능개)리라.

나의 짧은 편지글을 띄워
너의 거꾸로 매달린 듯한 위급함을 풀어 주려 하노니
너는 장차 미련한 고집을 부리지 말고 빨리 기미 살피는 것을
배워 ❻□□을 위하여 도모하기를 잘한다면 잘못이 있더라도
고칠 수 있을 것이다.

3. **어휘** – 세계화 관련 용어

- ☐☐❶(유적): 남아 있는 자취
- 傳播(☐☐❷): 전하여 널리 퍼뜨림.
- 相互依存(상호 의존): 서로 기대어 존재함.
- ☐☐☐❸(지구촌): 지구 전체를 한 마을처럼 여겨 이르는 말
- 發祥地(발상지): 역사적으로 큰 가치가 있는 어떤 일이나 사물이 ☐☐❹ 나타난 곳
- 多國籍企業(☐☐☐ ☐☐❺): 여러 나라에 계열 회사를 거느리고 세계적 규모로 생산 · 판매하는 대기업

쪽지 시험

01 다음 한자의 공통되는 뜻을 쓰시오.

> 嫌　惡

02 다음 한자의 공통되는 부수를 쓰시오.

> 討　諭　詠

03 다음 한자 어휘에서 밑줄 친 한자의 음과 뜻을 쓰시오.

> 侮<u>辱</u>

(1) 음:

(2) 뜻:

04 다음과 같은 뜻을 가진 한자 어휘를 한자로 쓰시오.

(1) 서로 기대어 존재함.: ☐☐☐☐

(2) 역사적으로 가치가 있는 일이나 사물이 처음 나타난 곳: ☐☐☐

(3) 여러 나라에 계열 회사를 거느리고 생산, 판매하는 기업: ☐☐☐☐☐

(4) 임금이 나라의 정치를 신하들과 의논하거나 집행하는 곳. 또는 그런 기구: ☐☐

05 한자 어휘와 뜻을 바르게 연결하시오.

(1) 遺跡　•

(2) 留學　•

(3) 無謀　•

(4) 先驅者 •

　• ㉠ 외국에 머물면서 공부함.

　• ㉡ 어떤 일이나 사상에서 다른 사람보다 앞선 사람

　• ㉢ 남아 있는 자취

　• ㉣ 앞뒤를 잘 헤아려 깊이 생각하는 신중성이나 꾀가 없음.

01 다음 한자의 뜻으로 알맞은 것은?

> 倒

① 오르다　② 매달다　③ 자르다
④ 도착하다　⑤ 넘어지다

02 부수가 나머지와 <u>다른</u> 하나는?

① 倒　② 伸　③ 搖　④ 侮　⑤ 俱

03 음이 같은 한자의 연결이 바르지 <u>않은</u> 것은?

① 搖 － 遙　② 泳 － 詠　③ 糾 － 叫
④ 順 － 須　⑤ 倒 － 到

04 한자 어휘의 독음이 바르지 <u>않은</u> 것은?

① 天下 (천하)　② 運行 (운행)
③ 朝廷 (조선)　④ 無謀 (무모)
⑤ 鬼神 (귀신)

05 밑줄 친 부분을 한자로 바꾸어 쓸 때, 알맞은 것은?

> 올해는 학력<u>신장</u>을 위해 더욱 노력할 것이다.

① 信章　② 伸張　③ 身長
④ 信長　⑤ 神將

06 한자 어휘의 활용이 적절한 것은?

① 번호 必須대로 버스에 탑승했다.
② 친구를 잃은 슬픔에 紛糾하였다.
③ 오랜만에 水詠을 하니 어색하였다.
④ 소풍이 결정되자 아이들이 動搖하였다.
⑤ 바늘 옆에는 順序적으로 실이 있어야 한다.

07 밑줄 친 부분을 한자로 쓰시오.

> 신라는 독서삼품과를 부설하였으나, 5두품 이상의 자제에게만 입학의 자격이 주어졌으므로 6두품 이하의 지식 계층들은 자신들의 신분 향상을 위해서 해외 <u>유학</u>을 택하게 되었다.

08 ㉠에 들어갈 한자 어휘로 알맞은 것은?

〈문명의 발생〉

고대 문명의 (㉠)의 공통점은 물이 풍부하고, 교통이 편리하다는 것이다.

① 傳播　② 地球村　③ 發祥地
④ 相互依存　⑤ 多國籍企業

[09~13] 다음 글을 읽고 물음에 답하시오.

> 夫守正修常曰㉠道요 臨危制變曰㉡權이니 ㉢智者는 成之於順時하고 ㉣愚者는 敗之於逆理라.

09 ㉠의 예로 적절하지 <u>않은</u> 것은?

① 도둑을 잡기 위해 정차된 차를 망가뜨린 경찰
② 무감독 시험에서 주변을 둘러보지 않은 응시자
③ 사람이 없는 곳에서 교통 신호를 지킨 운전자
④ 화재 현장을 발견하고 재빠르게 신고한 목격자
⑤ 아픈 친구를 부축하여 병원으로 데리고 간 학생

10 ⓛ이 의미하는 바를 쓰시오.

11 ⓒ의 서술어로 알맞은 것은?

① 智　② 者　③ 成　④ 之　⑤ 於

12 ㉣의 逆과 뜻이 반대되는 한자를 ⓒ에서 찾으면?

① 成　② 之　③ 於　④ 順　⑤ 時

출제 유력
13 ⓒ과 ㉣에 대한 설명으로 바르지 <u>않은</u> 것은?

① 풀이 순서가 같다.
② 문장의 구조가 같다.
③ 두 문장의 글자 수가 같다.
④ 반대되는 내용을 표현하고 있다.
⑤ 비슷한 내용을 표현할 때는 글자 수를 달리한다.

[14~20] 다음 글을 읽고 물음에 답하시오.

> 但以好生㉠惡殺은 上帝ⓛ仁이요 屈法申恩은 ⓒ大朝令典이라. 討㉣宜賊者는 不懷私忿하고 諭迷途者는 固在直言이라. 飛吾折簡之詞하여 解㉤爾倒懸之急하노니 汝其無成㉥膠柱하고 早學見機하여 ㉦善自爲謀면 過而能改리라.

14 ㉠의 뜻으로 알맞은 것은?

① 악하다　② 나쁘다　③ 더럽다
④ 못 생기다　⑤ 싫어하다

15 ⓛ과 다음 글의 빈칸에 공통으로 들어갈 한자로 알맞은 것은?

> 水☐可知, 人心難知.
> → 물의 깊이는 알 수 있으나, 사람의 마음은 알기 어렵다.

① 途　② 深　③ 倒　④ 永　⑤ 鬼

16 ⓒ이 의미하는 곳을 쓰시오.

17 ㉣과 관련 있는 사람으로 적절한 것은?

① 옷을 디자인하는 우진
② 치킨집을 운영하는 은하
③ 글을 써서 출판하는 지현
④ 우체국에서 근무하는 우경
⑤ 아파트 매매를 중계하는 은영

18 ㉤이 가리키는 대상으로 알맞은 것은?

① 최치원　② 황소　③ 당나라 임금
④ 신라 관리　⑤ 신라 임금

출제 유력
19 ㉥과 관련 있는 다음 성어의 뜻으로 알맞은 것은?

> 膠柱鼓瑟

① 말과 행동이 일치함.
② 몰라보게 실력이 향상됨.
③ 고지식하여 융통성이 없음.
④ 더 잘하라고 채찍질을 해 줌.
⑤ 주변에 있던 사람이 이익을 봄.

20 ㉦의 풀이 순서대로 바르게 나열한 것은?

① 善 → 自 → 爲 → 謀
② 善 → 爲 → 自 → 謀
③ 自 → 善 → 爲 → 謀
④ 自 → 爲 → 善 → 謀
⑤ 自 → 爲 → 謀 → 善

24 인재를 알아보는 혜안

○ 교과서 171쪽

| 생각을 여는 활동 |

● 만화를 보고 아래의 빈칸을 채워 보자.

① 주나라 때 어떤 말 장수가 준마를 팔기 위하여 시장에 나갔다. 하지만 아무도 그 말을 사려고 관심을 두는 자가 없었다.

② 고민 끝에 그는 말 감정가로 가장 유명한 伯樂(백 락)을 찾아갔다. 사례는 충분히 하겠으니 한 번만이라도 자기의 말을 쳐다보며 관심을 가져달라고 當付(당부)하였다.

└ 당부: 말로 단단히 부탁함. 또는 그런 부탁

③ 백락이 그 말을 한번 얼핏 돌아보며 관심을 두자 많은 사람이 그 말에 관심을 가지고 몰려들었다.

④ 이에 그 말의 가격을 열 배나 더 받고 팔 수 있었다.

대상	비유 대상	관련 성어
준마	❶ 인 재	❷ 伯樂一顧(백 락 일 고) → '백락이 한 번 돌아본다'는 뜻으로, 훌륭한 사람에게 인정받음, 혹은 알아주는 사람이 있어야 능력을 發揮할 수 있음을 이르는 말
伯樂(백 락)	❶ 인 재 를 알아보는 사람	└ 발휘: 재능, 능력 따위를 떨치어 나타냄.

학습 계획 세우기   도움말 글의 내용 및 주제 이해, 인재를 알아보는 안목을 알아보는 활동을 통해 소단원 학습에 대한 자신의 배경 지식을 활성화한다. 또 이를 바탕으로 소단원에서 어떤 내용을 공부할지 스스로 계획을 세워 본다.

● 위 활동을 바탕으로 스스로 학습 계획을 세워 보자.

나는 이 단원에서 _____ 예 글의 내용 및 주제 이해, 인재를 알아보는 안목 _____ 을/를 공부하겠다.

한자 모아 보기   자신이 알고 있는 한자에 ✓표시를 해 보자.

한자	음	뜻	부수	획수	총획
付	부	주다	人(亻)	3	5
揮	휘	휘두르다	手(扌)	9	12

인재를 알아보는 혜안

○ 교과서 172, 173쪽

한유는 이 글을 통해 명마를 인재에, 백락을 현명한 임금에 비유하였다. 인재는 반드시 그를 잘 알아보는 임금을 만나 알맞은 예우를 받아야만 훌륭한 재능을 발휘하여 위대한 업적을 이룰 수 있다. 이 글을 통해 뛰어난 인재와 그를 알아보는 사람과의 관계를 생각해 보자.

新 한자 모아 보기

한자	음	뜻	부수	획수	총획
粟	속	조, 곡식	米	6	12

┌ A之B者: A 중에 B하는 것(사람)

世有伯樂¹⁾ 然後에　有千里馬하니　千里馬常有로되

세 유　백락　연 후　유 천 리 마　천 리 마 상 유

세상 있다 백락(인명) 그러하다 뒤　있다 일천 거리 단위 말　일천 거리 단위 말 항상 있다

而伯樂不常有라. [중략]　馬之千里者는　一食에 或盡

이 백락 불 상 유　마 지 천 리 자　일 식　혹 진

말 잇다 백락(인명) 아니다 항상 있다　말 어조사 일천 거리 단위 것　하나 먹다 혹시 다하다

부분 부정. 항상 있지는 않음. 즉, 있을 수도 있고 없을 수도 있음.
※ 완전 부정의 표현은 常不有(상불유: 항상 있지 않음.)임.

粟一石이어늘　食馬者가　不知其能千里而食也하니

속 일 석　사 마 자　부 지 기 능 천 리 이 사 야

곡식 하나 섬　먹이다 말 사람　아니다 알다 그 능하다 일천 거리 단위 말 잇다 먹이다 어조사

곡식 한 섬의 단위.
열 말

┌ ○: (식) 먹다
食
└ □: (사) 먹이다

세상에 백락이 있은 연후에 천리마가 있으니, 천리마는 항상 있지만 백락은 항상 있지는 않다. 말 중에 천 리를 달리는 것은 한 번 먹을 때에 간혹 곡식 한 섬을 다 먹거늘 말을 먹이는 자가 그 말이 천 리를 달릴 수 있는지를 알지 못하고 먹이니

1) 백락(伯樂): 본명은 손양(孫陽). 중국 춘추 전국 시대의 인물. 말을 감정하는 상마가(相馬家)라는 직업에 종사함.

是馬雖有千里之能이나 食不飽하고 力不足하여
시 마 수 유 천 리 지 능 식 불 포 역 부 족
이 말 비록 있다 일천 거리 단위어조사 능하다 먹다 아니다 배부르다 힘 아니다넉넉하다

~하고자 하다

才美不外見이라. 且欲與常馬等이라도 不可得
재 미 불 외 현 차 욕 여 상 마 등 불 가 득
재능 뛰어나다 아니다 바깥 보이다 또 하고자 하다~와/과 보통 말 같다 아니다할수있다 얻다

① (견) 보다
② (현) 보이다

하니 安求其能千里也리오?
안 구 기 능 천 리 야
어찌 구하다 그 능하다 일천 거리 단위 어조사

의문형 어조사

『고문진보』

스스로 확인

백락이 가진 재주는 무엇인가?
좋은 말(인재)을 알아보는 눈을 가짐.

이 말이 비록 천 리를 달리는 능력은 있으나 먹는 것이 배부르지 않고 힘이 넉넉하지 않아서 재능의 뛰어남을 밖으로 드러내지 못한다. 또한 보통 말들과 같아지려고 하여도 (그렇게 될 기회를) 얻을 수 없으니, 어찌 그(말)가 천 리를 달릴 수 있기를 구하겠는가?

• 『고문진보(古文眞寶)』: 중국 송나라 말기의 학자 황견(黃堅)이 편찬한 시문 선집

주식에 곁들여 먹는 음식. 밥에 딸린 반찬 따위를 이름.

食: ① (식) 먹다 예 副食부식
　　② (사) 먹이다 예 食馬사마: 말을 먹임.

石: 곡식 한 섬의 단위. 열 말
석

見: ① (견) 보다 예 發見발견
미처 찾아내지 못하였거나 아직 알려지지 아니한 사물이나 현상, 사실 따위를 찾아냄.
　　② (현) 보이다 예 謁見알현
지체가 높고 귀한 사람을 찾아가 뵘.

차
且: 또한

안
安: 어찌

＋ 어휘 더하기

• 뜻이 비슷한 한자로 이루어진 어휘

才能재능	傲慢오만	墳墓분묘
依託의탁	災殃재앙	幽冥유명
曉晨효신	里巷이항	返還반환

```
     1  3  2   4 5    9 6 7 8    1 2 3 4 5    6  7 10 8 9
世有伯樂然後에 有千里馬하니 千里馬常有로되 而伯樂不常有라.
세 유 백 락 연 후    유 천 리 마    천 리 마 상 유    이 백 락 불 상 유
```
세상에 백락이 있은 연후에 천리마가 있으니, 천리마는 항상 있지만 백락은 항상 있지는 않다.

```
     1 2 3 4 5    6 7    8 12 9 10 11
馬之千里者는 一食에 或盡粟一石이어늘
마 지 천 리 자    일 식    혹 진 속 일 석
```
말 중에 천 리를 달리는 것은 한 번 먹을 때에 간혹 곡식 한 섬을 다 먹거늘

```
     2  1  3      9 8 4  7 5 6 10 11 12
食馬者가 不知其能千里而食也하니
사 마 자    부 지 기 능 천 리 이 사 야
```
말을 먹이는 자가 그 말이 천 리를 달릴 수 있는지를 알지 못하고 먹이니

```
     1 2 3 8 4 5 6 7    1 3 2    1 3 2    1 2 5 3 4
是馬雖有千里之能이나 食不飽하고 力不足하여 才美不外見이라.
시 마 수 유 천 리 지 능    식 불 포    역 부 족    재 미 불 외 현
```
이 말이 비록 천 리를 달리는 능력은 있으나 먹는 것이 배부르지 않고 힘이 넉넉하지 않아서 재능의 뛰어남을 밖으로 드러내지 못한다.

```
     1 6 4 2 3 5      3 2 1    1 6 2 5 3 4 7
且欲與常馬等이라도 不可得하니 安求其能千里也리오?
차 욕 여 상 마 등    불 가 득    안 구 기 능 천 리 야
```
또한 보통 말들과 같아지려고 하여도 (그렇게 될 기회를) 얻을 수 없으니, 어찌 그(말)가 천 리를 달릴 수 있기를 구하겠는가?

新 한자 모아 보기

한자	음	뜻	부수	획수	총획
副	부	버금	刀(刂)	9	11
謁	알	뵈다	言	9	16
傲	오	거만하다	人(亻)	11	13
墓	묘	무덤	土	11	14
託	탁	맡기다	手(扌)	3	6
災	재	재앙	火	3	7
殃	앙	재앙	歹	5	9
幽	유	그윽하다	幺	6	9
冥	명	어둡다	冖	8	10
曉	효	새벽	日	12	16
巷	항	거리, 마을	己	6	9
返	반	돌이키다	辵(辶)	4	8
愈	유	낫다	心	9	13
祿	록	녹	示	8	13
勵	려	힘쓰다	力	15	17

• 재능: 어떤 일을 하는 데 필요한 재주와 능력
• 의탁: 어떤 것에 몸이나 마음을 의지하여 맡김.
• 효신: 먼동이 트려 할 무렵(새벽)

• 오만: 태도나 행동이 건방지거나 거만함. 또는 그 태도나 행동
• 재앙: 뜻하지 아니하게 생긴 불행한 변고. 또는 천재지변으로 인한 불행한 사고
• 이항: 마을

• 분묘: 무덤
• 유명: 깊숙하고 어두움.
• 반환: ① 빌리거나 차지했던 것을 되돌려 줌. ② 왔던 길을 되돌아 감.

〔이해 더하기〕

韓愈가 지은 「잡설(雜說)」 가운데 하나로, 천리마와 백락의 이야기를 통해 인재 등용의 중요성에 대한 자신의 견해를 설득력 있게 제시하고 있다. 인재는 반드시 그를 잘 알아보는 임금을 만나야 하고, 또 임금은 인재에게 맞는 지위와 후한 祿으로 그를 예우하고 激勵해야만 비로소 그 안에 감추어진 훌륭한 재능을 남김없이 발휘하여 위대한 업적을 이룰 수 있다고 말한다. 능력을 알아보는 백락을 만나지 못한다면 천리마도 평범한 말과 다를 바 없다는 것이다.

└─ 격려: 용기나 의욕이 솟아나도록 북돋워 줌.

└─ 한유: 중국 당나라의 문인·정치가(768~824), 자는 퇴지(退之), 호는 창려(昌黎), 당송 팔대가의 한 사람으로, 변려문을 비판하고 고문(古文)을 주장함. 시문집에 『창려선생집』이 있음.

└─ 녹: 벼슬아치에게 일 년 또는 계절 단위로 나누어 주던 금품을 통틀어 이르는 말 = 녹봉

인물 평가의 고전 『人物志』
인 물 지

○ 교과서 175쪽

중국 삼국 시대에 위(魏)나라에서 관리로 활약한 유소(서기 189~244년)의 저술. 주로 인재 등용 및 평가 방법, 평가의 오류, 적재적소의 배치 방법, 인재 등용의 어려움 등을 요약 정리한 인사(人事) 전문 서적으로써, 역대 조정의 인사 행정 부서에서 교과서 격으로 사용했던 책

인물을 평가하고 인재를 알아보는 원칙은 일의 成敗를 좌우하는 관건이 되기도 한다. 『인물지(人物志)』는 중국 삼국 시대 '조조'를 補佐하던 인사 참모 '유소'가 사람을 보는 법과 어떤 사람을 어디에 어떻게 써야 하는지에 관한 원칙을 整理한 책이다. 이 책은 지은 지 1800년이나 지난 고전이지만 현대를 살아가는 우리에게도 여전히 의미 있는 교훈을 준다.

— 성패: 성공과 실패를 아울러 이르는 말
— 보좌: 상관을 도와 일을 처리함.
— 정리: ① 흐트러지거나 혼란스러운 상태에 있는 것을 한데 모으거나 치워 서 질서 있는 상태가 되게 함. ② 체계적으로 분류하고 종합함.

사람은 누구나 각각 재질에 따라 적합한 일이 있으며 재능도 차이가 있다. 또 인재는 적시(適時)와 적재(適材)의 합이므로 어떤 일에 어떤 인재를 어떻게 대우하고 써야 하는지 판단하는 것이 중요하다. 이 책의 내용 중 인사권자가 '인재를 알아보지 못하는 7가지 요인'을 알아보자.

— 알맞은 때
— 어떠한 일에 알맞은 재능

> 인물을 이렇게 평가하면 아니 된다고 아뢰어라!!

동료: 같은 직장이나 같은 부문에서 함께 일하는 사람
편파: 공정하지 못하고 어느 한쪽으로 치우쳐 있음.

① 겉으로 드러난 명성과 同僚들의 말만 믿고 뛰어난 사람이라고 믿는 것
"모르는 사람이 없더라고. 그러니 발탁했지."

② 자신의 감정·선호도에 지나치게 偏頗적인 것
"저렇게 俊秀하게 잘생겼는데 일도 잘하겠지?"
준수: 재주와 슬기, 풍채가 빼어남.

③ 사람의 됨됨이를 겉보기만으로 판단하는 것
"양보하는 것을 보니 훌륭한 사람이 틀림없어."

④ 자질과 관계없이 성취 속도를 우선시하는 것
"일을 빨리 처리하니, 능력이 좋은 거야."

⑤ 자신과 類似한 부류만 좋아하는 유유상종(類類相從)의 陷穽에 빠지는 것
"저 사람은 나처럼 느긋해서 좋아."
유사: 서로 비슷함.

⑥ 성과로만 평가하는 것
"매출 실적이 최고라는 것은 능력이 좋다는 妥當한 증거야."
타당: 일의 이치로 보아 옳음.

⑦ 화려한 배경을 선호하는 것
"그 집안에는 고위 관리, 박사들이 즐비하다니까."

함정: 빠져나올 수 없는 상황이나 남을 해치기 위한 계략을 비유적으로 이르는 말

| 면접 관련 용어 |

활동 ▶ 음과 풀이에 해당하는 한자 어휘를 〈보기〉에서 찾아 빈칸에 써 보자.

보기

員	署	司	裁	薦	歷	募
원	서	사	재	천	력	모

① 履歷書(이력서): 이력을 적은 문서

② 上司(상사): 자기보다 벼슬이나 지위가 위인 사람

③ 職員(직원): 일정한 직장에 근무하는 사람을 통틀어 이르는 말

④ 募集(모집): 사람이나 작품, 물품 따위를 일정한 조건 아래 널리 알려 뽑아 모음

⑤ 推薦(추천): 어떤 조건에 적합한 대상을 책임지고 소개함.

⑥ 決裁(결재): 결정할 권한이 있는 상관이 부하가 제출한 안건을 검토하여 허가하거나 승인함.

⑦ 部署(부서): 기관, 기업, 조직 따위에서 일이나 사업의 체계에 따라 나뉘어 있는, 사무의 각 부문

新 한자 모아 보기

한자	음	뜻	부수	획수	총획
補	보	깁다, 돕다	衣(衤)	7	12
佐	좌	돕다	人(亻)	5	7
整	정	가지런하다	攴(攵)	12	16
僚	료	동료	人(亻)	12	14
頗	파	자못, 치우치다	頁	5	14
俊	준	준걸	人(亻)	7	9
似	사	닮다, 같다	人(亻)	5	7
陷	함	빠지다	阜(阝)	8	11
穽	정	함정	穴	4	9
妥	타	온당하다	女	4	7
員	원	인원	口	7	10
署	서	관청	罒	9	14
司	사	맡다	口	2	5
裁	재	마르다, 결단하다	衣	6	12
薦	천	천거하다	艸(艹)	13	17
募	모	모으다	力	11	13

[1~3] 다음 글을 읽고 물음에 답하시오.

世有伯樂然後, 有千里馬. ㉠千里馬常有, 而伯樂不常有. 馬之千里者, 一食,
세유백락연후 유천리마   천리마상유 이백락불상유 마지천리자 일식

或盡粟一石, ㉡食馬者, 不知其能千里而食也, 是馬雖有千里之能, ㉢食不飽,
혹진속일석 사마자 부지기능천리이사야 시마수유천리지능   식불포

力不足, 才美不外見. 且欲與常馬等, 不可得, 安求其能千里也?
역부족 재미불외현 차욕여상마등 불가득 안구기능천리야

[풀이] 세상에 백락이 있은 연후에 천리마가 있으니, 천리마는 항상 있지만 백락은 항상 있지는 않다. 말 중에 천리를 달리는 것은 한 번 먹을 때에 간혹 곡식 한 섬을 다 먹거늘 말을 먹이는 자가 그 말이 천 리를 달릴 수 있는지를 알지 못하고 먹이니 이 말이 비록 천 리를 달리는 능력은 있으나 먹는 것이 배부르지 않고 힘이 넉넉하지 않아서 재능의 뛰어남을 밖으로 드러내지 못한다. 또한 보통 말들과 같아지려고 하여도 (그렇게 될 기회를) 얻을 수 없으니, 어찌 그(말)가 천 리를 달릴 수 있기를 구하겠는가?

1. ㉠을 바르게 풀이해 보자.

✎ 천리마는 항상 있지만 백락은 항상 있지는 않다.

2. ㉡과 ㉢의 음으로 바른 것은? ③

	㉡	㉢
①	사	사
②	식	식
③	사	식
④	식	사
⑤	시	시

㉡ (사) 먹이다 ㉢ (식) 먹다

3. 윗글의 핵심 내용을 나타낸 것이다. ㉮에 공통으로 들어갈 말을 써 보자.

(㉮)을/를 키우는 데 노력해야 하고, 또한 (㉮)을/를 알아주는 사람을 만나야 한다.

✎ 재능 또는 능력

창의형

4. 본인이 한 회사의 면접관이 되어 인재를 등용한다고 가정하고, 인재 등용의 기준안과 중요도를 설정해 보자.

예시

'○○ 레스토랑'의 요리사 선발 기준	
기준안	우선순위
• 요리 자격증이 있는 사람	1
• 밝은 미소를 가진 사람	3
• 건강한 사람	2
⋮	⋮

(연예 기획사)의 (아이돌 가수) 선발 기준	
기준안	우선순위
• 성실하고 노력하는 사람	3
• 재능이 뛰어난 사람	2
• 다른 사람의 시선을 사로잡는 매력이 있는 사람	1

도움말 소단원 학습이 끝나면 소단원 학습 목표에 해당하는 질문에 답하며 자신의 학업 성취도를 스스로 점검해 본다.
성취 목표에 도달하지 못한 경우에는 제시된 위치로 돌아가서 내용을 다시 읽고 공부하도록 한다.

소단원
자기 점검

배운 내용에 관해 자기 점검을 하면서 학업 성취도 도달 정도를 확인해 보자.

[별이 3개 이하인 경우] • 172~174쪽 다시 읽기

• 명문을 읽고 글의 내용과 주제를 이해할 수 있는가?	☆☆☆☆☆
• 한문 산문의 의론적 서술 방식의 특징을 알 수 있는가?	☆☆☆☆☆
• 명문을 읽고 글이 지닌 현재적 의미와 가치를 발견할 수 있는가?	☆☆☆☆☆

1. 한자

• 한자, 음, 뜻, 부수의 순서로 제시

付 (부) 주다 [人(亻)]	返 (반) 돌이키다 [辵(辶)]	員 (원) 인원 [⑪]
揮 (휘) 휘두르다 [手(扌)]	愈 (유) 낫다 [心]	署 (서) 관청 [网(罒)]
粟 (속) 조, 곡식 [米]	祿 (록) ⑤ [示]	司 (사) 맡다 [口]
副 ❶ 버금 [刀(刂)]	勵 (려) 힘쓰다 [力]	裁 (재) 마르다, 결단하다 [衣]
謁 (알) 뵈다 [言]	補 ❻ 깁다, 돕다 [衣(衤)]	薦 ⑫ 천거하다 [艸(艹)]
傲 (오) 거만하다 [人(亻)]	佐 (좌) 돕다 [人(亻)]	募 (모) 모으다 [力]
墓 (묘) ❷ [土]	❼ (정) 가지런하다 [攴(攵)]	
托 (탁) 맡기다 [手(扌)]	僚 (료) 동료 [人(亻)]	
災 (재) 재앙 [火]	頗 (파) 자못, 치우치다 [❽]	
殃 (앙) 재앙 [❸]	俊 (준) 준걸 [人(亻)]	
幽 (유) 그윽하다 [幺]	❾ (사) 닮다, 같다 [人(亻)]	
❹ (명) 어둡다 [宀]	陷 (함) 빠지다 [阜(阝)]	
曉 (효) 새벽 [日]	穽* (정) ❿ [穴]	
巷 (항) 거리, 마을 [己]	妥 (타) 온당하다 [女]	

2. 본문

世有伯樂然後(세유백락연후)에 有❶□□□(유천리마)하니 千里馬常有(천리마상유)로되 而伯樂不常有(이백락불상유)라.	세상에 백락이 있은 연후에 천리마가 있으니, 천리마는 항상 있지만 백락은 항상 있지는 않다.
馬之千里者(마지천리자)는 一食(일식)에 或盡粟一石(혹진속일석)이어늘 ❷□□□(사마자)가 不知其能千里而食也(부지기능천리이사야)하니 是馬雖有千里之能(시마수유천리지능)이나 食不飽(식불포)하고 力不足(역부족)하여 才美不外見(재미불외현)이라.	말 중에 천 리를 달리는 것은 한 번 먹을 때에 간혹 ❸□□ 한 섬을 다 먹거늘 말을 먹이는 자가 그 말이 천 리를 달릴 수 있는지를 알지 못하고 먹이니 이 말이 비록 천 리를 달리는 능력은 있으나 먹는 것이 배부르지 않고 힘이 넉넉하지 않아서 ❹□□의 뛰어남을 밖으로 드러내지 못한다.
且欲與常馬等(차욕여상마등)이라도 不可得(불가득)하니 ❺□求其能千里也(안구기능천리야)리오?	❻□□ 보통 말들과 같아지려고 하여도 (그렇게 될 기회를) 얻을 수 없으니, 어찌 그(말)가 천 리를 달릴 수 있기를 구하겠는가?

3. 어휘 – 면접 관련 용어

- 履歷書(이력서): 이력을 적은 문서
- 上司(❶ ☐☐): 자기보다 벼슬이나 지위가 위인 사람
- ❷ ☐☐(직원): 일정한 직장에 근무하는 사람을 통틀어 이르는 말
- 募集(모집): 사람이나 작품, 물품 따위를 일정한 조건 아래 널리 알려 뽑아 ❸ ☐☐

- 推薦(추천): 어떤 조건에 적합한 대상을 책임지고 소개함.
- ❹ ☐☐(결재): 결정할 권한이 있는 상관이 부하가 제출한 안건을 검토하여 허가하거나 승인함.
- 部署(❺ ☐☐): 기관, 기업, 조직 따위에서 일이나 사업의 체계에 따라 나뉘어 있는, 사무의 각 부문

쪽지 시험

01 다음 한자의 공통되는 음을 쓰시오.

> 付　副

02 다음 한자 어휘에서 밑줄 친 한자의 음과 뜻을 쓰시오.

> 補<u>佐</u>

(1) 음:
(2) 뜻:

03 한자의 음과 뜻을 바르게 연결하시오.

(1) 揮 ・　　・㉠ 반 ・　　・㉮ 휘두르다

(2) 傲 ・　　・㉡ 휘 ・　　・㉯ 거만하다

(3) 返 ・　　・㉢ 오 ・　　・㉰ 돌이키다

04 다음과 같은 뜻을 가진 단어 〈보기〉에서 찾아 한자 어휘와 독음을 쓰시오.

(1) 자기보다 벼슬이나 지위가 위인 사람

(2) 어떤 일을 하는 데 필요한 재주와 능력

(3) 어떤 조건에 적합한 대상을 책임지고 소개함.

(4) 일정한 직장에 근무하는 사람을 통틀어 이르는 말

> 보기
>
> 上司　推薦　職員　才能

05 다음과 같은 뜻을 가진 한자 어휘를 한자로 쓰시오.

(1) 이력을 적은 문서: ☐☐☐

(2) 어떤 것에 몸이나 마음을 의지하여 믿김.: ☐☐

(3) 사람이나 작품, 물품 따위를 일정한 조건 아래 널리 알려 뽑아 모음: ☐☐

(4) 결정할 권한이 있는 상관이 부하가 제출한 안건을 검토하여 허가하거나 승인함.: ☐☐

01 한자의 부수가 바른 것은?

① 粟 [西]　　② 災 [巛]　　③ 冥 [冖]

④ 員 [貝]　　⑤ 俊 [夂]

02 다음 한자의 음과 뜻으로 알맞은 것은?

粟

① (율) 밤　　② (율) 벼　　③ (밤) 밤

④ (속) 곡식　　⑤ (곡) 곡식

03 음이 같은 한자의 연결이 바른 것은?

① 整 － 窄　　② 謁 － 見　　③ 墳 － 墓

④ 里 － 巷　　⑤ 返 － 祿

출제 유력

04 밑줄 친 見의 독음이 다른 하나는?

① 發見　② 謁見　③ 意見　④ 偏見　⑤ 見聞

05 뜻이 비슷한 한자로 이루어진 어휘가 아닌 것은?

① 災殃　　② 幽冥　　③ 曉晨

④ 返還　　⑤ 去來

06 밑줄 친 한자의 뜻으로 알맞은 것은?

依託

① 주다　　② 받다　　③ 기대다

④ 맡기다　　⑤ 치우치다

07 다음 한자 어휘의 의미로 알맞은 것은?

副食

① 주로 먹는 음식

② 야간에 먹는 음식

③ 주식에 곁들여 먹는 음식

④ 눈을 뜨면 바로 찾는 음식

⑤ 식사와 식사 사이에 먹는 음식

08 한자 어휘의 독음이 바른 것은?

① 成敗 (승부)　　② 補佐 (보필)

③ 整理 (정리)　　④ 同僚 (동창)

⑤ 偏頗 (격파)

09 한자 어휘의 활용이 적절하지 않은 것은?

① 공부는 수많은 才能 중에 하나이다.

② 인생을 放漫하게 살면 후회도 크다.

③ 친구는 나를 依託할 수 있는 휴식처이다.

④ 激勵는 타인을 우습게 볼 때 하는 이야기이다.

⑤ 내가 잘하는 것을 發見해서 기분이 좋았다.

출제 유력

10 다음 「人物志」 내용 중, 한자 어휘의 활용이 적절하지 않은 것은?

〈인사권자가 인재를 알아보지 못하는 7가지 요인〉

첫째, 겉으로 드러난 명성과 ① 동료(同僚)들의 말만 믿고 뛰어난 사람이라고 믿는 것

둘째, 자신의 감정·선호도에 지나치게 ② 편파(偏頗)적인 것

⋮

다섯째, 자신과 ③ 유사(類似)한 부류만 좋아하는 ④ 유유상종(類類相從)의 ⑤ 함정(後秀)에 빠지는 것

⋮

11 밑줄 친 부분을 한자로 쓰시오.

> 회사의 인사 문제는 유능한 인재를 적재적소에 기용하는 원칙을 따라야 한다.

[12~20] 다음 글을 읽고 물음에 답하시오.

> 世有㉠伯樂然後에 有㉡千里馬하니 千里馬常有로되 ㉢而伯樂不常有라. 馬之千里者는 一食에 或盡粟一石이어늘 ㉣食馬者가 ㉤不知其能千里而食也하니 是馬㉥雖有千里之能이나 食不飽하고 力不足하여 才㉦美不外見이라. 且欲與常馬等이라도 不可得하니 ㉧安求其能千里也리오?

12 윗글에 쓰인 한자 중, '배부르다'의 뜻을 가진 것은?

① 食 ② 常 ③ 能 ④ 飽 ⑤ 求

출제 유력

13 ㉠과 ㉡이 비유하고 있는 것은?

	㉠	㉡		㉠	㉡
①	임금	인재	②	인재	임금
③	자식	부모	④	평민	양반
⑤	마부	명마			

14 ㉢에서 가장 마지막으로 풀이되는 것은?

① 而 ② 伯樂 ③ 不 ④ 常 ⑤ 有

15 ㉣의 뜻으로 알맞은 것은?

① 말을 본 사람
② 말을 타는 사람
③ 말을 좋아하는 사람
④ 말을 훈련시키는 사람
⑤ 말에게 먹이를 주는 사람

16 ㉤의 不와 발음이 같은 한자 어휘로 알맞은 것은?

① 不學 ② 不道 ③ 不言
④ 不久 ⑤ 不勞

17 ㉥의 뜻으로 알맞은 것은?

① 비록 ② 누구 ③ 이것
④ 능력 ⑤ 가다

18 ㉦의 내용으로 알맞은 것은?

① 외모가 아름다운 모습
② 크고 강한 인상을 주는 능력
③ 멀리까지 달릴 수 있는 능력
④ 한 번에 많이 먹을 수 있는 능력
⑤ 길게 뻗은 다리가 균형 있는 모습

19 ㉧의 풀이로 알맞은 것은?

① 어찌 말로써 천 리를 가려고 하리오?
② 천 리 가는 말은 편하게 구할 수 있는가?
③ 어찌 천 리를 달릴 수 없는 말을 구하리오?
④ 어찌 그 말이 천 리 달릴 수 있기를 구하리오?
⑤ 천 리를 갈 때는 말에서 편하게 가야 하는가?

출제 유력

20 윗글을 통해 말하고자 하는 것으로 알맞은 것은?

① 교육을 통해 인재를 키워야 한다.
② 인재들의 의견을 반영시켜야 한다.
③ 인재는 능력을 숨기고 다녀야 한다.
④ 인재를 알아보는 능력이 있어야 한다.
⑤ 임금은 인재의 출현을 기다려야 한다.

이야기가 있는 한자 성어

항우와 유방의 전쟁에서 유래한 성어

관계: 둘 이상의 사람, 사물, 현상 따위가 서로 관련을 맺거나 관련이 있음. 또는 그런 관련

성어는 역사적으로 중요한 사건들과 關係된 경우가 많아서, 성어를 공부하면 재미있고 효과적으로 역사를 탐색할 수 있다. 다음은 진(秦)나라의 멸망과 함께 천하를 다툰 초(楚)나라 항우와 한(漢)나라 유방의 대결 過程에서 나온 성어들이다. 시대순으로 나열된 사건과 성어를 통해 초한쟁패(楚漢爭霸)의 역사를 꿰뚫어 보자.

과정: 일이 되어 가는 경로

중국 진(秦)나라 말기의 무장(B.C.232~B.C.202). 이름은 적(籍). 숙부 항량과 함께 군사를 일으켜 유방과 협력하여 진나라를 멸망시키고 스스로 서초(西楚)의 패왕(霸王)이 되었음. 그 후 유방과 패권을 다투다가 해하(垓下)에서 포위되어 자살하였음.

항우라 하오.

진(秦)나라 멸망 후, 초(楚)나라의 항우(項羽)와 한(漢)나라의 유방(劉邦)이 천하의 패권(霸權)을 놓고 다툼.

유방이라 하오.

'힘은 산을 뽑을 만하고, 기개는 세상을 덮을 만하다.'라는 뜻. 용기와 기상이 월등하게 뛰어난 것을 비유하는 말임. 『사기』의 「항우본기(項羽本紀)」에 나오는 말로, 항우가 해하(垓下)에서 한나라 군사들에게 포위되었을 때 적군들이 사방에서 초나라 노래를 부르는 것을 듣고 읊었다는 시의 한 구절에서 유래함.

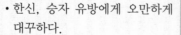
전쟁사

• 대단한 기세로 항우(項羽)가 일어서다.

力拔山氣蓋世(역발산기개세): 영웅의 대단한 기세

• 유방(劉邦)이 함양에 입성하자 신하가 간언하다.

良藥苦口(양약고구): 좋은 약은 입에 쓰다. 충직한 말은 듣기는 싫으나 받아들이면 자신에게 이로움

• 소하가 도망가는 한신(韓信)을 잡아와서 유방에게 등용하도록 말하다.

國士無雙(국사무쌍): 나라 안에 가장 뛰어난 인재

• 항우가 성공하여 고향에 돌아가려 하다.

중국 전한의 무장(武將)(B.C.?~B.C.196). 한(漢)고조(유방)를 도와 조(趙)·위(魏)·연(燕)·제(齊)나라를 멸망시키고 항우를 공격하여 큰 공을 세웠음. 한나라가 통일된 후 초왕에 봉하여졌으나, 여후에게 살해되었음.

錦衣還鄉(금의환향): 성공하여 고향에 돌아감.
衣錦夜行(의금야행): 비단옷을 입고 밤에 다님.

• 한신, 조나라와의 싸움에서 최후의 진법으로 위기를 극복하다.

背水之陣(배수지진): 강이나 바다를 등지고 치는 진. 어떤 일을 성취하기 위해 이제는 물러설 수 없음.

• 유방, 항우와 맺은 강화를 파기하고 일생일대의 승부를 걸다.

乾坤一擲(건곤일척): 하늘과 땅을 한 번에 던져 승부를 겨룸.

비참: 더할 수 없이 슬프고 끔찍함.

• 항우, 悲慘한 최후를 맞다.
  −해하성(垓下城)에서 포위를 당하고 오강(烏江)에서 자결하다.

四面楚歌(사면초가): 사방에 초나라 노래. 주위에 온통 적들만 있고 도와주는 이가 없음.

한신이라 하오.

• 한신, 승자 유방에게 오만하게 대꾸하다.

多多益善(다다익선): 양이나 수가 많을수록 좋다. 이 말 뒤에 한신이 "폐하는 병졸들의 장은 될 수 없으나 장군들의 장이 될 수 있는 분입니다."라고 말함.

• 승자만 남는다.
  −한신은 초왕(楚王)에서 회음후(淮陰侯)로 강등되고 죽다.

兔死狗烹(토사구팽): 토끼가 죽으면 사냥개는 삶아진다. 쓸모 있을 때는 이용하다가 가치가 없어지면 버림.

• 영웅들이 천하를 다투다.

中原逐鹿(중원축록): 중원의 사슴을 쫓다. 즉 정권을 다툼

한나라의 제1대 황제(재위. B.C.202~B.C.195). 강소성 패현 출신의 백수건달이었으나 진나라 말기의 혼란스러운 시대를 종식시키고, 두 번째로 대륙을 통일하는 입지전적인 인물. 기원전 206년 수도 함양에 입성한 일로 서초패왕 항우의 견제를 받았으나 결국 항우와의 전쟁에서 승리하고 진을 멸망시켰음.

新 한자 모아 보기

한자	음	뜻	부수	획수	총획
係	계	매다	人(亻)	7	9
程	정	한도, 길	禾	7	12
蓋	개	덮다, 대개	艸(艹)	10	14
雙	쌍	견주다, 쌍	隹	10	18
錦	금	비단	金	8	16
慘	참	참혹하다	心(忄)	11	14
楚	초	초나라	木	9	13
烹	팽	삶다	火(灬)	7	11
逐	축	쫓다	辵(辶)	7	11
鹿	록	사슴	鹿	0	11

1단계 정리하기

1. 한자와 어휘

왕견사구이인 • **王遣使求二人.** : 왕이 사신을 보내어 두 사람을 찾게 하다.
보내 ~하게 하다.

수연, 짐지비유소직세초 • **雖然, 朕之妃有所織細綃.** : 비록 그러나 나의 왕비가 짠 (바의) 고운 비단이 있다.
비록

여평거, 집천하지악명 • **汝平居, 集天下之惡名.** : 너는 평소에 천하의 악명을 모았다.
2인칭 대명사(= 子, 而, 君)

2. 품사의 활용

(1) **上** : 위 → 오르다(명사 → 동사)
상
亦上其巖, 巖亦負歸如前. : 또한 그 바위에 올라가니, 바위가 또한 전처럼 싣고 갔다.
역 상 기 암 암 역 부 귀 여 전

(2) **誠** : 정성 → 참으로(명사 → 부사)
성
虎誠惡也, 人性亦惡也. : 호랑이가 참으로 악하다면 사람의 성품 또한 악하다.
호 성 악 야 인 성 역 악 야

3. 문장의 생략

(1) **주어 생략**

細烏, 怪夫不來, (細烏)歸尋之, (細烏)見夫脫鞋. : 세오는 남편이 돌아오지 않음을
세 오 괴 부 불 래 (세 오) 귀 심 지 (세 오) 견 부 탈 혜
괴이하게 여겨 (세오가) 돌아가서 그를 찾다가 (세오는) 남편이 벗어 놓은 신을 보았다.

(2) **주어와 목적어의 생략**

(三人)背義忘恩, 天人共戮(三人). : (세 사람이) 의리를 배반하고 은덕을 잊으면 하
(삼 인) 배 의 망 은 천 인 공 륙 (삼 인)
늘과 사람이 (세 사람을) 함께 죽이소서.

2단계 점검하기

1. 문장에 활용된 어휘의 음을 빈칸에 써 보자.

(1) 회사에서 *職員*(직|원)을 *募集*(모|집)할 때는 *履歷書*(이|력|서)를 받는다.

(2) 임금이 자기를 낮추어 이르던 말을 *寡人*(과|인)이라고 하고, 임금이 세상을 떠남을 *崩御*(붕|어)라고 한다.

(3) 서적을 *印刷*(인|쇄)하여 세상에 내놓는 것을 *出版*(출|판)이라고 하고, 인쇄하기 전에 출판물의 잘못된 글자나 글귀를 바르게 고치는 것을 *校訂*(교|정)이라고 한다.

2. 빈칸에 알맞은 한자를 써 보자.

(1) 汝 **平居, 集天下之惡名, 妄加諸我.** : 너는 평소에 천하의 악명을 모아다가 망령되
여 평 거 집 천 하 지 악 명 망 가 저 아
게 나에게 그것을 덮어씌우다.

(2) **是馬雖有千里之能, 食不飽, 力不足.** : 이 말이 비록 천 리를 달리는 능력은 있으
시 마 수 유 천 리 지 능 식 불 포 역 부 족
나 먹는 것이 배부르지 않고 힘이 넉넉하지 않다.

[1~5] 다음 글을 읽고 물음에 답하시오.

> (가) 王遣㉠使求二人, 延烏曰: "我到此國, 天㉡使然也, 今何歸乎?"
> 　　왕견　　사구이인　연오왈　아도차국　천　사연야　금하귀호
>
> (나) 結爲兄弟, 同心協力, 救困扶危, 上報國家, 下安㉢黎庶.
> 　　결위형제　동심협력　구곤부위　상보국가　하안　려서
>
> (다) 汝平居, 集天下之惡名, 妄加諸我, ㉣今也, 急而面諛, 將誰信之耶?
> 　　여평거　집천하지악명　망가저아　금야　급이면유　장수신지야
>
> (라) 飛吾折簡之詞, 解爾倒懸之急, 汝其無成㉤膠柱, 早學見機, 善自爲謀, 過
> 　　비오절간지사　해이도현지급　여기무성　교주　조학견기　선자위모　과
> 　　而能改.
> 　　이능개
>
> (마) 世有㉮伯樂然後, 有㉯千里馬, 千里馬常有, 而伯樂不常有.
> 　　세유　백락연후　유　천리마　천리마상유　이백락불상유

도움말
1. 使: ㉠ 사신 ㉡ 부리다
사 　 ㉢ 하여금

1. (가)의 ㉠, ㉡을 바르게 풀이한 것은? ③

	㉠	㉡		㉠	㉡		㉠	㉡
①	사신	사신	②	가령	사신	③	사신	~하게 하다
④	~하게 하다	사신	⑤	~하게 하다	가령			

(가의 풀이: 왕이 사신을 보내어 두 사람을 찾게 했는데, 연오가 말하였다. "내가 이 나라에 도착하게 된 것은 하늘이 그렇게 하게 한 것이니, 이제 어찌 돌아가겠는가?"

2. (나)의 ㉢의 뜻으로 옳은 것은? ⑤

① 땅　　　② 하늘　　　③ 국가　　　④ 서자　　　⑤ 백성

3. 선비는 호랑이의 면전에서 아첨을 하고 있다.

3. (다)의 ㉣에서 호랑이가 비판하는 선비의 태도는? ②

① 절치부심(切齒腐心)　　② 교언영색(巧言令色)　　③ 구밀복검(口蜜腹劍)

④ 양두구육(羊頭狗肉)　　⑤ 인면수심(人面獸心)

① 이를 갈고 마음을 썩인다는 뜻으로, 대단히 분하게 여김을 이르는 말
② 교묘히 꾸며서 하는 말과 아첨하는 얼굴빛이라는 뜻으로, 남의 환심을 사려는 태도를 이르는 말
③ 입에는 꿀이 있고 배 속에는 칼이 있다는 뜻으로, 말로는 친한 듯하나 속으로는 해칠 생각이 있음을 이르는 말
④ 양의 머리를 걸어 놓고 개고기를 판다는 뜻으로, 겉보기만 그럴듯하게 보이고 속은 변변하지 아니함을 이르는 말
⑤ 사람의 얼굴을 하고 있으나 마음은 짐승과 같다는 뜻으로, 마음이나 행동이 몹시 흉악함을 이르는 말

교주고슬
4. 교주(膠柱): 膠柱鼓
瑟의 줄임말. 거문고의
기러기발을 아교로 붙
여 놓고 거문고를 타다.
규칙에 얽매어 융통성
이 없는 꽉 막힌 사람을
비유한다.

4. (라)의 ㉤이 나타내는 의미로 바른 것은? ⑤

① 사사로운 분노　　② 집안의 큰 기둥　　③ 매우 급한 상황

④ 길을 잃은 사람을 비유　　⑤ 고지식하여 융통성이 없음.

5. 백락: 인재를 알아볼 줄
아는 사람을 비유
천리마: 인재를 비유

📝 서술형

5. (마)를 쓴 작자의 의도를 ㉮와 ㉯가 비유하는 바를 포함하여 서술하시오.
지도자가 인재를 알아보고 발탁하여 그 재능을 발휘하게 해야 나라가 발전할 수 있음을 강조하기 위해

마무리 자기 평가

이 단원에서 배운 내용을 스스로 평가해 보자.

점검 항목	잘함	보통	노력 필요	찾아보기 ↻
• 문장 안에서 쓰임에 따라 바뀌는 품사를 구별할 수 있다.				150쪽
• 글을 바르게 풀이하고 내용과 주제를 설명할 수 있다.				148, 154, 160, 166, 172쪽
• 한자 문화권의 문화에 대한 기초 지식을 통해 상호 이해와 교류를 증진 시키려는 태도를 형성할 수 있다.				148, 155쪽

도움말 대단원 학습이 끝나면 대단원 학습 목표에 해당하는 질문에 답하며 자신의 학업 성취도를 스스로 점검해 본다.
성취 목표에 도달하지 못한 경우에는 제시된 위치로 돌아가서 내용을 다시 읽고 공부하도록 한다.

20. 빛을 되찾은 해와 달

01 빈칸에 공통으로 들어갈 한자로 알맞은 것은?

> • ☐荷: 짐을 지다.
> • 勝☐: 이기고 짐.

① 敗   ② 見   ③ 貝   ④ 負   ⑤ 此

02 밑줄 친 부분을 한자로 바꾸어 쓸 때, 알맞은 것은?

> ㉠비단 옷을 버리고 무명의 옷을 입고 ㉡어두운 강을 ㉢건넜다. 뒤돌아보니 많은 ㉣여자들이 따라오며 뒤를 ㉤살피고 있었다.

① ㉠: 綿   ② ㉡: 娘   ③ ㉢: 渡
④ ㉣: 審   ⑤ ㉤: 蒙

03 한자 어휘의 뜻이 바르지 <u>않은</u> 것은?

① 負債: 타인에게 빚을 짐.
② 償還: 갚거나 돌려주는 일
③ 輸入: 다른 나라로부터 상품이나 기술을 국내로 사들임.
④ 檢疫: 전염병, 해충이 들어오는 것을 막기 위해 하는 일
⑤ 出庫: 다른 나라로 떠나기 위해서 공항을 빠져나가는 일

[04~06] 다음 글을 읽고 물음에 답하시오.

> 是時에 新羅日月無光이어늘 日者奏云: "日月之精이 降在我國이라가 今去日本이라. 故로 致斯怪니이다."하다. ㉠王遣使求二人한데 延烏曰: "我到此國은 天使然也니 今何歸乎리오? 雖然이나 朕之妃有所織細綃하니 以㉡此祭天이면 可矣리라."하고 仍賜其綃하다.

04 ㉠과 같은 뜻을 가진 한자로 알맞은 것은?

① 妃   ② 朕   ③ 綃   ④ 天   ⑤ 賜

서술형
05 ㉡이 가리키는 것을 쓰시오.

출제 유력
06 윗글의 내용을 참고하여 빈칸에 들어갈 알맞은 말을 쓰시오.

> ☐☐은/는 인물의 언행이나 사건의 경과를 서술하는 방식이다. 일정한 시간 내에서 일어나는 사건의 전개나 인물의 행동 변화에 초점을 두고 어떤 특정 사실이나 경험을 전달한다.

21. 도원에서 맺은 결의

07 다음 한자와 뜻이 같은 것은?

> 畢

① 顧   ② 盧   ③ 肋   ④ 刮   ⑤ 罷

08 한자 어휘의 독음이 바른 것은?

① 困惑(곤욕) ② 踏査(답사) ③ 研磨(연구)
④ 跳躍(도착) ⑤ 囚獄(감옥)

09 다음 설명에 해당하는 있는 한자 어휘로 알맞은 것은?

> 임금이 자기를 낮추어 이르던 1인칭 대명사

① 掛念   ② 寡人   ③ 慶爵
④ 崩御   ⑤ 翁主

[10~13] 다음 글을 읽고 물음에 답하시오.

> 三人이 焚香再拜而說誓曰: "念컨대 劉備·關羽·張飛는 雖然異姓이니 結爲兄弟하니 同心協力하여 ㉠救困扶危하며 上報國家하고 下安黎庶라. 不求同年同月同日生이나 只願同年同月同日死하노니, 皇天后土는 以鑑此心하사 背義忘恩하면 ㉡天人共戮하소서." 誓畢에 共拜玄德爲兄하고 關某次之하고 張飛爲弟러라.

서술형

10 ㉠의 풀이를 쓰시오.

출제 유력

11 ㉡ 뒤에 생략된 인물로 알맞은 것은?

① 유비　　② 관우　　③ 장비
④ 유비, 관우　⑤ 유비, 관우, 장비

12 윗글에 대한 이해로 바르지 않은 것은?

① 유비, 관우, 장비는 성이 다르다.
② 유비, 관우, 장비는 형제가 되었다.
③ 유비는 나이가 적어 제일 막내가 되었다.
④ 세 사람은 백성을 편안하게 하기로 마음 먹었다.
⑤ 세 사람은 같은 마음으로 힘을 모으기로 했다.

13 윗글의 내용과 관련 있는 고사 성어를 한자로 쓰시오.

22. 호랑이의 꾸짖음

14 뜻이 비슷한 한자로 이루어진 어휘로 알맞은 것은?

① 言語　　② 禍福　　③ 光陰
④ 勝敗　　⑤ 頭痛

15 한자 어휘의 독음이 바르지 않은 것은?

① 倉庫(창고)　　② 厄禍(악화)
③ 貫通(관통)　　④ 戲弄(희롱)
⑤ 訴訟(소송)

[16~17] 다음 글을 읽고 물음에 답하시오.

> ㉠汝千語萬言이 ㉡不離五常하고 戒之勸之가 恒在四綱이라. 然이나 ㉢都邑之間에 無鼻無趾하고 ㉣文面而行者는 皆㉤不遵五品之人也라.

출제 유력

16 ㉠~㉤에 대한 설명으로 바르지 않은 것은?

① ㉠: 양반들의 모든 말을 의미한다.
② ㉡: 인의예지신에서 떠나지 않는다는 의미이다.
③ ㉢: 나라 전체를 가리킨다.
④ ㉣: 잘못하여 벌을 받은 사람들을 의미한다.
⑤ ㉤: 오상을 따르지 않은 사람들을 의미한다.

17 빈칸에 들어갈 알맞은 한자 어휘를 윗글에서 찾아 한자로 쓰시오.

> • ☐☐: 언제나 변함 없이
> • 그는 ☐☐ 열심히 공부하는 학생이었다.

23. 황소를 타이르는 글

출제 유력

18 밑줄 친 한자 어휘의 독음이 바르지 않은 것은?

> 최치원이 쓴 「격황소서」는 ㉠道와 ㉡權을 내세워 천하대세의 운행 ㉢理致를 밝히고 당나라 ㉣朝廷의 바르고 강성함을 황소 무리의 비뚤어지고 ㉤無謀함에 대비시켜 사태를 바르게 알고 항복하도록 권유한 글이다.

① ㉠: 도　　② ㉡: 권　　③ ㉢: 원리
④ ㉣: 조정　　⑤ ㉤: 무모

19 한자 어휘의 활용이 적절하지 <u>않은</u> 것은?

① 그를 비겁자라며 侮辱하였다.
② 그녀는 과로로 卒刀한 적이 있다.
③ 아직 그곳에 도착하기란 遙遠하다.
④ 인구와 농지가 증가하면서 국력이 크게 伸張되었다.
⑤ 그녀는 한국 발레를 세계 무대로 끌어올린 先驅者이다.

[20~21] 다음 글을 읽고 물음에 답하시오.

夫㉠守正修常曰㉡道요 臨危制變曰㉢權이니 智者는 成之於順時하고 愚者는 敗之於逆理라.

20 ㉠과 짜임이 <u>다른</u> 것은?

① 智者   ② 成之   ③ 順時
④ 敗之   ⑤ 逆理

<u>고난도</u>
21 ㉡과 ㉢의 이해로 바른 것은?

① ㉡과 ㉢은 항상 같이 움직인다.
② ㉡과 ㉢ 모두 상황에 따라 변할 수 있다.
③ ㉡과 ㉢ 모두 상황에 따라 변하지 않는다.
④ ㉡은 상황에 따라 변하지 않고, ㉢은 상황에 따라 변할 수 있다.
⑤ ㉡은 상황에 따라 변할 수 있고, ㉢은 상황에 따라 변하지 않는다.

24. 인재를 알아보는 혜안

22 한자의 음과 뜻이 바르지 <u>않은</u> 것은?

① 副 (부) 버금   ② 墓 (묘) 무덤
③ 巷 (항) 마을   ④ 冥 (암) 어둡다
⑤ 勵 (려) 힘쓰다

출제 유력
23 한자 어휘의 뜻이 바른 것은?

① 災殃: 재주와 능력
② 才能: 도로 돌려줌.
③ 傲慢: 건방지고 거만함.
④ 依託: 뜻하지 않은 불행한 일
⑤ 返還: 몸이나 마음을 의지하고 맡김.

24 한자 어휘의 활용이 적절하지 <u>않은</u> 것은?

① 이력을 적은 문서를 履歷書라고 한다.
② 자기보다 지위가 위인 사람을 職員이라고 한다.
③ 일정한 조건 아래 널리 알려 뽑는 것을 募集이라 한다.
④ 조건에 적합한 대상을 소개하는 것을 推薦이라 한다.
⑤ 결정권자가 안건을 검토, 허가하는 것을 決裁라고 한다.

[25~26] 다음 글을 읽고 물음에 답하시오.

世有伯樂然後에 有千里馬하니 千里馬常有로되 而伯樂不常有라. 馬之千里者는 一食에 或盡粟一石이어늘 食馬者가 不知其能千里而食也하니 ㉠是馬雖有千里之能이나 食不飽하고 力不足하여 才美不外見이라. 且欲與常馬等이라도 不可得하니 安求其能千里也리오?

<u>고난도</u>
25 윗글에 쓰인 문장 중, 의문문으로 알맞은 것은?

① 千里馬常有
② 或盡粟一石
③ 不知其能千里而食也
④ 力不足 才美不外見
⑤ 安求其能千里也

26 ㉠에서 가장 마지막에 풀이되는 한자로 알맞은 것은?

① 馬   ② 雖   ③ 有   ④ 千   ⑤ 里

[27~34] 다음 글을 읽고 물음에 답하시오.

(가) 是時에 新羅日月無光이어늘 日者奏云: "日月之精이 降在我國이라가 今去日本이라. 故로 致斯怪니이다."하다. 王遣使求二人한데 延烏曰: "㉠我到此國은 天使然也니 今何歸乎리오?

(나) 三人이 焚香再拜而說誓曰: "念컨대 劉備·關羽·張飛는 雖然異姓이나 結爲兄弟하니 同心協力하여 救困扶危하며 上報國家하고 下安黎庶라.

(다) 飛吾折簡之詞하여 解爾倒懸之急하노니 汝其無成膠柱하고 早學見機하여 善自爲謀면 過而能改리라.

(라) 汝千語萬言이 不離五常하고 戒之勸之가 恒在四綱이라. 然이나 都邑之間에 無鼻無趾하고 文面而行者는 皆不遜五品之人也라.

(마) 世有伯樂然後에 有千㉡里馬하니 千里馬常有로되 而伯樂不常有라.

27 윗글에 쓰인 者 중, '사람'의 의미가 아닌 것은?

① 馬之千里者 ② 食馬者
③ 文面而行者 ④ 討官賊者
⑤ 諭迷途者

28 ㉠과 같이 인칭을 나타내는 대명사를 (다)에서 찾으면?

① 汝 ② 離 ③ 恒 ④ 面 ⑤ 遜

29 (가)의 二人과 (나)의 三人의 관계로 적절한 것은?

	(가)	(나)		(가)	(나)
①	父母	子女	②	父母	兄弟
③	夫婦	子女	④	夫婦	兄弟
⑤	夫婦	父母			

30 (가)와 (라)에 사용된 之의 용법 중, 성격이 다른 것은?

① 日月之精 ② 朕之妃有所織細綃
③ 戒之勸之 ④ 都邑之間
⑤ 皆不遜五品之人也

31 ㉡과 음이 같은 한자를 (라)에서 찾으면?

① 語 ② 萬 ③ 勸 ④ 常 ⑤ 離

32 (가)~(마)의 서술 방식의 연결이 바른 것은?

ⓐ 서사적	ⓑ 의론적

	ⓐ	ⓑ		ⓐ	ⓑ
①	(가)	(나)	②	(가)	(다)
③	(나)	(라)	④	(다)	(마)
⑤	(라)	(마)			

33 (가)~(마) 중, 다음 그림과 관련 있는 글로 알맞은 것은?

① (가) ② (나) ③ (다) ④ (라) ⑤ (마)

34 (가)~(마) 중, 다음 내용과 관련 있는 글로 알맞은 것은?

> 백락의 본명은 손양(孫陽)이며 주나라 사람이다. 원래 백락은 전설에 나오는 천마(天馬)를 주관하는 별자리인데 손양이 말에 대한 지식이 워낙 탁월하여 그렇게 불린 것이다. 난세일수록 아부만 하는 신하가 아닌, 영웅호걸과 지혜로운 신하를 알아보는 명군(名君)의 혜안(慧眼)이 필요하다.

① (가) ② (나) ③ (다) ④ (라) ⑤ (마)

66최상의 선은 물과 같다. 물은 만물을 잘 이롭게 하나 다투지 아니하며
뭇 사람들이 싫어하는 곳에 머무른다. 그러므로 거의 도에 가까우니라.99

정답과 해설

I. 생활을 풍요롭게 하는 글

01. 더불어 사는 삶

소단원 스스로 정리   17쪽

1 ❶ 心 ❷ 慕 ❸ (배) ❹ (뢰) ❺ 目 ❻ 허파 ❼ 十 ❽ 昇 ❾ 공 ❿ (오) ⓫ 마르다 ⓬ 水

2 ❶ 配 ❷ 賴 ❸ 그것 ❹ 水 ❺ 火 ❻ 이웃

3 ❶ 상형 ❷ 一 ❸ 人 ❹ 言 ❺ 형성 ❻ 학습

4 ❶ 남획 ❷ 汚染 ❸ 枯渴 ❹ 사막화 ❺ 기온

[쪽지 시험] 01 모양, 음, 뜻 02 (1) ㉠ (2) ㉣ (3) ㉡ (4) ㉢
03 (1) (서) (2) 용서하다 04 遠 05 (1) 憐憫(연민) (2) 荒廢
(황폐) (3) 濫獲(남획) (4) 沙漠化(사막화)

소단원 확인 문제   19쪽

01 ⑤   02 ②   03 ④   04 ㉠ 음 ㉡ 멀다 ㉢ (신) ㉣
步   05 ①   06 ①   07 ②   08 ④   09 ①
10 ②   11 溫暖化   12 ③   13 ③   14 配慮
15 ⑤   16 ②   17 ③   18 近   19 ④   20 ②

01 境의 음은 '경'이다.
02 恕의 음은 '서', 如의 음은 '여'이다.
03 憫(민)의 뜻은 '민망하다, 불쌍하다'이다.
05 懼(구), 憐(린), 愛(애)의 공통되는 부수는 '心', 부수의 변형은 'ㅏ'이다.
06 心(심)의 부수의 변형은 'ㅏ', 火(화)의 부수의 변형은 '灬' 이다.
07 ① 水(수), ③ 火(화), ④ 人(인), ⑤ 心(심)의 짜임은 '상형', ② 一(일)의 짜임은 '지사'이다.
08 恕(서)는 마음을 뜻하는 '心(심)'과 음을 나타내는 '如 [(여) → (서)]'가 합쳐진 글자로 형성의 원리로 만들어졌다. 같은 원리로 만들어진 한자는 '救(구)'이다.
  | 오답 풀이 | ① 一(일): 지사, ② 心(심): 상형, ③ 信(신): 회의, ⑤ 火(화): 상형
09 配(배)의 뜻은 '나누다', 賴(뢰)의 뜻은 '힘입다'이다.
10 '더럽게 물듦. 또는 더럽게 물들게 함.'을 의미하는 한자 어휘는 '汚染(오염)'이다.
  | 오답 풀이 | ① 濫獲(남획): 짐승이나 물고기 따위를 마구 잡음.

③ 荒廢(황폐): 집, 토지, 삼림 따위가 거칠어져 못 쓰게 됨.
④ 枯渴(고갈): 어떤 일의 바탕이 되는 돈이나 물자, 소재, 인력 따위가 다하여 없어짐.
⑤ 沙漠化(사막화): 건조·반건조 지역에서 토양의 질이 저하되어 사막과 같이 바뀌는 현상
11 溫(온) 따뜻하다, 暖(난) 따뜻하다, 化(화) 되다
12 慰勞(위로)는 '수고로움이나 아픔을 달래 줌.'의 뜻이므로 문맥에 어울리지 않는다.
  | 오답 풀이 | ① 上昇(상승): 낮은 데서 위로 올라감.
② 簡易驛(간이역): 일반 역과는 달리 역무원이 없고 정차만 하는 역
④ 夜盲症(야맹증): 망막에 있는 간상체의 능력이 감퇴하여 밤에는 사물이 잘 보이지 아니하는 증상. 후천적으로는 비타민 에이(A)의 결핍으로 일어남.
⑤ 博愛主義(박애주의): 인종에 대한 편견이나 국가적 이기심 또는 종교적 차별을 버리고 인류 전체의 복지 증진을 위하여 온 인류가 서로 평등하게 사랑하여야 한다는 주의
13 ① 配慮(배려), ② 容恕(용서), ④ 信賴(신뢰), ⑤ 博愛(박애)의 풀이 순서는 '1-2', ③ 慰勞(위로)는 '수고함(괴로움)을 위로하다(2-1)'로 풀이된다.
14 配 (배) 나누다, 慮 (려) 생각하다
15 易(역)이 '바꾸다'의 뜻으로 쓰였다.
16 易地思之(역지사지): 처지를 바꾸어서 그것(상대방의 입장)을 생각하다.
17 멀리 있는 물은 가까운 불을 구제하지(끄지) 못한다[不].
18 빈칸에 들어갈 한자는 '近 (근) 가깝다'이다.
19 멀리 있는 친척[親]은 가까운 이웃만 같지 못하다.
20 親(친)은 '친척', 鄰(린)은 '이웃'의 뜻이다.

02. 정답고 진실한 사귐

소단원 스스로 정리   27쪽

1 ❶ 曰 ❷ 肝 ❸ 쓸개 ❹ 賤 ❺ 自 ❻ (예) ❼ 豚 ❽ (각) ❾ (배) ❿ 板 ⓫ 가루 ⓬ 口

2 ❶ 絕 ❷ 忘 ❸ 쇠 ❹ 金 ❺ 말

3 ❶ 부수 ❷ 자음 ❸ 왼쪽 ❹ 가운데

4 ❶ 칠판 ❷ 缺席 ❸ 粉筆 ❹ 장학금 ❺ 召集日

[쪽지 시험] 01 바꾸다 02 肉(月) 03 (1) 先後輩(선후배)
(2) 遲刻(지각) (3) 運營(운영) 04 (1) 利潤 (2) 缺席 (3) 獎
學金 (4) 召集日 05 (1) ㉡ (2) ㉠ (3) ㉣ (4) ㉢

01 ①	02 ⑤	03 ③	04 交	05 ⑤	06 ④
07 ②	08 ②	09 ⑤	10 ①	11 ③	12 ③
13 大淸掃		14 ④	15 ①	16 ⑤	17 ③
18 ⑤	19 ④				

01 斷(단)의 뜻은 '끊다'이다.

02 貧의 음은 '빈', 忘의 음은 '망'이다.

03 契(계)의 뜻은 '맺다'이다.

04 빈칸에 공통으로 들어갈 한자는 '交 (교) 사귀다'이다. 絕交(절교): 서로의 교제를 끊음. 交友(교우): 벗을 사귐. 또는 그 벗

05 利의 음은 '리', 뜻은 '날카롭다'이다.

06 ④ 絃 (현) 줄

| 오답 풀이 | ① 刻 (각) 새기다, ② 絕 (절) 끊다, ③ 遲 (지) 늦다, ⑤ 騷 (소) 떠들다

07 肝(간), 膽(담)의 공통되는 부수는 '肉', 부수의 변형은 '月'이다.

08 ① 伯(백), ③ 忘(망), ④ 絃(현), ⑤ 貧(빈)의 짜임은 '형성', ② 臭(취)의 짜임은 '회의'이다.

09 오른쪽 위의 점은 나중에 쓴다.

| 오답 풀이 | ① 받침은 나중에 쓴다.

② 위에서부터 아래로 쓴다.

③ 왼쪽에서 오른쪽으로 쓴다.

④ 가로획 다음에 세로획을 쓴다.

10 粉 (분) 가루, 筆 (필) 붓

| 오답 풀이 | ② 漆板(칠판): 분필로 글씨를 쓰거나 그림을 그리게 만든 검정 판

③ 奬學金(장학금): 학문의 연구를 돕기 위하여 주는 장려금

④ 敎具(교구): 학습을 효과적으로 지도하기 위하여 사용하는 도구

⑤ 缺席(결석): 나가야 할 자리에 나가지 않음.

11 伯(백)의 뜻은 '맏이'이다. '희다'라는 뜻을 가진 '白(백)'을 활용한 '白眉(백미)'가 적절하다.

| 오답 풀이 | ① 似而非(사이비): 겉으로는 비슷하나 속은 완전히 다름. 또는 그런 것

② 五十步百步(오십보백보): 조금 낮고 못한 정도의 차이는 있으나 본질적으로는 차이가 없음을 이르는 말

④ 杞憂(기우): 앞일에 대해 쓸데없는 걱정을 함.

⑤ 八不出(팔불출): 몹시 어리석은 사람

12 ① 絕絃(절현), ② 不可(불가), ④ 斷金(단금), ⑤ 如蘭(여란)의 풀이 순서는 '2-1'이다. 반면 ③의 貧賤(빈천)은 '가난하고 천하다(1-2)'로 풀이된다.

13 大 (대) 크다, 淸 (청) 맑다, 掃 (소) 쓸다

14 相(상)의 뜻은 '서로', 利(리)의 뜻은 '날카롭다'이다.

15 契(계)는 '맺다'의 뜻으로, '사귀다'의 뜻을 가진 '交(교)'와 바꾸어 쓸 수 있다.

16 간과 쓸개를 서로 비추어 내보이다. → 속마음을 터놓고 가까이 사귀다.

17 金蘭之契(금란지계): 쇠와 난초 같은 맺음. → 친구 사이의 매우 두터운 정

肝膽相照(간담상조): 간과 쓸개를 서로 비추어 내보이다. → 속마음을 터놓고 가까이 사귐.

伯牙絕絃(백아절현): 백아가 (거문고의) 줄을 끊다. → 자기를 알아주는 절친한 벗의 죽음을 슬퍼하다.

18 忘(망)의 뜻은 '잊다'이다.

19 제시된 문장은 '마음을 같이하는 말은 그 향기가 난초와 같다[如].'로 풀이되어 如가 마지막에 풀이됨을 알 수 있다.

03. 미래를 준비하는 자세

1 ❶ 집 ❷ 恥 ❸ 日 ❹ 玉 ❺ 주먹 ❻ 泣 ❼ (첨) ❽ 耳 ❾ (건) ❿ 仲 ⓫ 범하다 ⓬ 舟

2 ❶ 問 ❷ 손 ❸ 螢 ❹ 책 ❺ 書

3 ❶ 수식 ❷ 목적어

4 ❶ 情報 ❷ 시민 단체 활동가 ❸ 健康 ❹ 범죄 피해자 보호사 ❺ 비행

[쪽지 시험] 01 맡기다 02 (1) 拳銃(권총) (2) 壓卷(압권) (3) 旅券(여권) 03 不 04 (1) 享有 (2) 尖端 (3) 仲介人 (4) 職業 05 (1) ㉢ (2) ㉡ (3) ㉠ (4) ㉣

01 ⑤	02 ④	03 ④	04 ②	05 ①	06 주경야독
07 ①	08 ②	09 ③	10 ①	11 不	
12 ⑤	13 ③	14 ①	15 ②	16 ④	17 ④
18 ①	19 ④	20 ①			

01 映의 음은 '영'이다.

02 臭의 음은 '취', 息의 음은 '식'이다.

03 盛(성)의 뜻은 '담다'이다.

04 炭(탄), 照(조)의 공통되는 부수는 '火', 부수의 변형은 '灬'이다.

05 螢(형)의 부수는 '虫'이다.

06 晝 (주) 낮, 耕 (경) 밭 갈다, 夜 (야) 밤, 讀 (독) 읽다

07 團 (단) 모이다, 體 (체) 몸
| 오답 풀이 | ② 仲介(중개), ③ 健康(건강), ④ 犯罪(범죄), ⑤ 情報(정보)

08 ① 不恥(불치), ③ 釋卷(석권), ④ 無油(무유), ⑤ 讀書(독서)의 풀이 순서는 '2-1', ② 自強(자강)의 풀이 순서는 '1-2(스스로 힘쓰다)'이다.

09 스스로 힘써 쉬지[息] 않다.

10 不 (불) 아니다, 恥 (치) 부끄럽다, 下 (하) 아래, 問 (문) 묻다

11 가로 열쇠는 '自強不息(자강불식)', 세로 열쇠는 '手不釋卷(수불석권)'이므로, ㉠에 들어갈 한자는 '不'이다.

12 반딧불이와 눈의 공로 → 반딧불이와 눈을 통하여 이룬 성공

13 自強不息(자강불식): 스스로 힘써 쉬지 않는다.
不恥下問(불치하문): 아랫사람에게 묻는 것을 부끄러워하지 않는다.
手不釋卷(수불석권): 손에서 책을 놓지 않는다.

14 不恥下問(불치하문): 아랫사람에게 묻는 것을 부끄러워하지 않다.

15 盛 (성) 담다, 數 (수) 셈, 十 (십) 열, 螢 (형) 반딧불이, 火 (화) 불, 以 (이) 써, 照 (조) 비치다, 書 (서) 책

16 수십 마리의 반딧불이의 불빛을 담아서 책을 비추다 [照].

17 螢火(형화): 반딧불이의 불빛[수식 관계]

18 貧 (빈) 가난하다
| 오답 풀이 | ② 螢 (형) 반딧불이, ③ 愛 (애) 사랑, ④ 信 (신) 믿다, ⑤ 火 (화) 불

19 家 (가) 집, 無 (무) 없다, 油 (유) 기름, 常 (상) 항상, 映 (영) 비치다, 雪 (설) 눈, 讀 (독) 읽다, 書 (서) 책

20 映(영)은 '비추다'의 뜻으로, 같은 뜻을 가진 '照(조)'와 바꾸어 쓸 수 있다.
| 오답 풀이 | ② 自 (자) 스스로, ③ 不 (불) 아니다, ④ 恥 (치) 부끄럽다, ⑤ 十 (십) 열

04. 짧은 글에 담긴 지혜

| 소단원 스스로 정리 | 47쪽 |

1 ❶ 率　❷ (탑)　❸ 矢　❹ 개　❺ (아)　❻ 꾸미다　❼ 吐　❽ 미리　❾ (태)　❿ 日　⓫ 안개　⓬ 雷

2 ❶ 馬　❷ 화살　❸ 종　❹ 코　❺ 黑　❻ 名　❼ 種子

3 ❶ 吐

4 ❶ 한해　❷ 뇌우　❸ 乾燥　❹ 煙霧　❺ 화창

[쪽지 시험] 01 굶주리다　02 食　03 (1) 緊密(긴밀) (2) 豫想(예상) (3) 微物(미물)　04 (1) 統率 (2) 乾燥 (3) 水蒸氣壓 (4) 煙霧 (5) 和暢 (6) 凍傷　05 (1) ㉡ (2) ㉠ (3) ㉢

| 소단원 확인 문제 | 49쪽 |

01 ②　**02** ②　**03** ①　**04** ①　**05** ③　**06** 凍傷
07 ⑤　**08** ①　**09** ①　**10** ④　**11** ②
12 새가 오래 머물면 반드시 화살을 맞는다.　**13** ⑤
14 ④　**15** ③　**16** ㉠ 衣, ㉡ 名　**17** ④　**18** ③
19 農夫餓死/枕厥種子.

01 鳥의 음은 '조', 烏의 음은 '오'이다.
| 오답 풀이 | ① 欲 (욕) 하고자 하다 – 浴 (욕) 목욕하다
③ 我 (아) 나 – 餓 (아) 굶주리다
④ 久 (구) 오래다 – 狗 (구) 개
⑤ 旣 (기) 이미 – 其 (기) 그

02 飢(기)의 뜻은 '굶주리다'이고, 같은 뜻을 가진 한자는 '餓(아)'이다.
| 오답 풀이 | ① 騎 (기) 말 타다, ③ 視 (시) 보다, ④ 飽 (포) 배부르다, ⑤ 破 (파) 깨뜨리다

03 率(솔)의 뜻은 '거느리다'이다.

04 馬(마)는 '말', 鳥(조)는 '새', 狗(구)는 '개'이다. 모두 동물을 뜻한다.

05 '습기나 물기가 없는 상태'를 의미하는 한자 어휘는 '乾燥(건조)'이다.
| 오답 풀이 | ① 旱害(한해): 가뭄으로 인한 재해
② 雷雨(뇌우): 천둥소리와 함께 내리는 비
④ 煙霧(연무): 연기와 안개를 아울러 이르는 말
⑤ 和暢(화창): 날씨 따위가 온화하고 활짝 펴서 맑음.

06 제시된 의미는 凍傷의 뜻이다. 凍 (동) 얼다, 傷 (상) 다치다

07 旣(기)의 뜻은 '이미'이므로 '굶주리다'는 뜻을 가진 '飢

를 활용한 '飢餓(기아)'가 적절하다.

| 오답 풀이 | ① 容貌(용모): 사람의 얼굴 모양

② 積金(적금): 돈을 모아 둠. 또는 그 돈

③ 視察(시찰): 두루 돌아다니며 실지(實地)의 사정을 살핌.

④ 種子(종자): 식물에서 나온 씨 또는 씨앗

08 제시된 문장은 '공들여 쌓은 탑은 무너지지 않는다.'는 뜻으로, 노력을 들여 정성껏 이루어 놓은 일은 결코 쉽게 깨뜨려지지 않으며 그 결과가 헛되지 않는다는 의미이다.

09 제시된 〈조건〉은 '말을 타면 종(마부)을 거느리고 싶다.'는 의미를 가진 (가)와 관련이 있다.

10 제시된 내용은 운이 나쁜 사람은 무슨 일을 하든지 잘 되는 일이 없는 상황이므로, '곤궁한 사람의 일은 뒤로 넘겨져도 또한 코가 깨진다.'는 의미를 가진 (라)가 적절하다.

11 일을 할 때는 언제나 최선을 다하라는 의미이므로 (나)가 적절하다.

12 '새가 오래 머물면 반드시 화살을 맞는다(1-2-3-4-6-5).'라고 풀이된다.

13 烏(오)의 뜻은 '검다'이고, 같은 뜻을 가진 한자는 '黑(흑)'이다.

| 오답 풀이 | ① 狗 (구) 개, ② 浴 (욕) 목욕하다, ③ 不 (불) 아니다, ④ 變 (변) 변하다

14 變의 음은 '변'이고, 뜻은 '변하다'이다.

15 視 (시) 보다, 其 (기) 그, 體 (체) 몸, 視 (시) 보다, 其 (기) 그, 貌 (모) 모양

16 ㉠ 衣 (의) 옷, ㉡ 名 (명) 이름

17 농부는 굶어 죽더라도 그 씨앗을 벤다. → 자신이 맡은 일에 최선을 다하는 투철한 직업의식을 지닌 사람을 비유한다. 또는 어리석고 인색한 사람은 죽고 나면 재물이 소용없음을 모른다.

18 농부는 굶어 죽더라도 그 씨앗을 벤다[枕].

19 '農夫餓死(농부아사)라도 枕厥種子(침궐종자)라.'로 끊어 읽을 수 있다.

05. 마음에 새기는 글

소단원 스스로 정리   57쪽

1 ❶ 广 ❷ 복숭아 ❸ (독) ❹ 鳴 ❺ (택) ❻ 言 ❼ 詞 ❽ 車 ❾ 떠나다 ❿ 숨다 ⓫ (검) ⓬ 貝

2 ❶ 善 ❷ 自 ❸ 學 ❹ 뜻 ❺ 인 ❻ 日月 ❼ 故 ❽ 깊음

3 ❶ 誰 ❷ 감탄 ❸ 도치 ❹ 부정

4 ❶ 강직 ❷ 부정부패 ❸ **勤儉節約** ❹ 청렴결백 ❺ **遵法精神**

[쪽지시험] **01** 言 **02** (1) (도) (2) 말하다 **03** (1) 後悔(후회) (2) 淸廉(청렴) **04** (1) 剛直 (2) 遵法精神 (3) 勤儉節約 (4) 淸廉潔白 (5) 比較 **05** (1) ㉡ (2) ㉠ (3) ㉢

소단원 확인 문제   59쪽

01 ④	02 ④	03 ③	04 ⑤	05 ①
06 不正腐敗	07 ③	08 ②	09 ③	10 ①
11 ④	12 ④	13 ③	14 ①	15 ①	16 ③
17 歲不我延 → 歲不延我		18 ⑤	19 ③	

01 延의 음은 '연'이다.

02 壤(양)의 뜻은 '흙덩이'이다.

03 愆의 음은 '건', 뜻은 '허물'이다.

04 河(하), 海(해), 深(심)의 공통되는 부수는 '水', 부수의 변형은 'ㆍ'이다.

05 桃(도)는 '복숭아', 李 (리)는 '자두'를 의미하는 한자로 모두 '과일'이라는 공통점이 있다.

06 不 (부) 아니다, 正 (정) 바르다, 腐 (부) 썩다, 敗 (패) 썩다

07 隱退(은퇴)는 '직임에서 물러나거나 사회 활동에서 손을 떼고 한가히 지냄.'이라는 뜻이므로 문맥에 어울리지 않는다.

| 오답 풀이 | ① 自初至終(자초지종): 처음부터 끝까지의 과정

② 警戒(경계): ㉠ 뜻밖의 사고가 생기지 않도록 조심하여 단속함. ㉡ 옳지 않은 일이나 잘못된 일들을 하지 않도록 타일러서 주의하게 함.

④ 後悔(후회): 이전의 잘못을 깨치고 뉘우침.

⑤ 座右銘(좌우명): 늘 자리에 갖추어 두고 가르침으로 삼는 말이나 문구

08 ② 欺人(기인)은 '사람을 속임.'이라는 뜻이다.

|오답 풀이| ① 剛直(강직): 마음이 꼿꼿하고 곧음.

③ 勤儉(근검): 부지런하고 검소함.

④ 潔白(결백): 행동이나 마음씨가 깨끗하고 조촐하여 아무런 허물이 없음.

⑤ 準法(준법): 법률이나 규칙을 좇아 따름.

09 是誰之愆(시수지건)은 '이것은 누구의 잘못인가?'라고 풀이되므로 의문문에 해당한다.

|오답 풀이| ①, ②, ④, ⑤는 모두 평서문이다.

① 是吾賊(시오적): 이는 나의 적이다.

② 不讓土壤(불양토양): 흙을 사양하지 않는다.

④ 能就其深(능취기심): 그 깊음을 이룰 수 있다.

⑤ 仁在其中矣(인재기중의): 인이 그 가운데에 있다.

10 제시된 문장은 '배우기를 널리[博] 하고 뜻을 돈독히[篤] 하며, 간절히[切] 묻고 가까이[近] 생각하면, 인이 그 가운데에 있느니라.'로 풀이된다.

11 道(도)는 '말하다'의 의미로 사용되었다.

12 제시된 문장은 나의 선한[善] 점을 말해 주는 사람은 이는 나의 적이요, 나의 악한[惡] 점을 말해 주는 사람은 이는 나의 스승이니라.'로 풀이되므로 ⓒ은 善이 ⓔ에는 惡이 들어가야 한다.

13 吾(오)의 뜻은 '나'이고, 같은 뜻을 가진 '我(아)'와 바꾸어 쓸 수 있다.

|오답 풀이| ① 而 (이) 말 잇다, ② 者 (자) 사람, ④ 子 (자) 아들, ⑤ 之 (지) 어조사

14 ㉠은 '시간은 흘러간다.'로 풀이된다.

15 '아! 늙었구나!'로 풀이되므로 감탄문이다.

16 誰의 음은 '수', 뜻은 '누구'이다.

17 부정의 뜻을 나타내는 구문에서 자시 대명사나 인칭 대명사가 목적어로 쓰일 때는 목적어가 서술어 앞에 온다.

18 큰 산은 흙을 사양하지 않는다. 그러므로[故] 그 거대함을 이룰 수 있다.

19 ⓒ은 '큰 강[河]과 바다[海]는 가느다란[細] 물줄기[流]를 가리지[擇] 않는다[不].'로 풀이된다.

01 ①	02 ③	03 ⑤	04 ③	05 慮	06 ⑤
07 ③	08 ②	09 ②	10 ③	11 如	12 ②
13 ④	14 ⑤	15 ②	16 ③	17 自強不息	
18 ①	19 ③	20 ④	21 ②	22 ①	23 ⑤
24 ④	25 ③	26 仁	27 ①	28 ⑤	29 ②
30 ③	31 ⑤	32 ⑤	33 ②	34 ③	35 ③
36 ⑤	37 ①	38 ②			

01 한자는 하나하나의 글자가 뜻을 나타내는 글자인 표의 문자이다. 상형은 구체적인 사물의 모양을 본뜬 것이다.

|오답 풀이| ㄷ. 회의는 글자의 뜻과 뜻을 합친 것이다.

ㄹ. 형성은 글자의 뜻과 음을 합친 것이다.

ㅁ. '信(신)'은 회의의 원리로 만들어졌다.

02 지사는 추상적인 생각이나 뜻을 점이나 선으로 나타낸 것이다.

|오답 풀이| ① 갑골 문자: 거북의 등딱지나 짐승의 뼈에 새긴 글자

② 상형 자: 구체적인 사물의 모양을 본뜸.

④ 형성 자: 이미 만들어진 글자 일부는 뜻, 일부는 음을 합침.

⑤ 회의 자: 이미 만들어진 글자의 뜻과 뜻을 합침.

03 鄰(린)의 부수는 '邑(阝)'이다.

|오답 풀이| ① 慮(려), ② 愛(애), ③ 情(정), ④ 慕(모)의 부수는 모두 '心(忄, 㣺)'이다.

04 ③ 通信(통신)의 信(신)은 '소식'이라는 의미이다.

|오답 풀이| ① 信賴(신뢰), ② 盲信(맹신), ④ 不信(불신), ⑤ 信心(신심)의 信(신)은 '믿다'의 뜻이다.

05 配慮(배려): (마음을) 나누어 (남도) 생각해 주다.

06 通信(통신)은 '소식을 전함.'의 뜻이므로 문맥에 어울리지 않는다.

|오답 풀이| ① 容恕(용서): 지은 죄나 잘못한 일에 대하여 꾸짖거나 벌하지 아니하고 덮어 줌.

② 思慮(사려): 여러 가지 일에 대하여 깊게 생각함. 또는 그런 생각

③ 憐憫(연민): 불쌍하고 가련하게 여김.

④ 化石燃料(화석 연료): 지질 시대에 생물이 땅속에 묻히어 화석같이 굳어져 오늘날 연료로 이용하는 물질

07 '마음속으로부터 기억이 없어지다.', '잊다'의 뜻을 나타내는 한자는 '忘(망)'이다.

| 오답 풀이 | ① 息 (식) 쉬다, ② 慣 (관) 익숙하다, ④ 惡 (악) 악하다, ⑤ 慮 (려) 생각하다

08 꿰뚫는 획은 나중에 쓴다.

09 五十步百步(오십보백보): 조금 낫고 못한 정도의 차이는 있으나 본질적으로는 차이가 없음을 이르는 말

10 가난하고 천할 때의 사귐은 잊을 수 없다[不].

11 마음을 같이하는 말은 그 향기가 난초와 같다[如].

12 卷의 음은 '권', 뜻은 '책'이다.

13 雪(설)의 뜻은 '눈'이므로 날씨와 관련이 있다.
| 오답 풀이 | ① 問 (문) 묻다, ② 手 (수) 손, ③ 螢 (형) 반딧불이, ⑤ 油 (유) 기름

14 息(식)은 '회의'의 원리로 만들어졌다.
| 오답 풀이 | ①, ②, ③, ④는 '형성'의 원리로 만들어졌다.
① 盛 (성) 담다, ② 貧 (빈) 가난하다, ③ 油 (유) 기름, ④ 問 (문) 묻다

15 읽다[서술어] 책을[목적어] → 술목 관계

16 螢雪之功(형설지공): 반딧불이와 눈의 공로

17 自強不息(자강불식): 스스로 힘써 쉬지 않음.

18 ① 騎 (기) 말 타다, ② 塔 (탑) 탑, ③ 矢 (시) 화살, ④ 鼻 (비) 코, ⑤ 狗 (구) 개

19 食(식) 먹다. ① 肉 (육) 고기, ② 木 (목) 나무, ④ 水 (수) 물, ⑤ 人 (인) 사람

20 騎馬(기마)면 欲率奴(욕솔노)라.: 말을 타면 종(마부)을 거느리고 싶다.

21 不察(불찰): 조심해서 잘 살피지 아니한 탓으로 생긴 잘못
| 오답 풀이 | ① 不如(불여): ~만 같지 못하다.
③ 不救(불구): ~를 구하지 못하다.
④ 不可(불가): ~할 수 없다.
⑤ 不信(불신): 믿지 아니하다. 또는 믿지 못하다.

22 '내 배가 이미 부르면 종의 배고픔을 살피지 않는다.'는 의미로, 配慮(배려)와 관련이 있다. ② 孝道(효도), ③ 友情(우정), ④ 友愛(우애), ⑤ 人生(인생)

23 烏狗之浴이라도 不變其黑이라: 검은 개를 목욕시키더라도 그 검은색을 변화시키지 못한다.

24 ㉠: 河 (하) 물, ㉡: 切 (절) 간절히

25 '道(도)'와 '塗(도)'의 뜻은 '길'이다.
| 오답 풀이 | ① 座 (좌) 자리 – 銘 (명) 새기다
② 狂 (광) 미치다 – 桃 (도) 복숭아
④ 鳴 (오) 탄식하다 – 愆 (건) 허물
⑤ 壤 (양) 흙덩이 – 警 (경) 깨우치다

26 제시된 문장은 '배우기를 널리 하고 뜻을 돈독히 하며, 간

절히 묻고 가까이 생각하면, 인[仁]이 그 가운데에 있느니라.'로 풀이된다.

27 道吾善者, 是吾賊, 道吾惡者, 是吾師.: 나의 선한 점을 말해 주는 사람은 이는 나의 적이요, 나의 악한 점을 말해 주는 사람은 이는 나의 스승이다.
| 오답 풀이 | ② 是는 '이'라고 해석한다.
③ 충고의 중요성에 관한 내용이다.
④ 나의 잘못된 점을 말해 주는 사람이 스승이라는 의미이다.

28 桃李不言, 下自成蹊는 '복숭아나무와 자두나무는 말하지 않아도 아래에 저절로 길이 생긴다.'로, 뛰어난 인격을 갖춘 사람 주위에는 많은 사람들이 모인다는 의미이다.

29 그러므로 그 깊음을 이룰 수 있다[能].

30 ③ 如 (여) + 心 (심) = 恕 (서)
| 오답 풀이 | ① 亡 (망) + 心 (심) = 忘 (망)
② 成 (성) + 皿 (명) = 盛 (성)
④ 食 (식) + 我 (아) = 餓 (아)
⑤ 口 (구) + 烏 (오) = 嗚 (오)

31 腹(복)의 뜻은 '배', 頭(두)의 뜻은 '머리', 口(구)의 뜻은 '입'으로, 모두 신체를 나타낸다는 공통점이 있다.

32 餓死(아사): 굶어 죽다[수식], 近鄰(근린): 가까운 이웃[수식], 窮人(궁인): 곤궁한 사람[수식]
| 오답 풀이 | 讀書(독서): 책을 읽다[술목], 飢餓(기아): 굶주리다[병렬], 積功(적공): 공을 쌓다[술목]

33 白眉(백미): 여럿 가운데에서 가장 뛰어난 사람이나 훌륭한 물건

34 肝膽相照(간담상조)는 '간과 쓸개를 서로 비추어 내보임.'으로, '우정'과 관련이 있다.
| 오답 풀이 | ①, ②, ④, ⑤는 노력과 관련이 있다.
① 手不釋卷(수불석권): 손에서 책을 놓지 않음.
② 不恥下問(불치하문): 아랫사람에게 묻는 것을 부끄러워하지 않음.
④ 自強不息(자강불식): 스스로 힘써 쉬지 않음.
⑤ 螢雪之功(형설지공): 반딧불이와 눈의 공로. 반딧불이와 눈을 통하여 이룬 성공

35 金蘭之契(금란지계): 쇠와 난초 같은 맺음.

36 一觸卽發(일촉즉발): 한 번 건드리기만 해도 폭발할 것 같이 몹시 위급한 상태

37 伯牙絕絃(백아절현): 백아가 (거문고의) 줄을 끊음.

38 棟梁之材(동량지재): 기둥과 들보로 쓸 만한 재목이라는 뜻으로, 한 집안이나 한 나라를 떠받치는 중대한 일을 맡을 만한 인재를 이르는 말

II. 지혜와 감동을 전하는 인물

06. 소년, 이웃을 살린 지혜

소단원 스스로 정리　　　　　　　　　　75쪽

1 ❶ (교) ❷ 獻 ❸ 묶다 ❹ 口 ❺ 곁 ❻ 鎭 ❼ 쇠하다
❽ (유) ❾ 垂 ❿ (묵) ⓫ 心 ⓬ 임하다

2 ❶ 畫寢 ❷ 大蛇 ❸ 곁 ❹ 吏房 ❺ 大蛙 ❻ 통인 ❼ 배

3 ❶ 허사 ❷ 내려오다

4 ❶ 미리 ❷ 諒解 ❸ 변별력　　　❹ 先見之明
❺ 임기응변

[쪽지 시험] 01 잠자다 02 水(氵) 03 (1) ㉡ (2) ㉢ (3) ㉠
04 (1) 諒解 (2) 辨別力 (3) 先見之明 (4) 臨機應變 (5) 知
慧 05 之

소단원 확인 문제　　　　　　　　　　77쪽

01 ④	02 ⑤	03 ④	04 ①	05 ②	06 ③
07 ③	08 ④	09 ②	10 下	11 ③	12 ④
13 ④	14 ①	15 ⑤	16 ②	17 ④	18 위험

한 상황에서도 침착하게 기지를 발휘하여 사람의 목숨을 살
린 지혜로운 행동이다.

01 '束(속)'의 자원으로, 뜻은 '묶다'이다.

02 後(후)의 뜻은 '뒤'이다.

03 策의 음은 '책', 뜻은 '꾀'이다.
│오답 풀이│ ① 竹 (죽) 대나무, ② 吏 (리) 벼슬아치, ③
捕 (포) 잡다, ⑤ 範 (범) 법

04 側(측)의 부수는 '人(亻)'이다. ②, ③, ④, ⑤의 부수는
'辵(辶)'이다.

05 │오답 풀이│ ① 沈 (침) 잠기다 [水]
③ 捨 (사) 버리다 [手]
④ 悠 (유) 멀다 [心]
⑤ 局 (국) 판 [尸]

06 郊外(교외): 도시의 주변 지역
│오답 풀이│ ① 遂行(수행): 생각하거나 계획한 대로 일을
해냄.
② 衰退(쇠퇴): 기세나 상태가 쇠하여 전보다 못하여 감.
④ 郵遞局(우체국): 미래 창조 과학부에 딸려 우편, 우
편환, 우편 대체, 체신 예금, 체신 보험, 전신 전화 수탁

업무 따위를 맡아보는 기관
⑤ 悠悠自適(유유자적): 속세를 떠나 아무 속박 없이
조용하고 편안하게 삶.

07 束手無策(속수무책): 손을 묶은 것처럼 해결할 대책이
없어 꼼짝 못하다.

08 機智(기지): 경우, 위기에 따라 재치 있게 대응하는 지혜

09 '세상에 널리 알려진 매우 뛰어난 작가'를 의미하는 한자
어휘는 '大文豪(대문호)'이다.
│오답 풀이│ ① 沈默(침묵): 아무 말도 없이 잠잠히 있음.
또는 그런 상태
③ 衝動的(충동적): 마음속에서 어떤 욕구 같은 것이
갑작스럽게 일어나는. 또는 그런 것
④ 率先垂範(솔선수범): 남보다 앞장서서 행동해서 몸
소 다른 사람의 본보기가 됨.
⑤ 暫時後(잠시 후): 짧은 시간이 지나간 얼마 뒤

10 下車(하차): 타고 있던 차에서 내리다.
地下(지하): 땅속이나 땅속을 파고 만든 구조물의 공간

11 禮(례)의 뜻은 '예도'이므로 '미리'라는 뜻을 가진 '豫(예)'
를 활용한 '豫測(예측)'이 적절하다.
│오답 풀이│ ① 辨別力(변별력): 사물의 옳고 그름이나 좋
고 나쁨을 가리는 능력
② 智慧(지혜): 사물의 이치를 빨리 깨닫고 사물을 정확
하게 처리하는 정신적 능력
④ 臨機應變(임기응변): 그때그때 처한 사태에 맞추어
즉각 그 자리에서 결정하거나 처리함.
⑤ 諒解(양해): 남의 사정을 잘 헤아려 너그러이 받아들
이는 것

12 飯의 음은 '반', 뜻은 '밥'이다.

13 上(상)은 '위, 오르다'의 뜻이 있는데, ㉠은 '위'의 뜻으로
쓰였다.
下(하)는 '아래, 내리다'의 뜻이 있는데, ㉣은 '내리다'의
뜻으로 쓰였다.

14 爲(위)는 '하다, 되다, 위하다'의 뜻이 있는데, ㉡은 '하
다', ㉢은 '위하다'의 뜻으로 쓰였다.

15 其像(기상)은 '뱀이 배 위에서 똬리를 틀고 있는 모습'을
의미한다.

16 마침내 큰 개구리 수십 마리를 잡았다[捕].

17 소년은 개구리를 잡아다가 뱀의 주변에 풀어서 뱀이 그것
을 따라가게 하는 방법으로 뱀을 쫓았다.

07. 김성기, 소리에 대한 열정

소단원 스스로 정리
85쪽

1 ❶ 而 ❷ 器 ❸ 숨기다 ❹ (절) ❺ 穴 ❻ (탄)
❼ 곁 ❽ 言 ❾ 演 ❿ (연) ⓫ 爆 ⓬ 섬돌

2 ❶ 傳授 ❷ 금사 ❸ 窓前 ❹ 베껴서 ❺ 彈琴 ❻ 땅
❼ 之

3 ❶ 에 ❷ 에게

4 ❶ 작사 ❷ 音階 ❸ 민요 ❹ 編曲 ❺ 부호

[쪽지 시험] 01 갑자기 02 言 03 ㉠ 노력 ㉡ 인내 04 (1)
作詞 (2) 樂譜 (3) 音階 05 (1) ㉡ (2) ㉣ (3) ㉢ (4) ㉠

소단원 확인 문제
87쪽

01 ③	02 ⑤	03 ②	04 ⑤	05 ③	06 ⑤
07 ②	08 ①	09 ④	10 強弱符號		11 ③
12 ④	13 ④	14 ①	15 ③	16 之	17 ⑤
18 ④	19 ②				

01 '聲(성)'의 자원이고, 뜻은 '소리'이다.

02 丸의 음은 '환', 뜻은 '둥글다'이다.

03 琴의 음은 '금', 뜻은 '거문고'이다.
| 오답 풀이 | ① 器 (기) 그릇, ③ 宴 (연) 잔치, ④ 亭 (정) 정자, ⑤ 學 (학) 배우다

04 聘(빙), 聖(성), 聽(청), 聲(성)의 공통되는 부수는 '耳'이다.

05 援의 음은 '원', 뜻은 '돕다', 부수는 '手(扌)'이다.
| 오답 풀이 | ① 盜 (도) 도둑 [皿], ② 突 (돌) 갑자기 [穴], ④ 傍 (방) 곁 [人(亻)], ⑤ 譜 (보) 족보 [言]

06 ⑤ 演奏의 음은 '연주'이다.

07 沒頭의 음은 '몰두'이고, '어떤 일에 온 정신을 다 기울여 열중함'이라는 의미이다.

08 그림과 관련 있는 한자 어휘는 '樂譜(악보)'이다.
| 오답 풀이 | ② 懇請(간청), ③ 伴奏(반주), ④ 作詞(작사), ⑤ 傑出(걸출)

09 民謠(민요): 예로부터 민중 사이에 불려 오던 전통적인 노래를 통틀어 일컫는 말
| 오답 풀이 | ① 歌謠(가요), ② 民俗(민속), ③ 文化(문화), ⑤ 民衆(민중)

10 強 (강) 강하다, 弱 (약) 약하다, 符 (부) 붙다, 號 (호) 부르다

11 忘年之友의 음은 '망년지우'이고, '나이에 거리끼지 않고 허물없이 사귄 벗'이라는 의미이다.

12 宴會(연회)는 '축하, 위로, 환영, 석별 따위를 위하여 여러 사람이 모여 베푸는 잔치'이므로, '여럿이 모여 의논함. 또는 그럼 모임'의 뜻을 지닌 '會議(회의)'가 적절하다.
| 오답 풀이 | ① 爆發的(폭발적): 무엇이 갑작스레 퍼지거나 일어나는. 또는 그런 것
② 時調(시조): 조선 시대에 확립된 3장 형식의 정형시에 반주 없이 일정한 가락을 붙여 부르는 노래
③ 作詞(작사): 노랫말을 지음.
⑤ 編曲(편곡): 지어 놓은 곡을 다른 형식으로 바꾸어 꾸미거나 다른 악기를 쓰도록 하여 연주 효과를 달리하는 일

13 窓前(창전): 창문 앞
| 오답 풀이 | ① 琴師(금사): 거문고나 가야금을 가르치는 일을 맡아보던 벼슬아치
② 新聲 (신성): 새로운 소리(가락)
③ 傳授 (전수): 전하여 주다.
⑤ 傳寫 (전사): 옮기어 베낌.

14 왕세기에게 거문고를 배웠다[學].

15 明朝(명조)는 '다음 날 아침'이라는 의미이다.

16 왕세기가 참으로 그것[之]을 의아하게 여기다.

17 彈丸(탄환)의 '彈'은 '탄알'을 의미한다.
| 오답 풀이 | ④ 連彈(연탄): 한 대의 피아노를 두 사람이 함께 치며 연주함.

18 김성기가 놀라서 땅에[於] 떨어졌다.

19 왕세기는 번번이 숨기고 전하여 주지 않았다.

08. 다산, 그리고 조선의 르네상스

소단원 스스로 정리
95쪽

1 ❶ (축) ❷ 牧 ❸ 나라 ❹ 貝 ❺ 가로 ❻ 酌 ❼ 糸
❽ (기) ❾ 裝 ❿ 土 ⓫ 藏 ⓬ 소금

2 ❶ 唯 ❷ 돌 ❸ 參 ❹ 대강 ❺ 如 ❻ 가

3 ❶ 실사 ❷ 접속사

4 ❶ 광물 ❷ 지진 ❸ 生態系 ❹ 抽出 ❺ 염기성

[쪽지 시험] 01 田 02 (1) (참) (2) 참고하다 03 ㉠: 기여 ㉡: 윤석 04 (1) 行政家 (2) 法學者 (3) 建築家 (4) 言語學者
05 (1) ㉢ (2) ㉠ (3) ㉣ (4) ㉡

01 ②	02 ㉠ 域 ㉡ 나라 ㉢ (목)	03 ②	04 ⑤
05 ③	06 ③	07 ①	08 多才多能	09 ⑤
10 ①	11 ②	12 ④	13 ①	14 ②	15 ③
16 以	17 ④	18 ⑤	19 ①	

01 '築(축)'의 자원으로, 뜻은 '쌓다'이다.

03 '계'에 해당하는 한자는 械이고, 뜻은 '기계'이다.
| 오답 풀이 | ① 機 (기) 틀, ③ 木 (목) 나무, ④ 森 (삼) 빽빽하다, ⑤ 林 (림) 수풀

04 築(축)의 부수는 '竹'이다. ①, ②, ③, ④의 부수는 '木'이다.

05 冠의 음은 '관', 뜻은 '갓', 부수는 '冖'이다.
| 오답 풀이 | ① 寄 (기) 부치다 [宀], ② 酌 (작) 헤아리다 [酉], ④ 儀 (의) 거동 [人], ⑤ 軌 (궤) 바큇자국 [車]

06 苗木의 음은 '묘목'이고, '옮겨 심는 어린나무'라는 의미이다.

07 그림과 관련 있는 한자 어휘는 '建築家(건축가)'이다.
| 오답 풀이 | ② 法學者(법학자): 법학을 연구하는 학자
③ 行政家(행정가): 정치나 사무를 행하는 사람
④ 言語學者(언어학자): 언어학을 연구하는 사람
⑤ 軍事戰略家(군사 전략가): 군대, 군비, 전쟁 따위와 같은 군에 관한 일에 대한 전략을 세우는 데 능한 사람

08 多 (다) 많다, 才 (재) 재주, 多 (다) 많다, 能 (능) 능하다

09 生態系(생태계): 어느 환경 안에서 사는 생물군과 그 생물들을 제어하는 제반 요인을 포함하는 복합 체계
| 오답 풀이 | ① 裝備(장비), ② 埋葬(매장), ③ 言語(언어), ④ 軍事(군사)

10 廣(광)의 뜻은 '넓다'이므로 '쇳돌'이라는 뜻을 가진 '鑛(광)'을 활용한 '鑛物(광물)'이 적절하다.
| 오답 풀이 | ② 震央(진앙): 지진의 진원 바로 위에 있는 지점
③ 抽出(추출): ㉠ 전체 속에서 어떤 물건, 생각, 요소 따위를 뽑아냄. ㉡ 고체 또는 액체의 혼합물에 용매를 가하여 혼합 물속의 어떤 물질을 용매에 녹여 뽑아내는 일
④ 鹽基性(염기성): 염기가 지니는 기본적 성질
⑤ 亞鉛(아연): 질이 무르고 광택이 나는 청색을 띤 흰색의 금속 원소

11 須의 음은 '수'이다.

12 ㉠의 풀이 순서는 '4-1-2-3'이다.

13 오직 돌[石]을 세우는 것[起]과[與] 돌[石]을 운반하는 것[運] 것

14 與(여)는 '~와/과'의 뜻으로 쓰인다.

15 華(화)의 뜻은 '빛나다'이다.

16 새로운 제도로써[以] 참고하다.

17 수원[華]에 성을 쌓는 일에 쓰이게 하였다.

18 之(지)는 지시 대명사로 '起重小架(기중소가)'를 가리킨다.

19 지금 옛사람들이 남긴 뜻을 취하고 새로운 제도로써 참고한다.
| 오답 풀이 | ② 다만 그중에서 초보적이고 알기 쉬운 것
③ 대강 그것을 시험하였다.
④ 이에 그림 그린 것을 펼쳐 나열한 것이 왼쪽과 같다.
⑤ 첫 번째는 '가'라 말하고, 두 번째는 '횡량'이라 말한다.

09. 대장금, 현대에도 살아 있는 옛사람들

1 ❶(다) ❷逮 ❸연극 ❹頁 ❺어찌 ❻雅 ❼女 ❽(록) ❾戲 ❿(상) ⓫工 ⓬장막

2 ❶醫術 ❷출입 ❸本朝 ❹김충선   ❺朝令

3 ❶사아가검   ❷임금

4 ❶涉外 ❷홍보 ❸戲曲 ❹技巧 ❺글자

[쪽지 시험] 01 頁 02 (1) (다) (2) 차 03 (1) ㉡ (2) ㉢ (3) ㉠
04 (1) 涉外 (2) 戲曲 (3) 弘報 (4) 特殊效果 (5) 技巧 (6)
字幕 05 어찌 06 沙阿可劍, 金忠善

01 ③	02 ㉠ (극) ㉡ 婢 ㉢ 잡다	03 ②	04 ⑤		
05 ①	06 ①	07 ③	08 ③	09 ②	10 ②
11 ⑤	12 ③	13 본조(조선)로 목숨을 의탁하였다.			
14 ③	15 ②	16 ⑤	17 ⑤	18 身爲班	

01 介(개)의 자원으로, 뜻은 '끼다'이다.

03 殉의 음은 '순', 뜻은 '따라 죽다'이다.
| 오답 풀이 | ① 死 (사) 죽다, ③ 葬 (장) 장사지내다, ④ 殃 (앙) 재앙, ⑤ 歿 (몰) 죽다

04 優(우), 介(개), 僅(근), 像(상)의 공통되는 부수는 '人',

부수의 변형은 'イ'이다.

05 亂의 음은 '란', 뜻은 '어지럽다', 錄의 음은 '록', '뜻은 기록하다'이다.

06 殊의 음은 '수', 뜻은 '다르다'이다.
| 오답 풀이 | ② 戱 (희) 놀다, ③ 巧 (교) 공교하다, ④ 裳 (상) 치마, ⑤ 弘 (홍) 넓다

07 再創造의 음은 '재창조'이고, '이미 있는 것을 고치거나 새로운 방식을 써서 다시 만들어 냄.'이라는 의미이다.

08 빈칸에 들어갈 한자는 '役割(역할)'이다.

09 茶母(다모): 조선 시대에, 일반 관아에서 차와 술대접 등의 잡일을 맡아 하던 관비
| 오답 풀이 | ① 食母(식모), ③ 針母(침모), ④ 賤民(천민), ⑤ 身分(신분)

10 儀(의)의 뜻은 '거동'이므로 '옷'이라는 뜻을 가진 '衣(의)'를 활용한 '衣裳(의상)'이 적절하다.
| 오답 풀이 | ① 字幕(자막): 영화나 텔레비전 따위에서 관객이나 시청자가 읽을 수 있도록 화면에 비추는 글자
③ 弘報(홍보): 널리 알림. 또는 그 소식이나 보도
④ 涉外(섭외): 연락을 취하여 의논함.
⑤ 戱曲(희곡): 공연을 목적으로 하는 연극의 대본

11 叱의 음은 '질', 뜻은 '꾸짖다'이다.

12 於(어)는 '~보다'는 뜻으로 쓰이고 있다.

14 (임금이) 성[姓]과 이름[名]을 하사하여[賜] '김충선'이라 하였다. 여기서는 임금이라는 주어가 생략되었다.

15 朝令의 음은 '조령'이고, '조정의 법령'이라는 의미이다.

16 何(하)의 뜻은 '어찌'로, 의문사로 쓰인다. 之(지)의 뜻은 '가다, ~의, ~한, 그것'으로 어조사로 많이 쓰인다.
| 오답 풀이 | ① 豈 (기) 어찌, ② 那 (나) 어찌, ③ 奈 (내) 어찌, ④ 奚 (해) 어찌

17 임진년에 왜나라 장수 사아가검이 본조(조선)로 목숨을 의탁하여 여러 차례 공을 세웠으니 성과 이름을 하사하여 '김충선'이라 하였다. 이로 보아 임진왜란 때 우리나라로 귀화한 장수는 사아가검(沙阿可劍)임을 알 수 있다.

18 身 (신) 신분, 爲 (위) 되다, 班 (반) 양반

대단원 실전 평가 112쪽

01 ④	02 ①	03 (가) 豫測 (나) 先見之明 (다) 智慧		
04 於	05 ①	06 ②	07 ③	08 ②
09 ④	10 주술목 구조	11 ④	12 ③	13 ①
14 ④	15 以	16 ①	17 ⑤	18 班	19 ④
20 ②	21 ①	22 ⑤	23 ④	24 ③	25 풀이─

그것을 앞에 던지니 뱀이 개구리를 잡기 위해 배에서 내려왔다./허사─於, 而 **26** ④ **27** ④ **28** ⑤ **29** ④ **30** ⑤ **31** ② **32** ⑤

01 恐 (공) 두려워하다, 惶 (황) 두려워하다
| 오답 풀이 | ① 寢 (침) 잠자다, ② 睡 (수) 잠자다, ③ 鎭 (진) 진압하다, ⑤ 壓 (압) 누르다

02 獻의 음은 '헌', 뜻은 '드리다', 부수는 '犬(犭)'이다.
| 오답 풀이 | ② 行 (행) 다니다 [行], ③ 機 (기) 틀 [木], ④ 策 (책) 꾀 [竹], ⑤ 捕 (포) 잡다 [手(扌)]

04 큰 뱀이 배 위에 [於] 똬리를 튼 일이 있었거늘

05 점심밥을 먹기 위해[爲] 나가다.
| 오답 풀이 | ② 午 (오) 낮, ③ 飯(반) 밥, ④ 而 (이) 말 잇다, ⑤ 出 (출) 나가다

06 之(지)는 지시 대명사로 '大蛙(큰 개구리)'를 가리키고 있다.

07 '誕 (탄) 태어나다', '諾 (낙) 허락하다', '譜 (보) 족보'의 공통된 부수는 '言'이다.

08 音의 음은 '음', 뜻은 '소리'이다.
| 오답 풀이 | ① 樂 (악) 음악, ③ 飮 (음) 마시다, ④ 陰 (음) 그늘, ⑤ 奏 (주) 연주하다

09 '일정한 음정의 순서로 음을 차례로 늘어놓은 것'을 의미하는 한자 어휘는 '音階(음계)'이다
| 오답 풀이 | ① 編曲(편곡): 지어 놓은 곡을 다른 형식으로 바꾸어 꾸미거나 다른 악기를 쓰도록 하여 연주 효과를 달리하는 일
② 作詞(작사): 노랫말을 지음.
③ 演奏(연주): 악기를 다루어 곡을 표현하거나 들려주는 일
⑤ 伴奏(반주): 노래나 기악의 연주를 도와주기 위하여 옆에서 다른 악기를 연주함.

10 '왕세기가 참으로 그것을 의아하게 여기다.'로 풀이되므로, 문장의 구조는 '주술목 구조'이다

11 '김성기가 놀라서 땅에 떨어졌다.'로 풀이하고, 풀이 순서

는 '1-2-5-4-3'이다.

12 之(지)는 지시 대명사로, '金聖基(김성기)'를 가리키고 있다.

13 '牧(목)'의 자원으로, 뜻은 '치다'이다.

14 牧民心書(목민심서): 조선 순조 때 정약용이 지은 계몽 도서
欽欽新書(흠흠신서): 형벌 일을 맡은 벼슬아치들이 유의할 점에 관한 책
| 오답 풀이 | ① 儀軌(의궤): 예전에, 나라에서 큰일을 치를 때 후세에 참고하기 위하여 그 일의 처음부터 끝까지의 경과를 자세하게 적은 책
② 苗木(묘목): 옮겨 심는 어린나무
③ 登載(등재): 일정한 사항을 장부나 대장에 올림.
⑤ 軍事戰略家(군사 전략가): 군대, 군비, 전쟁 따위와 같은 군에 관한 일에 대한 전략을 세우는 데 능한 사람

15 성은 돌로써[以] 쌓으니

16 粗(조)의 뜻은 '대강', 淺(천)의 뜻은 '얕다'이다.

17 '今取古人遺意(금취고인유의)하고 叅以新制(참이신제)하여'는 '지금 옛사람들이 남긴 뜻을 취하고 새로운 제도로써 참고하여'로 풀이한다.
| 오답 풀이 | ① 성은 돌로 쌓았다.
② 성을 쌓을 때 중요한 것은 돌을 세우는 것과 돌을 운반하는 것이다.
③ 다산은 기중소가(起重小架)를 만들었다.
④ 기중소가(起重小架)는 수원에 성을 쌓는 일에 쓰였다.

18 '나누다'의 뜻을 나타내는 한자는 '班(반)'이다.

19 '優 (우) 넉넉하다', '介 (개) 끼이다', '僅 (근) 겨우', '像 (상) 형상'의 공통된 부수는 '人(亻)'이다. 부수가 같은 한자는 '件 (건) 물건'이다.
| 오답 풀이 | ① 劇 (극) 심하다 [刀(刂)], ② 茶 (다), (차) 차 [艹], ③ 殉 (순) 따라 죽다 [歹], ⑤ 潛 (잠) 잠기다 [水(氵)]

20 演出家의 음은 '연출가'이고, '연극이나 방송극 따위에서, 각본을 바탕으로 배우의 연기, 무대 장치, 의상, 분장, 조명, 음악 따위의 여러 가지 요소를 종합하여 효과적으로 무대 공연을 할 수 있도록 지도하는 일을 전문적으로 하는 사람'을 의미한다.
| 오답 풀이 | ① 藝術人(예술인): 예술 작품을 창작하거나 표현하는 것을 직업으로 하는 사람
③ 行政家(행정가): 정치나 사무를 행하는 사람
④ 技術者(기술자): 어떤 분야에 전문적 기술을 가진 사람

⑤ 建築家(건축가): 건축에 대한 전문적인 지식이나 기술을 가진 사람

21 그 무리보다 조금 나았다[優].

22 조정의 법령이 어떠한데 신분[身]은 양반이 되어서 금지령을 어긴 것은 어째서인가?

23 | 오답 풀이 | ①, ② 대장금은 의술이 그 무리보다 조금 나은 정도였다.
③ 대장금은 대전의 안에서 병자들을 간호하였다.
⑤ 다모가 금지령을 어긴 양반을 꾸짖었다.

24 '조선 시대에 관한 소속으로 잔심부름을 하던 사람'을 의미하는 한자 어휘는 '通引(통인)'이다.
| 오답 풀이 | ① 旁人(방인): 곁의 사람들
② 吏房(이방): 조선 시대에, 각 지방 관아에 속한 육방(六房) 가운데 인사 관계의 실무를 맡아보던 부서
④ 腹上(복상): 배 위
⑤ 其像(기상): 그 모습

25 於(어)는 어조사, 而(이)는 접속사로 둘다 허사이다.

26 (다) 대청에서 낮잠을 자는데 큰 뱀이 배 위에 똬리를 튼 일이 있었거늘
(가) 곁의 사람들이 놀라 당황하여 할 바를 알지 못하였다.
(나) 이방의 아들이 나이가 열셋에 통인 노릇을 하였는데
(마) 점심밥을 먹기 위해 나가다가 그 모습을 보고 마침내 큰 개구리 수십 마리를 잡아
(라) 그것을 앞에 던지니 뱀이 개구리를 잡기 위해 배에서 내려왔다.

27 沙阿可劍의 음은 '사아가검'이다.

28 '朝令(조령)', '醫女(의녀)', '醫術(의술)', '本朝(본조)'는 수식 관계이고, '彈琴(탄금)'은 술목 관계이다.

29 拓의 음은 '탁', 뜻은 '밀다'이다.

30 ㉲은 '왕세기는 이에 그를 크게 기특하게 여겼다.'는 '주술목 구조'의 문장이다. 같은 구조의 문장은 '王固疑之[왕세기가 참으로 그것을 의아하게 여겼다.]'이다.
| 오답 풀이 | ① 금지령을 어긴 것은 어째서인가? (주술목 구조)
② 신분은 양반이 되다. (주술보 구조)
③ 본조(조선)로 목숨을 의탁하다. (주술목 구조)
④ 김성기가 밤이면 밤마다 오다. (주술 구조)

31 그림은 정약용의 창의성을 엿볼 수 있는 거중기로, (나)와 관련 있다.

32 열정을 갖고 꾸준히 노력하는 자세가 나타난 것은 (마)이다.

Ⅲ. 마음을 울리는 노래

10. 어느 부부의 사랑 노래

소단원 스스로 정리　　　　　　　　　123쪽

1 ❶ (운) ❷ 밤 ❸ 火 ❹ (완) ❺ (강) ❻ 막다 ❼ (돈)
　 ❽ 社 ❾ 广 ❿ (장) ⓫ 혼인 ⓬ 짝
2 ❶ 雪 ❷ 바람 ❸ 君 ❹ 下 ❺ 차가운 　　❻ 飛
　 ❼ 따뜻한 　　❽ 집 ❾ 腸
3 ❶ 절구 ❷ 율시 ❸ 4 　　❹ 3 ❺ 압운법
4 ❶ 화촉 ❷ 丈人 ❸ 幣帛 ❹ 배우자 　　❺ 부부
[쪽지 시험] **01** 끌다 **02** (1) (족) (2) 넉넉하다 **03** (1) 寒冷
(한랭) (2) 夫婦(부부) (3) 抗拒(항거) **04** (1) 敦篤 (2) 騰落
(3) 需給 (4) 怠慢 (5) 緩急 (6) 配偶者 **05** (1) ⓒ (2) ⓐ (3) ⓑ

소단원 확인 문제　　　　　　　　　125쪽

01 ①	**02** ⑤	**03** ①	**04** ④	**05** ⑤	**06** ④
07 ⑤	**08** ①	**09** ③	**10** 比翼鳥		**11** ①
12 ⑤	**13** ③	**14** ④	**15** ②	**16** ④	
17 ②	**18** 房, 腸		**19** (1) 눈이 내리다. (2) 품질		

이 낮다. **20** ⑤

01 | 오답 풀이 | ② 韻 (운) 음운, ③ 隨 (수) 따르다, ④ 栗
(률) 밤, ⑤ 菊 (국) 국화

02 자음 순으로 하면 ⑤ 鋼(강) → ① 臺(대) → ③ 騰(등)
→ ② 零(령) → ④ 需(수)이다.

03 燭의 음은 '촉', 뜻은 '촛불'이다.
| 오답 풀이 | ② 偶 (우) 짝, ③ 穴 (혈) 구멍, ④ 戚 (척) 친
척, ⑤ 幣 (폐) 비단

04 夫(부)는 '남편', 婦(부)는 '아내'를 뜻한다.
| 오답 풀이 | ① 幣 (폐) 비단 – 帛 (백) 비단
② 社 (사) 모이다 – 會 (회) 모이다
③ 疾 (병) 병 – 病 (질) 병
⑤ 愛 (애) 사랑 – 情 (정) 뜻

05 緩(완)의 부수는 '糸'이다. ①, ②, ③, ④의 부수는 '心
(忄)'이다.
| 오답 풀이 | ① 慙 (참) 부끄럽다 [心]
② 愧 (괴) 부끄러워하다 [忄(心)]
③ 怠 (태) 게으르다 [心]

④ 慢 (만) 게으르다 [忄(心)]

06 零下(영하): 0도의 아래
下車(하차): 차에서 내림.

07 敦篤의 음은 '돈독'이고, '도탑고 성실함'이라는 의미이다.
| 오답 풀이 | ① 附錄(부록): 본문 끝에 덧붙이는 기록
② 丈人(장인): 아내의 아버지
③ 姪婦(질부): 조카의 아내를 부르는 말
④ 和答(화답): 시(詩)나 노래에 응하여 대답함.

08 琴瑟(금슬)은 거문고와 비파를 아울러 이르는 말. '금실'
의 원말. 거문고와 비파 소리가 잘 어울리는 것처럼 부부
사이의 사랑을 비유적으로 이르는 말이다.
| 오답 풀이 | ② 牽引(견인): 끌어서 당김.
③ 緩急(완급): ㉠ 느림과 빠름. ㉡ 일의 급함과 급하지
않음.
④ 需給(수급): 수요와 공급을 아울러 이르는 말
⑤ 抗拒(항거): 순종하지 아니하고 맞서서 반항함.

09 冷溫(냉온)은 '찬 기운과 따뜻한 기운을 아울러 이르는
말'이므로 문맥에 어울리지 않는다.
| 오답 풀이 | ① 騰落(등락): 물가 따위가 오르고 내림.
② 配偶者(배우자): 남편 쪽에서는 아내를, 아내 쪽에서
는 남편을 이르는 말
④ 偕老(해로): 부부가 한평생 같이 살며 함께 늙음.
⑤ 幣帛(폐백): 신부가 처음으로 시부모를 뵐 때 큰절을
하고 올리는 물건

10 比翼鳥(비익조)는 암수의 눈과 날개가 각각 하나씩이어
서 짝을 짓지 않으면 날지 못한다는 전설상의 새이다.

11 제시된 시는 '한집에 세 아이가 태어났는데, 가운데 놈은
양면이 평평하네. 바람 따라 앞서거니 뒤서거니 떨어지
니, 아우라 하기도 어렵고 또한 형이라 하기도 어렵네.'라
는 내용으로, 소재는 '栗 (율) 밤'이다.
| 오답 풀이 | ② 醪 (료) 막걸리, ③ 菊 (국) 국화, ④ 草 (초)
풀, ⑤ 風 (풍) 바람

12 오언 절구의 운자는 기, 승, 결구에 위치할 수 있으며, 승
구와 결구에는 반드시 달아야 한다.

13 君(군)의 뜻은 '그대, 당신'이다.
| 오답 풀이 | ① 是 (시) 이것, ② 此 (차) 이것, ④ 吾 (오)
나, ⑤ 其 (기) 그

14 (가)에서 足(족)은 '넉넉하다'는 의미이다. ④ 手足(수족)
에서 '足(족)'의 뜻은 '발'이다.
| 오답 풀이 | ①, ②, ③, ⑤의 '足(족)'은 '넉넉하다'는 뜻
이다.

① 不足(부족), ② 充足(충족), ③ 滿足(만족), ⑤ 豊足(풍족)

15 오언시는 2자와 3자로 끊어 읽는다.

16 '寒(한)'의 뜻은 '차갑다'이므로, '따뜻하다'는 뜻을 가진 '煖(난)'이 상대되는 한자이다.

| 오답 풀이 | ① 雪 (설) 눈, ② 冷 (랭) 차다, ③ 下 (하) 아래, ⑤ 多 (다) 많다

17 飛雪(비설)은 '눈발에 날리다'는 뜻으로, (나)의 계절적 배경이 겨울임을 알 수 있다.

| 오답 풀이 | ① 菊葉(국엽): 국화 꽃잎

③ 銀臺(은대): 승정원의 별칭

④ 煖房(난방): 따뜻한 방

⑤ 溫酒(온주): 따뜻한 술

18 (가)의 운자는 '冷(랭), 房(방), 腸(장)'이고, (나)의 운자는 '房(방), 腸(장)'이다.

19 (1) 雪下風增冷(설하풍증랭): 눈 내리고 바람 더욱 차가우니

(2) 此醪雖品下(차료수품하): 이 술이 비록 품질은 낮지만

20 (가)의 작자가 (나)의 작자인 아내에게 모주를 보냈다.

11. 이별의 슬픔과 아쉬움

1 ① (점) **②** 눈물 **③** 艸 **④** (수) **⑤** 보다 **⑥** 卓 **⑦** (서) **⑧** 꺾다 **⑨** 克 **⑩** (유) **⑪** 물가 **⑫** 迫

2 ① 雨 **②** 노래 **③** 何 **④** 이별 **⑤** 朝 **⑥** 버들 **⑦** 更 **⑧** 친구

3 ① 起 **②** 함련 **③** 전환 **④** 結

4 ① 모방 **②** 思春期 **③** 독립 **④** 전 생애 **⑤** 강박

[쪽지 시험] **01** 이끌다 **02** 艸(艹) **03** (1) 模倣(모방) (2) 心理的離乳期(심리적 이유기) **04** (1) 總帥 (2) 防波堤 (3) 閱覽 **05** (1) ㉴ (2) ㉰ (3) ㉠ (4) ㉣

01 ④	**02** ⑤	**03** ③	**04** ④	**05** ①	**06** ②
07 ⓐ 柳 ⓑ 留		**08** ②	**09** ②	**10** ④	**11** ②
12 ⑤	**13** ④	**14** ①	**15** ④	**16** ③	**17** ②
18 ⓐ 起 ⓑ 承 ⓒ 轉 ⓓ 結		**19** ①			

01 芳의 음은 '방', 뜻은 '꽃답다'이다.

| 오답 풀이 | ① 點 (점) 점, ② 淚 (루) 눈물, ③ 浦 (포) 물가, ⑤ 添 (첨) 더하다

02 緣 (연) 인연, 綠 (록) 푸르다

| 오답 풀이 | ① 提 (제) 이끌다, 堤 (제) 둑

② 師 (사) 스승, 帥 (수) 장수

③ 破 (파) 깨뜨리다, 波 (파) 물결

④ 閏 (람) 보다, 閏 (윤) 윤달

03 자음 순으로 하면 ⑤ 肯(긍) → ① 迫(박) → ④ 倣(방) → ② 涯(애) → ③ 乳(유)이다.

04 柳의 음은 '류', 뜻은 '버들'이다.

| 오답 풀이 | ① 點 (점) 점, ② 淚 (루) 눈물, ③ 塵 (진) 먼지, ⑤ 酒 (주) 술

05 ① 芳 (방) 꽃답다, 倣 (방) 본뜨다

| 오답 풀이 | ② 楊 (양) 버들, 柳 (류) 버들

③ 浦 (포) 물가, 淚 (루) 눈물

④ 提 (제) 둑, 携 (휴) 이끌다

⑤ 苟 (구) 진실로, 菌 (균) 균

06 첫 번째 빈칸은 '緣 (연) 인연', 두 번째 빈칸은 '紅 (홍) 붉다'이다.

07 柳 (류) 버들, 留 (류) 머무르다

08 茫茫大海(망망대해): 한없이 크고 넓은 바다

| 오답 풀이 | ① 綠陰芳草(녹음방초): 푸르게 우거진 나무와 향기로운 풀이라는 뜻으로, 여름철의 자연 경관을 이르는 말

③ 起承轉結(기승전결): 한시에서, 시구를 구성하는 방법

④ 詩中有畫(시중유화): 시 속에 그림이 있다.

⑤ 先景後情(선경후정): 작시(作詩)의 한 방법. 먼저 경치에 관한 묘사가 나타나고, 뒤에 정서적인 부분이 나타나게 함.

09 '육체적·정신적으로 성인이 되어 가는 시기'를 의미하는 한자 어휘는 '思春期(사춘기)'이다.

| 오답 풀이 | ① 模倣(모방): 다른 것을 본뜨거나 본받음.

③ 離乳期(이유기): 성인의 보호·감독·간섭으로부터 벗어나 독립하려는 심리적 경향을 보이는 시기

④ 全生涯(전 생애): 온 생애

⑤ 強迫觀念(강박 관념): 마음속에서 떨쳐 버리려 해도 떠나지 아니하는 억눌린 생각

10 先景後情(선경후정): 작시(作詩)의 한 방법. 먼저 경치에 관한 묘사가 나타나고, 뒤에 정서적인 부분이 나타나게 함.

| 오답 풀이 | ① 敍景(서경): 자연의 경치를 글로 나타냄.

② 敍情(서정): 주로 예술 작품에서, 자신의 감정이나 정서를 그려 냄.

③ 押韻法(압운법): 특정한 구의 끝자리를 운이 같은 글자로 맞추는 것

⑤ 詩中有畫(시중유화): 시 속에 그림이 있다.

11 波動(파동)은 '㉠ 물결의 움직임 ㉡ 사회적으로 어떤 현상이 퍼져 커다란 영향을 미침.'의 뜻이므로 문맥에 어울리지 않는다.

12 盡 (진) 다하다, 塵 (진) 티끌
| 오답 풀이 | ① 草 (초) 풀, 綠 (록) 푸르다

② 輕 (경) 가볍다, 更 (갱) 다시

③ 勸 (권) 권하다, 關 (관) 빗장

④ 添 (첨) 더하다, 波 (파) 물결

13 多(다), 歌(가), 波(파)가 운자이다.

14 이별의 눈물이 강물에 더해진다는 과장된 표현을 쓰고 있다. 시의 공간적 배경은 남포(대동강)이고, 君은 2인칭 대명사로 쓰인다.

15 이별의 눈물 해마다 푸른 물결에 더해지니[添]

16 故人(고인)은 뜻은 '친구'이다.

17 '강둑'은 시에 나오지 않는다.
| 오답 풀이 | ① 비[雨], ③ 객사[客舍], ④ 술잔[酒], ⑤ 버드나무[柳]

18 起 (기) 일어나다, 承 (승) 잇다, 轉 (전) 전하다, 結 (결) 맺다

19 (가)의 작자(?~1135) 정지상은 고려 시대 사람이고, (나)의 작자(699~759) 왕유는 당나라 때 사람이다.

12. 고향을 그리는 마음

소단원 스스로 정리
143쪽

1 ❶(렬) ❷言 ❸푸르다 ❹(곡) ❺水 ❻(리)
❼옛 ❽(목) ❾법 ❿言 ⓫(평) ⓬額

2 ❶碧 ❷불타는 ❸春 ❹날 ❺飛 ❻바람
❼夜 ❽고향

3 ❶批評 ❷含蓄性 ❸형상성 ❹내부
❺권선징악

[쪽지 시험] **01** 푸르다 **02** (1) (시) (2) 읊다 **03** (1) 誇張(과장)
(2) 勸善懲惡(권선징악) (3) 含蓄性(함축성) **04** (1) 激奮
(2) 故園情 (3) 構成 (4) 汗牛充棟 **05** (1) ㉢ (2) ㉠ (3) ㉡

소단원 확인 문제
145쪽

01 ③	02 ①	03 ①	04 ⑤	05 ⑤	06 ②
07 ④	08 ③	09 ③	10 ㉠ 素材 ㉡ 和睦		
11 ①	12 ④	13 ④	14 ④	15 ③	16 ④
17 此夜曲中/聞折柳 이 밤 노래 속에 절양류를 들으니					
18 ④	19 ②	20 ⑤			

01 | 오답 풀이 | ① 超 (초) 넘다, ② 哭 (곡) 울다, ④ 譯 (역) 번역하다, ⑤ 漫 (만) 흩어지다

02 奔 (분) 달리다, 奮 (분) 떨치다
| 오답 풀이 | ② 碧 (벽) 푸르다, 蒼 (창) 푸르다

③ 鴻 (홍) 큰 기러기, 雁 (안) 기러기

④ 優 (우) 낫다, 劣 (렬) 못하다

⑤ 批 (비) 비평하다, 評 (평) 평하다

03 優 (우) 낫다, 劣 (렬) 못하다
| 오답 풀이 | ② 超 (초) 넘다, 越 (월) 넘다

③ 飜 (번) 번역하다, 譯 (역) 번역하다

④ 滿 (만) 차다, 朔 (삭) 초하루

⑤ 誇 (과) 자랑하다, 張 (장) 베풀다

04 ⑤ '桑 (상) 뽕나무'은 나무이고, 나머지는 '새'와 관련이 있다.
| 오답 풀이 | ① 鳥 (조) 새, ② 鳳 (봉) 봉황새, ③ 雁 (안) 기러기, ④ 鴻 (홍) 큰 기러기

05 象의 음은 '상', 뜻은 '모양'이다.
| 오답 풀이 | 桑(상) 뽕나무, 評(평) 평하다 총 12획 ① 懲 (징) 징계하다, ② 額 (액) 액자, ③ 蓄 (축) 모으다, ④ 含 (함) 머금다

06 事實的(사실적): 사물을 있는 그대로 그려 내는. 또는 그런 것

現實主義(현실주의): 현실의 조건이나 상태를 그대로 인정하며 그에 입각하여 사고하고 행동하는 태도

07 그림과 관련 있는 한자 어휘는 汗牛充棟(한우충동)이다. 한우충동은 짐으로 실으면 소가 땀을 흘리고, 쌓으면 들보에까지 찬다는 뜻으로, 가지고 있는 책이 매우 많음을 이르는 말이다.
| 오답 풀이 | ① 滿朔(만삭): 아이 낳을 달이 다 참. 또는 달이 차서 배가 몹시 부름.

② 激奮(격분): 몹시 흥분함.

③ 湯器(탕기): 국이나 찌개 따위를 떠 놓는 자그마한 그릇

⑤ 是日也放聲大哭(시일야방성대곡): 1905년에 일본

의 강요로 을사조약이 체결된 것을 슬퍼하여 장지연이 민족적 울분을 표현한 논설

08 太白(태백): 이백의 자(字)이다.

詩仙(시선): 신선의 기풍이 있는 천재적인 시인으로 이백을 일컬어 부름.

달: 이백이 유난히 좋아하였음.

浪漫的(낭만적): ㉠ 현실에 매이지 않고 감상적이고 이상적으로 사물을 대하는. 또는 그런 것 ㉡ 감미롭고 감상적인. 또는 그런 것

09 含蓄性(함축성): 말이나 글이 많은 뜻을 담고 있는 성질

│오답 풀이│ ① 主題(주제): 지은이가 나타내고자 하는 기본적인 사상

② 心想(심상): 감각에 의하여 획득한 현상이 마음속에서 재생된 것

④ 音樂性(음악성): ㉠ 음악적인 성질 ㉡ 음악적인 감성이나 소질

⑤ 刑象性(형상성): 구체성과 진실성을 가지고 인간의 생활을 현실 그대로 그려 내는 문학예술의 특성

10 素 (소) 바탕, 材 (재) 재목

和 (화) 화합하다, 睦 (목) 화목하다

11 城의 뜻은 '성'이므로 '이루다'라는 뜻을 가진 '成'을 활용한 '構成(구성)'이 적절하다.

│오답 풀이│ ② 超越(초월): 어떠한 한계나 표준을 뛰어넘음.

③ 優劣(우열): 나음과 못함.

④ 誇張(과장): 사실보다 지나치게 불려서 나타냄

⑤ 湯器(탕기): 국이나 찌개 따위를 떠 놓는 자그마한 그릇

12 額子小說(액자 소설): 이야기 속에 하나 이상의 내부 이야기를 가진 소설

│오답 풀이│ ① 勸善懲惡(권선징악): 착한 일을 권장하고 악한 일을 징계함.

② 起承轉結(기승전결): 한시에서, 시구를 구성하는 방법

③ 先景後情(선경후정): 작시(作詩)의 한 방법. 먼저 경치에 관한 묘사가 나타나고, 뒤에 정서적인 부분이 나타나게 함.

⑤ 唯美主義(유미주의): 아름다움을 최고의 가치로 여겨 이를 추구하는 문예 사조. 19세기 후반 영국을 비롯한 유럽에서 나타났으며, 페이터·보들레르·와일드 등이 대표적 인물임. ≒ 탐미주의, 심미주의

13 碧의 음은 '벽', 뜻은 '푸르다'이다. 같은 뜻을 가진 한자는 '靑(청)'이다.

│오답 풀이│ ① 白 (백) 희다, ③ 燃 (연) 불타다, ④ 風

(풍) 바람, ⑤ 柳 (류) 버들

15 │오답 풀이│ ① 작자는 두보이다.

② 운자는 燃, 年이다.

④ 색채 대비를 통한 시각적 심상이 두드러진다.

⑤ 주제는 고향에 대한 그리움이다.

16 누구 집 옥피리 은은히[暗] 소리를 내는가?

17 칠언시는 4자, 3자로 끊어 읽는다.

18 聲 (성) 소리, 城 (성) 성, 情 (정) 정이 운자이다.

19 이백은 '詩仙(시선)'이라 불린다.

20 (가)와 (나) 모두 鄕愁(향수)를 소재로 한다.

│오답 풀이│ ① 愛情(애정), ② 送別(송별), ③ 友情(우정), ④ 再會(재회)

13. 고난 속에 빛나는 충절

소단원 스스로 정리	153쪽

1 ❶ (헌) **❷** 手 **❸** 외롭다 **❹** 龍 **❺** (사) **❻** 안다 **❼** 目 **❽** 깨닫다 **❾** 蜂 **❿** 石 **⓫** (변) **⓬** (예)

2 ❶ 命 **❷** 해 **❸** 店 **❹** 집 **❺** 遠 **❻** 땅 **❼** 臣 **❽** 때 **❾** 海 **❿** 초목 **⓫** 如 **⓬** 사양

3 ❶ 짝

4 ❶ 신념 **❷** 위험 **❸** 이름 **❹** 殺身成仁 **❺** 국가

[쪽지 시험] **01** 진 치다 **02** (1) (수) (2) 세우다 **03** (1) ㉡ (2) ㉠ (3) ㉢ **04** (1) 信念 (2) 殺身成仁 (3) 冒險 (4) 拘束 (5) 追慕碑 (6) 名譽 **05** 대우법

소단원 확인 문제	155쪽

01 ⑤	02 ⑤	03 ③	04 ②	05 ⑤	06 ⑤
07 ④	08 ⑤	09 이순신		10 ④	11 ④
12 ③	13 ②	14 ④	15 ①	16 ③	17 ③
18 危, 時, 知, 辭					

01 催의 음은 '최', 뜻은 '재촉하다'이다.

02 逃 (도) 도망하다, 挑 (도) 돋우다

│오답 풀이│ ① 屯 (둔) 진 치다, 陣 (진) 진 치다

② 盟 (맹) 맹세하다, 誓 (서) 맹세하다

③ 宿 (숙) 자다, 泊 (박) 머무르다

④ 監 (감) 보다, 督 (독) 감독하다

03 譽 (예) 기리다, 誓 (서) 맹세하다

04 斜 (사) 기울다, 敍 (서) 펴다

| 오답 풀이 | ① 命 (명) 목숨, 令 (령) 명령

③ 誰 (수) 누구, 雖 (수) 비록

④ 儲 (저) 동궁, 諸 (제) 여러

⑤ 知 (지) 알다, 如 (여) 같다

05 誓(서)의 부수는 '言'이다. ①, ②, ③, ④의 부수는 '手(扌)'이다.

| 오답 풀이 | ① 擊 (격) 치다 [手]

② 拘 (구) 잡다 [手(扌)]

③ 拂 (불) 떨치다 [手(扌)]

④ 擁 (옹) 안다 [手(扌)]

06 | 오답 풀이 | ① 海戰(해전), ② 學士(학사), ③ 節槪(절개), ④ 侵掠(침략)

07 針葉樹(침엽수): 잎이 침엽으로 된 겉씨식물

樹立(수립): 국가나 정부, 제도, 계획 따위를 이룩하여 세움.

08 信念(신념): 굳게 믿는 마음

| 오답 풀이 | ① 抵抗(저항): 어떤 힘이나 조건에 굽히지 아니하고 거역하거나 버팀.

② 追慕(추모): 죽은 사람을 그리며 생각함.

③ 冒險(모험): 위험을 무릅쓰고 어떠한 일을 함. 또는 그 일

④ 節槪(절개): 신념, 신의 따위를 굽히지 아니하고 굳게 지키는 꿋꿋한 태도

09 이순신은 임진왜란 때 무공을 세워 죽은 후 忠武(충무)라는 시호를 받았으며, 명량 海戰(해전)에서 대승을 거두고, 노량 해전에서 戰死(전사)하였다.

10 人의 뜻은 '사람'이므로 '어질다'라는 뜻을 가진 '仁'을 활용한 '살신성인(殺身成仁)'이 적절하다.

| 오답 풀이 | ① 醉客(취객): 술에 취한 사람

② 言論(언론): ㉠ 개인이 말이나 글로 자신의 생각을 발표하는 일. 또는 그 말이나 글 ㉡ 매체를 통하여 어떤 사실을 밝혀 알리거나 어떤 문제에 대하여 여론을 형성하는 활동

③ 乘客(승객): 차, 배, 비행기 따위의 탈것을 타는 손님

⑤ 追慕碑(추모비): 죽은 사람을 그리며 생각하기 위하여 세운 비

11 '繁榮(번영)'은 '번성하고 영화롭게 됨.'의 뜻이므로 문맥에 어울리지 않는다.

| 오답 풀이 | ① 襲擊(습격): 갑자기 상대편을 덮쳐 침.

② 支拂(지불): 돈을 내어 줌. 또는 값을 치름.

③ 抱擁(포옹): ㉠ 사람을 또는 사람끼리 품에 껴안음. ㉡ 남을 아량으로 너그럽게 품어 줌.

⑤ 拘束(구속): 행동이나 의사의 자유를 제한하거나 속박함.

12 ㉢는 태자를 가리킨다.

13 오늘[今] 밤[夜]은 누구[誰] 집[家]에서 잘까[宿]?

14 (가)에서는 대우법이 드러나지 않는다.

16 孤臣憂國日(고신우국일): 외로운 신하는 나라를 걱정
　　↕　　↕　　　　　할 일이요,

　壯士樹勳時(장사수훈시): 건장한 군사는 공훈을 세울 때로다.

17 함련에서는 신하들과 장사들이 봉기할 것을 독려하고 있다.

18 운자는 危(위), 時(시), 知(지), 辭(사)이다.

대단원 실전 평가

160쪽

01 ②	02 ①	03 ⑤	04 韻字	05 함, 전 06 ③
07 ②	08 ①	09 ④	10 ②	11 산청화육연
12 이 밤 노래 속에 절양류를 들으니			13 ①	14 ③
15 ②	16 ⑤	17 ④	18 陣中吟	19 ③
20 ⑤	21 ④	22 ②	23 ⑤	24 ① 25 ㉠ 날
㉡ 해	26 ②	27 ⑤	28 ②	29 ③ 30 ④
31 ④	32 誰	33 ⑤	34 ④	35 ③ 36 ④
37 ①				

01 한 구에 다섯 글자: 오언, 4구로 이루어짐.: 절구

| 오답 풀이 | ① 고체시: 당나라 이전에 지어진 시로 구수, 자수, 운율 등에 대한 규칙이 비교적 자유롭다.

③ 오언 율시: 한 구에 다섯 글자씩 8구로 이루어진 시

④ 칠언 절구: 한 구에 일곱 글자씩 4구로 이루어진 시

⑤ 칠언 율시: 한 구에 일곱 글자씩 8구로 이루어진 시

02 (가)에서 君(군)은 '그대'로, 아내를 가리킨다.

03 夫婦詩(부부시)는 '남편과 아내가 주고받은 시'이다.

| 오답 풀이 | ① 送別(송별): 떠나는 사람을 이별하여 보냄.

② 友情(우정): 친구 사이의 정

③ 忠節(충절): 충성스러운 절개

④ 故園情(고원정): 고향을 그리는 마음

04 한시에서 특정한 구의 끝자리를 '韻(운)'이라고 한다. (나)의 작자는 (가)의 운자 房(방), '腸(장)'을 동일하게

압운하여 (나)에도 쓰고 있다.

05 한시의 전개 방식을 나타내는 표이다. 한시를 바르게 이해하고 감상하려면 시상 전개 과정을 잘 살펴서 시 전체의 분위기를 읽어내고 제목, 작가와 작품에 대한 배경지식을 바탕으로 한시에 사용된 시어나 시구의 의미와 이미지, 비유 대상 등을 통해 시의 내용과 연결하여 시가 지닌 참다운 맛을 느낄 수 있도록 하는 것이 중요하다.

06 綠(록)은 '푸르다'는 뜻이므로, 같은 뜻을 가진 한자는 '靑(청)'이다.

| 오답 풀이 | ① 色 (색) 빛, ② 南 (남) 남녘, ④ 新 (신) 새롭다, ⑤ 更 (갱) 다시

07 (나)의 운자는 塵(경), 新(신), 人(인)이다.

08 雨歇長堤草色多(우헐장제초색다): 비 개인 긴 강둑 풀빛 짙은데

| 오답 풀이 | ② 大同江水何時盡(대동강수하시진): 대동 강 물은 어느 때 마를꼬?
③ 渭城朝雨浥輕塵(위성조우읍경진): 위성의 아침 비가 가벼운 먼지를 적시니
④ 客舍靑靑柳色新(객사청청류색신): 객사엔 푸릇푸릇 버들 빛이 새롭네.
⑤ 西出陽關無故人(서출양관무고인): 서쪽으로 양관을 나서면 친구도 없을 것이니

09 ① 풀[草], ② 비[雨], ③ 술[酒], ⑤ 버들[柳]

10 '시를 읽을 때 마음속에 떠오르는 감각적인 모습이나 느낌'을 뜻하는 한자 어휘는 '心想(심상)'이다.

| 오답 풀이 | ① 主題(주제): 예술 작품에서 지은이가 나타내고자 하는 기본적인 사상
③ 韻律(운율): 시문(詩文)의 음성적 형식
④ 素材(소재): 예술 작품에서 지은이가 말하고자 하는 바를 나타내기 위해 선택하는 재료
⑤ 對偶(대우): 쌍이 되어 있는 것. 또는 대칭이 되어 있는 것

11 산[山]과 꽃[花]이 푸른색[靑]과 붉은색[燃]으로 대조를 이룬다.

13 (가)의 今春看又過(금춘간우과)에서 '春(춘)'을, (나)의 散入春風滿洛城(산입춘풍만낙성)에서 '春(춘)'을 통해 계절적 배경이 '봄'임을 알 수 있다.

14 (가)와 (나) 모두 送別(송별), 離別(이별)을 주제로 한다. 따라서 (가)와 (나)의 주제가 유사함을 알 수 있다.

15 | 오답 풀이 | ① 擊鼓催人命(격고최인명): 북을 울려 사람 목숨 재촉하는데

③ 孤臣憂國日(고신우국일): 외로운 신하는 나라를 걱정할 날이요
④ 壯士樹勳時(장사수훈시): 건장한 군사는 공훈을 세울 때로다.
⑤ 誓海魚龍動(서해어룡동): 바다에 맹세하니 어룡이 감동하고

16 태자는 북쪽 땅에서 위태롭도다[危].

17 誓海魚龍動(서해어룡동)은 '바다에 맹세하니 어룡이 감동하고,'라고 해석하고, 盟山草木知(맹산초목지)는 '산에 맹세하니 초목이 알아주도다.'라고 해석한다.

18 진지[陣] 가운데[中]에서 읊다[吟].

19 蔬 (소) 나물

| 오답 풀이 | ① 隨 (수) 따르다, ② 需 (수) 쓰이다, ④ 帥 (수) 장수, ⑤ 讐 (수) 원수

20 緩急(완급): 느림과 빠름.

| 오답 풀이 | ① 宿泊(숙박): 여관이나 호텔 따위에서 잠을 자고 머무름.
② 監督(감독): ㉠ 일이나 사람 따위가 잘못되지 아니하도록 살피어 단속함. 또는 일의 전체를 지휘함. ㉡ 영화나 연극, 운동 경기 따위에서 일의 전체를 지휘하며 실질적으로 책임을 맡은 사람
③ 繁榮(번영): 번성하고 영화롭게 됨.
④ 抗拒(항거): 순종하지 아니하고 맞서서 반항함.

21 '남보다 두드러지게 뛰어남.'을 의미하는 한자 어휘는 '卓越(탁월)'이다.

| 오답 풀이 | ① 和答(화답): 시(詩)나 노래에 응하여 대답함.
② 敦篤(돈독): 도탑고 성실함.
③ 比肩(비견): 앞서거나 뒤서지 않고 어깨를 나란히 한다는 뜻으로, 낫고 못할 것이 없이 정도가 서로 비슷하게 함을 이르는 말
⑤ 情趣(정취): 깊은 정서를 자아내는 흥취

22 過의 뜻은 '지나다'이므로 '자랑하다'라는 뜻을 가진 '誇'를 활용한 '誇張(과장)'이 적절하다.

| 오답 풀이 | ① 克服(극복): ㉠ 악조건이나 고생 따위를 이겨 냄. ㉡ 적을 이기어 굴복시킴.
③ 名譽(명예): 세상에서 훌륭하다고 인정되는 이름이나 자랑. 또는 그런 존엄이나 품위
④ 肯定的(긍정적): ㉠ 그러하거나 옳다고 인정하는. 또는 그런 것 ㉡ 바람직한. 또는 그런 것
⑤ 一般的(일반적): 일부에 한정되지 아니하고 전체에 걸치는. 또는 그런 것

23 冷 (랭) 차다, 煖 (난) 따뜻하다

| 오답 풀이 | ① 下 (하) 아래, 何 (하) 어찌

② 思 (사) 생각, 斜 (사) 기울다

③ 雖 (수) 비록, 誰 (수) 누구

④ 有 (유) 있다, 逾 (유) 낫다

24 偕老同穴(해로동혈): 생사를 같이하자는 부부의 굳은 맹세를 이르는 말

| 오답 풀이 | ② 綠陰芳草(녹음방초): 푸르게 우거진 나무와 향기로운 풀

③ 茫茫大海(망망대해): 한없이 크고 넓은 바다

④ 汗牛充棟(한우충동): 짐으로 실으면 소가 땀을 흘리고, 쌓으면 들보까지 찬다는 뜻으로, 가지고 있는 책이 매우 많음을 이르는 말

⑤ 殺身成仁(살신성인): 자기의 몸을 희생하여 인을 이룬다는 뜻

25 ㉠ 日(일)의 뜻은 '날', ㉡ 日(일)의 뜻은 '해'이다.

26 (다)의 결구에서 고향에 대한 그리움을 드러내고 있다.

| 오답 풀이 | ① 愛情(애정), ③ 送別(송별), ④ 節槪(절개), ⑤ 善行(선행)

27 대우는 (다)의 기구와 승구에서 찾을 수 있다.

28 君 (군): 임

| 오답 풀이 | ① 長 (장) 길다, ③ 朝 (조) 아침, ④ 舍 (사) 집, ⑤ 更의 음은 '갱', 뜻은 '다시'이다.

29 | 오답 풀이 | ㄱ. (가)의 형식은 칠언 절구이다.

ㄴ. (가)의 셋째 구와 넷째 구는 대우를 이루지 않는다.

30 (나)는 색채를 통해 풍경을 형상화하고 있다.

| 오답 풀이 | ⑤ (가)와 (나)에서는 '雨 (우) 비'가 공통적으로 쓰였다.

31 ④ 誓 (서) 맹세하다, 盟 (맹) 맹세하다

| 오답 풀이 | ① 聲 (성) 소리, 城 (성) 성

② 笛 (적) 피리, 柳 (류) 버들

③ 折 (절) 꺾다, 滅 (멸) 사라지다

⑤ 孤 (고) 외롭다, 壯 (장) 장수

32 何人(하인)의 뜻은 '누구'라는 뜻이고, 같은 뜻을 가진 한자는 '誰(수)'이다.

33 이별과 관련 있는 소재는 '柳 (류) 버들'이다.

| 오답 풀이 | ① 家 (가) 집, ② 春 (춘) 봄, ③ 風 (풍) 바람, ④ 夜 (야) 밤

34 樹(수)는 '세우다'로 풀이한다.

| 오답 풀이 | ① 步 (보) 걸음, ② 北 (북) 북녘, ③ 國 (국) 나라, ⑤ 勳 (훈) 공

35 誓海(서해)는 '바다에 맹세하다'는 뜻으로 해석 순서는 2-1이다.

| 오답 풀이 | 나머지의 해석 순서는 1-2이다.

① 西門(서문): 서쪽 문

② 孤臣(고신): 외로운 신하

④ 木知(목지): 나무가 알다.

⑤ 盡滅(진멸): 전부 없애다.

36 (가)의 주제는 鄕愁(향수), (나)의 주제는 忠節(충절)이다.

37 (가)의 작자는 이백, (나)의 작자는 이순신이다. 이백은 풍부한 상상력과 과감한 과장법 및 교묘한 구상으로 낭만적인 시가를 창작하여 '시의 신선'이라는 뜻의 '詩仙'(시선)이라 불린다.

| 오답 풀이 | ② (가)의 작자인 이백은 고향을 그리워하는 마음을 표현했다.

③ 집현전 학사 출신은 성삼문이고, (나)의 작자인 이순신은 전라도 수군절도사 출신이다.

④ 단종 복위 운동을 한 사람은 성삼문이고, (나)의 작자인 이순신은 임진왜란과 해전, 명량 해전에서 대승을 한 후, 노량 해전에서 전사했다.

⑤ (가)의 작자는 중국 당나라의 시인이고, (나)의 작자인 이순신은 우리나라 사람이다.

IV. 우리 땅을 걸으며 만나는 역사

14. 백두대간으로 떠나는 여행

소단원 스스로 정리 171쪽

1 ❶ (주) ❷ 陵 ❸ 거울 ❹ 山 ❺ 근원 ❻ 蓮
❼ 糸 ❽ (확) ❾ 漸 ❿ (식) ⓫ 广 ⓬ 건너다

2 ❶ 大陸 ❷ 至 ❸ 大幹 ❹ 태백산

3 ❶ 서사적 ❷ 감정

4 ❶ 축척 ❷ 三角洲 ❸ 浸蝕 ❹ 대순환 ❺ 200

[쪽지 시험] 01 언덕 02 山 03 (1) ⓒ (2) ⓛ (3) ㉠ 04 (1)
浸蝕盆地(침식 분지) (2) 大氣大循環(대기 대순환) 05
(1) 沿岸海底 (2) 排他的

소단원 확인 문제 173쪽

01 ②	02 ④	03 ①	04 ⑤	05 ⑤	06 ③
07 ③	08 ⑤	09 韓半島		10 ③	11 묘사적
12 ③	13 ④	14 ⑤	15 ③	16 ⑤	17 白頭
18 ⑤	19 ④	20 ③			

01 脈의 음은 '맥', 뜻은 '줄기'이다.

02 贈 (증) 주다

03 隔의 음은 '격', 뜻은 '사이 뜨다'이다.
  |오답 풀이| ② 防 (방) 막다 [阜-총 7획]
  ③ 陸 (륙) 뭍 [阜-총 11획]
  ④ 輿 (여) 수레, 땅 [車-총 17획]
  ⑤ 確 (확) 굳다 [石-총 15획]

04 州(주)의 부수는 '巛(川)'이다.
  |오답 풀이| '① 濟(제), ② 沿(연), ③ 浸(침), ④ 漸(점)'
  의 부수는 모두 '水(氵)'이다.

05 贈與의 음은 '증여'이다.

06 大陸(대륙): 지역이 넓은 육지
  上陸(상륙): 배에서 육지로 오름.

07 '忠清道(충청도)'는 '忠州(충주)'와 '清州(청주)'에서 따
  온 말이다.
  |오답 풀이| ① 黃州(황주), ② 尚州(상주), ④ 羅州(나
  주), ⑤ 海州(해주)

08 그림에 해당하는 한자 어휘는 '排他的經濟水域(배타
  적 경제 수역)'이다.
  |오답 풀이| ① 縮尺(축척), ② 三角洲(삼각주), ③ 漸移
  地帶(점이 지대), ④ 沿岸海底地域(연안 해저 지역)

09 韓 (한) 나라, 半 (반) 반, 島 (도) 섬

10 '높이 밀려드는 조수의 피해를 막기 위하여 바닷가에 쌓
  은 둑'을 의미하는 한자 어휘는 '防潮堤(방조제)'이다.
  |오답 풀이| ① 技術(기술): 과학 이론을 실제로 적용하여
  자연의 사물을 인간 생활에 유용하도록 가공하는 수단
  ② 紫木蓮(자목련): 목련과의 낙엽 활엽 교목
  ④ 武陵桃源(무릉도원): 도연명의 「도화원기」에 나오는
  말로, '이상향', '별천지'를 비유적으로 이르는 말
  ⑤ 大東輿地圖(대동여지도): 조선 철종 12년(1861년)에
  김정호가 제작한 우리나라의 대축척 지도

11 한반도의 위치와 지형에 대하여 '묘사적'으로 서술하고
  있다.

12 亞細亞(아세아)는 한자 각각의 뜻은 의미가 없고, '아시
  아(Asia)'라는 영어를 음만 빌려서 쓴 것이다.

13 '북쪽[北]은 대륙에 이어져 있고'로 풀이되므로 北이 들
  어가야 알맞다.

14 '故(고)'의 뜻은 '그러므로'이다.

15 '以(이)'는 '~로'라고 풀이한다.

16 '自A 至B'는 'A부터 B까지'로 풀이한다.

18 鴨 (압) 오리, 綠 (록) 푸르다

19 數(수)는 '셈'의 뜻으로 쓰였다.

20 爲(위)는 '~이 되다'로 풀이한다.

15. 조선의 궁궐 탐방

소단원 스스로 정리 181쪽

1 ❶ (류) ❷ 寧 ❸ 손님 ❹ 口 ❺ 남다 ❻ (호)
❼ 禾 ❽ 祈 ❾ 塞 ❿ (봉) ⓫ 郭 ⓬ 木

2 ❶ 경성 ❷ 八 ❸ 숭례 ❹ 광희 ❺ 궁성 ❻ 舊
❼ 높이 ❽ 정문

3 ❶ 누수 ❷ 行宮 ❸ 회랑 ❹ 난간 ❺ 등

[쪽지 시험] 01 벼 02 (1) (희) (2) 드물다 03 (1) 行宮(행궁)
(2) 魂遊石(혼유석) (3) 欄干(난간) 04 (1) 閑暇 (2) 漏水
(3) 回廊 (4) 誘導燈 05 (1) ㉠ (2) ⓛ (3) ⓒ

소단원 확인 문제　　　　　　　　　　　　183쪽

01 ②	02 ⑤	03 ②	04 ④	05 ①	06 ③
07 ④	08 ⑤	09 ⑤	10 景福	11 ①	12 ⑤
13 돌을 이용하여 그것을 쌓다.				14 ④	15 ②
16 ②	17 ④	18 ①	19 ②	20 建春	

01 '高(고)'의 자원 변천 그림이고, 뜻은 '높다'이다.

02 昭의 음은 '소', 뜻은 '밝다'이다.

03 燕의 음은 '연', 뜻은 '제비'이다.
　| 오답 풀이 | ① 樓 (루) 다락 [木-총 15획]
　③ 寧 (녕) 편안하다 [宀-총 14획]
　④ 賓 (빈) 손님 [貝-총 14획]
　⑤ 燒 (소) 사르다 [火-총 16획]

04 閣의 음은 '각', 魂의 음은 '혼'이다.

05 城(성)의 모습을 나타낸 사진이다.

06 祈의 음은 '기', 뜻은 '빌다'이다.

07 稀(희), 穫(확), 稻(도)의 공통되는 부수는 '禾'이다.

08 欄干의 음은 '난간'이다.

09 慶會樓(경회루)에 대한 설명이다.
　| 오답 풀이 | ① 敦義門(돈의문), ② 思政殿(사정전), ③
　惠化門(혜화문), ④ 勤政殿(근정전)

10 景 (복) 볕, 福 (복) 복

11 回廊(회랑)은 '양옥의 어떤 방을 중심으로 하여 둘러댄 마루'를 의미한다.

12 자음 순으로 하면 '⑤ 改(개) → ③ 石(석) → ④ 世(세) → ② 五(오) → ① 太(태)'이다.

13 돌[石]을 이용[用]하여 그것[之]을 쌓다[築].

14 修(수)는 '수리하다'의 뜻으로 쓰였다.

15 周(주)의 뜻은 '둘레'이다.

16 높이[高]는 40[四十]척[尺] 2[二]촌[寸]이다.

17 敦義의 음은 '돈의'이다.

18 '경성의 가운데에 있다[在].'로, 풀이 순서는 '5-1-2-3-4'이다.

19 步(보)는 '거리의 단위'의 뜻으로 쓰였다.

20 建 (건) 세우다, 春 (춘) 봄

16. 소중한 우리 역사, 발해

소단원 스스로 정리　　　　　　　　　191쪽

1 ❶ (조) ❷ 擴 ❸ 일컫다 ❹ 宀 ❺ 广 ❻ 條
　❼ 따다 ❽ (거) ❾ 偏 ❿ (섭) ⓫ 心 ⓬ 베풀다

2 ❶ 高麗 ❷ 발해 ❸ 渤海 ❹ 修 ❺ 남북국 ❻ 고려

3 ❶ 주술목 ❷ 목적절

4 ❶ 攝政 ❷ 삼별초 ❸ 헌법 ❹ 時代 ❺ 표류기

[쪽지 시험] 01 (조) 02 手(扌) 03 (1) 三別抄(삼별초) (2) 攝政(섭정) (3) 立憲主義(입헌주의) 04 (1) 漁獵 (2) 漂流記 (3) 解放宣言 05 (1) ㉃ (2) ㉄ (3) ㉂

소단원 확인 문제　　　　　　　　　193쪽

01 ③	02 ③	03 抄	04 ④	05 ③	06 ①
07 ⑤	08 偏見	09 ②	10 ④	11 ①	12 ②
13 ③	14 ①	15 ⑤	16 非	17 ④	18 ①
19 ②	20 南北國		21 의론적		

01 宜의 음은 '의', 뜻은 '마땅하다'이다.

02 旬(순)의 뜻은 '열흘'이다.

03 抄의 음은 '초', 뜻은 '뽑다'이다.

04 稱(칭)의 부수는 '禾'이다.
　| 오답 풀이 | ① 鈍(둔), ② 鑄(주), ③ 鍊(련), ⑤ 鎖(쇄)의
　부수는 모두 '金'이다.

05 첫 번째 빈칸은 '抑 (억) 누르다', 두 번째 빈칸은 '擴 (확)
　넓히다'이다.

06 ㉠ 憲(헌)의 뜻은 '법', ㉡ 獵(렵)의 뜻은 '사냥'이다.

07 鎖國(쇄국)은 '다른 나라와의 통상과 교역을 금지함.'이
　라는 의미이다.
　| 오답 풀이 | ① 擴張(확장): 범위, 규모, 세력 따위를 늘려
　서 넓힘.
　② 稱頌(칭송): 칭찬하여 일컬음. 또는 그런 말
　③ 隆盛(융성): 기운차게 일어나거나 대단히 번성함.
　④ 叛亂(반란): 정부나 지도자 따위에 반대하여 내란을
　일으킴.

08 偏 (편) 치우치다, 見 (견) 보다

09 海東盛國(해동성국), 隆盛(융성)

10 攝政(섭정)은 '군주가 직접 통치할 수 없을 때에 군주를
　대신하여 나라를 다스림.'을 의미한다.

11 修(수)의 뜻은 '편찬하다'이다.

12 不修(불수)는 '편수하지 않았다'로 풀이하고, 문장 성분은 '서술어'이다.

13 昔者(석자)는 '옛날에'로 풀이한다.

14 '동남 쪽에[于] 자리하여'로 풀이하고, '於'와 바꾸어 쓸 수 있다.

15 三國(삼국)은 '高句麗(고구려), 百濟(백제), 新羅(신라)'를 의미한다.

16 非(비)의 뜻은 '그르다'이다.

17 마땅히[宜] 그들이 삼국의 역사를 있게 해야 하거늘

18 是(시)의 뜻은 '옳다'이고, 같은 뜻을 가진 한자는 '可(가)'이다.

19 김[金]씨[氏]가 그[其] 남쪽[南]을 소유하였다[有].

20 南 (남) 남녘, 北 (북) 북녘, 國 (국) 나라

21 이 글은 발해 역사를 기록으로 남겨야 함을 주장하는 '의론적' 서술 방식이 사용되었다.

대단원 실전 평가

198쪽

01 ③	02 ②	03 ①	04 ③	05 亞細亞
06 ③	07 ②	08 ④	09 ③	10 ③	11 ④

12 ㉣ 이것 ㉤ 옳다 **13** ④ **14** 남북국 **15** ①

16 북쪽은 대륙에 이어져 있고 동서남 쪽은 바다로 둘리어 있다. **17** ④ **18** ⑤ **19** 묘사적 **20** ④

21 ⑤

01 漸移地帶의 음은 '점이 지대'이다.

02 '동쪽 가지는 두만강의 남쪽으로 뻗어 가고[行]'로 풀이되므로, 마지막에 풀이되는 한자는 行이다.

03 西枝(서지)는 '서쪽 가지'로 풀이하고, '수식 관계'이다. 수식 관계인 한자 어휘는 '恩師(은사)'이다.
   |오답 풀이| ② 好學(호학): 배움을 좋아함. [술목 관계]
   ③ 海洋(해양): 넓고 큰 바다 [병렬 관계]
   ④ 贈與(증여): 줌. [병렬 관계]
   ⑤ 難解(난해): 풀기가 어려움 [술보 관계]

04 於(어)는 '~으로'로 풀이한다.

05 亞細亞(아세아)는 'Asia'의 음을 빌려 쓴 것이다.

06 和 (화) 화합하다, 禾 (화) 벼
   |오답 풀이| 稀 (희) 드물다, 穫 (확) 거두다

07 '崇禮(숭례)'는 '예를 우러름.'으로 풀이하고, 술목 관계이다. 술목 관계인 한자 어휘는 '耕田(경전)'이다.
   |오답 풀이| ① 日出(일출): 해가 나옴. [주술 관계]

③ 黃土(황토): 노란 흙 [수식 관계]
   ④ 赤松(적송): 붉은 소나무 [수식 관계]
   ⑤ 草木(초목): 풀과 나무 [병렬 관계]

08 建春의 음은 '건춘'이다.

09 둘레의 단위는 '步(보)'이다.

10 '내성과 외성을 통틀어 이르는 말'은 '城郭(성곽)'이다.

11 '于(우)'는 '~에'라는 뜻이다.

12 ㉣에서는 是(시)가 '이, 이것'이라는 '지시 대명사'로 쓰였고, ㉤에서는 是(시)가 '옳다, 마땅하다'라는 '형용사'로 쓰였다.

13 '非(비)'는 '잘못이다'의 의미이다.

14 통일신라와 발해가 남북으로 있는 '남북국' 시대가 들어가야 한다.

15 고려가 발해사를 편찬하지 않은 것이 잘못이라고 말하고 있다.

16 북쪽[北]은 대[大]륙[陸]에 이어져 있고[連] 동[東]서[西]남[南] 쪽은 바다[洋海]로 둘리어 있다[環].

17 문맥상 '半島(반도)'가 들어가야 한다.

18 之(지)가 가리키는 것은 '南北國史(남북국사)'이다.

19 (나)는 궁궐의 둘레 및 높이, 이름 등을 '묘사적'으로 서술하고 있다.

20 남북국은 북쪽 발해와 남쪽 통일신라를 말한다.

21 宜 (의) 마땅히

Ⅴ. 성현이 남긴 이치와 도리

17. 공자가 추구하는 인간상

소단원 스스로 정리   207쪽

1 ❶ (질) ❷ 민첩하다   ❸ 耳 ❹ 恭 ❺ 彳 ❻ 倍
    ❼ (방) ❽ 足 ❾ (수) ❿ (찬) ⓫ 거울 ⓬ 晨

2 ❶ 求飽 ❷ 도   ❸ 不寬 ❹ 공경 ❺ 罔 ❻ 위태

3 ❶ 경청 ❷ 敬畏心   ❸ 九容 ❹ 중용 ❺ 안부

[쪽지 시험] **01** 통하다 **02** 小人 **03** (1) (기) (2) 깃발 **04** (1)
(ㄴ) (2) (ㄷ) (3) (ㄱ) (4) (ㄹ) **05** (1) 敬畏心 (2) 餘裕 (3) 中庸 (4)
昏定晨省

소단원 확인 문제   209쪽

01 ④   **02** ⑤   **03** ②   **04** ④   **05** ⑤   **06** ①
07 奉養 **08** ②   **09** ①   **10** 孔子 **11** ②   **12** ①
13 好學 **14** ⑤   **15** ④   **16** ①   **17** ④   **18** 생각
하기만 하고 배우지 아니하면 위태로워진다.   **19** ②

---

01 裕의 음은 '유', 뜻은 '넉넉하다'이다.

02 | 오답 풀이 | ① 輪 (륜) 바퀴, ② 供 (공) 이바지하다, ③
疏 (소) 소통하다, ④ 妨 (방) 방해하다

03 得의 음은 '득', 뜻은 '얻다'이다.
　| 오답 풀이 | ① 徑 (경) 지름길, ③ 徐 (서) 천천히, ④ 握
(파) 잡다, ⑤ 培 (배) 곱

04 謂 (위)의 뜻은 '~라고 말하다'이다.
　| 오답 풀이 | ① 畏 (외) 두려워하다, ② 康 (강) 편안하다,
③ 拱 (공) 이바지하다, ⑤ 可 (가) 옳다

05 恭 (공)의 뜻은 '공손하다'이다.
　| 오답 풀이 | ① 愼 (신) 삼가다, ② 恣 (자) 방자하다, ③
姿 (자) 모양, ④ 禮 (례) 예도

06 | 오답 풀이 | ② 敎化(교화), ③ 維持(유지), ④ 調和(조
화), ⑤ 疏通(소통)

07 奉 (봉) 받들다, 養 (양) 기르다

08 '透 (투) 통하다, 徹 (철) 통하다'는 유사한 뜻의 한자가
병렬 관계로 이루어져 있다.
　| 오답 풀이 | ① 國 (국) 나라, 旗 (기) 깃발: 수식 관계
③ 葬 (장) 장사 지내다, 禮 (례) 예절: 수식 관계
④ 徐 (서) 천천히, 行 (행) 가다: 수식 관계

05 好 (호) 좋아하다, 學 (학) 배우다: 술목 관계

09 徐 (서)의 뜻은 '천천히'이므로 '차례'라는 뜻을 가진 '序'
을 활용한 '秩序(질서)'가 적절하다.
　| 오답 풀이 | ② 恭敬(공경): 공손히 받들어 모심.
③ 修養(수양): 몸과 마음을 갈고닦아 품성이나 지식, 도
덕 따위를 높은 경지로 끌어올림.
④ 人倫(인륜): 군신·부자·형제·부부 따위 상하 존비
의 인간관계나 질서
⑤ 實踐(실천): 생각한 바를 실제로 행함.

10 빈칸에 들어갈 인물은 '孔子(공자)'이다.

11 於(어)는 '~에'라는 뜻이다.

12 도가 있는 사람에게 나아가[就] 바로잡는다면 '배우기를
좋아한다.'고 말할 수 있다[也已].

13 好 (호) 좋아하다, 學 (학) 배우다

14 寬(관)의 뜻은 '너그럽다'이다.

15 '초상[喪]에 임하여[臨] 슬퍼하지[哀] 않는다[不].'로, 해
석 순서는 '2-1-4-3'이다.

16 吾 (오) 나, 何 (하) 어찌, 以 (이) 써, 觀 (관) 보다, 之
(지) 어조사, 哉 (재) 어조사

17 學 (학) 배우다, 而 (이) 말 잇다, 不 (불) 아니다, 思
(사) 생각하다, 則 (즉) 곧, 罔 (망) 없다

18 생각하기만[思] 하고[而] 배우지[學] 아니[不]하면[則]
위태로워진다[殆].

19 聽思聰(청사총)은 '듣는 것은 명확하게 들을 것을 생각
한다.'는 의미이다.
　| 오답 풀이 | ① 視思明(시사명): 보는 것은 분명하게 볼
것을 생각한다.
③ 貌思恭(모사공): 용모(몸가짐)는 공손히 할 것을 생각
한다.
④ 疑思問(의사문): 의심스러울 때는 물어볼 것을 생각
한다.
⑤ 見得思義(견득사의): 이득이 될 것을 보면 의로운가
를 생각한다.

18. 맹자가 바라는 세상

소단원 스스로 정리 217쪽

1 ❶ (부) ❷ 언덕 ❸ (오) ❹ 斤 ❺ 자주 ❻ (임) ❼ 兮

❽ 緖 ❾ (채) ❿ 넓다 ⓫ 日 ⓬ 禪

2 ❶ 丘民 ❷ 제후 ❸ 不違 ❹ 材木 ❺ 그물 ❻ 자라

3 ❶ 호연지기 　 ❷ 懷疑 ❸ 위정척사 　 ❹ 論諍 ❺ 敎宗

[쪽지 시험] **01** 도끼 **02** 水(氵) **03** (1) ⓛ (2) ⓒ (3) ⓖ **04**
(1) 費用(비용) (2) 基礎(기초) (3) 服從(복종) **05** (1) *浩然之氣* (2) *普遍論諍* (3) *禁慾主義*

소단원 확인 문제 219쪽

01 ④	02 數	03 ③	04 ⑤	05 ②	06 ①
07 ②	08 ⑤	09 ③	10 ①	11 性善說	
12 ①	13 ④	14 ③	15 ②	16 ⑤	17 곡식

을 다 먹을 수 없을 것이다. **18** ③ **19** ①

20 王道政治

01 懷의 음은 '회', 뜻은 '품다'이다.
| 오답 풀이 | ① 浩 (호) 넓다, ② 侯 (후) 제후, ③ 値 (치) 값, ⑤ 禪 (선) 참선

02 數値(수치), 煩數(빈삭), 數罟(촉고)

03 池의 음은 '지', 뜻은 '연못'이다.
| 오답 풀이 | ① 租 (세) 세금, ② 礎 (초) 주춧돌, ④ 輕 (경) 가볍다, ⑤ 緖 (서) 실마리

04 浩(호)의 뜻은 '넓다'이고, 같은 뜻을 가진 한자는 '普(보) 넓다'이다.
| 오답 풀이 | ① 邪 (사) 간사하다, ② 奪 (탈) 빼앗다, ③ 彩 (채) 채색, ④ 衞 (위) 지키다

05 則(즉, 칙)은 조건을 나타내는 접속사로 쓰이는 한자이다.
① 也 (야) 어조사, ③ 矣 (의) 어조사, ④ 耶 (야) 어조사, ⑤ 哉 (재) 어조사

06 ② 販促(판촉), ③ 社稷(사직), ④ 學派(학파), ⑤ 論爭(논쟁)

07 家(가) 집, 畜 (축) 기르다: 수식 관계
| 오답 풀이 | ① 租 (조) 세금, 稅 (세) 세금: 병렬 관계
③ 贊 (찬) 돕다, 助 (조) 돕다: 병렬 관계
④ 賃 (임) 빌리다, 貸 (대) 빌리다: 병렬 관계
⑤ 禁 (금) 금하다, 慾 (욕) 욕심: 술목 관계

08 勝 (승) 이기다 ↔ 負 (부) 지다

09 校(교)의 뜻은 '학교'이므로, '가르치다'라는 뜻을 가진 '敎'을 활용한 '敎宗(교종)'이 적절하다.
| 오답 풀이 | ① 懷疑(회의): 의심을 품음. 또는 마음속에 품고 있는 의심
② 論爭(논쟁): 서로 다른 의견을 가진 사람들이 각각 자기의 주장을 말이나 글로 논하여 다툼.
④ 普遍性(보편성): 모든 것에 두루 미치거나 통하는 성질
⑤ 衞正斥邪(위정척사): 구한말에, 주자학을 지키고 가톨릭을 물리치기 위하여 내세운 주장

10 맹자의 핵심 사상은 民本主義(민본주의)이다.
| 오답 풀이 | ② 平等主義(평등주의), ③ 法治主義(법치주의), ④ 博愛主義(박애주의), ⑤ 自然主義(자연주의)

11 性善說(성선설): 사람의 본성은 선천적으로 착하나 나쁜 환경이나 물욕(物慾)으로 악하게 된다는 학설

12 社稷次之의 음은 '사직차지'이다.

13 爲(위)는 '되다'라는 뜻이다.

14 '구민에게 (마음을) 얻으면 천자가 되느니라, 천자에게 (마음을) 얻으면 제후가 되느니라, 제후에게 (마음을) 얻으면 대부가 되느니라.'로 풀이되는데, 공통으로 생략된 한자는 마음을 뜻하는 '心'이다

15 乎(호)는 '~에게'라는 의미이다.

16 魚鼈의 음은 '어별'이고, '물고기와 자라'라는 뜻이다.
| 오답 풀이 | ① 農時(농시): 농사짓는 시기
② 數罟(촉고): 촘촘한 그물
③ 諸侯(제후): 제후
④ 材木(재목): 재목

17 곡식을[穀] 다[勝] 먹을 수[食] 없을 것[不可]이다[也].

18 與(여)의 뜻은 '~와, ~과'로, 나열형 접속사로 쓰였다.

19 산 사람[生]을 봉양하고[養] 돌아가신 분[死]을 초상 치른다[喪].

20 王 (왕) 임금, 道 (도) 도리, 政 (정) 정사, 治 (치) 다스리다

19. 제자백가의 주장

소단원 스스로 정리
227쪽

1 ❶儒 ❷八 ❸얽다 ❹(제) ❺거짓 ❻(영) ❼石
❽核 ❾(조) ❿밝다 ⓫胡 ⓬木

2 ❶善 ❷최상 ❸愛 ❹만약 ❺莫如 ❻경계

3 ❶思惟 ❷철학 ❸나비 ❹三段 ❺신학

[쪽지 시험] 01 (유) 02 肉(月) 03 (1) ㉠ (2) ㉢ (3) ㉣ (4) ㉡
04 (1) 善戰(선전) (2) 親善(친선) (3) 改過遷善(개과천선)
05 (1) 思惟 (2) 哲學 (3) 三段論法

소단원 확인 문제
229쪽

01 ㉠ 兼 ㉡ 선비 ㉢ (벌) 02 ① 03 ③ 04 ④
05 ⑤ 06 ④ 07 ⑤ 08 ② 09 諸子百家
10 ① 11 ④ 12 ⑤ 13 ② 14 ③ 15 ⑤
16 ④ 17 ⑤ 18 형벌만 한 것이 없다.

02 矯의 음은 '교', 뜻은 '바로잡다'이다.
|오답 풀이| ② 詐 (사) 속이다, ③ 淫 (음) 지나치다, ④ 要 (요) 구하다, ⑤ 威 (위) 위엄

03 軟(연), 軍(군), 輪(륜)의 부수는 모두 '車(차)'이다.

04 軌道(궤도): ㉠ 수레가 지나간 바큇자국이 난 길 ㉡ 일이 발전하는 본격적인 방향과 단계

05 萬 (만) 일만, 物 (물) 물건: 수식 관계
|오답 풀이| ① 盜 (도) 도둑, 賊 (적) 도둑
② 獲 (획) 얻다, 得 (득) 얻다
③ 毁 (훼) 헐다, 損 (손) 덜다
④ 秩 (질) 차례, 序 (서) 차례

06 毁 (훼) 헐다, 損 (손) 덜다
|오답 풀이| ① 順應(순응), ② 活躍(활약), ③ 憎惡(증오), ⑤ 遷都(천도)

07 ① '선전'이라고 읽는다.
② 善은 '잘하다'라는 뜻이다.
③ 戰은 '싸우다'라는 뜻이다.
④ 단어의 짜임은 수식 관계이다.

08 思惟(사유)는 '개념, 구성, 판단, 추리 따위를 행하는 인간의 이성 작용'이라는 뜻이므로, '일의 까닭'이라는 뜻을 가진 '事由(사유)'가 적절하다.
|오답 풀이| ① 操作(조작): 기계 따위를 일정한 방식에 따라 다루어 움직임.

③ 威脅(위협): 힘으로 으르고 협박함.
④ 均衡(균형): 어느 한쪽으로 기울거나 치우치지 아니하고 고른 상태
⑤ 哲學(철학): 인간과 세계에 대한 근본 원리와 삶의 본질 따위를 연구하는 학문

09 諸 (제) 모두, 子 (자) 사람, 百 (백) 일백, 家(가) 사람

10 최상[上]의 선[善]은 물[水]과 같다[若].

11 善利(선리)는 '잘 이롭게 하다'로, '善'은 부사 '잘'이라는 뜻으로 쓰였다.

12 물은 사람들이 싫어하는 곳에 머무른다.

13 與(여)는 '~와, ~과'의 뜻으로 쓰였다.

14 若 (약) 같다, 使 (사) 하여금, 天 (천) 하늘, 下 (하) 아래, 兼 (겸) 겸하다, 相 (상) 서로, 愛 (애) 사랑

15 이와[此] 같이[若] 한다면[則] 천하[天下]가 다스려질[治] 것이다.

16 '威 (위) 위엄'가 쓰였다. '危 (위) 위태롭다'는 본문에 쓰이지 않았다.
|오답 풀이| ① 矯 (교) 바로잡다
② 齊 (제) 가지런하다
③ 詐 (사) 속이다
⑤ 僞 (위) 거짓

17 詐僞(사위)는 '속임수와 거짓'으로 '병렬 관계'이다. ①~④는 술목 관계이다.
|오답 풀이| ① 治亂(치란): 혼란함을 다스리다.
② 決繆(결무): 얽힌 것을 해결하다.
③ 齊非(제비): 잘못을 저지른 자를 가지런히 다스리다.
④ 屬官(촉관): 관리들을 경계시키다.

18 형벌[刑]만 한 것이[如] 없다[莫].

대단원 실전 평가
234쪽

01 君子 02 ⑤ 03 ④ 04 則 05 ④ 06 ②
07 ② 08 ④ 09 ① 10 ④ 11 躍 12 ⑤
13 ① 14 ① 15 莫如 16 ① 17 ① 18 ③
19 이와 같이 한다면 천하가 다스려질 것이다. 20 ④

01 君 (군) 임금, 子 (자) 사람

02 龜鑑은 '귀감'이라고 읽는다.

03 哀의 음은 '애', 뜻은 '슬프다'이다.

| 오답 풀이 | ① 寬 (관) 너그럽다, ② 爲 (위) 하다, ③ 臨 (임) 임하다, ⑤ 觀 (관) 보다

04 則(즉)은 '~하면, ~이면'의 뜻으로 조건을 나타내는 접속사이다.

05 敬의 음은 '경', 뜻은 '공경하다'이다.
| 오답 풀이 | ① 聰 (총) 귀 밝다, ② 溫 (온) 따뜻하다, ③ 貌 (모) 용모, ⑤ 忿 (분) 성내다

06 勝의 음은 '승', 뜻은 '다, 모두'이다.
| 오답 풀이 | ① 頻 (빈) 자주, ③ 耶 (야) 어조사, ④ 彩 (채) 채색, ⑤ 奪 (탈) 빼앗다

07 懷疑(회의)는 '의심을 품음. 또는 마음속에 품고 있는 의심'이라는 의미이다.
| 오답 풀이 | ① 確信(확신): 굳게 믿음. 또는 그런 마음
③ 積極(적극): 대상에 대하여 긍정적이고 능동적으로 활동함.
④ 熱狂(열광): 너무 기쁘거나 흥분하여 미친 듯이 날뜀. 또는 그런 상태
⑤ 普遍(보편): 두루 널리 미침.

08 자음순으로 하면 ④ 輕(경) → ⑤ 貴(귀) → ② 得(득) → ① 孟(맹) → ③ 乎(호)이다.

09 '百姓(백성)'은 찾아볼 수 없다.
| 오답 풀이 | ② 諸侯(제후), ③ 天子(천자), ④ 大夫(대부), ⑤ 社稷(사직)

10 맹자께서 말씀하셨다. "백성[民]이 귀중하고, 사직[社稷]이 이보다 다음이고, 군주[君]는 경미하니라. 이 때문에 구민에게 (마음을) 얻으면 천자가 되고, 천자에게 (마음을) 얻으면 제후가 되고, 제후에게 (마음을) 얻으면 대부가 되느니라."

11 '躍 (약) 뛰다'의 한자에 대한 설명이다.

12 韓非子(한비자)는 대표적인 法家(법가) 사상가이다.

13 情(정)의 뜻은 '정'이므로 '정복하다'라는 뜻을 가진 '征'을 활용한 '征服(정복)'이 적절하다.
| 오답 풀이 | ② 順應(순응): 환경이나 변화에 적응하여 익숙하여지거나 체계, 명령 따위에 적응하여 따름.
③ 調和(조화): 서로 잘 어울림.
④ 獲得(획득): 얻어 내거나 얻어 가짐.
⑤ 威脅(위협): 힘으로 으르고 협박함.

14 '윗사람의 잘못을 바로잡는다'는 의미를 가진 것은 '矯上之失(교상지실)'이다.
| 오답 풀이 | ② 詰下之邪(힐하지사): 아랫사람의 사악함을 나무라다.

③ 治亂決繆(치란결무): 혼란함을 다스려 얽힌 것을 해결하다.
④ 絀羨齊非(출선제비): 사특한 자를 물리치고 잘못을 저지르는 자를 가지런히 다스리다.
⑤ 一民之軌(일민지궤): 백성들이 지켜야 할 규범을 통일시키는 것

15 莫如(막여)~: ~만 한 것이 없다.

16 徐 (서) 천천히, 行 (행) 다니다: 수식 관계
| 오답 풀이 | ② 記 (기) 기록하다, 錄 (록) 기록하다: 병렬 관계
③ 妨 (방) 방해하다, 害 (해) 방해하다: 병렬 관계
④ 贊 (찬) 돕다, 助 (조) 돕다: 병렬 관계
⑤ 憎 (증) 미워하다, 惡 (오) 미워하다: 병렬 관계

17 貌思恭의 음은 '모사공'이고, '용모는 공손히 할 것을 생각하면'이라는 의미이다.

18 使(사)는 '~로 하여금 ~하게 하다'로 풀이된다.

19 이와[此] 같이[若] 한다면[則] 천하가[天下] 다스려질 것이다[治].

20 맹자는 인간의 본성이 착하다는 성선설(性善說)을 주장하였고, 후천적으로 악(惡)해진 것을 교육과 수양을 통해 선(善)해질 수 있다고 주장하였다.

VI. 재미와 가르침을 주는 명문

20. 빛을 되찾은 해와 달

소단원 스스로 정리
243쪽

1 ❶ (비) ❷ 보내다 ❸ (짐) ❹ 짜다 ❺ 糸 ❻ (면)
  ❼ 一 ❽ 건너다 ❾ 蒙 ❿ (매) ⓫ 벽 ⓬ 庫
2 ❶ 日月 ❷ 降 ❸ 我 ❹ 사신 ❺ 賜 ❻ 왕비
3 ❶ 서사
4 ❶ 상환 ❷ 出庫 ❸ 負債 ❹ 운송 ❺ 검역
[쪽지 시험] 01 (도) 02 (1) (운) (2) 옮기다 03 서사 04 (1)
償還(상환) (2) 出庫(출고) (3) 輸入(수입) 05 (1) 亨通 (2)
審査 (3) 檢疫

소단원 확인 문제
245쪽

01 ③　02 ③　03 ④　04 ①　05 ①　06 ④
07 ③　08 ③　09 蒙昧,어리석고 사리에 어두움.
10 ⑤　11 ③　12 ④　13 ②　14 바위가 또한 전
처럼 싣고 갔다.　15 ①　16 ②　17 ①　18 ④
19 ⑤　20 해와 달이 빛을 잃는 것　21 ⑤

01 烏의 음은 '오', 뜻은 '까마귀'이다.
|오답 풀이| ① 見 (견) 보다, ② 非 (비) 아니다, ④ 脫 (탈) 벗다, ⑤ 會 (회) 모이다

02 尋(심)의 뜻은 '찾다'이다.

03 組織(조직)
|오답 풀이| ① 級 (급) 등급, ② 細 (세) 가늘다, ③ 絹 (견) 비단, ⑤ 綿 (면) 솜

04 此(차)의 뜻은 '이'이고, 같은 뜻을 가진 한자는 '斯(사)'이다.
|오답 풀이| ② 常 (상) 항상, ③ 亦 (역) 또, ④ 如 (여) 같다, ⑤ 然 (연) 그러하다

05 使와 賜의 음은 '사'이다.
|오답 풀이| ① 國(국), 見(견)
③ 奏(주) - 云(운)
④ 降(강, 항) - 在(재)
⑤ 遣(유) - 到(도)

06 貴(귀)의 뜻은 '귀하다', 妃(비)의 뜻은 '왕비'이다.

|오답 풀이| ① 亨 (형) 형통하다, 通 (통) 통하다
② 該 (해) 해당하다, 當 (당) 마땅하다
③ 審 (심) 살피다, 査 (사) 조사하다
⑤ 怪 (괴) 괴이하다, 異 (이) 다르다

07 織造의 음은 '직조'이다.

08 說話(설화): 각 민족 사이에 전승되어 오는 신화, 전설, 민담 따위를 통틀어 이르는 말
|오답 풀이| ① 詩話(시화): 시나 시인에 관한 이야기
② 傳說(전설): 어떤 공동체의 내력이나 자연물의 유래, 이상한 체험 따위를 소재로 함. 증거가 되는 지명, 자연물 등이 있음.
④ 小說(소설): 사실 또는 작가의 상상력에 바탕을 두고 허구적으로 이야기를 꾸며 나간 산문체의 문학 양식
⑤ 歷史(역사): 인류 사회의 변천과 흥망의 과정. 또는 그 기록

09 蒙昧 (몽매)는 '어리석고 사리에 어두움.'이라는 의미이다.

10 奏獻於王(주헌어왕): 왕에게 아뢰고 바치다.
|오답 풀이| ① 非(비) - 此非常人也(차비상인야): 이는 보통 사람이 아니다.
② 爲(위) - 乃立爲王(내립위왕): 이에 옹립하여 왕으로 삼았다.
③ 脫(탈) - 見夫脫鞋(견부탈혜): 남편이 벗어 놓은 신을 보다.
④ 上(상) - 亦上其巖(역상기암): 또한 그 바위에 올라갔다.

11 之(지)는 연오(남편)를 의미하지만, 細烏(세오)는 부인을 의미한다.
|오답 풀이| ①, ②, ④, ⑤는 모두 연오(남편)를 의미한다.
㉮ 此 (차) 이, ㉯ 王 (왕) 왕, ㉰ 夫 (부) 남편, ㉱ 之 (지) 그

12 曰 (왈)의 뜻은 '말하다'이고, 같은 뜻을 가진 한자는 '奏(주)'이다.
|오답 풀이| ① 此 (차) 이, ② 乃 (내) 이에, ③ 怪 (괴) 괴이하다, ④ 如 (여) 같다

13 亦上其巖(역상기암): 또한 그 바위에 올라가다[上].

14 바위[巖]가 또한[亦] 전[前]처럼[如] 싣고[負] 갔다[歸]

15 其國(기국)은 일본을 의미한다.

16 怪夫不來(괴부불래): 남편이 돌아오지 않음을 괴이하게 여겼다.
|오답 풀이| ① 乃立爲王(내립위왕): 이에 옹립하여 왕으로 삼았다.

③ 見夫脫鞋(견부탈혜): 남편이 벗어 놓은 신을 보다.

④ 亦上其巖(역상기암): 또한 그 바위에 올라갔다.

⑤ 夫婦相會(부부상회): 부부가 서로 만나게 되었다.

17 無光(무광)은 '빛을 잃었다'로 풀이한다. 한문 문법에서 有(유), 無(무) 등 소유를 나타내는 서술어 뒤에 목적어가 오는 경우는 대체로 술목 관계이다.

18 日者(일자)는 천문 관측을 맡아보던 벼슬아치로 천문학자와 관련이 있다.

19 故(고)는 앞의 내용을 받아서 결론을 도출해 내는 뜻이므로 '그러므로'라고 풀이한다.

20 글의 문맥상 해와 달이 빛을 잃은 현상을 의미한다.

21 연오랑과 세오녀는 제사를 지내지 않았다.

21. 도원에서 맺은 결의

소단원 스스로 정리
253쪽

1 ❶ (고) ❷ 비비다 ❸ (우) ❹ 口 ❺ (경) ❻ 心 ❼ 뛰다 ❽ 濁 ❾ (간) ❿ 尸 ⓫ 乞 ⓬ 늙은이

2 ❶ 香 ❷ 異姓 ❸ 보답 ❹ 同年 ❺ 마음 ❻ 誓

3 ❶ 괘념 ❷ 임금 ❸ 걸해골 ❹ 巡幸 ❺ 옹주

[쪽지 시험] **01** 벼슬 **02** (1) (념) (2) 생각하다 **03** (1) ㉡ (2) ㉣ (3) ㉠ (4) ㉢ **04** (1) 崩御(붕어) (2) 寡人(과인) (3) 巡幸(순행) **05** (1) 卿爵 (2) 清濁 (3) 踏査 (4) 翁主 (5) 乞骸骨

소단원 확인 문제
255쪽

01 ①	**02** ④	**03** ①	**04** ④	**05** ①	**06** ③
07 ⑤	**08** ②	**09** ③	**10** ②	**11** ⑤	**12** ①
13 ③	**14** ⑤	**15** ④	**16** ②	**17** ③	**18** ②
19 ⑤	**20** ③	**21** 주어, 三人		**22** ③	

01 羽의 음은 '우'이다.

02 后(후)의 뜻은 '임금'이다.

03 結(결)의 뜻은 '맺다'이다.
|오답 풀이| ② 香 (향) 향기, ③ 說 (설) 말씀, ④ 協 (협) 화합하다, ⑤ 危 (위) 위태롭다

04 畢(필)의 뜻은 '마치다'이다.
|오답 풀이| ① 求 (구) 구하다, ② 背 (배) 등지다, ③ 忘 (망) 잊다, ⑤ 拜 (배) 절

05 顧(고)의 부수는 '頁'이다.

06 黎(려)와 玄(현)의 뜻은 '검다'이다.
|오답 풀이| ① 羽 (우) 깃 - 某 (모) 아무
② 顧 (고) 돌아보다 - 刮 (괄) 비비다
④ 背 (배) 등지다 - 恩 (은) 은혜
⑤ 誓 (서) 맹세하다 - 拜 (배) 절

07 巡幸의 음은 '순행'이다.

08 國 (국) 나라, 家 (가) 집
|오답 풀이| ① 清 (청) 맑다, 濁 (탁) 흐리다
③ 美 (미) 아름답다, 醜 (추) 추하다
④ 旦 (단) 아침, 暮 (모) 저물다
⑤ 天 (천) 하늘, 地 (지) 땅

09 掛念(괘념)의 뜻은 '마음에 두고 잊지 않음.'이다.

11 上(상)의 뜻은 '위'이고, 下(하)의 뜻은 '아래'이다.
|오답 풀이| ① 雖 (수) 비록 - 異 (이) 다르다
② 結 (결) 맺다 - 兄 (형) 형
③ 同 (동) 같다 - 協 (협) 화합하다
④ 救 (구) 구원하다 - 扶 (부) 돕다

12 유비, 관우, 장비는 형제가 되기로 약속[結]하였고, 힘을 합하여[協] 백성을 구원하였고[救], 나라에 보답하기로[報] 다짐하였다.

13 而(이)는 앞뒤 문장을 이어주는 접속사이다.

14 '형제[兄弟]가 되기[爲]로 약속하다[結]'로 풀이하고, 풀이 순서는 '4-3-1-2'이다.

14 上報國家(상보국가): 위로는 국가에 보답하다[報].
下安黎庶(하안려서): 아래로는 백성을 편안케 하다[安].

16 黎庶(여서)는 '백성'을 의미한다.

17 桃園結義(도원결의)는 유비, 관우, 장비가 도원에서 의형제가 되기로 맹세한 일화를 통해 만들어진 고사성어이다.
|오답 풀이| ① 鷄肋(계륵): 닭의 갈비라는 뜻으로, 별로 쓸모는 없으나 버리기는 아까운 것을 이르는 말
② 三顧草廬(삼고초려): 인재를 맞이하기 위하여 참을성 있게 노력함을 이르는 말
④ 刮目相對(괄목상대): 눈을 비비고 상대편을 본다는 뜻으로, 학식이나 재주가 이전보다 크게 나아짐을 이르는 말
⑤ 水魚之交(수어지교): 물이 없으면 살 수 없는 물고기와 물의 관계라는 뜻으로, 아주 친밀하여 떨어질 수 없는 사이를 비유적으로 이르는 말

18 不求는 '불구'라고 읽고, 不을 '불'로 읽는 어휘는 不息(불식)이다. 不(불) 뒤에 오는 한자의 자음이 ㄷ이나

ㅈ이 오면 '부'로 발음한다.

| 오답 풀이 | ① 不知(부지), ③ 不道(부도), ④ 不德(부덕), ⑤ 不當(부당)

19 死(사)의 뜻은 '죽다'이고, 같은 뜻을 가진 한자는 '戮(륙) 죽이다'이다.

| 오답 풀이 | ① 皇 (황) 임금, ② 后 (후) 임금, ③ 鑑 (감) 살피다, ④ 共 (공) 함께

20 皇天后土(황천후토)는 하늘의 신과 땅의 신을 의미한다.

21 背義忘恩(배의망은) 앞에 주어 '三人(삼인)'이 생략되어 있다.

22 之(지)는 앞 문장에 나와 있는 '玄德(현덕)'을 의미하는 대명사이다.

22. 호랑이의 꾸짖음

소단원 스스로 정리
263쪽

1 ❶ 분하다 ❷ (유) ❸ 占 ❹ 厂 ❺ 示 ❻ (송)
  ❼ 削 ❽ 허리 ❾ 拍 ❿ 원고 ⑪ (잡) ⑫ 言
2 ❶ 儒 ❷ 천하 ❸ 人性 ❹ 무릇 ❺ 오상 ❻ 然 ❼ 도성
3 ❶ 원고 ❷ 출판 ❸ 校訂 ❹ 저작권 ❺ 한 달

[쪽지 시험] 01 (지) 02 재앙 03 (1) ㉡ (2) ㉢ (3) ㉣ (4) ㉠ (5)
㉤ 04 (1) (잡) (2) 섞이다 05 (1) 出判(출판) (2) 倉庫(창고)
(3) 校訂(교정) (4) 著作權(저작권)

소단원 확인 문제
265쪽

01 ② 02 ④ 03 ② 04 ⑤ 05 ③ 06 ④
07 ④ 08 ① 09 자기나 자기와 관련된 사람의 원고
를 겸손하게 이르는 말 10 ⑤ 11 ⑤ 12 ①
13 ① 14 ⑤ 15 ③ 16 ③ 17 ① 18 ⑤
19 而 20 ② 21 ③ 22 ②

01 妄의 음은 '망', 뜻은 '망령되다'이다.

| 오답 풀이 | ① 諛 (유) 아첨하다, ③ 綱 (강) 벼리, ④ 趾 (지) 발, ⑤ 遜 (손) 따르다

02 弄의 음은 '롱', 뜻은 '희롱하다'이다.

03 稿(고)의 부수는 '禾'이다.

| 오답 풀이 | ① 掌(장), ③ 拍(박), ④ 捉(착), ⑤ 拙(출)의 부수는 모두 '手(扌)'이다.

04 貫 (관) 꿰다, 訟 (송) 송사하다

| 오답 풀이 | ① 占 (점) 점치다, 卜 (복) 점
② 言 (언) 말씀, 語 (어) 말씀
③ 倉 (창) 곳집, 庫 (고) 곳집
④ 厄 (액) 재앙, 禍 (화) 재앙

05 痛(통)의 뜻은 '아프다'이다.

| 오답 풀이 | ① 面 (면) 얼굴, ② 脣 (순) 입술, ④ 掌 (장) 손바닥, ⑤ 腦 (뇌) 뇌

06 捕捉의 음은 '포착'이다.

07 削髮(삭발)은 '머리털을 깎음. 또는 그 머리'라는 의미이다.

| 오답 풀이 | ① 戲弄(희롱): 말이나 행동으로 실없이 놀림.
② 帳簿(장부): 물건의 출납이나 돈의 수지(收支) 계산을 적어 두는 책
③ 頭腦(두뇌): ㉠ 뇌 ㉡ 사물을 판단하는 슬기
⑤ 顏面(안면): 얼굴

08 박지원의 저서 「호질」에 대한 설명이다.

09 拙稿(졸고)는 '자기나 자기와 관련된 사람의 원고를 겸손하게 이르는 말'을 의미한다.

10 月刊雜誌(월간잡지): 일정한 이름을 가지고 호를 거듭하며 한 달에 한 번씩 간행하는 출판물
印刷(인쇄): 잉크를 사용하여 판면(版面)에 그려져 있는 글이나 그림 따위를 종이, 천 따위에 박아 냄.

| 오답 풀이 | ㉠ 拙稿(졸고): 자기나 자기와 관련된 사람의 원고를 겸손하게 이르는 말
㉢ 著作權(저작권): 문학, 예술, 학술에 속하는 창작물에 대하여 저작자나 그 권리 승계인이 행사하는 배타적·독점적 권리

11 將(장)의 뜻은 '장차'이다.

| 오답 풀이 | ① 果 (과) 열매, ② 居 (거) 살다, ③ 集 (집) 모으다, ④ 面 (면) 얼굴

12 汝(여)는 앞에 나온 '儒(유)'를 카리킨다.

13 汝(여)는 2인칭 대명사로 '子(자)'와 바꾸어 쓸 수 있다.

| 오답 풀이 | ② 我(아), ③ 吾(오), ④ 余(여), ⑤ 己(기)는 1인칭 대명사이다.

14 面諛(면유)는 '양반이 호랑이 앞에서 아첨을 떠는 모습'을 의미한다.

15 빈칸에는 문장을 끝내는 종결의 기능을 가진 '也(야)'가 적절하다.

16 호랑이를 통해 양반 지배 계층의 위선을 폭로하고 풍자하고 있다.

17 皆(개)의 뜻은 '모두'이다.

| 오답 풀이 | ② 行 (행) 다니다, ③ 文 (문) 글월, ④ 都 (도) 도읍, ⑤ 恒 (항) 항상

18 五常(오상)은 '仁(인), 義(의), 禮(예), 智(지), 信(신)'을 의미한다.

19 然(연)은 '그러나'로 접속사 기능을 하고 있고, 같은 기능을 하는 한자는 '而(이)'이다.

20 無鼻無趾(무비무지), 文面而行者(문면이행자)는 '코 없는 자, 발꿈치 없는 자'라는 뜻으로, 법을 어겨 벌을 받은 사람을 의미한다.

21 皆不遵五品之人也(개불손오품지인야): 모두 오륜을 따르지 않은 사람들이다.

22 表裏不同(표리부동): 겉으로 드러나는 언행과 속으로 가지는 생각이 다름.

| 오답 풀이 | ① 言行一致(언행일치): 말과 행동이 하나로 들어맞음. 또는 말한 대로 실행함.

③ 一石二鳥(일석이조): 돌 한 개를 던져 새 두 마리를 잡는다는 뜻으로, 동시에 두 가지 이득을 봄을 이르는 말

④ 脣亡齒寒(순망치한): 입술이 없으면 이가 시리다는 뜻으로, 서로 이해관계가 밀접한 사이에 어느 한쪽이 망하면 다른 한쪽도 그 영향을 받아 온전하기 어려움을 이르는 말

⑤ 拍掌大笑(박장대소): 손뼉을 치며 크게 웃음.

23. 황소를 타이르는 글

소단원 스스로 정리   273쪽

1 ❶ 당나라 ❷ (적) ❸ 言 ❹ 넘어지다 ❺ 俱
❻ (요) ❼ 言 ❽ (탄) ❾ 叫 ❿ 조정 ⓫ (파) ⓬ 二

2 ❶ 守正 ❷ 지혜 ❸ 惡殺 ❹ 解 ❺ 改 ❻ 자신

3 ❶ 遺跡 ❷ 전파 ❸ 地球村 ❹ 처음 ❺ 다국적 기업

[쪽지 시험] **01** 싫어하다 **02** 言 **03** (1) (욕) (2) 욕되다 **04** (1) 相互依存 (2) 發祥地 (3) 多國籍企業 (4) 朝廷 **05** (1) ㉢ (2) ㉠ (3) ㉣ (4) ㉡

소단원 확인 문제   275쪽

01 ⑤	**02** ③	**03** ④	**04** ③	**05** ②	**06** ④
07 留學	**08** ③	**09** ①	**10** 위태로운 상황을 당해 상황에 맞게 변화를 부리는 행동	**11** ③	**12** ④	**13** ③
14 ⑤	**15** ②	**16** 당나라 조정	**17** ④	**18** ②	
19 ③	**20** ⑤				

01 倒의 음은 '도', 뜻은 '넘어지다'이다.

02 搖(요)의 부수는 '手(扌)'이다.

| 오답 풀이 | ① 倒(도), ② 伸(신), ④ 侮(모), ⑤ 俱(구)의 부수는 모두 '人(亻)'이다.

03 順의 음은 '순'이고, 須의 음은 '수'이다.

| 오답 풀이 | ① 搖 (요) 흔들다 ─ 遙 (요) 멀다
② 泳 (영) 헤엄치다 ─ 詠 (영) 읊다
③ 糾 (규) 얽히다 ─ 叫 (규) 부르짖다
⑤ 倒 (도) 넘어지다 ─ 到 (도) 이르다

04 朝廷의 음은 '조정'이다.

05 伸 (신) 펴다, 張 (장) 베풀다

06 動搖(동요): ㉠ 물체 따위가 흔들리고 움직임. ㉡ 생각이나 처지가 확고하지 못하고 흔들림.

| 오답 풀이 | ① 必 (필) 반드시, 須 (수) 모름지기
② 紛 (분) 어지럽다, 糾 (규) 얽히다
③ 水 (수) 물, 詠 (영) 읊다
⑤ 順 (순) 차례, 序 (서) 차례

07 留 (류) 머무르다, 學 (학) 배우다

08 發祥地의 음은 '발상지'이고, '역사적으로 큰 가치가 있는 어떤 일이나 사물이 처음 나타난 곳'이라는 의미이다.

| 오답 풀이 | ① 傳播(전파): 전하여 널리 퍼뜨림.
② 地球村(지구촌): 지구 전체를 한 마을처럼 여겨 이르는 말
④ 相互依存(상호 의존): 서로 기대어 존재함.
⑤ 多國籍企業(다국적 기업): 여러 나라에 계열 회사를 거느리고 세계적 규모로 생산·판매하는 대기업

09 道(도)는 '늘 변함없는 원칙'을 의미한다.

10 權(권)은 '상황에 따라 변화를 부리는 행위'를 의미한다.

11 智者(지자)는 成之於順時(성지어순시)는 '지혜로운 자는 시운을 따르는 것에서 그 일을 이룬다.'고 풀이 하므로 서술어는 '成(성)'이다.

12 逆(역)의 뜻은 '거스르다'이고, 반대되는 뜻을 가진 한자는 '順(순) 따르다'이다.

13 ㉢과 ㉣은 대우의 표현법으로, 비슷한 내용을 표현할 때에는 글자 수를 맞춘다.

14 惡은 '악하다'의 뜻일 때는 '악', '싫어하다'의 뜻일 때는 '오'로 읽는다.
但以好生惡殺(단이호생오살): 다만 살려주기를 좋아하고 죽이기를 싫어한다.

15 上帝深仁(상제심인)은 '상제님의 깊은 인자함이다.'라고 풀이하므로, 빈칸에 들어갈 한자는 '深(심)'이다. 속담의 빈칸에는 '깊다'는 뜻을 가진 '深(심)'이 적절하다.
│오답 풀이│ ① 途 (도) 길, ③ 倒 (도) 넘어지다, ④ 永 (영) 길다, ⑤ 鬼 (귀) 귀신

16 大朝(대조)는 '당나라 조정'을 의미한다.

17 官(관)은 '공직에 근무하는 사람'을 의미한다.

18 爾(이)는 최치원이 쓴 편지를 받는 '황소'를 가리킨다.

19 膠柱鼓瑟(교주고슬)은 '아교풀로 비파나 거문고의 기러기발을 붙여 놓으면 음조를 바꿀 수 없다는 뜻으로, 고지식하여 조금도 융통성이 없음을 이르는 말'이다.

20 善自爲謀(선자위모)는 '자신을 위하여 도모하기를 잘한다면'이라고 풀이하고, 풀이 순서는 '4-1-2-3'이다.

24. 인재를 알아보는 혜안

소단원 스스로 정리 283쪽

1 ❶ (부) ❷ 무덤 ❸ 歹 ❹ 冥 ❺ 녹 ❻ (보) ❼ 整 ❽ 頁 ❾ 似 ❿ 함정 ⓫ 口 ⓬ (천)

2 ❶ 千里馬 ❷ 食馬者 ❸ 곡식 ❹ 재능 ❺ 安 ❻ 또한

3 ❶ 상사 ❷ 職員 ❸ 모음 ❹ 決裁 ❺ 부서

[쪽지 시험] 01 (부) 02 (1) (좌) (2) 돕다 03 (1) ㉡-㉮ (2) ㉢-㉯ (3) ㉠-㉰ 04 (1) 上司(상사) (2) 才能(재능) (3) 推薦(추천) (4) 職員(직원) 05 (1) 履歷書 (2) 依托 (3) 募集 (4) 決裁

소단원 확인 문제 285쪽

01 ③	02 ④	03 ①	04 ②	05 ⑤	06 ④
07 ③	08 ③	09 ④	10 ⑤	11 適材	12 ④
13 ①	14 ③	15 ⑤	16 ②	17 ①	18 ③
19 ④	20 ④				

01 冥(명)의 부수는 '冖'이다.
│오답 풀이│ ① 粟 (속) 곡식 [米], ② 災 (재) 재앙 [火], ④ 員 (원) 인원 [口], ⑤ 俊 (준) 준걸 [人(亻)]

02 粟의 음은 '속', 뜻은 '곡식'이다.

03 整의 음은 '정'이고, 穽의 음도 '정'이다.
│오답 풀이│ ② 謁 (알) 뵈다 – 見 (견, 현) 보다, 보이다
③ 墳 (분) 무덤 – 墓 (묘) 무덤
④ 里 (리) 마을 – 巷 (항) 마을
⑤ 返 (반) 돌이키다 – 祿 (록) 녹

04 謁見(알현)에서 '見(현)'은 '보이다'라는 뜻이다.
│오답 풀이│ ① 發見(발견), ③ 意見(의견), ④ 偏見(편견), ⑤ 見聞(견문)

05 去(거)의 뜻은 '가다', 來(래)의 뜻은 '오다'이다.
│오답 풀이│ ① 災 (재) 재앙, 殃 (앙) 재앙
② 幽 (유) 그윽하다, 冥 (명) 어둡다
③ 曉 (효) 새벽, 晨 (신) 새벽
④ 返 (반) 돌이키다, 還 (환) 돌아오다

06 依(의)의 뜻은 '의지하다', 託(탁)의 뜻은 '맡기다'이다.

07 副食(부식)은 '주식에 곁들여 먹는 음식. 밥에 딸린 반찬 따위를 이름.'의 의미이다.

08 整理의 음은 '정리'이다.
│오답 풀이│ ① 成敗(성패), ② 補佐(보좌), ④ 同僚(동료), ⑤ 偏頗(편파)

09 激勵(격려)는 '용기나 의욕이 솟아나도록 북돋워 줌.'의 의미이므로 문맥에 적절하지 않다.
│오답 풀이│ ① 才能(재능): 어떤 일을 하는 데 필요한 재주와 능력
② 放漫(오만): 태도나 행동이 건방지거나 거만함. 또는 그 태도나 행동
③ 依託(의탁): 어떤 것에 몸이나 마음을 의지하여 맡김.
⑤ 發見(발견): 미처 찾아내지 못하였거나 아직 알려지지 아니한 사물이나 현상, 사실 따위를 찾아냄.

10 陷穽(함정)은 '빠져나올 수 없는 상황이나 남을 해치기 위한 계략을 비유적으로 이르는 말'이라는 의미이다.

11 適 (적) 알맞다, 材 (재) 재목

12 飽(포)의 뜻은 '배부르다'이다.
│오답 풀이│ ① 食 (식) 먹다, ② 常 (상) 항상, ③ 能 (능) 능하다, ⑤ 求 (구) 구하다

13 伯樂(백락)을 '임금', 千里馬(천리마)를 '인재'에 비유했다.

14 백락은 항상 있지는 않다[不].

15 食馬者(사마자)는 '말을 먹이는 자'의 의미로, '말에게 먹이를 주는 사람'을 가리킨다.

16 不知는 '부지'라고 읽고, 不을 '부'로 읽는 어휘는 不道(부도)이다. 不(불) 뒤에 오는 한자의 자음이 ㄷ이나 ㅈ이 오면 '부'로 발음한다.

| 오답 풀이 | ① 不學(불학), ③ 不信(불신), ④ 不久(불구), ⑤ 不勞(불로)

17 雖(수)의 뜻은 '비록'이다.

18 美(미)는 '뛰어난다'의 뜻으로, 말이 '멀리까지 달릴 수 있는 능력'을 의미한다.

19 安求其能千里也(안구기능천리야): 어찌 그(말)가 천리를 달릴 수 있기를 구하겠는가?

20 인재는 반드시 그를 잘 알아보는 임금을 만나 알맞은 대우를 받아야만 훌륭한 재능을 발휘하여 업적을 이룰 수 있다고 말하고 있다.

대단원 실전 평가

290 쪽

01 ④	02 ③	03 ⑤	04 ②	05 왕비가 짠 고운 비단
06 서사	07 ⑤	08 ②	09 ②	10 곤궁한 사람을 구제하고 위태로운 사람을 도와준다.
				11 ⑤
12 ③	13 桃園結義	14 ①	15 ②	16 ③
17 恒常	18 ③	19 ②	20 ①	21 ④	22 ④
23 ③	24 ②	25 ⑤	26 ③	27 ①	28 ①
29 ④	30 ①	31 ⑤	32 ②	33 ④	34 ⑤

01 負荷(부하), 勝負(승부)

02 渡(도)의 뜻은 '건너다'이다.
| 오답 풀이 | ① 綿 (면) 솜, ② 娘 (낭) 아가씨, ④ 審 (심) 살피다, ⑤ 蒙 (몽) 어둡다

03 出庫(출고)는 '창고에서 물품을 꺼냄.'이라는 의미이다.

04 王 (왕)의 뜻은 '왕'이고, 같은 뜻을 가진 한자는 '朕(짐)'이다.
| 오답 풀이 | ① 妃 (비) 왕비, ③ 綃 (초) 비단, ④ 天 (천) 하늘, ⑤ 賜 (사) 주다

05 此(차)는 앞에 나오는 '왕비가 짠 고운 비단'을 가리킨다.

06 연오랑과 세오녀이라는 인물의 언행과 사건의 경과를 서술하고 있는 '서사적' 서술 방식이 사용되었다.

07 畢(필)의 뜻은 '마치다'이고, 같은 뜻을 가진 한자는 '罷

(파)'이다.
| 오답 풀이 | ① 顧 (고) 돌아보다, ② 廬 (려) 오두막집, ③ 肋 (륵) 갈빗대, ④ 刮 (괄) 비비다

08 | 오답 풀이 | ① 困惑(곤혹), ③ 硏磨(연마), ④ 跳躍(도약), ⑤ 囚獄(수옥)

09 寡人(과인)은 '덕이 적은 사람이라는 뜻으로, 임금이 자기를 낮추어 이르던 1인칭 대명사'이다.

10 救困扶危(구곤부위)는 '곤궁한 사람을 구제하고 위태로운 사람을 도와준다.'고 풀이하고, 풀이 순서는 '2-1-4-3'이다.

11 天人共戮(천인공륙) 뒤에 목적어에 해당하는 '三人(삼인)'이 생략되었다. '三人'은 '유비·관우·장비' 세 사람을 의미한다.

12 '유비의 나이가 적다'는 내용은 글에 나타나 있지 않았지만 제일 큰 형이 되었다.

13 유비·관우·장비가 복숭아나무 아래에서 형제가 되기를 약속한 데에서 유래한 고사성어는 '桃園結義(도원결의)'이다.

14 言 (언) 말씀, 語 (어) 말씀
| 오답 풀이 | ② 禍 (화) 재앙, 福 (복) 복
③ 光 (광) 빛, 陰 (음) 그늘
④ 勝 (승) 이기다, 敗 (패) 패하다
⑤ 頭 (두) 머리, 痛 (통) 아프다

15 厄 (액) 재앙, 禍 (화) 재앙

16 都邑之間(도읍지간)은 '도성의 안'으로 풀이한다.

17 恒 (항) 항상, 常 (상) 항상

18 理致의 음은 '이치'이다.

19 刀(도)의 뜻은 '칼'이므로 '넘어지다'의 뜻을 가진 '倒(도)'를 활용한 '卒倒(졸도)'가 적절하다.

20 守正(수정)은 '바른 것을 지키다.'로, '술목 관계'이다. 智者(지자)는 '지혜로운 사람'으로, '수식 관계'이다.
| 오답 풀이 | ②, ③, ④, ⑤는 '술목 관계'이다.
② 成之(성지): 그 일을 이루다.
③ 順時(순시): 시운을 따르다.
④ 敗之(패지): 그 일을 망친다.
⑤ 逆理(역리): 이치를 거스르다.

21 道(도)는 상황에 따라 변하지 않고, 權(권)은 상황에 따라 변할 수 있다.

22 冥의 음은 '명', 뜻은 '어둡다'이다.

23 | 오답 풀이 | ① 災殃(재앙): 뜻하지 아니하게 생긴 불행한 변고. 또는 천재지변으로 인한 불행한 사고

② 才能(재능): 어떤 일을 하는 데 필요한 재주와 능력

④ 依託(의탁): 어떤 것에 몸이나 마음을 의지하여 맡김.

⑤ 返還(반환): ㉠ 빌리거나 차지했던 것을 되돌려 줌. ㉡ 왔던 길을 되돌아감.

24 자기보다 지위가 위인 사람은 '上司(상사)'라고 한다.

25 安求其能千里也(안구기능천리야)는 '어찌 그(말)가 천리를 달릴 수 있기를 구하겠는가?'로, '의문문'에 해당한다.

| 오답 풀이 | ① 千里馬常有(천리마상유): 천리마는 항상 있다. [평서문]

② 或盡粟一石(혹진속일석): 간혹 곡식 한 섬을 다 먹는다. [평서문]

③ 不知其能千里而食也(부지기능천리이사야): 그 말이 천 리를 달릴 수 있는지를 알지 못하고 먹인다. [평서문]

④ 力不足才美不外見(역부족재미불외현): 재능의 뛰어남을 밖으로 드러내지 못한다. [평서문]

26 이 말이 비록 천 리를 달리는 능력은 있으나[有]

27 馬之千里者(마지천리자)는 '천 리를 달릴 수 있는 말'이라는 의미한다.

28 我(아)의 뜻은 '나'로, 1인칭 대명사이다. 汝(여)의 뜻은 '너'로, 2인칭 대명사이다.

| 오답 풀이 | ② 離 (리) 떠나다, ③ 恒 (항) 항상, ④ 面 (면) 얼굴, ⑤ 遜 (손) 따르다

29 延烏(연오)와 妃(비)는 '夫婦(부부)', 三人(삼인)은 유비·관우·장비로 '兄弟(형제)'의 관계이다.

30 戒之勸之(계지권지)의 之(지)는 앞 문장의 내용을 받아주는 대명사이다. ①, ②, ④, ⑤는 뒷글자를 꾸며 주는 관형격 조사이다.

| 오답 풀이 | ① 日月之精(일월지정): 해와 달의 정령

② 朕之妃有所織細綃(짐지비유소직세초): 나의 왕비가 짠 (바의) 고운 비단이 있다.

④ 都邑之間(도읍지간): 도성의 안

⑤ 皆不遜五品之人也(개불손오품지인야): 모두 오륜을 따르지 않은 사람들이다.

31 里의 음은 '리'이고, 같은 음을 가진 한자는 '離'이다.

| 오답 풀이 | ① 語 (어) 말씀, ② 萬 (만) 일만, ③ 勸 (권) 권세, ④ 常 (상) 항상

32 (가)와 (나)는 서사적, (다)와 (마)는 의론적으로 서술하고 있다.

33 호랑이에게 꾸짖음을 당하고 있는 그림과 관련 있는 글은 (라)이다.

34 백락에 대한 설명으로, 관련 있는 글은 (마)이다.

MEMO